MIROSŁAW M. BUJKO
CZERWONY BYK

MIROSŁAW M. BUJKO
CZERWONY BYK

Copyright © by Wydawnictwo W.A.B., 2007
Wydanie I
Warszawa 2007

*Dedykuję wszystkim plagiatorom
dręczonym przez wyrzuty sumienia.*

Maszyny o kilka wieków wyprzedzają moralność, a kiedy moralność je dogoni, może nie będzie już potrzebna.
Mam nadzieję, że nie. Jesteśmy jednak jedynie termitami na planecie.
Być może, kiedy zbyt głęboko wgryziemy się w planetę, dojdzie do obrachunku – kto wie?

Harry Truman

Tu nie chodzi o wybór między pokojem a wojną.
Tu chodzi o wybór między wojną a inną wojną.

Mahabharata

Wybrałeś wojnę i oto jest. Wszystko już gotowe: wojownicy, konie, rydwany, wozy pełne broni, konwoje, namioty dla rannych, drwa na stosy całopalne, jasnowidze, węże jadowite…

Mahabharata

Południe 29 lipca 1944.
Cztery i pół tysiąca metrów
nad Mandżurią

Chmury. Chmury. Chmury. W dole i po bokach. To było zabawne wrażenie. Wydawało się, że są bardzo blisko i wystarczyłoby tylko wyciągnąć rękę, żeby poczuć ich ulotny dotyk. Ale były także bardzo realne. Przepływały majestatycznie, niczym trącone łyżeczką kupki słodkiej pianki z białek, pływającej po mlecznej powierzchni zupy nic.

Gdy był mały, nienawidził tej zupy – za mdłą słodycz, ale jeszcze bardziej dlatego, że przyrządzanie jej wprawiało jego matkę w absurdalne samozadowolenie. Tak jakby stworzyła coś wielkiego i wspaniałego. Wnosiła tę zupę z triumfującą miną, niczym westalka niosąca święty ogień przed ołtarz Zeusa. Jego starszy brat uwielbiał to paskudztwo i był zwykle głównym akolitą na mdłym i słodkim jednocześnie nabożeństwie. Ale jego brat po kilkuletnim okresie wstrętu do jakiegokolwiek jedzenia – od czego rodzice żartobliwie ochrzcili go Teddym-Niejadkiem – wpadł w kolejny cykl: pożerania wszelkiej strawy bez umiaru. Smakowała mu nawet zupa nic. Świństwo sporządzone z zimnego, osłodzonego waniliowym cukrem mleka i równie słodkiej pianki z białek, ubitej kunsztownie zabawnym, sprężynowym ubijakiem. W dodatku zupę nic podawało się w domu Darrellów zamiast jego ulubionego deseru – wiśniowej galaretki z zastygłymi w kolorowym, pysznym żelu kawałkami pomarańcz. Ale teraz… – poprawił się w fotelu, bo nagle ostro zakłuło go w kręgosłupie – teraz kilka łyżek zupy nic sprawiłoby mu przyjemność. Może przywołałoby specyficzny, jedyny na świecie waniliowy zapach domu w niedzielne popołudnie, kiedy to zwyczajowo u Darrellów pojawiała się na stole zupa nic, niwecząc doszczętnie pikantny i kleisty smak świątecznego indyka z borówkami. Chmury były wspaniałe. Gdy leciutko zmrużyło się oczy, można było dostrzec w ich kształtach rzeczy zupełnie niezwykłe. Podstawa tej olbrzymiej, rozdętej do monstrualnych rozmiarów, lokowała się na dziewięciu tysiącach stóp. O ile znał się na chmurach, była polepiona z cumulusów. Ulotnych, niefrasobliwych tworów, jakże chętnie inicjujących swój nietrwały, liczony w minutach, żywot w taki właśnie piękny, słoneczny dzień. Gdy jednak twory te zaczną się gromadzić, jak demonstranci pod siedzibą władz stanowych, i konspirować, ich połączone nietrwałości rozbudują się, tak jak w tym przypadku, w imponującego stratocumulusa i wreszcie w twór o wygórowanych ambicjach – cumulonimbusa, którego wierzchołek sięgnie, lekko licząc, trzydziestu tysięcy stóp. Gigantyczna chmura po prawej w zabawny sposób przypominała chińską porcelanową figurkę, zdobiącą biurko dowódcy 462 grupy bardzo ciężkich bombowców, stacjonującej w Bazie A1 w Kiunglia. Figurka była wspaniała i Darrell podczas częstych wizyt w gabinecie dowódcy wpatrywał się w nią urzeczony, starając się puszczać mimo uszu to, co wyrzucał z siebie czerwony na gębie pułkownik Jak-mu-tam. Tak go między sobą nazywali, ponieważ wódz 462 grupy, absolutny władca ich życia i śmierci, znany był głównie z tego, iż nie potrafił zapamiętać nawet najprościej brzmiących nazwisk swych licznych podwładnych. Również pięknie dźwięczące nazwy malowniczych miejscowości w opanowanej przez 58 skrzydło bombowe okolicy – w których mieściły się prowizoryczne lotniska, oznaczone tajemniczymi kryptonimami CV, TC, TR i GI – stanowiły dla pułkownika Jak-mu-tam najprawdziwszą udrękę. Jak głosiły grupowe ploteczki, godzinami wpatrywał się w mapę, usiłując wbić do znękanej mózgownicy tajemniczą i niepojętą muzykę Pengshan, Kiunglia, Hinshing, Kwanghan. Ale nic z tego nie wychodziło. Nosił więc podobno w kieszeni karteczki ze starannie wykaligrafowanymi nazwami lotnisk i wyjmował je w stosownych chwilach wydawania ważnych rozkazów. Ale i tak nad wszystkim musiał czuwać jego adiutant, bo Jak-mu-tam mylił nawet owe karteczki. Ile w tym prawdy, nikt z załóg grupy nie wiedział, ale poziom umysłowy dowódcy był żelaznym tematem dowcipów. Jedna z załóg założyła nawet specjalny brulion, w którym skrzętnie zapisywała wciąż nowe anegdotki związane z pułkownikiem. Odczytywano je potem przy akompaniamencie żywiołowej wesołości na specjalnych, suto zakrapianych piwem spotkaniach, nazywanych konspiracyjnie wieczorami poetyckimi. Nie trzeba dodawać, że nie wszyscy byli na nie zapraszani. By wkupić się do klubu dowcipnisiów, trzeba było wymyślić kolejny, oryginalny dowcip. W ten sposób wstępowało się w konspiracyjne szeregi żartujących ze zwierzchności, a to – w pojęciu organizatorów „wieczorów poetyckich" – skutecznie zabezpieczało klubowiczów przed donosicielstwem.

Chmura przepływała teraz majestatycznie po prawej stronie i dzięki przestronnemu oszkleniu kabiny (w istocie siedzieli tu jak w wielkiej szklanej bańce, nazywanej przez załogi cieplarnią) można było podziwiać ją bez przeszkód. Kaprys bilionów mikroskopijnych kryształków lodu, kropelek wody i pary wodnej stworzył fantastyczną kopię figurki z biurka dowódcy. To był stary Chińczyk, siedzący na płaskim nadrzecznym kamieniu i łowiący ryby. Wszystko było jak trzeba, a sam kapelusz, idealnie wytoczony z altocumulusa, miał ze trzy kilometry średnicy. Brakowało tylko wędziska z dyndającą na końcu szylkretową rybką, więc gigantyczny staruszek głupio wyciągał przed pępkiem kilkusetmetrową, obejmującą rozrzedzone powietrze prawą dłoń. Wyglądało to tak, jakby się dostojnie onanizował w atmosferycznej samotności. Darrell rozkaszlał się, gwałtownie wyrwany z kontemplacji. Rozwalony w prawym fotelu drugi pilot, oficjalnie kapitan Forrest C. Fisher, a przez przyjaciół i znajomych zwany Legendą, zapalił kolejnego papierosa. Przezwisko miało swoje źródło w skomplikowanych historiach, którymi Fisher raczył swoje kolejne seksualne zdobycze. Najwidoczniej znajdował w zmyślaniu szczególną przyjemność, choć właściwie koloryzować nie musiał. W kwiecie dwudziestu dziewięciu lat był mężczyzną nad wyraz urodziwym. Darrell poradził mu czas jakiś temu, by miast konfabulować zabrał się za pisanie powieści, a dziewczętom mówił jedynie to, co nieodzowne jako preludium do seksualnych igraszek. Darrell nie palił od ośmiu lat, a ciśnieniowa instalacja kabin samolotu wysuszała mu wrażliwą jak u dziecka śluzówkę.

– Kopcisz jak głupi! – To była pretensja, ale brzmiał w niej ton autentycznej troski, bo Darrell bardzo lubił swego zastępcę mimo jego rozlicznych, trudnych do zniesienia wad. – Nawet nie masz pojęcia, jak to gówno śmierdzi. A pojęcia nie masz, bo nigdy nie rzuciłeś palenia. – Pomachał ostentacyjnie dłonią przed nosem. – Z czego oni robią tę truciznę?

– Przecież to camele! – Drugi pilot energicznie bronił ulubionej marki i nawet przyjął w fotelu całkiem przyzwoitą pozę. W każdym razie zdjął lewą nogę z krawędzi tablicy przyrządów (podeszwa buta niebezpiecznie naciskała na obramowanie szybkościomierza) i umieścił ją tam, gdzie należało, na płaskim pedale orczyka.

– Właśnie – Darrell zimno cedził słowa – pachnie dokładnie tak jak wielbłądzie gówno.

Legenda westchnął i zdusił połówkę camela w popielniczce. Na szczęście popielniczki w samolocie miały szczelne przykrywki na zawiaskach i niedopałki nie śmierdziały tak jadowicie. Darrell w swojej dziewiczej popielniczce trzymał torebkę z mocnymi miętówkami.

– Harold, skąd wiesz, jak śmierdzi wielbłądzie gówno? – Legenda był jednak lojalnym konsumentem.

Darrell uśmiechnął się z wyższością.

– Latałem przez dwa miesiące w Afryce i byłem na pustyni w nocy. Arabowie rozpalają z tego ogniska, bo te gówna są wyjątkowo suche i twarde. Tego zapachu się nie zapomina. A ty sam masz już zęby żółte jak wielbłąd. Kiedyś były całkiem ładne. – Wrzucił do ust miętówkę i wykrzywił twarz, bo wydała mu się wyjątkowo gorzka. – Jak te twoje dziewczyny mogą się z tobą całować? – gderał bez złości. – Równie dobrze mogłyby całować się z tą popielniczką...

Legenda miał gotowy argument i uśmiechnął się szeroko, bo rozmowa schodziła na jego ulubione tory:

– My się nie całujemy! – Darrell uniósł brwi w sardonicznym znaku zapytania i czekał na ripostę, świadom poczucia humoru podwładnego. – Od razu zabieramy się do rzeczy. Szkoda czasu. Zresztą całowanie się jest bardzo niehigieniczne. Te wszystkie mikroby i tak dalej.

– Myślisz, że jak zmuszasz je, żeby ssały tę twoją...

– Darrell przez chwilę szukał dobrego słowa, by nie popaść w banał i wulgarność – ...tę twoją turbosprężarkę, to to jest higieniczne?

– Dla mnie tak.

Darrell nie rzekł nic i tylko pokiwał z politowaniem głową. Ale to politowanie też było żartem, bo doskonale wiedział, że Legenda nigdy nie okazał się egoistą. Był dla swoich ofiar koleżeński i troskliwy. Dbał, by – nie daj Boże – nie zaszły z nim w ciążę, i zawsze upewniał się, że miały autentyczny orgazm. Jednym słowem, gdyby ograniczył swoje bigamiczne skłonności, mógłby być wzorem kochanka.

– Dobrze. – Darrell musiał się zmusić do tego, by na powrót wejść w rolę dowódcy. Słońce, chmury i rozmowa z Fisherem zupełnie go zdemobilizowały. – Zejdziemy na przelotową. Zmniejsz obroty.

Choć wciąż lecieli nad terytorium okupowanym przez Japończyków, nic im z ziemi ani na niebie nie zagrażało. Nad celem, a była nim stalownia koncernu Showa w Anshan, też nie działo się nic godnego odnotowania w dzienniku. Lotnictwo japońskie dogorywało. Nie mieli ani personelu, ani sprzętu, ani paliwa. Obrona przeciwlotnicza w rejonie celu to nieliczne baterie, których pociski ledwie sięgały pułapu, na którym podchodzili nad cel. Choć trzeba przyznać, że jeden pocisk rozerwał się całkiem blisko i samolotem zakołysało

13

gwałtownie, gdy błyskawicznie przelatywał przez chmurę dymu. W kilka minut później, kiedy dziewięćdziesiąt sześć bombowców zaczęło wypróżniać się z prawie 900 ton bomb i stalownię pokryły dokładnie jaskrawe, pomarańczowo--czarne bąble eksplozji, słabiutka japońska artyleria zamilkła. Widać ze strachu.

Misja załogi superfortecy B-29, ochrzczonej zgodnie ze zwyczajem wisusowskim określeniem Ramp Tramp, zaczęła się nieszczególnie. Są takie dni, w których nic się nie układa. A w ogóle pomysł wysyłania samolotów na odległość 1650 mil był zwariowany. Gdy grzali silniki, Anderson, inżynier pokładowy, zameldował, że wysiadło zasilanie agregatu, który pompował płyn ze zbiornika wyrównawczego do instalacji przeciwooblodzeniowych. Zanim technicy obsługi naziemnej rozebrali urządzenie i poskładali je do kupy, upłynęło trzydzieści denerwujących minut. W zasadzie powinien zażądać odwołania lotu i dodatkowego przeglądu, ale machnął ręką na procedury i wystartowali w pogoń za formacją. Żeby ją dogonić, Ramp Tramp musiał pędzić przez dwie godziny na maksymalnych obrotach. Gnać potrafił. Pędzony czterema wright-cyklonami – z których każdy rozwijał, dzięki sprężarkom, moc 2200 koni – latał na wysokim pułapie z prędkością myśliwca. Ale szybkość kosztuje i Darrell z niepokojem obserwował zespolony wskaźnik paliwa. Dogonili, lecz znad celu trzeba było wracać noga za nogą, bo z wyliczeń Andersona wynikało, że do bazy dolecą na ostatnich galonach. Znów byli sami na wielkim niebie.

Legenda wyprostował się służbiście i z wystudiowaną godnością sięgnął do manetek sterujących przepustnicami silników. Ten gest byłby stosowny nawet dla prezydenta uruchamiającego główną śluzę Kanału Panamskiego podczas ceremonii otwarcia. Potem wydarzenia potoczyły się w oszałamiającym tempie. Numer trzeci, prawy wewnętrzny wright-

-cyklon, wyrzucił smugę czarnego dymu z płonącego oleju, a po chwili rzygnął tym olejem na lśniącą gondolę silnika i dalej na śliczne, błyszczące wypolerowanym duraluminium skrzydło. Pozbawiony smarowania silnik zatarł się błyskawicznie, a pięciometrowe, czterołopatowe śmigło Hamilton Standard znieruchomiało. To jeszcze nie było najgorsze. Bez ładunku dolecieliby z łatwością na trzech motorach, ale zlekceważona przez Darrella obrona przeciwlotnicza musiała trafić w coś, co unieruchomiło mechanizm szybkiej zmiany skoku. Mimo gorączkowych prób Fishera śmigło pozostawało w położeniu roboczym i nie dało się ustawić w chorągiewkę. Prawie pięć metrów kwadratowych powierzchni łopat dawało monstrualny opór czołowy. W dodatku Ramp Tramp trząsł się i podrygiwał jak chory na parkinsona, bo – żeby nie pożeglować ku ziemi – musieli zwiększyć obroty numeru czwartego i żonglować mocą pozostałych cyklonów. A i tak Ramp Tramp zataczał się po niebie jak podchmielony włóczęga. Oczywiste było, że w samolocie, który musi pchać stawiające opór łopaty śmigła, benzyna skończy się wcześniej, niżby sobie tego życzyli. To tak, jakby ktoś usiłował biec pod wiatr z otwartym parasolem.

– Tośmy sobie polatali – Darrell zaklął bez złości i sięgnął po słuchawki. – Nic się nie da zrobić? Anderson! Wymyśl coś, bo nie zdążymy na kolację!

Inżynier pokładowy już od dłuższego czasu tkwił frasobliwie pomiędzy fotelami pilotów. Teraz włożył suwak logarytmiczny do kieszeni bluzy najeżonej ostro zatemperowanymi ołówkami i pedantycznie zapiął guzik. Jego interpretacja była wiarygodna, ale ogólnikowa:

– To często tak bywa. Nie czuje się nawet uderzenia, a dopóki nie zmieniają się parametry lotu i pracy silnika, wszystko trzyma się kupy. Widzieliście, że odmaszerował dopiero wtedy, kiedy zredukowaliście obroty? Wcześniej przyrządy niczego nie pokazywały? Prawda?

15

Piloci posłusznie pokiwali głowami. Darrellowi jak na zawołanie wyświetliły się w głowie strony podręcznika o poetyckim tytule *Awarie statków powietrznych*. Musiał uczyć się na pamięć wykresów i tabel. Wymagano tego, udzielając licencji oblatywacza. Teraz wszystkie te wykresy i wyliczanki przyczyn i skutków można było sobie wsadzić do tyłka i popchnąć patyczkiem.

– Pewnie wycelowali w korek od oleju – Darrell zmrużył oko, uśmiechając się do drugiego pilota, choć sytuacja wyglądała na poważną i taką, która zasługiwała na miejsce w rzeczonej księdze katastrof. Zawsze gdy robiło się niewesoło, pierwszą jego reakcją było niestosowne, ale poprawiające nastrój dowcipkowanie. Załogę to zdecydowanie irytowało.

– Raczej dokładnie w RPM*... – Legenda też się uśmiechnął, bo wyobraził sobie japońskiego celowniczego w owijaczach i z samurajskim mieczem, mierzącego w ich samolot. Celowniczy był zezowaty i miał rzadkie żółte zęby.

– Aha! – westchnął Darrell i spojrzał w tył, do góry, na inżyniera: – Anderson, weź swój suwak i oblicz, dokąd mamy szanse zalecieć na tej kulawej kaczce, a po drodze powiedz Steinerowi, co ma przekazać do bazy.

Sierżant Albert J. Steiner był radiooperatorem i z racji niemiecko brzmiącego nazwiska obiektem niewybrednych docinków załogi. Chcieli mu koniecznie wmówić, że ma w Berlinie wysoko postawionego kuzyna i że gdyby tylko chciał, mógłby wykorzystać swoje rodzinne koneksje do odsunięcia Hitlera od władzy i szybkiego zakończenia wojny. Wręczyli mu nawet misternie wypiłowany z grubej, oksydowanej blachy Krzyż Żelazny, który ku ich zdumieniu i hałaśliwej aprobacie zawiesił sobie natychmiast w wycięciu kołnierzyka i nigdy się z nim nie rozstawał, wierząc w jego magiczną moc, chroniącą od zestrzelenia. Jak dotąd Krzyż działał doskonale.

* RPM – mechanizm zmiany skoku śmigła.

Obliczenia nie trwały długo i po chwili Darrell usłyszał w interkomie głos Andersona:

– Harold, zostaw latanie Legendzie i chodź do nas.

Zdjął słuchawki i ciężko wygramolił się z fotela, bo korzonki znów dały o sobie znać ćmiącym ukłuciem. „To od tego cholernego latania – pomyślał. – Kiedy nie wyłazi się godzinami z fotela i człowiek nie rusza się przez cały dzień, to mięśnie zanikają i nie podtrzymują kręgosłupa, jak należy". A fotele w superfortecy były wyjątkowo wygodne. Miały nawet, co Darrell uważał za zbyteczną ekstrawagancję, stosowniejszą raczej dla I klasy pasażerskiej, luksusowe, wyściełane podłokietniki. Od miesięcy obiecywał sobie w duchu, że zacznie się gimnastykować, biegać, grać z chłopcami w piłkę… Ale gdy po kolejnym locie wracał z baraku Intelligence Service, gdzie dowódcy bombowców spowiadali się z przebiegu misji, nie zachodził nawet do swojej kwatery. Nie szedł też pod prysznic, co byłoby ze wszech miar wskazane po długim locie w klimatyzowanej kabinie. Bocianimi krokami, przyspieszając jak koń, który wyczuje stajnię, sadził od razu do lotniskowej kantyny, by poczuć boski smak burbona, popijanego jasnym, puszkowym piwem. Teraz też chętnie by się napił, ale regulaminy USAAF nie przewidywały na pokładach statków powietrznych alkoholu innego niż ten, który krążył w instalacji antyoblodzeniowej. Anderson zajmował, wraz z nawigatorem w osobie kapitana Jacka W. Littona Jr., przedział oddzielony od kabiny pilotów pancernymi płytami. Było tu całkiem przytulnie. Umieszczone na lewej i prawej burcie okienka zasłonięte były wesołymi, kretonowymi zazdrostkami w kwiatki, które podarowała im narzeczona Juniora jeszcze w kraju. Po prawej, patrząc w stronę dziobu bombowca, wznosił się ozdobiony dziesiątkami zegarów, przełączników i dźwigni ołtarz głównej konsoli kontrolnej. Anderson miał tu obity skórą fotel. Intymnie oświetlony, rozkładany stół nawigacyjny z obrotowym fotelikiem i kompletem podstawowych przyrządów, a pod nim pomysłowy segregator na mapy, umieszczono na przeciwległej burcie. Stanowisko nawigatora sąsiadowało z boksem operatora doskonałego radaru bombardierskiego AN/APQ-23. W górze, niczym olbrzymi bojler, pracowała z cichym szmerem serwomotorów przednia wieża strzelecka. Niemal w jednej osi pomieszczono jej lustrzane odbicie: dolną wieżę. Dalej w stronę ogona zamontowano przegrodę ciśnieniową, za którą znajdowała się pusta w tej chwili gigantyczna komora bombowa. Anderson drapał się frasobliwie po krótko ostrzyżonej głowie. Obydwaj z Juniorem (z wszystkich członów skomplikowanych personaliów Littona ostał się tylko Junior) mieli nieszczególne miny. Nawigator gestem poprosił dowódcę o spojrzenie na mapę i nie podnosząc już wzroku na Darrella, wbił nóżkę cyrkla w karton.

– Jesteśmy tu. – Przyłożył do mapy ekierkę z centymetrową podziałką i rozsunął cyrkiel. Potem narysował półokrąg i uroczyście zakomunikował: – Możemy dojechać do każdego miejsca w tym kółku.

Darrell odsunął go delikatnie i zajął obrotowy fotelik. Przy okazji po raz pierwszy (choć wydawało mu się, że zna doskonale swój samolot) zauważył, że nóżki fotelika są sprytnie wsunięte w podłogowe listwy prowadnic. Konstruktor zrobił to tak przemyślnie, że gdyby nawet przyszło pilotowi do głowy zrobić superfortecą beczkę, to tylko nawigator oraz jego cyrkle i ekierki pożeglowałyby w stronę sufitu, a fotelik nie drgnąłby ani o cal. Granica zakreślona przez rysik cyrkla stawiała załogę Ramp Tramp w zupełnie nowej sytuacji i Darrell postanowił się upewnić:

– Tylko tyle?

Anderson oburzył się szczerze:

– Policzyliśmy dwa razy.

– Z tego, moi panowie, wynika niezbicie, że możemy albo spaść na głowę Japońcom, albo, jak zalecimy dalej – chińskim komunistom, ale ci ugotują nas z ryżem. Zresztą, o ile wiem, tu nie ma żadnych sensownych lotnisk. Możemy również wracać do Anshan i zobaczyć, czy stalownia jeszcze się pali…

Na Andersonie i Juniorze żarciki dowódcy nie wywarły żadnego wrażenia i Darrell też spoważniał:

– Macie inny pomysł?

Junior wyciągnął cyrkiel z mapy i wbił jego szpikulec w innym punkcie, o wiele bardziej na wschód. Gdy tym razem zakreślił półokrąg, w jego obrębie znalazła się dziurka uczyniona poprzednio. Darrell przyjrzał się dokładnie nowej konfiguracji:

– Nieeee. Jak pragnę zdrowia... Serio?... Chcesz lecieć do Ruskich? Co to w ogóle za miasto?

– Władywostok. – Junior był niewzruszony niczym gubernator stanowy odrzucający apelację. – Bardzo malownicze miejsce. Nad morzem – zachwalał.

– Lotnisko? – Nieprzekonany do pomysłu Darrell kręcił głową.

– Przecież to ich strategiczna baza! Muszą mieć porządny *runway*. Poza tym to sojusznicy.

Darrell podjął decyzję:

– Dobra. Wykreślaj kurs. – Potem wrócił do kabiny pilotów i moszcząc się w fotelu, polecił Legendzie: – Ster na szymbort, panie Fisher. Lecimy do Władywostoku. Junior zaraz poda nowy kurs*.

– Święci niebiescy! Przecież to u Ruskich! – Drugi pilot był autentycznie zaciekawiony, co nie przeszkodziło mu w wykonaniu pięknego zakrętu w lewo. Fisher był niekwestionowanym mistrzem pilotażu i jego mistrzostwa nie umniejszały nawet podejrzane podrygi superfortecy. Manewrował okaleczonym kolosem delikatnymi ruchami sterów, jak wytrawny kawalkator narowistym ogierem.

– Mówią, że za górami. – Taka konstatacja oraz nowy kurs, wykreślony przez Juniora, uspokoiły zupełnie drugiego

* Ten sam incydent wspomniany jest w powieści Jarosława Abramowa-Newerlego pt. *Alianci*.

pilota. Do tego stopnia, że zapomniał o paleniu papierosów i cichutko mruczał coś, co w zarysach przypominało melodię *Żółtej róży Teksasu*. Legenda kochał latanie, bo latanie było dla niego zastępczą i przejściową formą jazdy konnej. Wychował się na dużej farmie i od dziecka nie rozstawał się z siodłem. Nawet sposób delikatnego, czułego trzymania trójramiennego wolantu i ułożenie długich, krzywych nóg na pedałach orczyków było pochodną hipicznych nawyków Fishera. Ilekroć Legenda z rutynową gracją zasiadał w prawym fotelu, tylekroć Darrell odnosił nieodparte wrażenie, że przystojny Teksańczyk dosiada konia i że ich B-29-5-BW* zacznie za chwilę rżeć, parskać i niespokojnie tańczyć pod wprawnym i wymagającym jeźdźcem. Dla Harolda Darrella latanie było zupełnie czymś innym. Było jedyną jak dotąd skuteczną metodą pokonywania największej, jak sądził, jego słabości. Harold Darrell uważał się bowiem za tchórza. O tym, że jest tchórzem, dowiedział się w dzieciństwie. Jego starszy o pięć lat brat wspinał się ochoczo na drzewa i właził bez cienia wahania na chybotliwe kładki przerzucone nad wodą. Dla Harolda te rzeczy były nieosiągalne. Nie wchodził na kruchy lód. Podczas wakacji na wsi nie zbliżał się do krów i koni, choć jego brat w tej samej chwili bez namysłu organizował corridę ze spotkanym na łące buhajem. W szkole szybko zyskał opinię ciapy i dryfulca, choć podziwiano jego inteligencję i ponadprzeciętne zdolności plastyczne. Tchórzostwo szybko przerodziło się w męczącą obsesję. Jako dwunastolatek Darrell nie wchodził na ciemne klatki schodowe, za nic w świecie nie zagłębiłby się samotnie w nieoświetlonym tunelu. Na widok grupki nieznanych sobie rówieśników, nadchodzących z przeciwka, zawracał lub skręcał pospiesznie w przecznicę. Brat taktownie udawał, że nie dostrzega łatwo przecież zauważalnych oznak słabości Harolda. Ojca to najwyraźniej bolało. Harold Darrell senior brał

* Maszyna z serii wyprodukowanej w zakładach Boeinga w Wichita.

udział w poprzedniej wojnie i jako uczestnik walk w Europie dostał nawet medal za odwagę. Tchórzostwo Harolda okazało się magnesem przyciągającym krytyczne momenty i niebezpieczne sytuacje. Coraz częściej wracał do domu, mając podbite oczy albo posiniaczone kolana. Czarę tego, co mogła znieść duma ojca, przepełniło wydarzenie, które rozegrało się przed rodzinną rezydencją Darrellów pewnego majowego popołudnia. Zlodowaciały ze wstydu senior przez szczelinę żaluzji obserwował upokorzenie juniora. Zaczepiony przed własnym domem chłopiec stał ze spuszczoną głową. Z oczu kapały mu łzy, a prowodyr grasującej w okolicy młodocianej bandy łobuzów niespiesznie i niezbyt silnie, ale z widoczną przyjemnością policzkował Harolda z obu stron… Choć Darrell senior miał wielką ochotę wypaść z domu i solidnie przylać łobuzowi, pokonał w sobie ową chęć, jednakże incydent skłonił go do celowego i szybkiego działania. Już następnego dnia ojciec opłacił dwa kursy dla syna. Zapisał go na prowadzone trzy razy w tygodniu zajęcia dżiu--dżitsu oraz na rozpoczynające się wraz ze szkolnymi wakacjami dwumiesięczne szkolenie szybowcowe w pobliskim aeroklubie. Efekty przeszły najśmielsze oczekiwania stroskanego rodzica. Już po trzech miesiącach musiał spotkać się w sądzie z rodzicami napastliwego herszta młodocianego gangu, któremu szkolony przez cichego, skromnego Koreańczyka syn gładko wybił ramię ze stawu barkowego. Sprawa skończyła się polubownie, bo kilkunastoletni łobuz był wielokrotnie notowany przez policję, a Harolda napadł w biały dzień, w asyście swoich dwóch najlepszych silnorę--kich. Łamiąc zasadę milczenia, potwierdzili dysproporcję sił, zafascynowani możliwościami zademonstrowanymi przez ich nowego idola. Harold, wbrew ich cichym nadziejom, nie założył jednak konkurencyjnego gangu, do którego mogliby wstąpić, tak haniebnie zdradziwszy szefa. Wpadł po uszy w latanie. Pierwszy samodzielny skok w powietrze – bo trudno inaczej nazwać minutowe ledwie szybowanie nad stokiem – będzie mu się pewnie przypominać zawsze, jak pierwsza dziewczyna. Szybowiec był szczytem pomysłowości i prymitywizmu. Składał się ze skrzydeł, płozy startowej, do której przykręcono fotelik pilota, i kratownicy podtrzymującej usterzenie ogonowe. Niewiele więcej było trzeba. Za samowypinajacy się hak na przodzie zaczepiało się linę, której dwa końce, rozpięte na kształt kilkudziesięciometrowej litery V, ciągnęli w dół łagodnego trawiastego stoku pozostali entuzjaści. To wystarczyło, by wyrzucić szybowiec na kilka metrów w górę, i umożliwiało kilkusetmetrowy łagodny lot, zakończony twardym zwykle, z braku amortyzatorów, przyziemieniem. Pierwsze wrażenie było niesamowite. Ulokowany na końcu gigantycznej procy, ściskając w spoconej dłoni rurkę drążka, ze stopami na pedałach orczyka starał się uspokoić oddech. Gdy płoza przestawała szorować po trawie i ziemia łagodnie zapadała się pod nim, doznał ukojenia i uczucia, którego przez wiele dni nie potrafił ani sprecyzować, ani nazwać. Coś się przed nim otworzyło. Obszar, o którym po prostu nie miał pojęcia. Gdy po zbyt krótkim w jego przekonaniu locie wracał na ziemię, miał nieodparte skojarzenie z *eiaculatio praecox*. Potem nastąpiły kolejne loty, treningi z instruktorem w szybowcu szkolnym, aż wreszcie rankiem 14 lipca, w szesnaste urodziny, sfatygowany avro* wyciągnął go na trzy tysiące stóp w górę, gdzie w końcu mógł odrzucić hol i pokiwawszy holownikowi skrzydłami, zanurzyć się w chłodnym, przyjaznym niebie. To było nowe, niezwykłe doznanie i Harold po raz pierwszy uświadomił sobie absurdalny wymiar swoich lęków. Przecież miał pod sobą kilometr powietrza, od którego oddzielała go tylko warstwa użebrowanej buczyną brzozowej sklejki, nie grubsza niż jedna czwarta cala. Jak mógł się bać tam na ziemi kładek i drzew? Jaki wymiar wobec położenia, w którym się teraz znajdował, miały kuksańce ulicznego łobuza? Pamiętał, że patrząc życzliwie na powoli obracającą się

---

* Typ 504N. Brytyjski dwumiejscowy dwupłat z 1927 roku. Samolot do szkolenia w lataniu według przyrządów i holownik.

pod nim scenę krajobrazu, śmiał się bezgłośnie w przeczuciu podniecającego spełnienia. Dowiedział się wtedy, że latanie jest przeznaczeniem, i ilekroć wracał myślami do pierwszego samodzielnego lotu, dziękował życzliwym mocom, że we właściwym czasie wyprawiły go w niebo. Wcześnie dosiadł także prawdziwego samolotu z silnikiem, a był to ten sam nieśmiertelny – zda się – avro, który holował go podczas szybowcowej inicjacji. Nie miał jeszcze osiemnastu lat, gdy sam zaczął wyciągać pod niebo innych. Potem wszystko potoczyło się gładko, jak w młodzieżowych powieściach o wzorowych, grzecznych amerykańskich chłopcach. Studia techniczne. Szkoła lotnicza. Kurs dla cywilnych nawigatorów, prowadzony przez PanAm, aż wreszcie dostał się w niewolę Matabelów z Boeinga. Na kilka lat przed Pearl Harbor został jednym z asów w zespole fabrycznych oblatywaczy. A były to lata, kiedy koncern, bogatszy o doświadczenia z typem 200 i YB-9, przymierzał się do wypuszczenia w powietrze rewolucyjnego modelu 299, późniejszej Latającej Fortecy.

– Myślisz, że będą tam dziewczyny? – Ton nadziei w pytaniu drugiego pilota skłonił Harolda do uśmiechu.

– Z pewnością mają tam dziewczyny. Przecież to port, a w porcie zawsze są mewy… – Darrell z maskowaną niechęcią oderwał się od wspomnień.

Forrest gwałtownie zaprzeczył, a ruchy jego ramion zakołysały ich statkiem:

– Nie… Nie takie… Porządne rosyjskie dziewuszki. Widziałem kiedyś taki ich chór w narodowych strojach. Miały długie kiecki. Te kiecki zaczynały się wysoko w talii… Na to takie krótkie kaftaniki… No wiesz, o dotąd… – Legenda puścił wolant i kantami obu dłoni pokazywał, dokąd sięgały kaftaniki rosyjskiego chóru, a Darrell uświadomił sobie, że dokładnie w tych miejscach, czyli tam, gdzie kończą się żebra, znajdują się wyjątkowo wrażliwe na uderzenia punkty. – Na głowach chusteczki… Jednym słowem opakowane jak zakonnice. – Jedna dłoń Forresta wróciła na wolant, ale druga trzepotliwie ilustrowała opowiadanie. – Niby wszystko było zakryte, prócz twarzy. Rzęsy długachne i wywinięte do góry, jak u lalek. A może mi się tylko tak wydawało. Siedziałem na balkonie. Ale daję ci słowo, że to tylko pomagało mi wyobrazić sobie, jak są zrobione pod tymi kieckami. Szczególnie, że miały białe skarpetki czy pończoszki. Nie masz pojęcia, jak ja lubię dziewczyny w białych skarpetkach. Od razu wydają mi się o wiele bardziej niewinne.

– Drugi pilot oparł obie dłonie na sterze, westchnął i dostojnie spojrzał przed siebie, jakby gdzieś w mandżurskim niebie spodziewał się ujrzeć taką chórzystkę bez ubrania.

– Pamiętasz przynajmniej, co śpiewały?

– Ni w ząb. Ale podobało mi się, że są idealnie wytrenowane i wyćwiczone. Chciałbym być kierownikiem tego chóru... – rozmarzył się. – Wyobraź sobie, wszystko idealnie zgrane w czasie. Bo nie tylko śpiewały, ale tańczyły. Drobniutko. Tymi nóżkami w białych skarpetkach. Jak pod sznurek. Kupiłbym sobie taki patyk do dyrygowania...

– Batutę – podpowiedział skwapliwie Harold i zawyrokował:

– Panie Fisher. Pańska erotomania przybrała formy najzupełniej przerażające. Teraz wydało się, że aby zaspokoić pańskie nazbyt wyrafinowane chucie, potrzebny jest komunistyczny chór. I tak dobrze, że nie mieszany albo chłopięcy... – Spojrzeli na siebie i miast się roześmiać, spoważnieli. Ich wzajemne porozumienie było niezwykłe. Pierwszy, już zupełnie innym tonem, odezwał się Darrell:

– Trzeba by się pozbyć książek kodowych, map, modułów sterujących i instrukcji.

Forrest podchwycił z ledwie słyszalną nutką powątpiewania:

– Myślisz, że mogliby...

– Formalnie nie są w stanie wojny z Japońcami i wolałbym nie tłumaczyć się potem temu Jak-mu-tam.

– W końcu to alianci... – Fisherowi obraz sojuszników wciąż mąciło idylliczne wyobrażenie chórzystek.

– Tak czy inaczej zrób coś z tym, na wypadek gdyby tu wleźli i zaczęli węszyć.

Fisher zdjął ręce z wolantu, ale nie wyłaził z fotela, dopóki nie upewnił się, że pierwszy pilot zrozumiał i nauczył się kontrolować nienormalne zachowania samolotu. Do zebrania było sporo i Legenda, obszedłszy wszystkie sekcje superfortecy, z wysiłkiem przydźwigał do kabiny stertę książek i rulonów. Ułożył to pedantycznie na podłodze i oddychając ciężko przez nos, zasiadł znów na swoim tronie, by naradzić się z dowódcą:

– Nie wiedziałem, że tyle tego mamy. Prawdziwa, cholerna biblioteka. Moglibyśmy założyć instytut lotniczy.

Kolorowy stosik na podłodze składał się z wielostronicowych instrukcji obsługi płatowca, silników, urządzeń i uzbrojenia, broszur procedur startu i lądowania w aluminiowych okładkach, książek kodów i procedur radiowych, a wreszcie afiszów poglądowych z łopatologicznymi schematami kolejnych kroków procedur awaryjnych i przeciwpożarowych, które przyklejano na burtach i przepierzeniach. Darrell spojrzał z szacunkiem na te materiały, uświadamiając sobie po raz kolejny, jak skomplikowanym urządzeniem jest ich bombowiec, i spytał:

– Masz na ten śmietnik jakiś pomysł? Przecież nie będziemy tu rozpalać ogniska…

Fisher z zadowoleniem wrócił do pilotowania:

– Jak chcesz to wyrzucić, to teraz, ale nawet gdybyśmy to podarli na milion kawałków, jest szansa, że Japończycy to znajdą, skleją i godzinami będą studiować…

Darrell podchwycił z ochotą:

– Potem bogatsi o wszystkie te mądrości, wykorzystają je przeciw nam i jednak wygrają tę wojnę. Odpada. Upchnij to w komorze przedniego koła.

– Myślisz? – Legenda nie był pewien, czy to dobry pomysł.

– Jasne. Podnieś płytę w podłodze. Tam są takie śruby z motylkami i wsadź to w tę wnękę z prawej. Potem włóż uszczelkę i zakręć porządnie. Nikomu nie przyjdzie do głowy, żeby tam węszyć. Tylko nie wpadnij tam na dobre, bo jak dolecimy, wypuszczę cię razem z podwoziem. Albo już lepiej ty leć do tego Władywostoku, a ja to zrobię.

Darrell, wzdychając, zszedł do nosa maszyny i wyprosił stamtąd (przedtem obudziwszy) smacznie drzemiącego bombardiera. Steve Pace, zwany przez załogę Susłem, potrafił spać o każdej porze i w każdych warunkach. Najwidoczniej nie przeszkadzały mu niecodzienne podrygi i uskoki bombowca. Pace, ziewnąwszy, poszedł spać do przedziału nawigacyjnego, a Darrell przekręcił uchwyt i gdy udało mu się – pokonując lekkie na tej wysokości podciśnienie – podnieść pokrywę, mógł, pochyliwszy się akrobatycznie, dotknąć prawie metrowej średnicy opon podwójnych kół i goleni przedniego wózka. Od spodu komorę zamykały symetryczne pokrywy, które składały się po wciągnięciu podwozia wzorem złożonych dłoni, czerpiących wodę z potoku. Gdy samolot stał na ziemi i pokrywy były otwarte, można było odczytać napis ogłaszający, że palić można dopiero w odległości dziewięćdziesięciu stóp od bombowca. Pomyślał, że nie będzie upychał książek i rulonów po jednej sztuce, wylazł więc z ciasnego przedziału, poszedł do tyłu i po minucie wrócił uzbrojony w koc i zwój kabla. Legenda, pochłonięty pilotowaniem, udawał dyplomatycznie, że nie widzi tej krzątaniny, i zacisnąwszy filmowe szczęki godne Gary Coopera, patrzył uporczywie przed siebie. Zasapawszy się porządnie (trzeba jednak będzie zrzucić parę kilogramów), Darrell upchnął wreszcie tobół we wnęce. W czasach, gdy pracował dla Boeinga, wiedział nawet, do czego ta wnęka służy. Było z pewnością kilka ważnych przyczyn, tłumaczących jej istnienie. Teraz nawet nie usiłował sobie tego przypominać. Gdy poczerwieniały wrócił na swój fotel, pomyślał, że musi uprzedzić załogę. Chrząknął i przytknął przełącznikiem interkomu:

– Uwaga wszyscy. Mówi dowódca. Nie możemy lecieć do domu, bo nie starczy nam paliwa. Będziemy lądować we Władywostoku. Jak będziemy na ziemi, niech wszyscy siedzą na swoich miejscach. Jeśli macie przy sobie jakieś... – zastanowił się chwilę – rzeczy, które mogą zawadzać o wojskowe tajemnice, zniszczcie to teraz. No wiecie... Prywatne notatki, kody, częstotliwości, ściągawki i tak dalej. Sami wiecie najlepiej... Rosjanie to nasi sojusznicy i pewnie wszystko będzie OK, ale lepiej zróbcie, co mówię.

Bardzo chciał dodać do komunikatu jeden ze swoich słynnych dowcipów, ale coś go powstrzymało. Wyłączył interkom, żeby nie słyszeć niewybrednej wymiany poglądów na temat nowej sytuacji, i zagadnął Fishera:

– Ciekawe, czy mają tam jakiś bar? Czy ty w ogóle masz pojęcie, co tam się pije?

Na tym akurat Legenda znał się doskonale, bo kolejną po seksie i lataniu pasją jego życia było degustowanie i zbieranie wysokoprocentowych trunków. W Stanach honorowe miejsce w jego służbowym mieszkaniu, tuż obok kanapy (która oczywiście była najważniejsza), zajmował rozłożysty pomocnik z mahoniu zapełniony ciasno najróżniejszego kształtu butelkami i flakonami. Były tam alkohole z całego świata, a przyjaciele Legendy nie mieli nigdy problemu z obmyślaniem urodzinowych prezentów dla Teksańczyka. Największą radość sprawiała mu butelka, której jeszcze nie miał w swojej kolekcji. Ognista zawartość eksponatów służyła do wstępnego odurzania kolejnych ofiar, a czasami – powiedzmy to szczerze – pocieszała go w razie niepowodzenia w ostatecznym szturmie na jakąś szczególnie silnie bronioną fortecę.

– Oczywiście, że mam. Powinno ci się spodobać, bo pędzą bardzo dobre wódki i koniaki. No i ten ich szampan jest całkiem niezły. Można z niego robić diabelskie mieszanki. Nauczył mnie tego jeden Rusek, koleżka mojego dziadka. – Legenda rozmarzył się i oczy mu zabłysły. Najwidoczniej przypomniał sobie coś szczególnie przyjemnego. – Jak zmieszasz to pół na pół z koniakiem, wychodzi tak zwany Niedźwiedź, a jak z czystą wódką albo jeszcze lepiej ze spirytusem, to masz Ognie Moskwy. Jak rany! Oni tak to nazywają: *Ogni Moskwy*. Pije się całkiem gładko, ale po szklance nawet tęgim pijakom zdarza się klapnąć na zadek. Idzie do głowy jak dym... A zagryza się pokrajaną w ćwiarteczki cytryną. Razem ze skórką, uważasz. Taka maniera. Ale dopiero po drugiej szklance. Po pierwszej nie wypada...

– Ze spirytusem? – Darrell uważał, że wszystko, nawet poświęcanie się na ołtarzu wysokoprocentowego Bachusa, ma swoje granice.

– A coś ty myślał? – Legenda był dumny, że może podzielić się ze starszym kolegą swoimi doświadczeniami. – To tylko kwestia wprawy. Jak pierwsze samodzielne lądowanie. Jak raz ci się uda, to już potem idzie gładko...

– Do pierwszej katastrofy – podsumował spokojnie pierwszy pilot, ale Fisher to zignorował:

– Trzeba tylko nabrać powietrza. Rozumiesz? Żeby się nie zachłysnąć albo nie zakrztusić. Bo koniec z tobą. Za to po setce spirytusu wrażenia są niepowtarzalne.

– To znaczy? – Darrell lubił dokładne wyrażenia.

– Niesamowity skok samopoczucia. Przez pierwsze pięć minut mógłbyś góry przenosić. Gdybyś mi teraz skombinował szklankę spirytusu, wylazłbym na skrzydło do tej cholernej czwórki i kopniakami ustawił to pieprzone śmigło w chorągiewkę.

Darrell podjął grę i wyobrażając sobie Fishera, jak przytrzymując kapelusz, maszeruje po skrzydle superfortecy w strumieniu powietrza wiejącego z szybkością 150 węzłów, odpowiedział z nutką żalu:

– I tak byśmy już nie zawrócili...

Fisher nie tracił rezonu:

– Ale przynajmniej wylądowalibyśmy z fasonem. Jestem przekonany, że tam jest mnóstwo dziewczyn... A my będziemy opadać jak zaczadzona gęś, a nie jak przyzwoity bombowiec...

– No i dobrze! – Darrell nie pozwolił mu dokończyć. – Na sam widok zlecą się wszystkie ślicznotki z okolicy. Z trzema silnikami wyjdziemy na bohaterów. Szkoda, że nie ma dymu… – Pierwszy pilot powiedział to niemal serio.

Legenda nie dał się wytrącić z uderzenia:

– Z tego, co czytałem, z Ruskimi trudno konkurować w bohaterstwie. Podobno jednemu myśliwcowi Niemiec podpalił na trzech kilometrach spadochron. Tak że biedak spadał na samych linkach, jak kometa. Wyobraź sobie… to zupełnie nieprawdopodobne. Jak w kreskówce Disneya. W locie wyprzedził go jego własny płonący samolot. Uderzył tuż pod nim o ziemię… Wybuchł….I ta eksplozja wyrzuciła faceta z powrotem w niebo i na jakieś sprężyste chojary. W dodatku z tych chojarów spadł w błotniste bajoro i nic mu się nie stało. Wstał o własnych siłach. Z trzech kilometrów! – entuzjazmował się Legenda. – A ty mi tu o trzech silnikach. Oni pewno, jak trzeba, potrafią latać bez żadnego silnika. Samą wolą zwycięstwa. Spirytus też pić umieją. Żebyś ty widział kumpla mojego dziadka. To był prawdziwy mistrz!

Darrell zaciekawił się:

– Skąd twój dziadek w Teksasie wytrzasnął rosyjskiego koleżkę?

– Wyobraź sobie, że poznali się jeszcze w zeszłym stuleciu. Przy okazji wodowania w Filadelfii krążownika dla Rosjan*. Ten Rosjanin był w ekipie odbierającej okręt od stoczni. Gdy już pudło spłynęło na wodę, dziadek – który, choć rodowity Teksańczyk, był, jak wiesz, stoczniowcem – zaprosił tego Rosjanina do baru. Odpłynęli razem tak, że zrozpaczona babcia po trzech dniach od wodowania musiała prosić policję, żeby odszukali dziadka. Policja znalazła dziadka i tego rosyjskiego specjalistę bez większego trudu. Wystarczyło

---

* Drugi pilot opowiada najprawdopodobniej o słynnym „Wariagu", budowanym dla carskiej marynarki przez filadelfijską stocznię The William Cramp&Sons i spuszczonym na wodę w październiku 1899 roku.

tylko odwiedzić kilka burdeli w najbliższej okolicy. Wyobraź sobie, bawili się razem doskonale i dziadkowi z trudem udało się wyperswadować pomysł zamieszkania w burdelu na stałe, razem z Rosjaninem. No i wspólne przeżycia tak ich zbliżyły, że prowadzili odtąd regularną korespondencję. – Fisher uśmiechnął się, patrząc uważnie przed siebie, a Darrell wyczytał w tym uśmiechu wiele sympatii i uznania zarówno dla protoplasty, jak i Rosjanina. Drugi pilot złowił jego spojrzenie kątem oka i był zadowolony, że Harold chwyta tak wiele rzeczy od razu i że niczego nie trzeba mu szczegółowo tłumaczyć. – W czasie pierwszej wojny ten Rosjanin znów zjawił się u nas. Był wysokim oficerem marynarki carskiej, bodaj z jakąś misją torpedową ichniego admirała. Jak mu tam? – Legenda podrapał się frasobliwie w czuprynę i to pomogło mu przywołać trudne do zapamiętania nazwisko: – Kołczaka. Misja się przeciągała, no i jak sam rozumiesz, facet wiele czasu spędzał u nas. Pamiętam, że był zabawny i miły. I w nic się niepotrzebnie nie wpieprzał. Lubiłem go za to. Zdecydowanie go lubiłem.

Fisher pytająco spojrzał na kolegę, ale znów dostrzegł niewymagające dalszych zabiegów zrozumienie wartości „niepotrzebnego niewpieprzania się". Ciągnął więc:

– Potem ten Rosjanin zakochał się w młodej kuzynce mojej babci i chociaż miał już ponad pięćdziesiąt lat, ta kuzynka, która miała ledwie trzydziestkę, a była jeszcze całkiem atrakcyjną kobitką, też się w nim zabujała. W tym czasie w Rosji wybuchła rewolucja i ten Rosjanin postanowił, że przeczeka ją w Ameryce. No i został. Dziadek znalazł mu pracę w stoczni na Zachodnim Wybrzeżu i od tego czasu część każdego urlopu spędzali razem. Korzyść z tego była taka, że dziadek nauczył się pić spirytus, a tę sztukę, już jako umiejętność rodzinną, przekazał tacie i mnie. Bo trzeba ci wiedzieć, że w tradycyjnej teksańskiej rodzinie trzy pokolenia mężczyzn upijają się wspólnie i razem chodzą się zabawić. To bardzo scala rodzinę. Nawet w czasach prohibicji. – Drugi pilot uśmiechnął się, przypominając sobie zapewne coś przyjemnego, i znowu otworzył usta, by snuć dalej swoje teksańskie wspomnienia, ale Darrell uciął to krótkim ruchem dłoni, bo w interkomie zazgrzytał głos nawigatora.

– Szefie. Do celu sześćdziesiąt mil.

„To jakieś piętnaście minut" – ocenił w myślach pierwszy pilot i polecił Legendzie:

– Zawiadom bazę, że skorzystamy z rosyjskiej gościnności, i spróbuj wywołać Ruskich. Może ktoś tu uczył się angielskiego w szkole. Tylko mów wolno i bez akcentu. Wiesz, o co mi chodzi? Nie popisuj się jednym słowem… – Puścił do Fishera oko i przejął stery. Z mapy, którą oglądał u nawigatora, wynikało, że najrozsądniej będzie ominąć miasto od południa i przeciąwszy szerokim łukiem Zalew Ussuryjski, zawrócić i zrobić eleganckie, na ile pozwoli na to kontuzjowany cyklon, podejście od wschodu. – Potem poczekamy, aż rozwiną czerwony dywan, ściągną orkiestrę dętą i dziewczątka z naręczami powitalnych bukietów – ironizował, ale tylko po to, by odgonić natrętny niepokój.

Fisher nerwowo przeglądał częstotliwości, kręcąc selektorem. Wreszcie dał spokój i spojrzał spod nasępionych brwi:

– W domu chyba śpią, a ci tutaj nie rozumieją, co się do nich gada. Ktoś tam coś bez przerwy skrzeczy, ale ani jednego słowa po angielsku.

– Spróbuj po rosyjsku. W końcu ten kumpel twojego dziadka to prawie twoja rodzina – znów nie w porę żartował Darrell.

– Umiem tylko powiedzieć: „Na zdrowie". Ale dobry akcent mam jedynie ze szklanką w garści.

– Nadaj w takim razie po naszemu oficjalną prośbę o zgodę na lądowanie ze względu na awarię. – Darrell pomyślał, że jeśli Rosjanie mają zwyczaj rejestrowania rozmów, to będzie dowód, iż przestrzegał międzynarodowych procedur.

Obniżali stopniowo lot i Darrell z zaciekawieniem przypatrywał się ziemi. Po kilku minutach, gdy byli na trzech tysiącach stóp, zabłysła przed nimi w oddali, niczym przed widzami rozpartymi w amfiteatrze, świetlista i iskrząca się miliardami odbić materia odległego o kilkanaście ledwie mil oceanu. Gdy przelecieli kolejnych osiem czy dziesięć, mogli już, nie wytężając wzroku, dostrzec niezliczone sylwetki rybackich kutrów, ciągnących za sobą delikatne zmarszczki kilwaterów, i gdzieniegdzie tęższe krople transportowców, mozolnie odkładających za rufą tłuste, migotliwe ślady powolnej żeglugi.

– Dobra. Proś o pozwolenie jeszcze raz i będziemy siadać. Niezależnie od tego, czy im się to podoba, czy nie. Uważaj z klapami. Nie lądowałem jeszcze na trzech silnikach i z zablokowanym śmigłem. Ustaw ciśnienie ładowania.

Darrell delikatnie cofnął przepustnice trzech silników i rozpoczął długi nawrót w lewo, na północny zachód. Musiał się bardzo koncentrować, bo choć upalne popołudnie było wyjątkowo spokojne i bezwietrzne, superforteca, przy mniejszej szybkości i w gęstszym na tej wysokości, ciepłym powietrzu zachowywała się nad wyraz kapryśnie. Powoli napłynęły pod „szklarnię" linia brzegu i port zaśmiecony bezlikiem pirsów, betonowych nabrzeży, składów i budynków. Mimo wysokości, która zwykle działała na korzyść krajobrazów, Darrell widział, że miasto jest brzydkie. Może nawet nie tyle brzydkie, co zaniedbane, zaśmiecone i… – chwilę szukał w myślach tego słowa – zapaskudzone. Na całym świecie widział takie miejsca i jeśli tylko było to możliwe, starał się ich unikać. Z każdego bowiem zakątka, z każdej okolicy, nawet najładniej urządzonej przez przyrodę, można zrobić miejsce zapaskudzone. Mistrzami w zapaskudzaniu są zwykle ludzie ze szwankującą wyobraźnią i tacy, którzy piękno otaczającego ich świata mają za nic.

– Zagracili tu wszystko ponad miarę. Nie uważasz? – Drugi pilot posłużył się zapewne telepatią, odbierając bez pudła nieprzychylne Władywostokowi myśli Darrella.

– Może lotnisko będzie ładniejsze? – rzucił pierwszy pilot bez przekonania i dostrzegając daleko przed nosem bombowca linię betonki, idealnie przedłużającą tor ich lotu, dodał: – Panie Fisher. Podwozie.

Drugi pilot prztyknął przełącznikami i podniósł niewielką klapę w podłodze, by przez pleksiglasowe okienko sprawdzić, czy podwozie wyszło jak należy. Potem poprosił strzelców o potwierdzenie położenia klap. Jak na razie wszystko było w porządku.

Przelatywali właśnie nad wcinającą się w ląd zakrzywionym jęzorem zatoką o poetyckiej nazwie Złoty Róg. Luki podwozia otworzyły się, parte hydraulicznymi siłownikami. Podwozie wyszło z głuchym łomotem, a samolot leciutko, ale dostrzegalnie, przyhamował. Darrell, który miał zwyczaj regularnego kontrolowania tylnej półsfery, zauważył, że wszystkie tak pieczołowicie spakowane przez niego tajności, trzepocząc wesoło, rozsypały się za samolotem i opadały w wody zatoki, która teraz, gdy lecieli prawie prosto pod słońce, wydawała się wypełniona nie wodą, ale płynnym złotem. Najwidoczniej podciśnienie, wytworzone przez strugi powietrza, wyssało pakunek, mimo że pierwszy pilot tak starannie go upchnął. Fisher zauważył niezaplanowany zrzut niemal w tej samej chwili i posłał koledze ironiczne spojrzenie. Darrell, zajęty utrzymaniem maszyny na torze podejścia do nieznanego lądowiska, skwitował to z ulgą:

– I bardzo dobrze. Raz-dwa wszystko namoknie i pójdzie na dno, a jak…

Nie dokończył i ze zdziwieniem potrząsnął głową, widząc, jak wystrzelona z tyłu solidna seria smugowych pocisków ciasno opasuje kabinę. W chwilę potem, nim zdążył odwrócić głowę, by spojrzeć do tyłu, w odległości nie większej niż piętnaście metrów od lewego skrzydła z wizgiem i szumem przemknął beczkowaty kształt myśliwca. Zaraz potem dwa kolejne śmignęły nad prawym. Nawet w tak skrótowej i chwilowej tylko ekspozycji Darrell bezbłędnie rozpoznał ławoczkiny. Trójka grasantów, błyskawicznie wyprzedziwszy wolno opadający bombowiec, pokazała czerwone gwiazdy na skrzydłach w wariackim wywrocie, wykonanym jak na komendę: dwa w prawo, jeden w lewo. Poszli pionowo w górę i po chwili piloci B-29 stracili ich z oczu.

– To na powitanie? – Fisher był blady i widać było, że ekshibicjonistyczny popis Rosjan zrobił na nim pewne wrażenie.

– Zgłupiałeś. To nie ślepaki! – Darrell był wkurzony i zdezorientowany. – Czego oni chcą?

Do początku betonowego pasa zostało im ledwie kilkaset metrów, a ziemia coraz szybciej podchodziła pod kadłub, odsłaniając niewidoczne z większej wysokości szczegóły. Zauważyli, że trawa jest sucha i wypalona słońcem. Jednak *runway* zdawał się w zupełnym porządku. Wtedy Rosjanie znów zaczęli strzelać, nadlatując od tyłu, a kłębuszki pyłu, znaczące uderzenia pocisków z działek o ziemię przed pasem, zdawały się narzucać nowy tor podejścia. To nie były żarty. Najwidoczniej Ruscy nie życzyli sobie, by Ramp Tramp dotykał ich betonki. Nawet w swoim żywiole, na trzydziestu tysiącach stóp, ze sprawnymi silnikami i przy pełnej szybkości, bombowiec byłby wobec trzech radzieckich myśliwców w sytuacji nie do pozazdroszczenia. Ła-7 – a z takim, najnowszym modelem mieli właśnie do czynienia – także powyżej dwudziestu pięciu tysięcy stóp był znacznie szybszy od ich bombowca*. A trzy dwudziestomilimetrowe działka były naprawdę skuteczną bronią. Jednak w górze można by pogadać z myśliwcami za pomocą automatycznych wieżyczek strzeleckich, z których każda wyposażona była w parę równie groźnych co radzieckie polewaczek. Nie oddaliby skóry tanio. Tuż nad ziemią, z otwartymi klapami i wypuszczonym podwoziem, nie mieli jednak najmniejszych szans i Darrell, jedynie domyślając się intencji ostrzegawczych serii, skierował samolot lekko w bok, obok

* Zmodernizowana wersja znakomitego myśliwca Ła-5, wprowadzona do linii wiosną 1944. Samolot osiągał 761 km/h na wysokości 23 tys. stóp. Miał świetne wznoszenie, dobrą manewrowość i był silnie uzbrojony w działka i rakiety.

betonki. Na szczęście boeing miał solidne podwozie, a podwójne koła głównego *chassis* ponadmetrową średnicę. O dziwo, udało mu się posadzić samolot idealnie na trzy punkty, co dobrze świadczyło o jego zimnej krwi. Gdy toczyli się ciężko po szarożółtej, spalonej słońcem trawie, wzbijając w gorącym powietrzu gęste kłęby aksamitnego pyłu, piloci ławoczkinów raz jeszcze zademonstrowali idealne opanowanie sztuki pilotażu, przelatując niebezpiecznie blisko „szklarni". Potem ławoczkiny odleciały, a oni zatrzymali się wreszcie w pełnym słońcu, dotkliwie prażącym przez szyby kokpitu. Darrell wyłączył zapłon i zapadła cisza. Syczało tylko rozkręcone żyro, a w kabinie nawigatora ktoś rozkaszlał się sucho i gwałtownie. Od strony kontroli lotów pędziły w ich stronę, podskakując na muldach, trzy łaziki. Nawet z tej odległości można było dostrzec oksydowane sygnały słońca na hełmach i automatach żołnierzy, podrzucanych zabawnie, jak ziarna kukurydzy na rozgrzanej patelni.

Centralne Biuro Konstruktorskie nr 29 NKWD w gmachu CAGI. Marzec 1941

Można zwariować. Wszystko stoi na głowie. Ale to i tak o niebo lepsze niż więzienna cela. No cóż. Tu nic nie przypomina więzienia. Wprawdzie w oknach są kraty, a po korytarzach spacerują uzbrojeni oficerowie, ale mają przyjazne, pogodne miny i postawę pełną szacunku. Można z dużą dozą pewności założyć, że nie dostanie się znienacka kopniaka w nerki albo pięścią w zęby. Nikomu się to jeszcze nie przytrafiło. Proszę. Wystarczy, że jest się kimś niezastąpionym, a natychmiast zaczynają człowieka szanować. A może tylko udają, że szanują? Andriej Nikołajewicz Tumiłow wyjął z szuflady biurka miękką bibułę do osuszania tuszu i starł delikatnie niewidoczne drobinki kurzu ze skrzydeł i kadłuba pięknego, pomalowanego na ciemnozielony kolor modelu smukłego dwusilnikowego samolotu. Nawet w takiej skali – 1:36 – samolocik miał drapieżny i bojowy wygląd. Niech nawet udają, ale to też o niebo lepsze od bezinteresownej pogardy i chamstwa. Kraty w oknach? Małoż to krat w oknach normalnych biur? Normalnych? Czy są jeszcze normalne biura? Czy w ogóle jest coś normalnego? Jak model tej pięknej bojowej maszyny? Tumiłow zadumał się nie po raz pierwszy tego mglistego poranka i popatrzył na ledwo widoczną rzekę w dole. Poranek był tak mglisty, jak ów niezapomniany, sprzed pięciu lat, poranek piątego stycznia 1936 roku, kiedy z powodu fatalnej widoczności odwołano wszystkie próbne loty. Ileż to rzeczy i spraw może się zmienić przez pięć lat? Dowiedział się wtedy, że w pięknym wieku czterdziestu ośmiu lat osiągnął szczyt tego, o czym marzył i ku czemu skierowane było całe jego życie. Przypominał sobie często, jak wtedy z niedowierzaniem wpatrywał się w dokument, w którym najwyższe władze czyniły jego, Tumiłowa, Głównym Inżynierem GUAP*. Czyli Zarządu Lotnictwa w Narkomie† Przemysłu Ciężkiego. Można powiedzieć, że z tamtego fotela mógł decydować o tym, jak rozwijać się będzie myśl konstruktorska i – w efekcie – co będzie latać po rosyjskim niebie. Jakby nie dość tego, w kilka miesięcy później jego ukochana Wytwórnia Eksperymentalna nr 156 została łaskawie wyjęta spod krępującej opieki CAGI‡, stając się samodzielnie (na ile to oczywiście możliwe) działającym przedsiębiorstwem. Te wszystkie wspaniałe wydarzenia w połączeniu z nadanym trzy lata wcześniej tytułem członka korespondenta Akademii Nauk czyniły z niego kogoś na kształt staroruskiego herosa. Witezia, półboga i demiurga. Najwspanialsze jednak było to, że honory, wyróżnienia i władza spotkały

* Gławnoje Uprawlenije Awiacjonnoj Promyszlennosti.
† Ludowy Komisariat.
‡ Centralny Instytut Lotnictwa i Hydrodynamiki.

go – jak wówczas mniemał – najzupełniej zasłużenie. Nie dlatego, że się podlizywał i płaszczył, ale dlatego że był znakomitym
konstruktorem. Ba! Geniuszem! Wydawało mu się wtedy, że tak
właśnie powinno być. Twórca oddaje swój genialny umysł na
usługi narodu i partii, a naród i partia z wdzięczności wynoszą
geniusza na szczyty zasłużonego powodzenia. To było satys-
fakcjonujące. Do tego stopnia, że zupełnie przewróciło mu
w głowie. Gdy wczesnym rankiem pod reprezentacyjny blok
nr 29 przy Kałajewskiej*, w którym przestronne, pełne słońca
i luksusu wielopokojowe mieszkania zajmowali inni docenieni
szczęśliwcy, zajeżdżała czarna służbowa limuzyna z kierowcą,
nim wsiadł, toczył dumnym, pełnym samozadowolenia wzrokiem wokoło, niczym gęś z kobiałki. Chciał, by przechodnie,
inni docenieni i ich rodziny widzieli, że jest kimś ważnym
i potrzebnym. Wydawało mu się czasem, że jest bohaterem
powieści, a może lepiej – zarówno bohaterem, jak po trosze
autorem. Przecież sam ciężką pracą i własnymi zdolnościami
pisał jej karty od dzieciństwa. Zupełnie nie zwracał uwagi na
dziwne zjawisko, rządzące wykwintnie oprawioną listą lokatorów reprezentacyjnej, rządowej kamienicy. Podejrzanie często
znikały z niej jedne nazwiska, a na ich miejsce pojawiały się
inne, które z czasem także znikały, zastępowane jeszcze innymi.
Ta szczególna rotacja lokatorów jakoś nie zaprzątała jego uwagi.
Był zbyt zajęty konsumowaniem owoców własnego powodzenia. Andriej Nikołajewicz nie był materialistą i nie przywiązy-
wał zasadniczej wagi do nabywania i posiadania rzeczy, które
były przedmiotem pożądania i powszechnej zazdrości. To, że
miał wspaniałe mieszkanie, służbową limuzynę i dostęp do
zamkniętej dla zwykłych śmiertelników sieci delikatesowych
sklepów, uważał za normalne na jego stanowisku. Możliwość
tanich zakupów bez konieczności stania w monstrualnych
kolejkach była nieodzowną w jego przypadku oszczędnością

* Dziś Dołgorukowskaja.

37

czasu. Był przecież człowiekiem niezwykle zapracowanym. Owszem, oprócz samochodu służbowego miał także prywatny wóz: skromnie wyglądający, ale niezawodny chevrolet capitol. Nabyty za niewielkie (dzięki ministerialnemu przydziałowi) pieniądze. Auto, choć nie najnowszej konstrukcji, wzbudzało jego szacunek. Znał się na tym doskonale i podziwiał Amerykanów za prostotę i skuteczność w projektowaniu. Nie robili niczego, dopóki nie stwierdzili, że wybrana droga jest najwłaściwsza. Nie kombinowali i nie komplikowali konstrukcji. Jeśli stwierdzali, że dalej jakąś drogą iść nie sposób, wycofywali się i szukali lepszej. Ich filozofia inżynierska zdawała się głosić dewizę następującą: „Jeśli coś można uprościć, należy to uprościć". I chevrolet capitol doskonale potwierdzał tę zasadę. Gdy podnosiło się maskę wozu, wszystko, co znajdowało się pod nią, wydawało się śmiesznie oczywiste. Niewysilony motor o sporej pojemności, prosta, niezawodna elektryka, skuteczne wodne chłodzenie. Nie miał z tym autem wiele roboty, prócz przewidzianej resursem wymiany oleju i świec. Silnik zapalał równie chętnie w upały, jak i największe mrozy. Prowadzenie capitola, mimo iż nie był to wóz o oszałamiających osiągach, sprawiało Andriejowi Nikołajewiczowi masę satysfakcji.

Auto nie rzucało się przy tym w oczy tak, jak packardy i cadillaki, którymi jeździła partyjna góra. Wykorzystywał wóz przede wszystkim do familijnych wypraw do podmoskiewskiej daczy. Letni dom zbudowany został także za prywatne środki, choć plac dostał mu się prawie za darmo w ramach wiadomych przydziałów, a „specjalne" ceny materiałów i robocizny, przysługujące ludziom na jego stanowisku, nie wydrenowały mu nadmiernie kieszeni. Daczy także nie uważał wówczas za luksus. Potwierdzała tylko jego pozycję i umożliwiała krótkie, ale jakże radosne dni wypoczynku. Musiał od czasu do czasu wypoczywać. Musiał regenerować znużony obliczeniami i symulacjami umysł. Gdyby tego nie robił, byłby niewydajny jako konstruktor. Do tego nie wolno było dopuścić. Zresztą –

o czym tu w ogóle mówić? Letnisko postawił z własnej kieszeni, a byle darmozjad urzędas, stojący o wiele niżej w hierarchii, miał daczę i to często przydziałową. Jego dom był wyjątkowo skromny. Za to przemyślany w każdym szczególe. Początkowo Andriej Nikołajewicz chciał wszystko zaprojektować sam. Szybko jednak zmienił zdanie. Architektura nie była jego konikiem, a natura intelektu, wymagająca dowodów, argumentów, wielokrotnego sprawdzania zasadności i celowości konstrukcji, nie pozwoliła mu tym razem na sensowne działanie. Po kilku godzinach studiów w bibliotece Akademii Nauk, mając głowę pełną nazw materiałów, tynków, więźb i części nośnych, zrezygnował i powierzył projekt przyjacielowi z młodości – Markowi Atkonisowi.

Ten Atkonis, jowialny grubas i sybaryta, był Estończykiem i zarabiał niezwykłe jak na owe czasy pieniądze, projektując dacze i wnętrza dla prominentów. Pieniądze były tak niezwykłe, bo Marko był uroczy, a jednocześnie bezczelny. Bezczelność pozwalała mu dyktować za projekty ceny wzięte z sufitu, a urok łagodził szok, wywołany bezczelnością wygórowanych żądań. Ponieważ znali się od dawna, Atkonis potraktował Andrieja łagodnie. Co tym dziwniejsze, że znakomity projekt zawierał także konkretne i zupełnie urocze pomysły na wnętrze domu. Projekt nie przewidywał modnych i absolutnie niezbędnych w owych latach marmurów i glansowanych posadzek. Rezygnował ze stiuków i gzymsów na rzecz niemal ascetycznego, pustego wnętrza z glinianym kominem, podłogami i stropem z sosnowych desek i bajeczną w swej prostocie przeszkloną werandą. Dom podobał się nawet Julii, choć żona Tumiłowa gustowała w rzeczach bardziej wystawnych.

To były czasy, kiedy wszystko mu się podobało. Czuł silną potrzebę identyfikowania się z rzeczywistością, która go otaczała. Cieszył się jak dziecko, ujrzawszy na moskiewskiej ulicy nowy model ciężarówki. Jakiegoś rodzimego zisa czy ziła. Zachwycała go świeża farba na nowym modelu trolejbusu. Czuł, że wraz z wieloma innymi uczestniczy w czymś niepowtarzalnym i nieprzemijającym. W czymś, co daje mu zupełnie nadnaturalne poczucie siły i wspólnoty z bliźnimi. Napawał się tym uczuciem z taką przyjemnością, z jaką człowiek, który wyszedł z dusznego, zatłoczonego pomieszczenia, oddycha świeżym, chłodnym powietrzem. Swoją radosną aprobatą dla świata starał się emanować na zewnątrz. Był przecież zwierzchnikiem. Dyrektorowania nauczył się bardzo wcześnie, bo już w dwudziestym pierwszym roku wybrano go na zastępcę szefa CAGI. Całkiem demokratycznie, choć jednogłośnie, podczas walnego zebrania pracowników. Dyrektorowanie miało swoje dobre strony nawet dla kogoś, kto kreację przedkładał nad władzę. Przede wszystkim takie, że można było lansować i forsować własne pomysły. A konikiem Tumiłowa w owych czasach były lekkie metale, które można było spożytkować w samonośnych, półskorupowych i skorupowych konstrukcjach płatowca. Można było także tworzyć skuteczne i wydajne zespoły, dobierając ludzi jak konie w zaprzęgu. Andriej Nikołajewicz dość wcześnie zauważył, że ludzi, a ściślej ich zdolności do pracy zespołowej, można klasyfikować tak, jak części i funkcje mechanizmu. Zawsze jest ktoś, kto jest silnikiem, i ktoś, kto wczuwa się w funkcję paliwa. Zawsze jest ktoś, kto ma zdolności – by tak rzec – peryferyjne, służące opracowaniu szczegółów, i ktoś, kto pełni rolę centralnego mechanizmu, koordynującego pracę mechanizmów peryferyjnych. Taki ktoś, kto gubi szczegóły, ale potrafi kilka pozornie odległych elementów skojarzyć w nową, sensowną i wielce funkcjonalną całość. Tumiłow – wicedyrektor, a faktycznie, wobec szybko postępującej starczej demencji Żukowskiego, szef CAGI – chciał, by jego ludzie czuli to co on. By praca stanowiła dla nich radość i cel życia. Potem dyrektorowanie weszło mu w krew i coraz rzadziej zastanawiał się nad tym, jak odbierają go podwładni. Kolejne konstrukcje, coraz doskonalsze i bardziej skomplikowane technologicznie, wypełniały całe jego myślenie. Dynamika, z jaką zespół CAGI pokonywał wówczas kolejne przeszkody, to było coś! Od pierwszej konstrukcji – prymitywnych aerosań, pędzonych stukonnym silniczkiem – realizował swoje marzenie. Budować maszyny całkowicie metalowe, lekkie. Takie, których pokrycie było jednocześnie nośnym elementem konstrukcji. Niemcy i Holendrzy z Junkersa robili takie rzeczy już w 1917 roku, stosując blachę falistą. Na zdjęcie swojego pierwszego samolotu (bo po aerosaniach zaprojektował także całkiem udany kuter torpedowy) patrzył po latach tyleż z sentymentem, co z politowaniem. Zdjęcie, starannie oprawione, wisiało w domu, a ściany biura zdobiły bardziej urodziwe konstrukcje. ANT-1 na owym fotogramie, wyjętym potajemnie z archiwów CAGI, prezentował swoje pokraczne proporcje i na dobrą sprawę wyglądał jak pudełko od cygar ze skrzydłami. Sam twórca, w czapce z bączkiem, opierając dłoń na kadłubie za kabiną, patrzy w obiektyw dobrotliwie, ale z wyraźnie zauważalnym błyskiem ironii. Jakby zdawał się mówić: „Cóż, rzeczywiście jest szkaradny i nawet trudno to nazwać samolotem, ale przecież ten zadowolony facet w kabinie (etatowy oblatywacz CAGI, myśliwski as z czasów wojny) przed chwilą tym latał. Ba! Kręcił nawet akrobacje". Następne dzieło, ANT-2 – pierwsza rosyjska całkowicie metalowa konstrukcja – było chyba jeszcze brzydsze. Samolot ten przypominał ciężarną babę, włóczącą po ziemi rozdęty brzuch z falistej blachy. Dopiero trzeci model, rozpoznawczy dwupłat ANT-3, wyszedł całkiem zgrabnie, zdając się potwierdzać mądrą zasadę, głoszącą, że jeśli coś dobrze wygląda, będzie też dobrze latać. Samolot w oczach Andrieja był niemal tak udany, jak urodzony kilka miesięcy wcześniej synek Aleksy. ANT-3 latał całkiem nieźle. O wiele gorzej spisywały się silniki. W lecie dwudziestego szóstego, po spektakularnym przelocie, wylądował w Moskwie znakomity francuski awiator Michel Arrochar. Postanowiono, że Rosjanie nie będą gorsi i Michaił Gromow poszybuje do Paryża na aeroplanie rodzimej konstrukcji. ANT-3, nazwany Proletariuszem, wydawał się samolotem stworzonym do lotów propagandowych i potwierdzał dobrą opinię o sobie przez pierwszych 120 kilometrów lotu, na którym tak bardzo zależało władzom. Potem w zbiorniczku wyrównawczym chłodzenia angielskiego silnika Napier Lion pojawiły się szczeliny i gorące chłodziwo zalało kabinę pilota. Gromow, choć bohater, postanowił jeszcze pożyć i czym prędzej zawrócił do domu. Gazety pisały, że lot odwołano z powodu wyjątkowo złych warunków atmosferycznych. Fatalnego wrażenia nie zdołał zatrzeć kolejny, bardzo udany, występ Proletariusza, podczas którego pokonał on ponad siedem tysięcy kilometrów w zaledwie 34 godziny. Fatalne doświadczenia z silnikami angielskimi zwróciły wówczas po raz pierwszy uwagę Tumiłowa na Amerykanów. Postarał się, by kupiono od Wrighta licencje na chłodzonego powietrzem, gwiazdowego cyklona. Szczęśliwie dało to nową jakość sowieckiemu przemysłowi silnikowemu*.

Potem przyszły prawdziwe sukcesy i kilka naprawdę znakomitych samolotów. Po części pewnie dlatego, że Andriej Nikołajewicz, będąc utalentowanym konstruktorem, miał też szczególny, dany zaprawdę niewielu, dar znajdowania właściwych ludzi do odpowiednich zadań. Dar i szczęśliwą rękę do ludzi. Potrafił szybko i zwykle bezbłędnie oszacować wartość człowieka, na wzór hodowcy, który po kilku krokach umie oszacować walor oprowadzanego konia. Taki koń nie musi już ani galopować, ani skakać, ani pokazywać skomplikowanych chodów ujeżdżenia. Znawca jest w stanie wszystkie owe walory przewidzieć, patrząc, jak koń chodzi w stępie. Oczywiście, że do jego biura inżynierowie pchali się na wyprzódki. Zarabiało się tam świetnie. Były bardzo dobre premie, talony, kupony, przydziały, ordery i uznanie władz. Jedyny mankament to zbyt jasno błyszcząca gwiazda dyrektora. Trudno go było przyćmić. Będąc nawet najlepszym, pozostawało się wciąż jedynie

---

* Chłodzoną powietrzem konstrukcję wytwórni Wright Rosjanie rozwijali z powodzeniem aż do lat 90. Oparte na niej były silniki serii ASZ Aleksandra Szwiecowa.

i aż członkiem jego drużyny. Ale była to także inwestycja we własną karierę. Jasne, że wykazawszy się u Tumiłowa, łatwiej było przymierzać się do własnego zespołu. Tumiłow to marka i gwarancja poziomu. Nie było tu miejsca ani czasu dla miernot i przeciętniaków – jedynie dla asów. Ot, chociażby taki Paweł Suchoj, który przyłożył jakże utalentowaną rękę do powstania pierwszego w CAGI myśliwca – ANT-5. Może myśliwiec nie był doskonały, ale nie odstawał osiągami od współczesnych konstrukcji brytyjskich i francuskich. Gdy Andriej Nikołajewicz wracał w myślach do tych czasów „burzy i naporu", wydawało mu się, że niepotrzebnie brali się wówczas za wszystko, co popadnie. Kolejny młody geniusz, zwerbowany przez Tumiłowa, okrągłogłowy, wiecznie uśmiechnięty Władimir Petlakow, podjął się stworzenia pierwszego rosyjskiego czteromotorowca. Zabrał się do tego z właściwym sobie rozmachem i stworzył gigantycznego potworka, któremu bliżej było do pterodaktyla niż do bombowca. I znów Michaił Gromow, przeżegnawszy się po kryjomu, ruszył na pterodaktylu w pierwszy oblot i o mały figiel nie zabił się tuż po starcie, gdy niedostatecznie zoporowane manetki gazu wszystkich czterech conquerorów amerykańskiej firmy Curtiss cofnęły się do pozycji wyjściowej. Okazało się jednak, że z silnikami Mikulina o większej mocy pterodaktylowaty ANT-6 zdołał rozmnożyć się w seryjnej produkcji do imponującej liczby 819 maszyn. Mimo karykaturalnej sylwetki był to pierwszy sowiecki bombowiec o przyzwoitym udźwigu i niezłych osiągach. Gdy teraz, po kilku latach, Andriej Nikołajewicz przypominał sobie niektóre kuriozalne pomysły związane z tą konstrukcją, uśmiechał się do siebie w duchu, ale też nieodmiennie na ich wspomnienie przechodził po nim dreszczyk mimowolnego lęku. Takie doznanie pojawia się w naszej psychice, ilekroć wspominamy własną butę i lekkomyślność, błogosławiąc niebiosa, że niegdyś uchroniły nas i ludzi wplątanych w nasze pomysły przed tragedią. Pierwszy oszalały, wzięty jakby z Verne'a pomysł, to projekt nazwany Zweno-2. Na płatach i kadłubie czteromotorowca mocowano trzy dwupłatowe myśliwce Polikarpowa. Tak objuczony pterodaktyl wznosił się z trudem w powietrze i na odpowiedniej wysokości wyczepiał swoje młode, które kontynuowały lot już o własnych siłach. Ale to jeszcze nie było tak przerażająco głupie, jak pomysł, by polikarpowy, wykonawszy swoją myśliwską misję, także lądowały na swoim powietrznym lotniskowcu. No... może nie tyle lądowały, co podczepiały się na specjalnie wypuszczanym z brzucha pterodaktyla trapezie. Idiotyczny eksperyment o dziwo powiódł się i nikt się nie zabił. Kolejny pomysł był już najzupełniej koszmarny. Pod prawym skrzydłem giganta podwieszano „latającą torpedę" z prymitywnym napędem rakietowym, przeznaczoną dla ochotnika samobójcy. Po wyczepieniu „ochotnik" miał naprowadzić diabelskie urządzenie na cel i bohatersko zginąć. Petlakow, który pojawił się w CAGI już w dwudziestym pierwszym, wybił się z czasem na pierwszego specjalistę od skrzydeł z pracującym, metalowym pokryciem. Opracowywał płaty dla wszystkich wczesnych wielkich bombowców, powstających w zespole Andrieja. Do czasu, kiedy osadzono go w 1937, tak jak większość genialnego zespołu, w specjalnym zakładzie karnym CKB-29 przy państwowej fabryce samochodów GAZ nr 156.

Uporawszy się z pterodaktylem, wzięli się za kolejne monstrum, które przeleżało na deskach kreślarskich ładnych kilka lat. Ktoś natchniony w kierownictwie floty ubzdurał sobie, że należy stworzyć łódź latającą o zasięgu i udźwigu takim, by mogła projektować siłę uderzeniową daleko za linią morskiego frontu, atakując nieprzyjacielskie okręty. Takiego latającego nad morzem krążownika. Pogoskij, kolejny geniusz zespołu, któremu Tumiłow zlecił realizację tego chorego pomysłu, wybrał układ dwukadłubowy z sześcioma silnikami w tandemie. Każdy kadłub w części ogonowej wieńczyła wieżyczka strzelecka, a strzelcy w czasie lotu mogli machać do siebie. Żeby to wszystko w ogóle poleciało, skrzydło musiało rozrosnąć się do 51 metrów rozpiętości, ale Petlakow po doświadczeniach z czteromotorowcem gładko sobie z tym poradził. Na nadskrzydłowych pylonach ustawiono silniki Mikulina. Rozebrany na części pierwszy egzemplarz przewieziono nad Morze Czarne i wypuszczono w powietrze. Latał dostojnie, jak stołowy kredens, ledwo przekraczając dwieście kilometrów na godzinę, a z sześcioma tonami bomb wdrapywał się z trudem na żałosny pułap dwóch tysięcy metrów. Wizjoner z admiralicji, obejrzawszy kredensowe wyczyny, był najwyraźniej rozczarowany. Wszystko było jasne, a marzenia o bombardowaniu wrogiej floty w dalekich portach trzeba było odłożyć na półkę.

W trzydziestym pierwszym mędrcy z Rewwojensowietu* wpadli na kolejny niezwykły pomysł, a zespół CAGI posłusznie zabrał się do roboty. Dość szybko doszli do wniosku, że dla realizacji zadanych osiągów nie wystarczy modernizacja dotychczasowych konstrukcji. Trzeba było stworzyć samolot, który pogodzi niedużą masę z niewielkim obciążeniem powierzchni nośnej i znaczącym udźwigiem. Inżynierowie uruchomili suwaki. Podstawowym problemem była niedostateczna moc silników i ich spora waga. Nie można było mnożyć liczby motorów, bo całość stawała się zbyt ciężka i w dodatku paliwożerna wobec konieczności utrzymywania wysokich obrotów od startu do lądowania. Andriej był przekonany, że do rozwiązywania absurdalnych zadań najlepiej nadają się ludzie bez kompleksów, i obciążył nim Pawła Suchoja. Nowy bombowiec miał mieć zasięg dziesięciu tysięcy kilometrów, a przy sprzyjającym wietrze nawet trzynastu. Konstruktorską łamigłówkę dodatkowo utrudniono, narzucając zespołowi konkretny silnik – M 34 Mikulina. Suchoj nie brnął w nierozwiązywalny problem wielu silników. Z właściwym sobie intelektualnym wdziękiem postawił całą rzecz na głowie: silnik będzie jeden! Powstał leciutki dolnopłat o zadziwiającej rozpiętości trzydziestu czterech metrów i znacznym

* Rewolucyjna Rada Wojenna.

wydłużeniu krytego blachą falistą płata, przypominającego skrzydło szybowca. Całość wieńczyło trójłopatowe śmigło o prawie czterometrowej średnicy i regulowanym (co prawda tylko na ziemi) skoku. Przydatność ANT-25 jako bombowca była iluzoryczna, bowiem w warunkach bojowych liczba silników bombowca narażonego na ogień z ziemi i z powietrza często decyduje o możliwości powrotu znad celu. To trochę tak jak z dywersyfikacją inwestycji giełdowych. Gdy wszystkie środki ulokuje się w jednym przedsięwzięciu, fiasko prowadzi niechybnie do bankructwa. Jeśli zainwestuje się w cztery... O, to zupełnie zmienia statystyczne szanse przetrwania. Ale Tumiłow zawsze podejrzewał, że Suchoj ma w nosie przydatność bojową ANT-25. Powstał bowiem idealny samolot do bicia rekordów długości lotu. Wkrótce też, sprawdziwszy możliwości maszyny nad lądem, postanowiono dolecieć bez lądowania z Moskwy do USA. Pierwszy zmuszony do tego śmiałek, Sigismund Lewaniewskij, po dwudziestu godzinach lotu, z duszą na ramieniu zawracał do domu znad środka Morza Barentsa. Znakomity M 34 zaczął bowiem na potęgę zwracać olej. Choć wina leżała po stronie załogi, która poknociła procedury przepompowywania oleju ze zbiornika rezerwowego do głównego, Sigismund, wylądowawszy szczęśliwie na podmoskiewskim lotnisku Monino, zaczął ujadać nie na żarty. Oświadczył, że latanie do Ameryki na jednym silniku to idiotyzm i że w życiu nie wsiądzie już do żadnej konstrukcji zespołu Tumiłowa. Los uszanował to postanowienie i zabił Lewaniewskiego wraz z pięcioosobową załogą kilka lat później, w czteromotorowcu DB-A Sziszmariewa. Mędrcom marzył się jednak sukces na miarę przelotu Lindbergha. Wybrano najsławniejszego ze sławnych – Czkałowa, będącego w dodatku w specjalnych łaskach Stalina. Ten, mając doświadczenia jedynie na myśliwcach, nie palił się do złożenia swoich zwłok w tak spektakularnej trumnie. Jednak przeleciawszy się dwudziestym piątym, nagle zmienił zdanie i entuzjastycznie zarekomendował samolot Najwyższemu. Polecieli we trójkę w czerwcu 1937: Czkałow, Bajdukow i Bieljakow. Po sześćdziesięciu trzech godzinach trudnego lotu, pełnego drobnych awarii i poważnych oblodzeń, udało się im posadzić samolot w Vancouver. Oczywiście entuzjazm i dziennikarze. Sam Roosevelt przedłużył spotkanie z bohaterami przestworzy z planowanego kwadransa do siedmiu, a nowojorczycy obsypali ich deszczem confetti. Czkałow był bohaterem wyjątkowo rozsądnym i wiedział, że losu nie należy kusić dwa razy. Rekordowy samolot rozebrano więc po cichu na części i parowcem wyekspediowano do ojczyzny. Rozsądek nie uchronił Czkałowa przed śmiercią w katastrofie w 1938, której tajemniczych okoliczności nigdy do końca nie wyjaśniono. Za to przez prawie rok mógł napawać się tym, iż jego rodzinne miasteczko Wasiliewo przemianowano na Czkałowo.

Uwieńczony sukcesem rekordowy przelot Czkałowa i stanowisko głównego inżyniera zawróciły Tumiłowowi w głowie na tyle, iż stracił czujność.

Nigdy nie zapomni rozpierającego poczucia sukcesu. Wieczorami, krańcowo zmordowany, nie mając dość energii nawet na to, by wziąć gorącą kąpiel po spoconym, dusznym, pełnym dymu tytoniowego dniu, zapadał bezmyślnie w fotel, mając na podorędziu półlitrową butelkę podwójnie destylowanej moskiewskiej wódki i talerzyk z marynowanymi borowikami. W spodniach z opuszczonymi szelkami, wparłszy bose stopy w dywan i drapiąc owłosione obficie piersi, zagłębiał się w samozadowolenie. Snuł plany. Trochę marzył.

Wszystko układało się znakomicie, a elementy wpasowywały się w miejsca, które dla nich przewidział. Wydawało mu się, że jest demiurgiem i może dowolnie konstruować swój los. Ba! Może wyznaczać także los innych, zależnych od niego ludzi. Wszystko to dzięki zaletom umysłu i ciężkiej pracy. Wydawało mu się także, że nie zawdzięcza niczego nikomu, co stanowiło dodatkowy powód do dumy. Był pewny, że udało mu się stworzyć zespół doskonały i owinąć go wokół swojego doskonałego umysłu. Był też przekonany, że ludzie są szczęśliwi, pracując pod jego, Tumiłowa, kierownictwem, i że pozyskał ich bezgraniczną lojalność i oddanie zarówno dla celów, które przed nimi stawiał, jak i jego szanownej osoby. Znakomity konstruktor zapomniał, że kariera to taki koń, który do mety dobiega bez jeźdźca i zawsze na swojej drodze napotka ludzi małych i nikczemnych. Straszliwy wieczór 21 października trzydziestego siódmego roku na zawsze pozostał mu w pamięci. Nie chciało mu się wracać do domu, choć przecież wystarczyło wezwać służbowy samochód. Postanowił przenocować w biurze na polówce, co zdarzało mu się nader często. Przed snem postanowił napić się koniaku. Zgasił górne oświetlenie i w intymnym blasku małej lampki nalał sobie dobrą setkę do baniastego kielicha. Wywaliwszy nogi w skarpetkach na biurko pełne notatek i szkiców, zamierzał pociągnąć pierwszy, rozkoszny łyk. Wtedy drzwi otworzyły się cicho i w smudze światła z korytarza ujrzał trzech mężczyzn. Ich miny i postawa świadczyły, że sprawy, z którymi przyszli, traktują bardzo poważnie.

– Wy, towarzysze w jakiej sprawie? – spytał dość ostro, przyzwyczajony do szacunku i posłuchu.

– W waszej – krótko odpowiedział jeden z trzech i dodał tonem rozwiewającym wszelkie wątpliwości: – Wkładajcie buty. Idziecie z nami.

Dwaj pozostali nie włączali się do konwersacji, metodycznie zgarniając jego papiery i notatki i pakując je do kartonowych pudeł, które ze sobą przynieśli. W pierwszym odruchu chciał im powiedzieć, żeby niczego nie pomieszali, ale uznał, że nie warto. Potem limuzyną z firaneczkami, przypominającą karawan, gładko i szybko, pustymi o tej porze ulicami powieźli go na Łubiankę. Siedząc pomiędzy dwoma milczącymi oficerami, usiłował z początku, jak uczniak, którego wzywają do dyrektora, przypomnieć sobie, co też takiego zbroił. Nic jednak sensownego i wartego uwagi NKWD nie przychodziło mu do głowy. Słyszał wprawdzie, że na Łubiankę trafić można nawet

48

za nieprzemyślany do końca toast na imieninach kolegi, ale wygodnie było mu uważać takie antypaństwowe rewelacje za niewinne żarty.

Usiłował zawsze, i jak dotąd z powodzeniem, izolować się od polityki, sądząc, że skala jego osiągnięć upoważnia go do takiej postawy. Teraz uświadomił sobie, czując zimny dreszczyk na plecach, że nie tyle się izolował, co stawiał siebie i swoje dokonania ponad wszelką polityką. Ustrój, w którym żył, wydawał mu się na tyle przyjazny i godny akceptacji, na ile pozwalał mu tworzyć coraz to doskonalsze i lepiej latające samoloty. Uznawał jego dobre strony; starał się pomijać lub uważać za wymysł malkontentów strony złe. Cóż zresztą mogło mu się nie podobać? Żył w komforcie. Zarabiał dobre pieniądze i co najważniejsze mógł realizować swoje najbardziej śmiałe i zwariowane pomysły. Reszta była mniej ważna. Aż do owego wieczoru.

Śledczy, który prowadził pierwsze przesłuchanie, był niepospolicie urodziwym mężczyzną i Andriej, mimo zżerającego go niepokoju i niepewności, ukradkiem przyglądał się funkcjonariuszowi, podczas gdy ten palcami jednej tylko, lewej, ręki zręcznie przekładał papiery wyjęte z grubej, kartonowej teczki. Prawa dłoń, w rękawiczce, spokojnie leżała na politurowanym blacie biurka i dopiero po chwili Tumiłow domyślił się, że dłoń jest sztuczna. Poza tym śledczy mógłby wystąpić w filmie w roli kaukaskiego księcia lub kapitana Nemo w dojrzałym wieku. Był dobrze po czterdziestce, czyli w wieku Andrieja, ale podczas gdy Tumiłow, jak większość zapracowanych mężczyzn, tatusiał i wiotczał, śledczy pod starannie wyprasowanym mundurem z dystynkcjami podpułkownika prezentował ciało sprężyste i umięśnione. No i ta twarz. Szeroko rozstawione oczy ogarniające pół horyzontu, czarne krechy brwi, lekko drapieżny nos i nienagannie wykrojone usta. Siwiejące włosy śledczy strzygł bardzo krótko, tak iż opalizująca w świetle nocnej lampy, będącej jedynym oświetleniem przytulnego nawet gabinetu, szczoteczka jeżyka miała ledwie kilka milimetrów. Lewa dłoń także była przystojna. Andriej, którego natura nie rozpieściła urodą, zawsze chciał mieć takie dłonie. Smukłe i kształtne, o ładnie wykrojonych paznokciach. On sam miał dłonie całkiem zwyczajne, o trochę przykrótkich, nieco za grubych palcach. Uważał zupełnie absurdalnie, że nie są to dłonie stosowne dla konstruktora. Bowiem konstruktor winien mieć dłonie podobne dłoniom pianisty albo chirurga. Najwidoczniej idealizował, bowiem świat pełen jest przecież genialnych pianistów i znakomitych chirurgów o dłoniach na pierwszy rzut oka stosowniejszych do łopaty i kilofa niż do lancetu, kości słoniowej i hebanu.

Śledczy wciąż z upodobaniem wertował papiery, wiedząc doskonale, że gdy robi się to właściwie, ta prosta, niewinna czynność może stać się zmiękczającą wolę przesłuchiwanego torturą. I rzeczywiście tak było. Andrzej, usiłując zająć godną pozycję na prostym krzesełku z niewygodnym oparciem, łypał spod oka na dokumenty, myśląc: „Dlaczego, u licha, jest tego tak dużo? Musieli to zbierać od lat". Reagował jak każdy prawomyślny obywatel, który ma okazję spojrzeć na swoje dossier gromadzone przez służby – zdziwieniem i niedowierzaniem. Usiłował domyślić się przyczyn, dla których komuś chciało się archiwizować rzeczy i wydarzenia, o których on już dawno zapomniał albo wolał zapomnieć. A przecież te dokumenty prowadziły własny żywot. Te, które już starannie zszyto w tematyczne całostki, nagle, przyjmując do swego grona kolejną kartkę, zmieniały konfiguracje, nabierały nowych znaczeń, rosły w utajoną siłę i falowały wieloznacznością, oczekując na kolejne rewelacje. Te mniej atrakcyjne, tyczące faktów zwykłych i zgoła niepodejrzanych, oczekiwały z niecierpliwością na swój dzień, w którym jakiś nowy dokument lub zgoła notatka na pożółkłej z niecierpliwości karteczce nadadzą ich prozaiczności nowy wymiar dramaturgiczny. Spowodują, iż wiele par oczu będzie się, łzawiąc, wpatrywać w to, co kryły dotychczas między niewinnymi z pozoru wierszami. O właśnie! Zręczne palce śledczego trafiły właśnie na taką karteczkę, która zdawała się drżeć w oczekiwaniu na swoją wielką, choć krótką chwilę ważności. Śledczy starannie rozprostował karteczkę i zapytał, a ton i barwa głosu najzupełniej odpowiadały parametrom urodziwego ciała:

– Wiecie, że Junkers złożył w dwudziestym czwartym pozew do Hagi przeciwko wam?

Tumiłow odetchnął z ulgą. To akurat wiedział:

– Nie przeciwko mnie, towarzyszu śledczy – zawahał się – tak mam was tytułować? Wybaczcie. Po raz pierwszy znalazłem się w takim miejscu…

Śledczy uważnie podniósł na niego kaukaskie spojrzenie, wypełnione – jak się wówczas Andriejowi zdawało – bezmiarem melancholijnej rezygnacji.

– Jestem Każedub. Podpułkownik Iwan Każedub. Mówcie, jak wam wygodnie. No więc… Jak to było z tym pozwem?

– Pozew był formalnie przeciw Narkomowi… – Tumiłow chciał się rozkręcić, ale Każedub przerwał mu łagodnie:

– Ale to wy zrobiliście to zbyt dobre aluminium?

– Zbyt dobre? – Andriejowi absurdalność zarzutu zatrzymała na chwilę oddech i wyglądał jak ktoś, kto się dusi. – Fakt, było lepsze od ich blachy falistej. Miało większą wytrzymałość i nie utleniało się w pięć lat.

– Ale wykorzystaliście ich technologię?

Tumiłow odzyskiwał rezon.

– Oczywiście. Przecież po to Ludowy Komisariat wszedł w paragon z Junkersem. – Nie widział sensu rozgrzebywania tej sprawy. Pokrycie z blachy falistej było dobrym rozwiązaniem i wtedy na wszelki wypadek rozpoczął własne prace nad tą technologią. Efekty były znakomite, ale Niemcy uznali, że wszelkie prawa do patentu mają oni, i złożyli pozew, który zresztą oddalono. Nie wiedział, że śledczy w duchu uważał tak samo, tylko potrzebny mu był punkt zaczepienia.

– Wy w ogóle lubicie poszerzać horyzonty? Mam rację? – Ton Każeduba wydawał się dobrotliwy, ale Tumiłow nagle stał się czujny i zaczął ważyć każde słowo:

– W moim zawodzie to nieodzowne. Świat idzie naprzód...

– To dlatego tak lubicie podróżować? Zobaczmy... – Każedub nie wychodził z roli dobrotliwego nauczyciela. – Dwudziesty siódmy... Austria i Włochy, dwudziesty ósmy... Niemcy... znowu Niemcy... Francja... Austria... Anglia... i wreszcie...

– tu Każedub niczym zawodowy aktor zawiesił głos i podniósł wzrok na Andrieja: – Stany Zjednoczone. W trzydziestym. Dobrze mówię?

Tumiłow doskonale wiedział, że śledczy ma to wszystko w papierach, ale spokojnie potwierdził:

– Wszystko się zgadza.

– A do Ameryki po co pojechaliście? – spytał śledczy zaczepnie, a Tumiłow, znów zaskoczony, z trudem się opanował.

Przecież to tylko gra. Tamten ma wszystko i wie pewno wszystko, a może jeszcze więcej. Przecież już w 1924 powstał AMTORG, pozornie amerykańska spółka handlowa, ale w całości kontrolowana przez rząd sowiecki. Sprzedawała surowce, a sprowadzała maszyny i urządzenia. W istocie miała służyć (tak przynajmniej podejrzewał Tumiłow) drenażowi amerykańskich technologii. Dlatego urządzenia i maszyny cywilne kupowano jawnie, a rzeczy związane z technologią wojenną przez skomplikowaną sieć pośredników i tajnych współpracowników. Jednak gdy skala zakupów znacząco rosła, amerykańskie firmy lotnicze szybko zwęszyły możliwość dobrych interesów i wejścia na nowe rynki. Przemysł lotniczy po przelocie Lindbergha był bodaj najbardziej dynamicznie rozwijającą się branżą. Reprezentanci AMTORG-u zostali zasypani lawiną ofert. Po to właśnie Tumiłow pojechał do Ameryki. Po to, by pomóc wyłowić propozycje najciekawsze ze strategicznego punktu widzenia. A było rzeczywiście w czym wybierać. Boeing pchał się ze swoim, całkiem niezłym jak na owe czasy, beczkowatym myśliwcem P-12 i mówiło się nawet o tym, że Amerykanie pomogą zbudować w Rosji zakłady, które będą produkować płatowce i silniki z licencji Curtissa. Jednak Departament Stanu szybko ostudził zapały zarówno jednej, jak i drugiej strony. Doszło do skandalu, kiedy to Glenn Martin zaoferował AMTORG-owi dwadzieścia najnowocześniejszych wówczas w Stanach – i chyba w świecie – dwusilnikowych łodzi patrolowych PM-2, po 55 tysięcy dolarów za sztukę. Departament ostro odmówił pozwolenia na transakcję, a sprawa dostała się do gazet i doszła do Hoovera, który wkurzył się nie na żarty procederem handlowania najnowszymi technologiami wojennymi z czerwoną Rosją. Zrobił się niezły huk, a na aferze skorzystali niespodziewanie Włosi, wciskając zdezorientowanemu Baronowowi (który był wówczas szefem WWS) pięćdziesiąt przestarzałych, drewnianych samolotów Savoia S.62bis wraz z kosztowną licencją i kilkudziesięcioma zapasowymi silnikami*.

Z zamyślenia wyrwał Tumiłowa dobrotliwie zrzędzący głos śledczego:

– No i widzicie. Gdzie nie pojedziecie, to nabroicie. Wiecie, że po waszej wizycie praktycznie ustała wymiana myśli technicznej z USA?

Wiedział. Od czasu afery z Martinem sprowadzano sporadycznie jakieś detale do radiostacji, przyrządy nawigacyjne, ale to wszystko w mizernej skali. Dopiero wybory w trzydziestym trzecim, kiedy zwyciężył Roosevelt, odmieniły sytuację na lepsze. Ale niby dlaczego miałby być winien on, Tumiłow? Czy miał jakiś wpływ na to, że Hoover był zdeklarowanym antykomunistą, albo na to, że głupole z AMTORG-u działały na chama i zbyt pospiesznie? Postanowił bronić się przed tokiem absurdalnych zarzutów:

– Czy można o coś spytać, towarzyszu pułkowniku?

* Z zamówionych 50 Rosjanie odebrali 24 maszyny, a 29 wyprodukowali na licencji.

53

Każedub spojrzał nań zimno, ale zaraz ocieplił wzrok i kiwnął przyzwalająco piękną głową. Wiedział, że jego zarzuty są absurdalne, ale chciał, by przesłuchiwany odsłonił się i powiedział coś, od czego można by zacząć budowanie trzymającego się kupy aktu oskarżenia.

– Pytajcie.

– Proszę wybaczyć, ale czy macie w tych papierach sprawę kontraktu na cyklony?

Każedub odchylił się na oparcie swego fotela, zamknął teczkę i położył na niej prawą, martwą i czarną, dłoń.

– W tych papierach, towarzyszu konstruktorze, jest wszystko. Można powiedzieć, że te papiery wiedzą o was o wiele więcej, niż wy sami chcielibyście o sobie wiedzieć. A co byście chcieli powiedzieć o tym kontrakcie? Śmiało – zachęcał, a Tumiłow stremował się jak początkująca baletnica przed trudnym występem i zaczął wiercić się na krzesełku i zaplatać spocone dłonie:

– Z tego kontraktu i z roli, jaką odegrałem przy jego finalizacji, wynika chyba jasno, że nie chciałem torpedować współpracy?

Widząc życzliwe, jak mu się zdawało, spojrzenie śledczego, skupił się i wyłożył argumenty, mając przeczucie, że Każedub i tak z góry wie, co za chwilę powie przesłuchiwany, a być może ma to nawet zapisane w swojej przerażającej teczce.

– Jak wam zapewne wiadomo, towarzyszu pułkowniku, umowy licencyjne zarówno z Wrightem, jak i z Curtissem były wyjątkowo korzystne….

Pamiętał dokładnie, że uzgodniono wtedy, iż Rosjanie dostaną całą dokumentację, łącznie z opisem procesów technologicznych, na silniki R-1820 Cyklon i V-1800 Curtissa. Licencja i jej obsługa były znakomite! W ciągu roku od podpisania umowy pierwsze licencyjne M-25 pracowały już w myśliwcach Polikarpowa. Umowy przewidywały także długookresowy – jak oni to nazywali – *updating*, czyli przekazywanie aktualnych informacji o kolejnych wersjach rozwojowych silników. Amerykanie, przeciwnie niż konstruktorzy z Europy Zachodniej, nie pchali się w konstrukcje rzędowe chłodzone płynem, potrzebowali bowiem silników, które dobrze sprawowałyby się w lotnictwie pokładowym i morskim. Znosiły duże, krótkotrwałe przeciążenia i kaprysy pogody. Dlatego postawili na chłodzoną powietrzem gwiazdę. Amerykańskie rozwiązanie idealnie sprawdzało się w ekstremalnych warunkach klimatycznych Rosji i silniki te okazały się o wiele bardziej niezawodne od konstrukcji rzędowych chłodzonych cieczą.

Wyrecytował to wszystko śledczemu, niemal jednym tchem, uskrzydlony przekonaniem, że wiele w tym było jego osobistych zasług. Nie wpadło mu jednak do głowy to, iż osobiste zasługi nie mają w tym miejscu zgoła żadnego znaczenia. Paplał jednak gorliwie dalej, wygładzając fałdy szewiotowych spodni na udach:

– Potem – jak wiecie – pojechałem do USA, żeby zamówić wzorcowe egzemplarze szturmowego nortona i DC-2. Nasi specjaliści mogli dzięki temu poznać technologię samozasklepiających się zbiorników i nitowania maszynowego. Gdyby nie moja inicjatywa, opanowanie tych technologii z pewnością trwałoby o wiele dłużej... – wyrecytował i odważnie spojrzał w oczy śledczemu, oczekując aprobaty.

Każedub niecierpliwie stuknął atrapą dłoni w teczkę.

– Tak. Jeśli chodzi o to, to bardzo lubicie przejawiać inicjatywę. – Śledczy zrozumiał, że amerykański trop nie zaprowadzi go daleko, i postanowił zagrać va banque: – Dobrze, zostawmy to. Opowiedzcie mi lepiej, jak zdołaliście upchnąć w tych... jakże im... – Każedub otworzył ponownie teczkę i chwilę wczytywał się w jakiś dokument – ...podłużnicach plany ANT-25?

Tumiłow wytrzeszczył oczy i dłuższą chwilę szukał wzroku Każeduba, ogłuszony absurdalnością zarzutu. Wreszcie zdołał wyjąkać gniewnie:

– W podłużnicach? A na jaką cholerę miałbym chować w samolocie plany tego samolotu? To jakaś koszmarna bzdura!

Każedub nie przejął się tonem Tumiłowa. Pierwszy wyłom został uczyniony – przesłuchiwany tracił panowanie nad sobą.

– Bzdura, powiadacie? A nam skądinąd wiadomo, że te plany w Ameryce trafiły w ręce Niemców. Co wy na to?

Tumiłow musiał wytrzeć spocone dłonie w nogawki spodni. Powoli stawało się dla niego jasne, że ktoś go wrobił. Uświadomił sobie również, że zasadność zarzutów nie miała tu żadnego znaczenia. Równie dobrze mogli mu wmawiać, że sprzedał plany latających talerzy Marsjanom, a on z równym skutkiem mógłby się przed takimi zarzutami bronić. Z równym, czyli z żadnym. Jednak trzeba było spróbować. Śledczy wyglądał na starego wygę. Z pewnością miał tyle doświadczeń i rutyny, że mógł doprowadzić do depresji klinicznego psychiatrę lub wmówić Tumiłowowi, że jest niedźwiedziem polarnym, a nie konstruktorem. Andriej szybko przekalkulował w głowie możliwe taktyki obrony. Można było udawać święte oburzenie i wyrywać sobie włosy... można też było przyjąć wyzwanie i spróbować włączyć się w mitomański spektakl śledczego. Wybrał to drugie:

– Towarzyszu pułkowniku. Będę szczery...

Każedub przyjął to oświadczenie ciepłym i wyrozumiałym spojrzeniem, ale jego sztuczna dłoń drgnęła niecierpliwie, zaprzeczając temu, co powiedziały oczy.

– Mówcie.

– Jestem przekonany, że jesteście bardzo przenikliwym człowiekiem. Zresztą w waszym zawodzie to nieodzowne. Czy może się mylę?

Śledczy postanowił, że przyzwoli chwilowo na taki obrót sprawy. Może kiedy podejrzany poczuje się choć odrobinę partnerem w dialogu, straci czujność i popełni błąd. Odparł więc tym samym łaskawym tonem:

– Nie mylicie się. Mówcie śmiało.

Tumiłow nabrał powietrza i wyprostował się godnie na krzesełku. Wreszcie miał suche dłonie i poczuł się nieco pewniej.

– Załóżmy, że zarzut, który mi przedstawiliście, oparty jest na faktach i plany ANT-25 dotarły do Niemców... Ale co niby Niemcy mieliby z nimi począć? Zbudować sobie rekordowy samolot i lecieć do Nowego Jorku? Mają własnych konstruktorów, i to nie gorszych od naszych. Macie ich może za głupców?

Wiedza Każeduba na temat niemieckich konstruktorów i ich projektów była niewielka. Miał jedynie zapisane, że sprzedane przez Tumiłowa plany ANT-25 posłużyły do zaprojektowania messerschmitta Me-110. Wyrąbał więc przekonany, że wykłada na stół kartę atutową:

– Niemcy w oparciu o te plany zbudowali Me-110! Pewnie nic wam o tym nie wiadomo?

Andriej zmusił się do powagi i spokojnie poprosił:

– Czy możecie zarządzić, żeby przyniesiono tu segregatory nr 01 i 25 z mojego gabinetu? Wasi ludzie spakowali wszystko, o ile zdołałem się zorientować...

Po kilku minutach segregatory znalazły się przed Każedubem. Ten gestem przyzwolenia posunął je sztuczną dłonią po blacie biurka w stronę Andrieja. Ich zawartość Tumiłow znał na pamięć. Numer 25 zawierał dokumentację i historię ANT-25, a segregator 01 najświeższe dane wywiadu na temat konstrukcji zagranicznych. Dane, do których on, jako współodpowiedzialny za realizację doktryny lotniczej państwa, miał – jak mu się wydawało – pełny dostęp. Po chwili na blacie biurka śledczego znalazło się kilka fotografii. Tumiłow, nie pytając o pozwolenie, znalazł się tuż obok śledczego:

– Poznajecie? To mój ANT-25. Jak widzicie, choć projekt miał niby spełniać założenia dla bombowca dalekiego zasięgu, jest to maszyna zdolna tylko do jednego. Do bicia rekordów. To w zasadzie szybowiec z silnikiem. Nie ma tu możliwości zainstalowania opancerzenia, komory bombowej czy uzbrojenia. To latający zbiornik z paliwem. Wystarczyłaby jedna kulka i wszystko zamieniłoby się w wielki fajerwerk. A teraz popatrzcie łaskawie tu. To prototyp Me-110. Szybki, silnie uzbrojony, wielozadaniowy samolot. Podwozie chowane. Może być pościgowcem, myśliwcem bombardującym, ale może też spełniać funkcję samolotu bliskiego wsparcia. Po naszemu szturmowiec. Do bicia rekordów raczej się nie nadaje, choć zasięg ma ponoć całkiem niezły. Ponad 1500 kilometrów. Jak widzicie, ma dwa silniki, a nie jeden, i nie jest kryty blachą falistą jak dwudziesty piąty, bo to konstrukcja półskorupowa. – Widząc błysk niezrozumienia w oczach śledczego, wyjaśniał skwapliwie: – To znaczy, że pokrycie jest pracującą i przenoszącą obciążenia częścią konstrukcji. Jeśli chodzi o poziom rozwiązań technologicznych, to raczej my moglibyśmy naśladować Niemców, a nie oni nas. Oczywiście, w tym konkretnym przypadku – dodał już zupełnie niepotrzebnie i zganił się w duchu za brak pokory. – Każdy fachowiec potwierdzi wam, że szukanie analogii, nawet odległych, pomiędzy tymi konstrukcjami to absolutne nieporozumienie. Oprócz tego, towarzyszu pułkowniku, żeby mieć pojęcie o konstrukcji takiego samolotu jak „dwudziesty piąty", trzeba dysponować całością dokumentacji. Czy wiecie, ile waży dokumentacja takiego samolotu?

Każedub nie miał zielonego pojęcia i nie od razu zrozumiał, do czego dąży przesłuchiwany. Na wszelki wypadek do wyobrażonej wielkości dodał drugie tyle:

– Pewno z pięćdziesiąt kilogramów?

– I pięćset nie będzie za dużo – triumfował Andriej, nie przeczuwając, że miażdżąca argumentacja na rzecz jego niewinności jest zupełnie nie na rękę śledczemu. Więc paplał dalej radośnie, a martwa dłoń Każeduba złowieszczo drgała przy każdym kolejnym zdaniu. – Sami chyba rozumiecie, że mając dodatkowe pół tony na pokładzie, Czkałow nigdzie by nie zaleciał. No i gdzie to upchnąć?

Śledczy zerwał się lekko i szybko. Równie szybko uderzył Tumiłowa w twarz. Wyglądało to tak, jakby kot machnął łapką, ale sztuczna dłoń Każeduba, zrobiona z twardej buczyny i obciągnięta czarną skórą, trafiła w skroń i Tumiłow znalazł się na podłodze. Przez chwilę nic do niego nie docierało. Nawet to, że śledczy gadał do niego takim samym dobrotliwym tonem.

– Przyznajcie się: zrobiliście mikrofilmy?

Andriej ciężko dźwignął się na kolano, podparł dziwnie teraz ciężkie ciało ręką, a w jego głowie zahuczał dzwon. Z wysiłkiem odkaszlnął i nie patrząc na śledczego, wychrypiał:

– To... to kilkadziesiąt tysięcy stron i rysunki. Ekipie fotograficznej zajęłoby to z miesiąc...

Następne uderzenie. Znów niespodziewane i jeszcze bardziej upokarzające, rozjaśniło mu w głowie – i był za ową śledczą szczerość wdzięczny. Nie wysuwał więc kolejnych miażdżących argumentów, choćby takiego, że dwudziesty piąty powstał w 1932 roku i Niemcy musieliby być rzeczywiście tępi, spodziewając się rewelacji w pięć lat później. Zresztą lot do Stanów odbył się w czerwcu 1937 roku, a Me-110 oblatano już w marcu 1936 roku. Poczuł ciepły strumyczek krwi, a w chwilę później ciemna w skąpym świetle kropla spadła na parkiet tuż obok jego prawej dłoni. Zastanawiająco szybko śledczy znalazł się koło niego i poderwawszy lekko z podłogi, z wprawą ulokował go na powrót w krześle.

– A więc zrobiliście mikrofilmy – już nie pytał, ale życzliwie i jakby z ulgą stwierdził Każedub i podał Andriejowi zachęcającym ruchem kawałek czystej, kancelaryjnej bibuły: – Wytrzyjcie sobie twarz i porozmawiamy o waszych wspólnikach. Co wy na to?

Przesłuchań było jeszcze kilkanaście, a ich monotonię przerywał jedynie pobyt w celi więzienia śledczego, przebudowanego z dawnej izby przemysłowo-handlowej. Więzienie połączone było dla wygody z dziesięciopiętrowym, monumentalnym gmachem NKWD. Można rzec, że obydwa budynki tworzyły wielce funkcjonalny kompleks do przerabiania ludzkich losów.

Przesłuchania zwykle odbywały się nocą. Po dwudziestej trzeciej. Po Tumiłowa przychodził zawsze ten sam strażnik i szeptem pytał o inicjały imienia i nazwiska. Nie używano tu pełnego głosu ani pełnych wersji personaliów. Absurd totalnej podejrzliwości zbierał bogate żniwo. Najpierw od ubrania więźnia odcinano skrzętnie wszystkie sznurki i tasiemki, a z butów wyjmowano sznurowadła. Ten miły zwyczaj powodował, że spora część uwagi i koncentracji osadzonego poświęcona była podtrzymywaniu stale opadającej garderoby. Było to – jak się zdaje – szczególnie istotne podczas prowadzenia na przesłuchanie. Więzień musiał trzymać ręce założone do tyłu, nie miał więc ani czasu, ani chęci, by rozglądać się po otoczeniu. Z tych przejść Andriej zapamiętał głównie cement podłogi, niezliczone stopnie schodów i pęki rur oraz kabli umocowane wzdłuż ścian korytarzy*. Miał za to wspaniałą celę tylko do swojej dyspozycji. Cela, z trzema całkiem wygodnymi pryczami, mieściła się na najwyższym piętrze, które dawniej było pewnie przytulnym poddaszem izby przemysłowej. Pomieszczenie zachowało charakterystyczny kształt mansardy i miało zupełnie cudowne i całkiem duże okno w pochyłym suficie. Przez okno w pogodne noce widać było moskiewskie gwiazdy, a Tumiłowowi w ich podziwianiu nie przeszkadzały kraty ani stuświecowa żarówka, paląca się tuż nad drzwiami przez całą noc. Przejście przez korytarze na przesłuchanie było przeżyciem szczególnym dla umysłu tak wrażliwego. Klawisze prowadzący więźniów sygnalizowali swoje zbliżanie tak, by ostrzec prowadzących z przeciwka. Więźniowie nie powinni bowiem widzieć nawzajem swych twarzy, a strażnicy nie powinni znać twarzy więźniów†. Oficerowie idący korytarzami też odwracali głowy lub zasłania-

---

* Przejście pomiędzy budynkami było tylko jedno, i to pod ziemią. Tumiłow, by dostać się z części więziennej do „biur", musiał wraz ze strażnikiem pokonać wiele pięter.
† NKWD nie ufało swym funkcjonariuszom zupełnie zasadnie, bowiem istniał rodzaj przekupnej współpracy pomiędzy niższymi funkcjonariu-

li oblicza teczkami dokumentów. Po co ktoś, po wyjściu na wolność (jeśli taki cud rzeczywiście się zdarzał), ma ich rozpoznać na ulicy? Korytarze na Łubiance rozbrzmiewały więc wesołym postukiwaniem kluczy w poręcze, cmokaniem, a nawet kukaniem. Zresztą każdy z klawiszy miał własny akustyczny system wczesnego ostrzegania. Gdy ruch na korytarzach był zdaniem klawiszy nadmierny, nie wystarczało już odwracanie konwojowanych twarzą do ściany. Korzystano więc ze specjalnych budek, ulokowanych na półpiętrach. W celi Andriej miał spokój. Musiał tylko pamiętać, że leżąc nie wolno było chować rąk pod kocem. Gdy strażnik kontrolujący celę przez judasza zauważył to, bębnił niezwłocznie pękiem kluczy w metalowe drzwi. Jedzenie było znośne. Co dzień sześć stugramowych kawałków chleba (dzielenie na porcje miało chyba zapobiegać przemycaniu w chlebie większych przedmiotów i wiadomości). Na śniadanie mocna herbata z dwoma kawałkami szarego cukru. Na obiad zupa i porcja jęczmiennej kaszy. Na kolację znów talerz zupy. Tyle że innej niż na obiad. Dwa razy w tygodniu na kolację oryginalna sałatka: surowe, pokrojone w kostkę buraki z surową cebulą, poszatkowanymi liśćmi białej kapusty i gotowanym grochem. Owa bomba witaminowa polana była odrobiną oleju i skropiona octem. Tumiłowowi, który zawsze był niepoprawnym łasuchem, brakowało pierożków i blinów, które po mistrzowsku przyrządzała żona. Wszystkie przesłuchania, prowadzone przez Każeduba lub innych oficerów, których twarzy nie zapamiętał, przebiegały podobnie. Wypytywano go o szczegóły techniczne, o współpracowników, o zagraniczne kontakty i przyjaźnie, starano się sondować jego entuzjazm dla władz i polityki. Nikt go już nie uderzył, a on dbał o to,

szami a światem więźniów i zesłańców. Opisywane są przypadki informowania i realizowania zaleceń zesłańca jeszcze przed rozpoczęciem kary w obozie pracy. Jadąc tam, wiedział już doskonale, z kim spośród strażników ma się kontaktować i jaką rolę mu wyznaczono. Oczywiście wszystkie owe „udogodnienia" miały swoją cenę.

by odpowiadać zgodnie z najlepszą wiedzą, choć wystrzegał się mówienia rzeczy, które mogłyby ośmieszyć śledztwo. Na koniec podsunięto mu do przeczytania i podpisu pokaźny plik akt. Składały się nań protokoły przesłuchań, sprawozdania, które musiał, niczym wypracowania, odrabiać na polecenie śledczych, a wreszcie zeznania innych na jego temat. Te ostatnie miałby ochotę przestudiować skrupulatnie, ale martwa dłoń Każeduba zbyt ostentacyjnie odmierzała czas na blacie biurka. Jak oświadczył podpułkownik, cała ta pisanina tworzyła „ukończenie sprawy"*. Podpis Andrieja był jednoznaczny z akceptacją i przyjęciem do wiadomości wszystkich zarzutów i opisanych okoliczności. Śledczy dał mu w swoim delikatno-drapieżnym stylu do zrozumienia, że podpisać należy. W razie odmowy (do czego oczywiście przesłuchiwany miał prawo) cała procedura zacznie się na nowo. Każedub określił to w sposób następujący, a czarna dłoń okrągłymi, martwymi gestami, niczym koziołkujący zestrzelony samolot, akcentowała poszczególne frazy:

– Podpiszcie. Tak będzie lepiej dla was. Nie chciałbym, żebyście musieli poznać całość naszych procedur. Powiem wam tylko tyle, że jeszcze się nie zdarzyło, żeby ktoś nie podpisał.

Wyobraziwszy sobie „całość", Tumiłow złożył swój wypracowany podpis, który w przeszłości wieńczył już tyle udanych projektów i cennych dokumentów. Podpisując, pomyślał sobie, że każdy widać musi zostawić po sobie i taki ślad. Ślad potwierdzający bezradność i rezygnację z własnej godności. Na zakończenie Każedub, który nawet wstał, by podkreślić powagę chwili, dodał:

– Na tym etapie to wszystko, Andrieju Nikołajewiczu, ale coś mi mówi, że się jeszcze spotkamy.

O ile Łubianka, a szczególnie Wnutriennaja Tiurma, czyli Wewnętrzne Więzienie, cieszyła się ponurą opinią miejsca suro-

---

* Podpisane „ukończenie sprawy" składało się na tzw. *Dieło*, czyli podstawę sprawy sądowej.

wego, gdzie skrupulatnie izoluje się osadzonych i ściśle prze-
strzega procedur, o tyle o Butyrkach przy Nowosłobodskiej 45,
do których go przewieziono, krążyły opinie o niebo weselsze.
Na początek wepchnięto go do celi nr 58, w której komfortowo zmieściłoby się może ośmiu ludzi. Tumiłow był trzydziesty
ósmy. Spali na podłodze, na siennikach, a raz na kilka dni każdy
mógł spędzić rozkoszną noc na pryczy. Jedzenie podawano
przez otwór u dołu drzwi, przypominający nieodparcie karmnik
w schronisku dla psów. Stan osobowy celi był zmienny, a w którymś tygodniu było ich nawet czterdziestu. Za to towarzystwo
– by tak rzec – było doborowe. Inżynierowie, lekarze, wojskowi
wysokiego szczebla, zdarzali się nawet dyplomaci i profesoro-
wie uniwersytetów oraz cudzoziemcy. Andriej nigdy nie uważał
miesiąca spędzonego w celi nr 58 za stracony. Przeciwnie. Ani
przedtem, ani potem nie miał tak wielu okazji do poznawania
nowych, wspaniałych ludzi. Władze przez jakieś dziwne prze-
oczenie nie sadzały ich wśród morderców, kieszonkowców
i malwersantów ludowego majątku, ale trzymały razem, two-
rząc mimowolnie wybuchowy intelektualny zaczyn. Mieszkańcy „kwatery nr 58" szybko zorientowali się, że nie podsyła się
im prowokatorów, i zaczęli sobie w ograniczonym stopniu ufać.
Szybko też „kwatera" wypracowała swoje zwyczaje i reguły.
Przede wszystkim nie marnowano czasu, a każdy nowo przybyły był proszony o szczegółowe sprawozdanie z zewnątrz.
Mieszkańców „58" interesowało literalnie wszystko. I tak były
redaktor działu zagranicznego „Prawdy", były członek Komitetu Centralnego, kawaler Orderu Lenina, siedzący w Butyrkach
już kilka miesięcy, opowiadał im szczegółowo o wojnie domowej w Hiszpanii. Był bowiem – nim go odwołano do Moskwy
– delegatem sowieckim i doradcą do spraw propagandowych
Republiki. Karlsten, Szwed, specjalista od technik grzewczych,
zatrudniony przez rząd do modernizacji urządzeń w prestiżo-
wych uzdrowiskach, zdawał im po niemiecku niezwykle interesujące i pikantne relacje o wyczynach wysoko postawionych

bywalców Kisłowodzka i innych modnych w najwyższych sferach „wód". Przez pewien czas siedział w „58" wyjątkowo nieprzystępny i nieufny „zamkom", czyli zastępca komisarza ds. morskich, który otarł się blisko o krąg znajomych pewnego zastrzelonego niedawno dygnitarza. Od „zamkoma" nie usłyszeli zbyt wielu interesujących opowieści, uważał ich bowiem za niebezpieczną bandę wywrotowców, którzy nawet w więzieniu nie rezygnują z antypaństwowej działalności. Sam, co żarliwie deklarował, nie miał najmniejszych pretensji do władz. Swoją aktualną sytuację uważał za koszmarne nieporozumienie i był święcie przekonany, iż lada dzień zostanie przeproszony i przywróci się mu wszystkie przywileje i zaszczyty. Któregoś dnia zniknął bezpowrotnie, a oni sobie tylko znanymi kanałami dowiedzieli się kilka dni później, iż dostał ważne na pięć lat skierowanie do obozu poprawczego. Nie zmartwiło to ich specjalnie, doszli bowiem gremialnie do wniosku, iż przez pięć lat „zamkom" będzie miał okazję do gruntownej weryfikacji swoich opinii na temat władz i ich skłonności do pomyłek.

Znacznie ciekawszym współtowarzyszem niedoli okazał się premier Mongolii, dyplomowany historyk, oczekujący na wyrok za to, iż rzekomo spiskował z Japończykami, planując oderwanie Zewnętrznej Mongolii od marksistowskiej macierzy. Dowiedzieli się od tego przemiłego człowieka, że Butyrki goszczą także od pewnego czasu prezydenta Mongolii i dziewięciu ministrów, w tym jednego bez teki. Premier był jednak zadowolony, że resztę rządowych spiskowców posadzono oddzielnie. Uważał, że są nudni, zbyt konformistyczni i generalnie nie rozumieją mechanizmów historycznej dialektyki. Lokatorzy celi 58 dowiedzieli się od niego mnóstwa intersujących rzeczy na temat najnowszej i dawnej historii jego wspaniałego narodu, lecz najbardziej cenili sobie znakomicie przez niego opowiadane i odgrywane mongolskie bajki, których bohaterami były zawsze sugestywnie zarysowane postaci sprytnych zwierzątek. Na premierowe bajki czekali jak dzieci każdego wieczoru, a on, widząc zachwyt w ich spojrzeniach, wznosił się na wyżyny swej bajarskiej sztuki, wywołując zwykle burzę owacji i zaniepokojonego hałasami strażnika z korytarza. Tumiłowowi przypadły szczególnie do smaku historyjki o sprytnym mongolskim świstaku Tarbaganie, który udając głupka i ignoranta, w ważnych sprawach skutecznie ogrywał silniejszych i niebezpiecznych przeciwników. W rezultacie zawsze osiągał swoje cele, a wielcy drapieżcy – niedźwiedź, wilk i orzeł – wychodzili nieodmiennie na durniów. Świstakowa metoda była stosunkowo prosta. Nie wyrywał się. Czekał. Słuchał. Ustępował. Nie chwalił się swoim sprytem. Uśmiechał się i kłaniał. I cały czas kombinował, jak by cudzymi rękami osiągnąć swoje cele. Tumiłow złapał się na tym, że coraz częściej wyobraża sobie Tarbagana. I gdy wszyscy już posnęli w świetle przeraźliwej stuwatowej żarówki, szeptem prosił sędziwego premiera o kolejną bajeczkę. To ich wkrótce zbliżyło, a Mongoł zaczął nazywać Andrieja Tarbaganem. Którejś z takich nocy, gdy wszyscy spali, premier spytał:

– Tarbagan. Za co siedzisz?

Tumiłow uśmiechnął się ciepło i sprawdził koniuszkiem języka szkliwo zębów. Zdarzało się bowiem, że bez witamin złaziło jak pergamin. Na razie było w porządku. Może dzięki dodatkowej porcji tranu, którą udało się załatwić ze strażnikiem, który w gruncie rzeczy żywił niekłamany podziw dla większości swoich więźniów, choć na szkoleniach kładziono mu do głowy coś zupełnie innego.

– Teraz to już sam nie wiem. Czasem wydaje mi się, że za to, że nie potrafiłem być Tarbaganem.

Mongoł od razu zrozumiał:

– Za dużo sukcesów. Za dużo powodzenia?

– Coś w tym rodzaju – Andriej pokiwał głową.

– Nadużywałeś tego? Krzywdziłeś ludzi? – Oczy starego premiera stężały i stały się na moment czujne. Andriej to zauważył, podobnie jak drzemiącą w starcu spokojną siłę.

– Może niechcący. Chyba nigdy ze złą intencją, ale wiesz, jak to jest, kiedy ci wychodzi? Kiedy jesteś na fali. Chciałbyś, żeby inni podążali za twoim powodzeniem. Czasem pewnie zdarzyło się kogoś poturbować. Ale... – zastanowił się chwilę i serdecznie uśmiechnął, co Mongoł nie od razu odwzajemnił; tak czujnie czekał na odpowiedź Andrieja – ...ludzie raczej garnęli się pod moje skrzydła. Zdarzało mi się często pomagać. O coś tam zabiegać u władz. Tuszować. Wiesz, jak to jest na górze? Bez takich małych kombinacyjek się nie obejdzie. Ten zna tego. Tamten tamtego. Zrobisz komuś grzeczność, odwzajemni się. Odmówisz, może zaszkodzić.

Mądry historyk o wystających kościach policzkowych (co było jedynym sygnałem jego rasy, bo oczy miał całkiem europejskie) upewnił się:

– Ale nie na tym budowałeś swoją pozycję?

– Nie... chyba nie. – I Andriej opowiedział Mongołowi historię swojego sukcesu, nie ukrywając niczego. Ten umiał słuchać i nie przerwał ani razu. Ale gdy Tumiłow skończył, wyciągnął wnioski od razu:

– Tak. To wiele wyjaśnia, ale wy nie sadzacie do więzienia za brak pokory. Siedzisz – jak sam powiedziałeś – z 58 paragrafu*. A szpieg i wywrotowiec z ciebie nad wyraz kiepski. Ktoś więc musiał maczać w tym palce, Tarbagan. Opowiedz mi jeszcze raz o tym Lewaniewskim. Rzeczywiście przyjaźnił się ze Stalinem?

Wtedy, opowiadając i odpowiadając na wnikliwe pytania więziennego kolegi, Tumiłow z całą jaskrawością uświadomił sobie, komu zawdzięcza Łubiankę i Butyrki. Przypomniał sobie, jak kilkakrotnie sprowokowany wyjątkową butą i bezczelnością sławnego lotnika, powiedział mu coś tonem o wiele ostrzejszym niż ten, którego powinien używać szef biura konstrukcyjnego,

---

* Paragraf 58 ówczesnego kodeksu karnego tyczył się działalności wywrotowej i szpiegostwa.

zwracając się do pilota. Nie znosił jednak takich typów. Może i Sigismund Lewaniewskij był dobrym awiatorem, ale przede wszystkim karierowiczem, robiącym wiele pokazowego szumu. A co najważniejsze, w ocenie Andrieja, był technicznym ignorantem, który błędy wynikające z własnego nieuctwa zwykł zwalać na konstruktorów.

– Jak mnie wypuszczą, to z nim pogadam. Takie rosyjskie, bezinteresowne draństwo!

Premier uśmiechnął się wyrozumiale i położył ciepłą, suchą i – jak się Tumiłowowi wydawało – bardzo silną dłoń na jego dłoni:

– Na Wielką Pustkę! Zrobiłbyś najgłupszą rzecz, jaką można zrobić.

Tumiłow nie zrozumiał.

– A niby jak mam się zachować wobec takiego... – nie znalazł dobrego słowa na wyrażenie swojej opinii o Lewaniewskim. Mongoł nie puszczał jego dłoni.

– Po pierwsze, nie wiadomo, czy wyjdziesz. Ale jeśli ci się uda, Tarbagan, udawaj, że o niczym nie wiesz, niczego się nie domyślasz. Zostaw go w niepewności. To najlepsza kara. A potem zastanów się, czy chcesz rewanżu. Ale dobrze się zastanów!

Nim poszli spać, siedzieli jeszcze kilka minut, patrząc na siebie ciepło i kiwając głowami. Nie mówili nic, ale rozumieli się doskonale. To był osobliwy widok. Siedemdziesięcioletni, łysy i muskularny Mongoł o ciepłym i mądrym spojrzeniu i blisko pięćdziesięcioletni, podtatusiały inteligent o oczach pełnych ironii i goryczy. Potem premier raz jeszcze położył dłoń na dłoniach konstruktora, jakby chcąc przekazać mu choć część swojej pewności i spokoju. I dla pewności poradził raz jeszcze:

– Dobrze się zastanów, Tarbagan...

Późną jesienią 1938 zaprowadzono Andrieja do biura naczelnika. Gdy zamknięto za nim drzwi, ujrzał promienne spojrzenie siedzącego za biurkiem Każeduba. Epolety informowały, że śledczy jest już w randze pełnego pułkownika. Każedub lubił teatralne efekty. Zerwał się sprężyście z krzesła, z rewerencją ujął zdziwionego Tumiłowa pod ramię i poprowadził w stronę niskiego stolika i wygodnych foteli w kącie gabinetu, obok rozłożystej palmy. Usadziwszy go wygodnie, pułkownik zatarł dłonie (a gest, w którym spotkały się obie kończyny, żywa i sztuczna, omal nie rozśmieszył Tumiłowa) i zaczął kręcić się po rozległym gabinecie. Jego ruchy były płynne i taneczne. Odnosiło się wrażenie, że za chwilę puści się w prysiudy. Choć cały czas gadał, poruszał się pewnie, jak ktoś, kto pilnie trenuje szermierkę lub sztuki walki. W przelocie otwierał szafki i drzwiczki kredensu, zastawiając niski stolik ze szklanym blatem mnóstwem smakołyków i trunkami. Wreszcie usiadł – w sam czas, bo Tumiłowowi zaczynało już kręcić się w głowie od jego krzątaniny – i wlepiwszy rozradowane spojrzenie w konstruktora, obwieścił:

– Dogodzimy sobie. Te wszystkie pyszności towarzysz naczelnik, niech go diabli, pewnie powyjmował z paczek dla pensjonariuszy. Spójrzcie tylko. Gruziński koniak. Ukraińskie piwo. Sardynki. Sucharki. Pikle. Orzeszki. O! – Podniósł słoiczek i mrużąc oczy, z lubością wczytywał się w etykietkę. – Mamy nawet kawior. I to dobry. Co wy na to? Pieczywa też nie brak. Jest i masełko – paplał, nie czekając na odpowiedź Andrieja. Tumiłow zrozumiał, że śledczy jest spięty i robi dużo szumu, żeby to zamaskować. Zadomowiony już w nim na dobre Tarbagan kazał mu ułatwić pułkownikowi początek. Wtrącił więc skromnie:

– Naczelnik pewno nie będzie zachwycony?

Każedub spojrzał na niego badawczo, lecz życzliwie i posmarował masłem ułamany przed chwilą kawałek rozkosznie pachnącej białej bułki.

– To już nie nasz problem. Towarzysz naczelnik zajął wasz siennik. Powinien przez pewien czas postudiować życie w celi. To go zbliży do zagadnień, które winien już dawno zgłębić. Nie-

68

stety, interesowało go tylko okradanie paczek. Aha! Jeśli chodzi o wasze rzeczy, zaraz je tu nam przyniosą. Nie zawracajcie sobie tym na razie głowy, tylko częstujcie się, proszę.

Podsuwał mu pod nos dopiero co ukończoną kompozycję. Na kawałku posmarowanej masłem białej bułki leżała solidna warstwa kawioru, ozdobiona kawałkami puszkowego ananasa i skropiona sokiem z cytryny. Tumiłow niepomny tego, że konsumuje cudzą własność, z rozkoszą zatopił zęby w jedzeniu. Butyrki zdążyły wyrobić w nim zachłanność na wartościowe pożywienie. Wiedział, że każdy kęs bogatego w witaminy jedzenia opóźnia nadejście nieuchronnych więziennych przypadłości: awitaminozy, szkorbutu, puchliny kończyn. Każedub wciąż grał, ale było to aktorstwo strawne na tyle, że nie przeszkadzało Tumiłowowi w rozkoszowaniu się smakiem dawno niekosztowanych specjałów. Gdy skończył pierwszą kanapkę, bez pytania sięgnął po bułki, masło i marynowane grzybki. Każedub obserwował to przez chwilę z protekcjonalną życzliwością. Tak patrzy zarozumiały mieszczuch, częstując przybyłych z prowincji ubogich krewnych miastowymi delikatesami. Potem odpieczętował koniak i rozlał pachnący gryczanym miodem i wiosenną ziemią trunek do szklaneczek.

– No to: żebyśmy zapomnieli dawne żale! Nie chowacie chyba do mnie urazy?

Tarbagan podpowiadający Andriejowi, jak ma się zachować, szepnął za niego skromnie:

– Skądże znowu, towarzyszu pułkowniku. Nie warto wspominać. Rozumiem, że mogliście się wtedy na mnie rozgniewać.

Oczy śledczego zaokrągliły się na moment, ale po chwili zaaprobowały wisielczą kurtuazję Tumiłowa:

– Nie chowacie… No, to wasze zdrowie. W nagrodę możecie mnie teraz spytać o wszystko, co was interesuje. Śmiało. To nie będzie w żadnym protokole.

Tumiłow zrozumiał, że nie powinien odrzucać takiej okazji. Najbardziej chciało mu się spytać o żonę i dzieci. Wiedział z więziennych, często niejasnych plotek i przemycanych informacji, że Julia też siedzi w Butyrkach i że przywieziono ją prawie zaraz po nim. Wiedział, że dzieciakami opiekują się przyjaciele i że nie dzieje się im żadna krzywda. Tarbagan kazał mu jednak spytać przede wszystkim o postępy w jego sprawie:

– Czy proces w mojej sprawie wkrótce się rozpocznie? Wiecie, to czekanie wcale nie jest przyjemne. Wolałbym być już po wyroku.

Każedub spoważniał:

– Wyrok może i będzie, ale z pewnością nie będzie żadnego procesu. Nie wystarczy wam NKWD? Potrzebny wam jeszcze jakiś sąd? Szkoda czasu, a wy pewno chcielibyście wrócić do pracy?

Krótki płomyk radości rozjaśnił szare myśli Tumiłowa, ale zaraz przygasł. „Bawi się ze mną. Co za drań! Nie wystarczy mu upokorzenie. Musi mnie poturlać po dywanie, jak kot nadgryzioną mysz". Andriej spekulował, ale twarz Każeduba obiecywała wiele. Śledczy miał minę taką, jaką zapewne miał dobry Bóg w szczególnie owocnej chwili stworzenia.

– No co? Chcielibyście znów popracować? – Każedub zastanowił się chwilę i dostrzegając nieufność w spojrzeniu Tumiłowa, uspokoił: – Nie. No, co wy. Ja przecież nie żartuję. Wiem. Myślicie, że robię was w balona i że jak tylko was nakarmię tymi delikatesami, wyślę do pracy w obozie. Zobaczcie. – Każedub podszedł energicznie do drzwi i szarpnięciem otworzył je. – Widzicie? Nikt tu nie czeka, żeby was odwieźć do poprawczaka. Możecie się nie bać. Proponuję wam powrót do waszej pracy. Serio. Co wy na to?

Andriej nie odpowiedział. Drżącymi z emocji dłońmi nalał sobie dobre sto gramów koniaku, omal nie przelewając brzegów szklaneczki. Na powierzchni bursztynowego płynu utworzył się wypukły menisk. Dłonie się uspokoiły i Tumiłow doniósł alkohol do warg, nie roniąc ani kropelki. Potem wolno, ze smakiem, a może raczej z namaszczeniem, wysączył koniak do dna.

Każedub obserwował ten wyczyn z uznaniem i sam nalał sobie równie słuszną dawkę. Andriej odetchnął głęboko i mrugnąwszy z wysiłkiem załzawionymi oczyma, spytał przymilnie:

– Wyjdę stąd?

– Oczywiście, że wyjdziecie. Państwo nie ma z was żadnego pożytku w tych zawszonych murach. Jesteście nam potrzebni. Sytuacja międzynarodowa bardzo się skomplikowała, a armia nie ma dobrych samolotów.

Tumiłowowi koniak szybko i niespodziewanie uderzył do głowy. Zachichotał:

– Nie kokietujcie. Jest do cholery dobrych konstruktorów.

– Już mniej pewny wymieniał nazwiska, ale choć nie chciał, zabrzmiały jak wielkie znaki zapytania: „Miasiszczew? Petlakow? Tomaszewskij?" Przy każdym nazwisku spoglądał na pułkownika, a ten twierdząco kiwał głową. Ale wywnioskować można było tylko tyle, że Każedub również uważa wymienionych za konstruktorskie znakomitości.

– Będziecie mogli pisać do żony i może zobaczycie dzieci.

Tumiłów zrozumiał wreszcie, że sprawy nie wyglądają wcale tak różowo. Pokiwał głową.

– To znaczy, że nie wyjdę?

– Jak by to wam naświetlić? – Każedub frasobliwie oglądał pod światło swoją szklaneczkę. – Zabieramy was pod Moskwę. Będziecie mieli znacznie więcej swobody i o niebo lepsze warunki. No i własny zespół. Jak dawniej. Część ludzi już zebraliśmy. Innych wskażecie według własnego uznania.

Tumiłów kiwał głową. Jakże miałby się nie zgodzić. Cóż dałaby odmowa? Ocaliłby honor? Godność? Te dawno już mu zabrano, a on wyrzekł się ich chętnie, bo się bał. Jeśli jednak pozwolą mu pracować, może odzyska choć trochę szacunku do samego siebie? Jakże był śmieszny i żałosny on – wielki konstruktor – wobec oficerka, który ofiarowywał mu coś, co i tak do niego należało – możliwość wykonywania ukochanej pracy. Każedub musiał dostrzec rozpacz i wstyd w spojrzeniu

Tumiłowa. Wlał do jego szklanki resztkę koniaku z flaszki i niemal serdecznie (a może tylko chciał, żeby to tak zabrzmiało) powiedział:

– Rozumiem, że się zgadzacie. Tak? No to zagryźcie i chodźcie. Podpiszemy papiery waszego przeniesienia. Jest tego sporo.

Andriej, żując kawałek ananasa, z ulgą kiwał głową, bo słowo „przeniesienie" brzmiało jak „zmartwychwstanie".

Warunki w CKB 29 były rzeczywiście o niebo lepsze. Biuro pomieszczono w specjalnie odremontowanym skrzydle więzienia w podmoskiewskim Bolszewie. Pokoje były słoneczne, znakomicie wyposażone w sprzęty i urządzenia, a część biurowa łączyła się poprzez wydzieloną klatkę schodową z częścią mieszkalną. Tumiłow miał tu do dyspozycji „apartament", składający się z saloniku i sypialnej wnęki, oraz prawdziwą łazienkę z żeliwną wanną i lustrem. W oknach były wprawdzie kraty, ale były to „normalne", duże dwuskrzydłowe okna, które można było otwierać na oścież i wdychać ostre podmiejskie powietrze. Dostawali świeżą prasę i mogli zamawiać książki i materiały, jakie się im tylko zamarzyły. Jedzenie także było na poziomie. Serwowano proste, ale smacznie przyrządzone i dobrze podane dania, a jedli wspólnie w stołówce, którą – jak można było się domyślać – tworzyły dawne, połączone z korytarzem cele. Mieli przydziały papierosów, czekolady i markowego alkoholu. Były nawet kobiety w osobach kilku sprawnych i całkiem urodziwych „pomocy biurowych". Tumiłow domyślał się, że są one funkcjonariuszkami NKWD i mają monitorować nastroje zespołu, a także – być może – dyskretnie zaspokajać seksualne potrzeby wygłodzonych konstruktorów. Mogli także spacerować po wydzielonej i ogrodzonej części parku przylegającego do więziennego kompleksu. Tumiłowowi po brudnych i zawszonych Butyrkach Bolszewo wydawało się rajem. Zdał sobie sprawę, jak niewiele potrzeba, by uczynić człowieka szczęśliwym. Wystarczyło „przeniesienie". Miał tu także swój ogródek. Kilka doniczkowych roślinek na parapecie okna wychodzącego na wschód. Gadał do nich o świcie przy podlewaniu, bo wydawało mu się, że kilka życzliwie wyszeptanych słów pomoże kwiatkom rosnąć. I rzeczywiście. Mimo iż wyjątkowo ponura styczniowa aura skąpiła zmarzniętej ziemi słońca, roślinki dzielnie pięły się do góry. Ściągnął tu z łagrów i więzień całego kraju około stu pięćdziesięciu ludzi. Każedub, któremu przedstawiał kilka razy sążniste listy ludzi, z którymi kiedyś pracował lub choćby o których słyszał dobre opinie, nawet się nie skrzywił. A w ciągu kilku dni pod gmach zaczęły zajeżdżać samochody, z których niepewnie wysiadali przygarbieni ludzie wystrojeni w za szerokie w ramionach cywilne jesionki. Co charakterystyczne, wszystkie owe palta z barankowymi kołnierzami miały ten sam ciemnoszary kolor i identyczny krój. Tumiłow witał wszystkich osobiście, z radosną twarzą. A oni rozglądali się niepewnie po białych, świeżo wymalowanych wnętrzach, ozdobionych brzoskwiniową lamperią. Nieufnie patrzyli na nowiutkie stoły i rysownice, na baterie niezatemperowanych ołówków i dziewicze, niesplamione kreślarskim tuszem grafiony. Andriej cieszył się ich radością, starając się usuwać swoją osobę w cień, choć zdawał sobie sprawę, iż jego wybór wielu spośród tych ludzi uratował życie. Wkrótce zaczęto tworzyć zespoły do poszczególnych projektów: 101 Miasiszczewa, 100 Petlakowa, 110 Tomaszewskiego. On sam stanął na czele projektu 103, ale wolał nazywać go „pięćdziesiątym ósmym" przez sentyment do numeru celi*. Tu w styczniu 1938 roku obchodził swoje gorzkie z kilku powodów pięćdziesięciolecie. Ale wolno mu było korespondować z żoną. Wynegocjował także to, że dzieci pod opieką wynajętej przez przyjaciół niańki mogły mieszkać w ich dawnym mieszkaniu. Do „pięćdziesiątego ósmego" zabrał się z prawdziwą rozkoszą, bo dwa lata

---

* Każde biuro projektowało i budowało swój samolot pod ogólnym oznaczeniem STO (100) – czyli Spiectiechoddieł. Dalej następowały liczby porządkowe projektów. Stąd oznaczenia: Samolot 103, Samolot 110 etc.

bezczynności wyrobiły mu apetyt na stworzenie czegoś rzeczywiście niezwykłego. Gdy była okazja i miał na czym, rysował trochę, notując pomysły, które przychodziły mu do głowy. Nie bardzo jednak wiedział, co dzieje się na świecie i w jakich kierunkach poszła konkurencja. Dwa lata w okresie dynamicznego wyścigu konstruktorów zbrojących się państw to jak dziesięć w pokojowych czasach. Założenia dla „pięćdziesiątego ósmego" przyniósł mu pod koniec lutego 1940 roku nie kto inny, jak Każedub, a Andriej miał niekłamaną, acz skrzętnie skrywaną, satysfakcję przy korygowaniu podstaw projektu. Mógł przyjąć pułkownika w swoim gabinecie i był z tego powodu zadowolony. Oczywiście pilnował się, by nie popełniać błędów sprzed lat, i przed spotkaniem błagał Tarbagana, by ustrzegł go przed pomyłką.

– No, jak wam się żyje?

Twarz Każeduba, który ciężko zwalił się w fotel i nim zadał pytanie, bacznie rozejrzał się po gabinecie, była zszarzała i zmęczona. Andriej pomyślał, że śledczy miał widać dużo pracy, albo… kłopoty. W końcu nie ma ludzi nietykalnych. Może i do niego zaczęli się dobierać? Odpowiedział więc uprzejmie i pogodnie:

– Dzięki waszym staraniom całkiem dobrze. Czym wam mogę służyć?

Każedub schylił się i postawił na kolanach wielką, skórzaną teczkę z zamkiem cyfrowym. Wydobył ze środka plik zszytych papierów i położył przed sobą na biurku, po czym pogodniej już spojrzał na konstruktora.

– Dajcie no się czegoś napić. Może rozjaśni się nam w głowach…

Andriej wyciągnął z dolnej szuflady biurka butelkę czystej wódki i dwie szklaneczki. Stawiając butelkę na blacie, poszukał aprobaty w oczach pułkownika. Poprzednim razem pili przecież koniak. Śledczy miał jednak na głowie inne problemy. Nie czekając nawet, aż konstruktor wciśnie z powrotem korek, łyknął dobre pół szklanki i z hałasem wypuścił przez śmiesznie wydęte wargi palący mocnym alkoholem oddech.

– Tak. Andrieju Nikołajewiczu. Tego nam było potrzeba. Widzę, że dbają tu o was. – Masował przez chwilę gałki oczu, a potem przybliżył do nich etykietę flaszki. – Trzymają poziom – stwierdził. – Czasy coraz cięższe, a oni wciąż robią najlepszą wódkę.

Andriej był podobnego zdania. Stoliczna była świetnie destylowanym i znakomicie smakującym alkoholem. Zimna czy ciepła, o delikatnym smaku, którego nie tłumił zbyt ostry aromat, pachniała i było w tym dalekie echo zapachu spirytusu. Jednak w przeciwieństwie do innych, gorzej skomponowanych wódek, zapach ów mieścił się w granicach, które konstruktor zwykł określać jako „w sam raz". Stoliczna pachniała jak dobra wódka. I taką nieodmiennie okazywała się w smaku.

Każedub miał minę kogoś, komu każą mówić o rzeczach, na których zupełnie się nie zna. Czuł się niepewnie. Ale Tarbagan znów wyszedł mu naprzeciw:

– Pozwólcie, towarzyszu pułkowniku. Co was do mnie sprowadza? Jeśli chodzi o zespół, to mam już wszystkich i możemy zaczynać.

– Ano właśnie. Przyniosłem wam zamówienie z samej góry. Ale lepiej chyba będzie, jak sami na to spojrzycie, a ja – o ile oczywiście będę potrafił – odpowiem wam na pytania.

Posunął papiery w stronę konstruktora. Tumiłow uważnie wczytywał się w dokumenty, a ponieważ trwało to długo, śledczy, nie pytając o pozwolenie, nalał sobie drugą szklaneczkę. Andriej podniósł wreszcie wzrok znad papierów, zdjął okulary i przetarł szkła chusteczką.

– Śniła mi się taka maszyna. Dzisiejszej nocy. Uwierzycie? Zapamiętałem nawet kształty płatowca. Nie do wiary! I jak tu nie wierzyć w sny?

Zastanawiał się przez chwilę, czy ze szczegółami nie opowiedzieć śledczemu snu, w którym dwusilnikowy, zgrabny bombowiec z brzuchem podświetlonym pełgającymi płomieniami odległych pożarów przelatywał przez bazaltowe kolumny czarnego dymu. Zrezygnował jednak, a śledczy martwą ręką stuknął w papiery.

– Możecie założyć, że ten sen zesłał wam towarzysz Stalin. Co myślicie?

Tumiłow skończył czyszczenie szkieł i starannie nasadził okulary na nos.

– Jak byłem na bieżąco, informowano mnie o takich konstrukcjach. Pracowali nad tym Francuzi, Anglicy, a nawet Polacy*. Cała rzecz w silnikach... jak zwykle. Bez programu rozwojowego udanego silnika nigdzie nie zalecisz.

Tumiłow dyskretnie zerknął na twarz pułkownika, upewniając się, że przypomnienie swoich zasług w poruszanej materii zostanie zauważone. Każedub był inteligentnym rozmówcą:

– Jak rozumiem, dzięki waszym niegdysiejszym staraniom o silniki martwić się nie musimy?

Tumiłow chwilę szukał odpowiedniego akapitu.

– Widzicie, ktoś tu nawet całkiem rozsądnie założył, że 1400 koni, tak jak, zdaje się, mają te ostatnie mikuliny, wystarczy. Muszę wam powiedzieć, że to takie założenie na początek.

– Jak to rozumieć? – Każedub był wdzięczny, że konstruktor nie prowadzi rozmowy w stylu fachowiec-dyletant, ale stara się o ton partnerski. Gdybyż ci na górze potrafili w taki sposób rozmawiać! Niestety, potrafili jedynie wydawać polecenia, zwykle idiotyczne. Ale skoro przyjaciele Stalina żyją wciąż w świecie szarż kawaleryjskich i rajdów pociągów pancernych na głębokie tyły, to o czym w ogóle mowa? Przecież jeszcze niedawno Budionny oskarżał swoich niegdysiejszych przyjaciół o „zbrodnicze zamiary utworzenia zmotoryzowanych dywizji pancernych". Roi się tam od ignorantów. Taki Kulik – szef Głównego

* Tyle że PZL Łosoś (konstrukcja inż. Stanisława Praussa), samolot liniowy i bombowiec nurkujący, ewolucja Suma, nigdy nie wyszedł poza stadium rysunkowe.

76

Zarządu Artylerii – pogardza artylerią przeciwpancerną i bronią rakietową. Nic dziwnego – w czasie wojny domowej dowodził w Carycynie raptem trzema armatami. Stalin nikomu już nie ufa, chociaż ma tam kilku zdolnych ludzi. Waha się, lawiruje. To dziwne, że w ogóle podejmuje się jakieś sensowne decyzje. Ot, choćby tę*.

Tumiłow odpowiedział zadowolony, że może rozważać ukochane problemy:

– Widzicie... – Stukał paznokciem w tekst. – Ten mikulin 37, choć zaprojektowany dla bombowców, jest raczej dla myśliwca. – I skwapliwie wyjaśnił: – Potrafi utrzymywać pełną moc na większych wysokościach. Na początek się nada. Jeśli jednak założyć, że mamy zrobić maszynę uniwersalną... to znaczy taką, która nie będzie tylko bombowcem nurkującym, ale będzie miała coś do powiedzenia na średnim i wysokim pułapie, musimy założyć, że dostaniemy wkrótce mocniejsze silniki... Inaczej to, co tu piszą, że mamy zrobić samolot podobny, ale lepszy od junkersa 88, pozostanie tylko na papierze...

Każedub przygotował się do tej rozmowy, jak potrafił i teraz przypomniał sobie błyskawicznie potrzebne dane:

– Ma zabierać maksymalnie 1800 kilogramów bomb...To chyba sporo?

– Tak. Całkiem nieźle. – Andriej drapał się po rzedniejącej czuprynie. Ale zasięg niezbyt imponujący. Ledwie tysiąc kilometrów. Widać bardziej go widzą w zadaniach taktycznych. To jest samolot do szybkiego, bliskiego uderzenia albo...

* Dopiero w lutym 1939 kierownictwo partii zwołało na Kremlu naradę, w której wzięli udział ci spośród konstruktorów, którzy byli akurat na wolności, a więc Iljuszyn, Polikarpow, Archangielskij, Jakowlew, Klimow, Mikulin i Szwiecow. Stronę rządową reprezentowali: minister przemysłu lotniczego Kaganowicz oraz Stalin, Mołotow i Woroszyłow. Po raz pierwszy oficjalnie omawiano katastrofalny stan lotnictwa, zapóźnienia techniczne, braki sprzętowe, kadrowe i złe wyszkolenie. Kolejne zebrania odbyły się wiosną 1939, a ich efektem była reaktywacja „biur konstruktorskich" w więzieniach.

– No, no? – Każedub był zaciekawiony; poczuł dreszcz emocji, jak w dzieciństwie, gdy sklejali z ojcem kartonowe modele.

– Albo do obrony. Prędkość taka sobie. Pułap przeciętny. Ale popatrzmy. No tak, z silnikami 1200 koni i masą jedenastu ton szybciej się nie da, choć to całkiem ładny płatowiec. W kabinach ciasno jak diabli... Ale to jest całkiem pomysłowe. Zobaczcie. – Każedub skierował wzrok na fragment technicznego rysunku, choć nie rozumiał, o co chodzi. Tumiłow wyjaśnił: – Spójrzcie na to podwozie. Koła jak w traktorze. Można wystartować z kamieniołomu. Gdzie to diabelstwo się chowa? – pytał sam siebie. – Zostawicie mi to? Mam nadzieję...

Każedub jeszcze raz pchnął dokumentację w stronę Andrieja i podniósł pytające spojrzenie pełne wyczekiwania. Andriej uświadomił sobie, że od jakości jego konceptu może także zależeć los śledczego.

– Zrobicie lepszy? – już niemal błagalnie upewniał się Każedub.

– Postaram się. Jeden warunek: muszę mieć pewność, że dostanę mocniejszy napęd. Wtedy będziemy mogli myśleć nie tylko o nurkowcu, ale o maszynie wielofunkcyjnej. To będzie... To będzie kilka samolotów w jednym. – Andriej uśmiechnął się ciepło. Obiecywał sobie wiele wspaniałych chwil z „pięćdziesiątym ósmym".

Wkrótce okazało się, że Bolszewo jest za ciasne i nie pomieści wszystkich projektów. Poza tym zbyt długo trwało wożenie materiałów do Moskwy i z powrotem. Były oczywiście ściśle tajne i musiały jechać w uzbrojonym konwoju. Zanim jednak przenieśli się na powrót do Moskwy, do gmachu CAGI* przy ulicy Radio, zdarzyło się coś zabawnego. Projekt powstał błyskawicznie i można było zbudować w parku pełnowy-

* Centralnyj Aerogidrodinamiczeskij Institut dysponował znakomitym tunelem aerodynamicznym, w którym Tumiłow mógł do woli dmuchać swoje modele.

miarową makietę płatowca. Ściągnięto modelarzy i w kilkanaście dni makieta była gotowa. Jakiś głuptak z pobliskiego aero-
klubu wypatrzył „pięćdziesiątego ósmego" z powietrza, między
drzewami, i gorliwie doniósł NKWD, że w parku leży strąco-
ny samolot. Wezwany pospiesznie Każedub długo i z widoczną przyjemnością klarował miejscowemu komendantowi, do
czego służą makiety samolotów i dlaczego o tej akurat należy
jak najszybciej zapomnieć, jeśli nie chce się stracić posady albo
zmienić klimatu na chłodniejszy. Potem przykryto makietę,
niczym frontowe stanowisko dowodzenia, siatkowym masko-
waniem.

156 wytwórnia w pięciopiętrowym gmachu CAGI, u zbiegu
ulicy Radio i nadbrzeża Jauzy, to był pałac*. Mieli tam pod
ręką wszystko, co potrzebne. Andriej zajmował pokój na najwyższym piętrze, ze wspaniałym widokiem na miasto i rzekę.
Zespół ulokował się równie komfortowo na drugim i trzecim.
Do pomieszczeń biurowych i tych, w których przeprowadzano
badania na modelach, prowadziło kryte przejście. Nie trzeba
było nawet zakładać palta. Nie mieli oczywiście prawa podpi-
sywania dokumentów i zleceń. Byli przecież „osadzeni". Każdy
z nich dostał więc gumowy stempelek z numerem. Suma dwóch
cyfr każdego stempla dawała 11. Tumiłow miał taki właśnie
numer. Załoga CAGI traktowała ich ciepło, przyjaźnie i z szacunkiem. Nie instruowano ich w tej materii i zachowywali się
tak najzupełniej spontanicznie. Z początku izolowano konstruktorów od świata zewnętrznego, organizując im raptem jeden
wypad do innej wytwórni. Chcieli bowiem zorientować się
w aktualnych postępach produkcji. Rolę informacyjnych kurie-
rów wzięli na siebie oficerowie NKWD, ale nie wyszło z tego
nic pożytecznego. Większość z nich, tępa i niewykształcona,
nie radziła sobie z terminologią i danymi natury technicznej.
Każedub uznał więc, że najrozsądniej będzie wykorzystać w tej

* Dziś nadbrzeże to nosi imię akademika Tupolewa. Według standardów
rosyjskich gmach jest sześciopiętrowy, bowiem parter liczy się za piętro.

roli „wolnych" pracowników CAGI. Odtąd praca potoczyła się gładko i wkrótce Tumiłow mógł zaprosić wysoką komisję WWS*, by przyjrzała się „pięćdziesiątemu ósmemu". Samolot był zachwycający, a już wkrótce, bo pod koniec stycznia 1941, okazało się, że także znakomicie latał. Od momentu rozpoczęcia programu i pierwszych szkiców minęło raptem sześć miesięcy! Osiągi okazały się oszałamiające. Na wysokości ośmiu kilometrów maszyna była szybsza od wszystkich znanych myśliwców świata, rozwijając prędkość 640 kilometrów na godzinę. W dodatku osiągała pułap prawie jedenastu kilometrów i niebagatelny zasięg dwóch i pół tysiąca kilometrów. To rokowało dobrze na przyszłość. Tumiłow zbierał gratulacje, ale pomny nauk Tarbagana, nie pękał jak dawniej z dumy, lecz niczym oklaskiwany solista na akompaniatora, wskazywał ręką na swój zespół. Gratulował także Każedub, któremu sukces Tumiłowa wyraźnie polepszył humor:

– No, Andrieju Nikołajewiczu, nie spodziewaliście się chyba, że pójdzie aż tak dobrze? Zastanawiam się, czy nie zasugerować moim zwierzchnikom, żeby pozamykali resztę zdolnych. Jak sądzicie? – Gładził z zadowoleniem swój srebrny jeżyk. – Okazuje się, że jak nikt wam nie przeszkadza i nie macie pokus codzienności, jesteście zdolni do niebywałych wyczynów. – To nie był żart na czasie i Każedub, który zachował mimo lat służby resztki taktu, w porę się wycofał: – No, nie obrażajcie się. Przecież żartuję, ale przyznacie, że coś jest na rzeczy?

Tumiłow miał przez chwilę nieodpartą chęć, by odciąć się złośliwie, ale w porę się pohamował:

– Cóż. Rzeczywiście, tu mniej myśli się o głupstwach. A poza wszystkim, towarzyszu pułkowniku, to wielka przyjemność. Co nam zresztą zostało? – dodał już ciszej i chrząknął niepewnie, jakby nagle rozbolało go gardło. A Każedub udał, że nie dosłyszał ostatniej frazy.

* Wojenno-Wozdusznyje Siły.

Wydział Zagraniczny WWS, Moskwa, wrzesień 1943

– Piszą tu, że zostaliście promowani z drugą lokatą? – To nie było pytanie, raczej stwierdzenie. Choć podpułkownik przeglądający jego personalną teczkę był wzorem uprzejmości i życzliwości, Smoliarow poczuł się znów jak w sali egzaminacyjnej, którą nie tak dawno przecież opuścił. Zaczerwienił się, odruchowo zestawił obcasy i wyprostował się w krześle, choć i tak siedział bardzo porządnie i służbiście. Patrzył z oddaniem na swego rozmówcę i starał się, by spojrzenie to było czyste i szczere. Tak go przecież uczono, a on chciał jak najszybciej zrobić karierę. Czas zdawał się ku temu idealny. Szale wojny wciąż się ważyły, ale wiele wskazywało na to, że po miesiącach klęsk i odwrotów Armia Czerwona włączy wreszcie bieg do przodu. A armia, która idzie do przodu, potrzebuje już nie tylko bohaterów, ale także specjalistów. A on – Aleksandr Smoliarow – dwa miesiące temu zdał ostatnie egzaminy na wydziale konstrukcji lotniczych w Akademii Lotniczej i mianowano go kapitanem. Był z tego bardzo dumny, podobne jak ze zdobytej kosztem wielkich wyrzeczeń w czasie studiów licencji pilota.

– A jak wasz angielski, kapitanie Smoliarow? Czy aby nie zardzewiał? – Głos podpułkownika delikatnie przywołał kapitana do rzeczywistości. Wyższy rangą oficer nie czekał na odpowiedź, lecz znów odpowiedział sobie sam: – Tu piszą, że świetnie mówicie i piszecie. Gdzieście się tak wyuczyli? – Smoliarow wciągnął gwałtownie powietrze, ale nie odpowiedział. Nie był pewien, do jakiego stopnia posunąć szczerość odpowiedzi. Wreszcie, ponaglony zachęcającym wzrokiem oficera, wyjaśnił:

– Moja niania była Angielką. – I spojrzał niepewnie na swego rozmówcę. Ten wydawał się autentycznie zainteresowany.

– Angielką? A skąd się u nas wzięła?

– Przyjechała jeszcze w 1918. Jako wolontariuszka. Miała uczyć dzieci angielskiego w jakimś eksperymentalnym instytucie. Było tych... eksperymentów dużo... – Omal nie wypsnęło mu się słówko „poronionych" i skarcił się w duchu: „Jeszcze tylko brakuje, żebym wyszedł na jakiegoś cholernego malkontenta". By wybrnąć z przerwanego zdania, dokończył: – ...I jak zapewne wiecie, towarzyszu pułkowniku, nie wszystkie udane.

Pułkownik tylko się uśmiechnął:

– Tak, tak. To były szalone czasy. Ale gdyby wszystko udawało się od razu, to eksperymenty nie byłyby potrzebne. Opowiadajcie dalej.

Smoliarow poczuł się nieco pewniej:

– No więc ten instytut działał tylko kilka tygodni, a potem... – tu znów się zawahał, nie wiedząc, jak mówić o niani, z którą był kiedyś silnie i ciepło związany – ...a potem moja niania, która nazywała się Robertson, znalazła się na ulicy bez środków do życia.

– I co dalej? – zachęcał go pułkownik.

– Potem moi rodzice... bo ja byłem jednym z hm... wychowanków tego instytutu, wzięli ją do nas do domu. Bo nie miała nawet pieniędzy na powrót do Anglii. Nie miała też chyba specjalnej ochoty wracać. Jakieś sprawy sercowe... Czy rodzinne. W każdym razie podobało się jej w Rosji. No i została, a tata wpadł na pomysł, żeby rozmawiała ze mną po angielsku. Prawdę mówiąc, byłem już za duży na nianię i... to była bardziej guwernantka.

– No? I co dalej? – Pułkownika najwyraźniej wciągała ta historyjka i nie zwracał uwagi na niestosowność określeń. Ale innych określeń nie było.

– Pracowała u nas kilka lat. Potem zachorowała i w kilka tygodni ją pochowaliśmy. Złośliwy guz na mózgu. – Smoliarow uznał, że na tym tłumaczenie znajomości angielskiego można skończyć, i wyprostował się w krześle. Po co miał opowiadać enkawudziście o niekończących się wieczornych angielskich rozmowach, o tym, że poznał dokładnie z opowiadań niani życie w Londynie, o zabawnych angielskich grach i zgadywankach, które w kilka lat obdarzyły go żywą znajomością języka. O tym wreszcie, że niania Robertson mimo różnicy wieku sięgającej dwudziestu lat była jak dotąd największą, choć całkowicie platoniczną miłością jego życia.

– No tak... – wycedził pułkownik, przeciągając spółgłoski.

– To wiele tłumaczy. Kiedy przyjęto was na studia, mieliście dobre podstawy...

– Na tyle dobre, towarzyszu pułkowniku, że powierzano mi czasem prowadzenie zajęć. Nasz anglista uważał, że mam doskonały akcent – gorliwie i nie bez dumy tłumaczył Smoliarow.

– Akcent się wam przyda i to niedługo – niespodziewanie poważnym i ostrym tonem oznajmił pułkownik. – Będziecie oficjalną asystą Rickenbackera. – Przerwał na chwilę, usiłując wyczytać z twarzy kapitana, jakie wrażenie robi na nim to nazwisko.

Robiło duże. Smoliarow omal nie zerwał się z krzesła:

– Tego asa?

– Wiecie więc, kto to jest?

– Ależ oczywiście, towarzyszu pułkowniku. We wszystkich podręcznikach taktyki walki powietrznej o nim piszą.

Pułkownik zainteresował się życzliwie:

– Tak? A może pamiętacie, co piszą?

– Oczywiście, towarzyszu pułkowniku. Nazywano go „asem asów", a był znany gównie z tego, że atakował z możliwie najbliższej odległości, z zaskoczenia, i nie lubił skomplikowanej akrobacji.

– Hm... – Pułkownik z upodobaniem zaczął oglądać swoje dłonie i dopiero teraz Smoliarow zauważył, że prawa ukryta była pod czarną rękawiczką i dziwnie nieruchoma. Dopiero po chwili zorientował się, że jest to dłoń sztuczna. Zauważywszy to, wszelkimi sposobami starał się ukryć swoje odkrycie, ale enkawudzista był bystrym obserwatorem: – Dobrze myślicie. To drewniana ręka. Bardzo praktyczna, gdy trzeba się witać z wieloma osobami. Ten Rickenbacker lubi iść do zwarcia?

Smoliarow bez wahania odpowiedział, choć była to tylko sugestia:

– Bez wątpienia, towarzyszu pułkowniku.

– To dobrze. – Drewnianoręki uśmiechnął się. – Tacy ludzie często są bezkompromisowi, a ci, co są bezkompromisowi, rzadko trzymają się na baczności. I język na wodzy. Posłuchajcie więc, kapitanie Smoliarow…

Dopiero pod koniec rozmowy Smoliarow dowiedział się, dlaczego jego – takiego młokosa – delegowano do asystowania Rickenbackerowi. Równie dobrze mogli mu zlecić asystowanie Panu Bogu podczas podróży inspekcyjnej na ziemię. Przecież Edward Rickenbacker uznawany był za bohatera narodowego. Sądzono nawet, że będzie kontrkandydatem Roosevelta w wyborach. Oficjalnie jednak Rickenbacker, obserwator rządu USA do spraw sojuszniczych sił powietrznych, był kapitanem. Nie przyjął bowiem awansu na majora i generała majora. Ponoć był tak silnie przywiązany do stopnia kapitańskiego, wywalczonego nad frontami Europy podczas poprzedniej wojny. A protokół dyplomatyczny przewidywał, iż świta nie może górować szarżą nad zagranicznym gościem.

Dopiero pod koniec rozmowy Smoliarow dowiedział się, jak nazywa się jego rozmówca z NKWD. Ten bowiem polecił:

– Aha! Jeszcze najważniejsze. Raportować będziecie bezpośrednio mnie. Na wszelki wypadek dam wam oficera łącznikowego, który będzie się trzymał w pobliżu. Gdybyście mieli jakieś problemy z dowódcami albo władzami w terenie, natychmiast dajcie mu znać, a on ich poustawia. Jak on nie da rady, to ja się nimi zajmę. – Rude iskierki okrucieństwa zabłysły w pięknych oczach pułkownika. – W trakcie podróży wystarczą raporty na piśmie. Co trzy dni. Gdybyście uznali, że jest coś ekstra, o czym powinienem wiedzieć pilnie, dzwońcie na ten numer. Połączenia będą szyfrowane, więc możecie mówić, co chcecie. – Pułkownik podał Smoliarowowi karteczkę. I dodał, ciężko patrząc dokładnie pomiędzy oczy kapitana: – Proście pułkownika Iwana Każeduba.

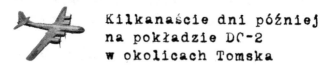

Kilkanaście dni później na pokładzie DC-2 w okolicach Tomska

Rickenbacker był cudowny, a przebywanie w jego towarzystwie okazało się pasmem wspaniałych wydarzeń i olśnień. Smoliarow chwilami czuł, że już zawsze chciałby podróżować w towarzystwie tego człowieka, obdarzonego subtelnym dowcipem, wyrozumiałego i gotowego dzielić się z byle kim najbardziej intymnymi drgnieniami swej nieśmiertelnej duszy. Godziny spędzane na pokładzie buczącej w słońcu leniwymi silnikami dakoty upływały z szybkością kwadransów, a Smoliarow z żalem witał kolejne przyziemienia, oznaczające powrót do żmudnych obowiązków tłumacza i przewodnika. W górze, lecąc do kolejnej wytwórni lub jednostki, mogli gadać do woli i przerywano im tylko w momencie podawania kawy lub kieliszka koniaku. Rickenbacker był zaś wspaniałym typem gawędziarza, choć potrafił także po mistrzowsku słuchać. Nie irytowało go w najmniejszym stopniu to, że przydzielony mu w charakterze asysty młodziutki kapitan chce wiedzieć wszystko o wszystkim.

– Jak to? Startował pan kapitan w wyścigach, takich prawdziwych? – entuzjazmował się Smoliarow, wiercąc się niespokojnie w ciasnym foteliku dakoty.

– A znasz jakieś nieprawdziwe? – Rickenbacker mrużył kpiąco oko, co nadawało jego szczupłej, nieco końskiej twarzy, z długim nosem i wyrazistą szczęką, komiczny, ale i trochę diaboliczny wyraz. – Nawet jak dzieciaki ścigają się na drewnianych koniach, to też jest prawdziwy wyścig. Wierz mi. A gorycz porażki jest zupełnie taka sama. Tak. Ścigałem się. W Indianapolis. Jeździłem prawdziwym potworem. Nazywał się Merzer. Silnik miał cztery galony pojemności.

– Galony? – Smoliarow szukał przez chwilę w swej doskonałej pamięci właściwej przegródki: – A! Niemożliwe. To prawie dwadzieścia litrów. Taką pojemność mają dziś silniki czołgowe!

– Pamiętaj, że to było trzydzieści lat temu. Potrzebna była moc. Dwieście koni mechanicznych. Najlepiej było ją uzyskać z pojemności. Nie tak jak dziś – ze stopnia sprężania. A jeździło się całkiem szybko. Przeciętna wychodziła ze sto mil na godzinę. To nie żarty. Miałem dwadzieścia lat. Tak jak ty dziś.

Smoliarow poprawił dumnie:

– Mam dwadzieścia trzy – i zaraz spytał tonem, w którym Rickenbacker z rozrzewnieniem rozpoznał swoje dzieciństwo:

– Wygrywał pan? – Rozgorączkowany nie mógł doczekać się odpowiedzi, a Rickenbacker zapalał swój zabójczy koński uśmiech, który odsłaniał olśniewający garnitur dużych, białych i bardzo równych zębów:

– Zdarzało się. Byłem na tyle znany, że obstawiano moje zwycięstwa u bukmacherów. A to już coś.

– Jakie to wrażenie? Prowadzić takie auto z taką szybkością? – dopytywał się Smoliarow, który jak dotąd ujeżdżał tylko wojskowe ciężarówki i motocykl swojego brata.

– To tak, jakby startować myśliwcem, tylko nie odrywając się od ziemi. Tak samo trzęsie i wyje. Tyle że możesz skuteczniej kontrolować kierunek, ale byle silniejszy podmuch wiatru potrafi cię wywalić z toru.

Smoliarow nie dawał mu odetchnąć:

– A jak pan zaczął latać?

Rickenbacker uśmiechnął się do swoich ulubionych wspomnień. Opowiadanie o tym sprawiało mu wielką przyjemność:

– Kiedy znalazłem się na froncie w 1917 roku, byłem już starym koniem. Miałem dwadzieścia siedem lat. Zgłosiłem się na ochotnika jako kierowca i rzeczywiście przez kilka tygodni woziłem jednego pułkownika. Potem zamarzyło mi się latanie, ale na kurs pilotażu byłem za stary o dwa lata. Więc je sobie odjąłem i jakoś dostałem przeniesienie.

– Jak to pan sobie odjął?

– Wyskrobałem w papierach datę urodzenia i wpisałem inną. Myślę, że Pan Bóg mi wybaczy, zważywszy na to, ilu Hunom dobrałem się do ogona. Jak myślisz?

Smoliarow z aprobatą pokiwał głową, wyobrażając sobie, że to on musi coś wyskrobać z wojskowego dokumentu. Na samą myśl o czymś takim poczuł się nieswojo. Potem znów spytał:

– Czytałem, że nie przepada pan za akrobacją?

Rickenbacker pokiwał głową.

– Gdybyś wsiadł do tego czegoś, na czym ja wtedy musiałem latać, też byś nie przepadał. Ilekroć ta kupa sklejki i drutu siadała na ziemi i nie rozpadała się, a ja po zatrzymaniu mogłem wyjść z kabiny o własnych siłach, odnosiłem wrażenie, że więcej nie powinienem nadwerężać cierpliwości losu. Do dziś się zastanawiam, jak te graty w ogóle odrywały się od ziemi… A ty mi tu o akrobacji! Gdybym spróbował wykręcić na tym beczkę albo pętlę, na pewno wypadłoby sporo części. Wolałem nie ryzykować. Lepiej było wznieść się wysoko, jak się tylko dało, i walić w dół, na Huna. W Indianapolis jeździłem często o centymetry od poprzedzającego wozu. W powietrzu zdarzało mi się zbliżać do celu na kilka metrów. Z takiej odległości nawet taki strzelec jak ja musi trafić. Teraz już z pewnością rozumiesz, dlaczego zostałem asem?

– Latał pan na spad XIII? – nie ustawał Smoliarow.

– To dopiero później. Zaczynało się od tych cholernych nieuportów. Samolocik był sprytny i zwinny, ale konstrukcja… Ci Francuzi! Żebyś to mógł zobaczyć, Smoliarow! Nie uwierzyłbyś. Płat dolnego skrzydła był wąziutki jak deska do prasowania. Dzięki temu maszyna była niesamowicie zwrotna, no i widoczność do dołu i do przodu bardzo dobra. Latałeś kiedy dwupłatem, Smoliarow? No to wiesz, o czym mowa. Ale ten płat był przynitowany tylko w jednym miejscu do wspornika i trzymał się na jednym... nie patrz tak na mnie... na jednym sworzniu, mocowanym do podłużnicy kadłuba. Co z tego, że samolocik był zwrotny? Jak się zrobiło coś zbyt gwałtownie, dolny płat się ukręcał i odpadał, a wtedy korkociąg i bęc! – Rickenbacker zamieniał swoją szczupłą, długą dłoń w lecącego nieuchronnie ku ziemi nieuporta i rozbijał go z trzaskiem na swoim udzie. – Dziwisz się jeszcze, że nie przepadaliśmy za jakimiś cholernymi akrobacjami? Najlepiej było latać prosto i zdecydowanie. Chyba wiesz, co mam na myśli? – Rickenbacker uśmiechał się promiennie i Smoliarow, choć myślami jeszcze w korkociągu, odwzajemniał uśmiech.

– No a spad? To był podobno najlepszy myśliwiec?

– Kiedy do niego po raz pierwszy wsiadłem, darowałem żabojadom wszystkie ich wpadki. To była maszyna na nowe czasy. Zapamiętaj sobie, Smoliarow: Wszystko zaczyna się od silnika. Samoloty powinno się budować wokół silnika i pilota. Tylko wtedy wychodzi coś, co dobrze lata, a nie jakaś niezborna łatanina. Spad, Smoliarow, zaczął się od silnika. Wiesz, co było słabością silników rotacyjnych?*

– Ograniczenie mocy – wyrecytował Smoliarow, którego wiedza w tym zakresie była godna pozazdroszczenia.

– Doskonale – przytaknął Rickenbacker. – Ale miały też swoje zalety...

Smoliarow nie dał mu dokończyć:

– Były lekkie i miały małe obciążenie mocy?

Rickenbacker podniósł brew:

– Dokładnie tak. A silniki rzędowe?

---

* W silniku rotacyjnym cylindry wraz ze śmigłem obracają się wokół nieruchomego wału korbowego.

Smoliarow rad, że może wykazać się wiedzą, recytował jak na egzaminie z mechaniki lotniczej:

– Są silniejsze, ale ciężkie.

– Właśnie! Dlatego poszukano innych rozwiązań – i powstał silnik widlasty.

Smoliarow rad byłby wykazywać się dalej, ale nie wypadało przerywać gościowi. Poza tym przypomniał sobie instrukcje. Miał przecież ciągnąć Amerykanina za język, a nie popisywać się jak pionier podręcznikową wiedzą. Rickenbacker, smakując terminy i słowa, ciągnął:

– Przy takiej samej liczbie cylindrów, na przykład ośmiu, można było skrócić blok o połowę. Ale to nie koniec. Powstał monoblok. Wiesz, co to monoblok, Smoliarow? – Smoliarow wiedział, ale widząc, jaką przyjemność sprawia Amerykaninowi opowiadanie, powiedział, że tylko ogólnie. Rickenbackerowi było to na rękę. Nie potrafił odróżnić kurtuazji od prawdziwego entuzjazmu: – Monoblok to cztery cylindry z głowicami i kanałami chłodzenia odlane w jednym bloku aluminium. Doskonałe odprowadzenie ciepła, sztywność i mała masa. Dopiero w to wkręcało się cienkościenne tuleje cylindrów. Okazało się, że stal i aluminium znakomicie do siebie pasują.

Smoliarow nie wytrzymał:

– Przecież tak jest dzisiaj.

Rickenbacker zdawał się tylko czekać na tę konkluzję:

– Właśnie. A wtedy zarzucano Birkigtowi, że ten jego monoblok to wstecznictwo i cała koncepcja nie ma przyszłości*. To argument za tym, Smoliarow, żeby nie wydawać pochopnych opinii. Wokół tego silnika zbudowano spada. Nie był specjalnie zwrotny, wznoszenie było przeciętne, ale był bardzo szybki i piekielnie wytrzymały. I bardzo stabilny w locie. Ot, taka porządna laweta do karabinów maszynowych. Dla mnie idealny. Ale zapamiętaj sobie, Smoliarow; samolot, choćby najlepszy, to

* Marc Birkigt. Szwajcarski inżynier, założyciel wytwórni Hispano-Suiza w Barcelonie, twórca koncepcji monobloku.

jedno, a pilot to drugie. Dobry pilot poleci na wszystkim, nawet na kuchennym piecu, a dupek, choćby mu dać najlepszą maszynę, i tak ją rozwali. No, napijmy się kawy – przerwał, widząc, że steward, którego rolę na pokładzie ministerialnej dakoty pełnił rumiany szeregowiec, przepasany czystym fartuszkiem, zmierza ku nim z tacą i szklankami, balansując między pojedynczymi rzędami krytych celtą fotelików. – Potem opowiem ci, jak rozwaliłem się w B-17.

Chwilę siorbali gorącą i mocną kawę, parząc sobie wargi i popluwając fusami. Dla skądinąd sympatycznego stewarda istniał tylko jeden rodzaj kawy – po turecku. Polegało to na zalaniu grubo zmielonych ziaren, zasypanych cukrem, wrzątkiem z elektrycznego samowara. Napój był mocny i aromatyczny, ale picie z rżniętych w kwiaty szklanek, oprawionych w blaszane koszyczki, odbierało podniebnej kawowej ceremonii wiele uroku.

– Nie macie w Rosji filiżanek? – Rickenbacker ironicznie mrużył powiekę i nim Smoliarow zdążył się oburzyć i opowiedzieć o tradycji wspaniałej, biało-błękitnej carskiej porcelany z podmoskiewskich manufaktur w Gżelu, amerykański as dodał pospiesznie: – Wiem, wiem, że macie. Żartuję. Poza tym mamy wojnę. Wiem coś o tym. A właśnie, Smoliarow, à propos dupków, o których ci mówiłem. Na nic najlepszy samolot, jeśli dostanie się w ręce dupka. Chyba nie powiesz, że B-17 to zły samolot?

– Ależ skąd! – Smoliarow omal nie wylał kawy na spodnie. – B-17 to najlepszy bombowiec świata!

Aleksandr doskonale wiedział, o czym mówi. Miał okazję obejrzeć sobie Latającą Fortecę na licznych zdjęciach i schematach w akademii. Zresztą osiągi bombowca, jego sukcesy w Europie i choćby to, że mimo licznych próśb Amerykanie nie włączyli B-17 do programu *lend-lease*, mówiły o jego klasie.

– A widzisz! – ucieszył się Amerykanin. – Dobrze wiesz, że to znakomita maszyna. W zeszłym roku leciałem „fortecą" do MacArthura. Razem ze mną kilku takich młodych pistoletów jak ty. Latanie nad oceanem to czysta przyjemność, tyle że pilot był dupkiem, któremu nigdy nie powinno się dać dobrej maszyny. Ten facet nie nadawałby się nawet do opylania pól. Bo w tej robocie też jest potrzebny rozum.

– I co się stało? – Smoliarow z wywiadowcy znów stał się pionierem.

– Nie uwierzysz, Smoliarow. Facet zabłądził. W biały dzień. Może dostał udaru słonecznego albo był nieszczęśliwie zakochany. Albo może miał zatwardzenie. – Spojrzał filuternie na swego młodego cicerone, a Smoliarow zaczerwienił się jak panna, którą w niewyszukany sposób zaczepiają chłopcy pod cerkwią. Rickenbackera ten rumieniec rozczulił. Pomyślał sobie, że po kilku wspólnych tygodniach Smoliarow będzie już trochę innym człowiekiem, i cieszyło go to. Wyczuwał w młodym Rosjaninie fałsz, ale był jednocześnie przekonany, że ten fałsz nie leży w charakterze chłopca. Wynika raczej ze specyfiki misji, którą mu powierzono. Jak można rzucać młodego chłopaka, który być może nie pomacał jeszcze porządnie żadnej dziewczyny, na żer takiego wyleniałego lwa jak on. Amerykanin westchnął w duchu i opowiadał dalej: – Wystarczyło trzymać się wykreślonego kursu i patrzeć na sperry'ego[*], a ten dupek autentycznie zabłądził. Mało tego. Nie poprosił o pomoc, tylko leciał jak durny w złym kierunku, a myśmy w najlepsze drzemali w fotelach. Potem bardzo się dziwił, że paliwo jest na wykończeniu, a lądu wciąż nie widać. Tyle że tam, gdzie leciał, nie było żadnego lądu, a MacArthur był ze trzysta mil na południe. Wszystko się kiedyś kończy. Benzyna też i musieliśmy wodować. B-17 pływa – ale przez jakieś dwadzieścia sekund. Na szczęście ktoś pomyślał, żeby wsadzić na pokład gumowe nadmuchiwane łódki. O dziwo, nikt nie zginął, ale przez dwadzieścia dwa dni bujaliśmy się jak stado kretynów w pełnym słońcu. Wody było niewiele. Jedzenia jeszcze mniej,

[*] Żargonowa nazwa żyrokompasu.

ale najgorsze było to, że wszyscy ci młodzi potracili głowy. Zaczęli histeryzować i płakać. Jeden nawet chciał się zastrzelić... Wyobrażasz sobie, Smoliarow? Stracić nadzieję jeszcze przed czasem?

Smoliarow spytał:

– I co pan zrobił?

– Nie mogłem patrzeć, jak ci faceci się rozklejają. Dałem porządnie po pysku temu, który najgłośniej narzekał, a reszta od razu nabrała otuchy. Potem zarządziłem rozkład zajęć od pobudki do capstrzyku. Opowiadanie historyjek. Quizy, zgadywanki, łowienie ryb i tym podobne. No i po trzech tygodniach wypatrzyli nas z cataliny, ale skóra z karku i na dłoniach całkiem mi zlazła. W życiu nie pojadę nad morze. Trzeba ci też wiedzieć, Smoliarow, że siedemnastka to nie ostatni krzyk techniki. Mamy coś o wiele lepszego... – Rickenbacker zrobił efektowną pauzę i spojrzał spod oka na Rosjanina, by sprawdzić, jakie wrażenie wywołało to niedokończone zdanie.

Smoliarow przełknął ślinę, starając się za wszelką cenę odpowiedzieć tonem jak najbardziej niedbałym:

– Chodzi panu o liberatora? Piękna maszyna. Nasi już na nim latają.

Smoliarow zamilkł na chwilę, nie wiedząc, czy wolno mu zdradzać szczegóły. Ale przecież zakup jedynego, jak na razie, w kraju liberatora odbył się za zgodą amerykańskich sojuszników*. Jednak Rickenbackera nie interesowały szczegóły:

– Nie, nie chodzi mi o liberatora. Zbudowaliśmy bombowiec, o jakim nikomu się dotąd nie śniło... – Znów zawiesił głos, a Smoliarow uśmiechał się uprzejmie, zaciskając pięści z emocji. Rickenbacker jednak zdawał się tego nie zauważać.

* W styczniu 1942 liberator B-24 amerykańskiej delegacji, której szefował gen. Bradley, lądował awaryjnie, uszkadzając podwozie, w Jakucku. Amerykanie przekazali samolot Rosjanom, a delegacja odleciała na Alaskę sowieckim PS-84.

Zaskakiwanie rozmówcy sprawiało mu niekłamaną przyjemność. Jego prostoduszność czyniła z niego posiwiałe dziecko:
– Co byś powiedział, Smoliarow, na bombowiec o szybkości ponad sześciuset kilometrów na godzinę?
– Takie już latają.
– Dołóż do tego pułap prawie dziesięciu kilometrów, zasięg ponad trzy tysiące kilometrów i dziewięć ton bomb...
Smoliarow aż poczerwieniał z emocji:
– To byłby prawdziwy superbombowiec!
– I jest. Smoliarow. Dobrześ go nazwał. U nas nazywa się Superforteca.
– Superforteca? – Smoliarow przez chwilę smakował to słowo na języku.
– Superforteca. Boeing. B-29 – potwierdził Rickenbacker.
Smoliarow nie mógł powstrzymać zawodowej ciekawości:
– Ile motorów? Pewno cztery?
– Oczywiście – dumnie potwierdził Amerykanin. Cztery cyklony. Ze sprężarkami. Każdy po 2 200. – Minę miał taką, jakby to on zaprojektował samolot. – Ale to jeszcze nie wszystko, Smoliarow. Kabiny są hermetyczne. Na dziesięciu kilometrach możesz sobie siedzieć w koszulce i popijać drinki. Wyobrażasz sobie?
– Niesamowite! – Smoliarow pokazywał, że jest pod wrażeniem, bo czuł, że Rickenbackerowi sprawia to satysfakcję. Ale któż nie byłby dumny z osiągnięć własnego kraju? A to rzeczywiście było osiągnięcie na skalę, o której sojusznicy, a tym bardziej wrogowie USA mogli tylko pomarzyć. – A uzbrojenie obronne? – Postanowił dowiedzieć się, czego tylko można.
Rickenbacker wyjrzał za okno, jakby spodziewał się tam ujrzeć niemieckie myśliwce, ale eter był pusty i słoneczny, a drobne obłoczki przepływały zalotnie pod skrzydłami pomalowanymi łuszczącą się ciemnozieloną farbą.
– I tu jest cały bajer! Działek jest od diabła, a wszystkie automatyczne.

– Jak to automatyczne? – dziwił się zupełnie szczerze Smoliarow. – A kto celuje?

– Strzelcy. Tyle że nie trzymają za tylce. Siedzą w małych oszklonych kopułkach albo w kabinach i mają przed sobą celowniki zsynchronizowane z siłownikami działek. Wystarczy naprowadzić celownik i nacisnąć guzik. Resztę robią automaty. Łącznie z odkładaniem poprawek. Super. Nie?

Smoliarow przez dłuższą chwilę usiłował sobie wyobrazić, jak rzecz się odbywa. Ale nie potrafił. Więc indagował:

– Ale po co? Nie lepiej samemu celować?

– Otóż nie, Smoliarow. Po pierwsze, obracającą się i wibrującą przy wystrzałach wieżę trudno hermetyzować. Po drugie, eliminuje się inercję, konieczność fizycznego wysiłku, a automat dubluje ruch w pełnym zakresie i właściwie w tym samym realnym czasie. Wystarczy precyzyjnie celować. Efekty są bardzo obiecujące. Nie trzeba wykręcać się w kabinie. Martwić o kąty ostrzału. Siłę wiatru. Wyprzedzenie. Wreszcie o to, że się odstrzeli przy okazji własny ogon albo kawałek skrzydła, co się zdarza w B-17. Trzeba tylko zgrać muszkę ze szczerbinką. Taki wzmacniacz do strzelania. Grasz po cichutku, a wszyscy i tak ogłuchną. Jak na polowaniu. Kapujesz, Smoliarow? Technika. Nie wolno jej nie doceniać. Technika zdecyduje już niedługo o losie świata. Choćbyśmy nie wiem jak się przed tym bronili. Spróbuj przegonić człowieka na rowerze. Nie dasz rady. A to przecież prymityw. Dwa koła. Przekładnia. Łańcuch i pedały.

Smoliarow był pod wrażeniem. Wyobrażał sobie minę Każeduba czytającego jego raport. A napisze go jeszcze dziś wieczorem. Za taką sensację awans murowany. Swoją drogą, co by dał, żeby przelecieć się takim samolotem. Do pełniejszego obrazu Smoliarow potrzebował jeszcze kilku informacji, ale musiał być ostrożny. Postanowił podchodzić Amerykanina okrężną drogą:

– Ale po co wam taki samolot? Przecież B-17 świetnie spisuje się nad Europą?

94

– Zapomniałeś, Smoliarow, że mamy wojnę z Japończykami. B-29 ma im tak dokopać, żeby ich w końcu wdeptać w te ich macierzyste wyspy. Sam rozumiesz, że dysponując takim promieniem działania, będziemy mogli ich dosięgnąć z Chin i z Filipin. Co do tych ostatnich, wszystko wskazuje na to, że niedługo je odzyskamy, choćby cesarz miał z tego powodu zrobić w majty.

– Czy to znaczy, że ten supersamolot to nie prototyp?

Rickenbacker, nim odpowiedział, chwilę się zastanawiał:

– Nie bądź naiwny, Smoliarow, bo i ja, mimo że pewnie mówię ci trochę za dużo, nie jestem taki naiwny, na jakiego wyglądam. Ale macie w końcu wywiad wojskowy i pewno wkrótce będziecie dysponować danymi tej maszyny, więc mogę ci powiedzieć w zaufaniu: tak, ruszyła już produkcja na dużą skalę.

Berlin, 11 listopada 1946 roku. Amerykańska strefa okupacyjna. Sekcja analityczna kontrwywiadu wojskowego US Army

Pułkownik Ernest Hemmings był z tego przeniesienia zadowolony. Ale nie do końca sam to przed sobą przyznawał. Nie odwiedzał Europy od... zaraz, od kiedy właściwie? Potarł w zadumie łysiejące czoło. Od 1920! Bogowie, to już dwadzieścia sześć lat...

W Niemczech nie był jeszcze nigdy, choć dobrze znał Anglię, Francję, Austrię i Szwajcarię. Oczywiście, byłoby najlepiej, gdyby wylądował w ukochanym Paryżu. A w ogóle to na cholerę wojskowe uczelnie wypluwają co roku tabuny młodych specjalistów? Powinno ich starczyć na obsadzenie wszystkich wakujących stanowisk. Tymczasem wyławia się z rezerwy takich dziadków jak on. A szumu przy tym co niemiara.

„Nikt inny, tylko pan, profesorze. To zadanie jest ważne i delikatne. Nie potrzeba nam tam młodzików z wielkimi coltami i stosownych rozmiarów penisami, żeby uwodzili sekretarki i rzygali po kantynach. Potrzebny nam ktoś taki jak pan. Chyba pan nie odmówi? Poza wszystkim w Berlinie i w Hamburgu nie wszystko się spaliło. Będzie pan mógł pomyszkować po bibliotekach. No co? Da się pan namówić? To tylko kilkanaście miesięcy. Potem wróci pan do książek, studentów i coś czuję, że zrobią pana dziekanem".

Generalski uśmieszek stał się podejrzanie lepki i Hemmings domyślił się, że wpływy tego człowieka są bardziej rozległe, niż głosi fama.

„Przywrócimy pana do służby i damy panu, oczywiście, zaległy awans, żeby pan nie musiał salutować byle dupkowi ze sztabu". – Vandenberg* był pewny, że Hemmings się zgodzi, bo miał w szufladzie już podpisaną nominację i kopertę z kompletem srebrzystych dystynkcji. Hemmings wyszedł od generała lekko oszołomiony rozwojem wydarzeń, obracając w palcach wizytówkę krawca szyjącego paradne uniformy dla sztabowej elity i zastanawiając się, co powie żonie. Ostatecznie, jeśli będzie się upierała, może jechać z nim do tego Berlina. Wątpliwe jednak, by chciała porzucić swoje zajęcia. Nie było dla niej rzeczy ważniejszych niż wykłady o filozofii Wschodu i promowanie młodej kadry. On był w zupełnie innej sytuacji, a władze uniwersytetu z pewnością udzielą mu urlopu. Zajęć miał niewiele i zadbał o przygotowanie dobrej asystentury. Zresztą żona będzie chyba zadowolona, że choć na trochę oderwie się od tej asystentury w osobie trzydziestoletniej Nataszy Davies, za którą bezskutecznie uganiali się wszyscy jego koledzy. Tolerował łaskawie ich umizgi, sycąc swą późną próżność posiadacza. Tuż przed sześćdziesiątką inaczej patrzy się na te rzeczy. Natalia ze swą słowiańską, złocistą, smukłą urodą i zaczepną, migotliwą

* Generał Hoyt Vandenberg, szef wywiadu wojskowego w czasie II wojny światowej, zastępca szefa centralnego wywiadu w latach 1946–1947.

inteligencją dostarczała mu bezcennych, przy jego znużeniu sprawami płci, chwil ekscytacji. Nim mu ją przedstawiono podczas dorocznego balu grona dydaktycznego uczelni, był przekonany, że wie o kobietach wystarczająco dużo, by przestać studiować ten najprzyjemniejszy z życiowych fakultetów. Mylił się. Bez żadnych wstępów, podając mu chłodną, miłą w dotyku dłoń, usiłowała przejąć inicjatywę. Sztabowcy nazywają to „rozpoznaniem bojowym":

– Profesor Hemmings? Sądząc po stylu pańskich prac, spodziewałam się kogoś w typie zdecydowanie patriarchalnym, a pan zdałby się bardziej na Sardanapala... Tyle że tamten był młodszy...

Wiedział, że przed tak wyprowadzonym atakiem trzeba z początku ustąpić, ale tylko po to, by wciągnąć przeciwnika w głąb własnego terytorium. Potem otoczyć i zażądać kapitulacji. Dlatego nie obraził się i nie oponował, ale ująwszy Nataszę Davies pod ramię, zdecydowanie pokierował nią w stronę baru. Gdy mieli już swoje trunki (a okazało się, że Natasza także pije burbona z lodem), udał, że zaczepka nie miała miejsca, i rozpoczął swoją własną, tyle już razy sprawdzoną grę:

– Proszę mi raczej powiedzieć, skąd w pani twarzy taka wyraźna słowiańska nutka? Jak do tej pory spotkałem taką tonację urody tylko u jednej kobiety. Myślałem, że to niepowtarzalne.

Podjęła grę, rezygnując z zaczepek. Zrozumiała, że Hemmings jest dla niej co najmniej równorzędnym przeciwnikiem:

– I co się z nią stało? – To pytanie zadała mu znad brzegu swojej szklanki, patrząc mu z zaciekawieniem w oczy.

– Nie mam najświeższych informacji, ale jeszcze dziesięć lat temu miała prywatną, dobrze prosperującą szkołę muzyczną w Fukuoce. Uczyła dzieci dyplomatów i bogatych, aspirujących Japończyków.

Natasza, zadowolona, że nie wyrwała się z pytaniem o Fukuokę (nie miała pojęcia, gdzie to jest), przeskoczyła o stopień wyżej:

– Myślę, że teraz prosperuje nieco gorzej.

Hemmings sam chciałby wiedzieć, więc odpowiadając, pocieszał sam siebie:

– Nie zna pani tej kobiety i nie zna pani Japończyków. I ona, i oni wyjątkowo szybko dochodzą do siebie. Jeśli nie zginęła i nie wyjechała przed Pearl Harbor, to pewnie dobrze sobie radzi. Podobnie jak pani.

– Skąd pan wie, że sobie dobrze radzę. – Znów była zaczepna, ale pojawił się w tym ton prowokacji, dobrze znany Hemmingsowi.

– Doktorat nauk historycznych w wieku dwudziestu sześciu lat. Bardzo udana książka. Brak męża i dzieci. I to wszystko przed trzydziestką... Pozazdrościć. – Był samą ironią.

– Ja w pani wieku szlifowałem europejskie bruki, węsząc antyamerykańskie spiski i kaptując dla naszej sprawy najlepszych agentów...

– I agentki? – weszła mu w słowo.

– Gdzie diabeł nie może...

Roześmieli się szczerze, widząc, że nie warto się wadzić.

Z przykrością wrócił do swojej pracy. Nie widział Nataszy ledwie kilkanaście dni, a już musiał się uciekać do wspomnień. Już mu jej brakowało. Nie powinno tak być. Pojawiał się nawet dreszczyk niepokoju i zazdrości. Nie ma go tam, a przecież nawet studenci się do niej „podwalają". Teraz mają pole do popisu. Ona nie przepuści żadnej okazji, by przeżywać swoją kobiecość jak najintensywniej. Może nawet bez intencji zdrady swojego profesora... ale wszyscy są tacy młodzi. Ta cholerna młodość... Gdyby teraz, tu, w tym gabinecie, pojawił się jakiś skrzydlaty geniusz albo ktoś wszechmogący (choćby i sam diabeł) i spytał: „Ernest, chcesz być znowu młody?", odpowiedziałby – i był tego najzupełniej pewien: „Nie! Do cholery! Nie chcę już nigdy być młody. Nie chcę być niewolnikiem własnego nieokiełznania. Własnej głupoty. Braku zasad i ignorancji". Ale dodałby z pewnością: „Ale nie chcę też, żeby jakiś młody tęgopytek, którego jedynym walorem jest właśnie to, rżnął moją dziewczynę!" Na to geniusz odpowiedziałby pewno: „To trzeba było zostać".

Hemmings uśmiechnął się z politowaniem i sięgnął po kolejną gazetę: „Czy jestem tu, czy byłbym tam, jeśli będzie miała ochotę się rżnąć, to i tak to zrobi. I dobrze. Będę miał nauczkę. W moim wieku powinno się dokładnie wiedzieć, na ile się angażować w romanse z asystentkami i gdzie przebiega bezpieczna granica". To zgrabne, przeprowadzone w myślach rozumowanie uspokoiło go. Do tego stopnia, że mógł znów korzystać w pełni ze swojego znakomitego intelektu. Na tym polegała jego nowa praca. Był analitykiem. Vandenberg doskonale znał przebieg jego kariery. Znał jego wywiadowczą przeszłość. Musiał mieć dobre informacje na temat jego wojennych doświadczeń i kreatywności. Potrzebowali w Berlinie kogoś, kto potrafiłby wychwycić wszystkie niuanse nowej rzeczywistości. A sytuacja była rzeczywiście delikatna. Niedawni wrogowie coraz śmielej korzystali z możliwości, jakie otwierał przed nimi okupant... Nie, to nie było dobre słowo i to nie była typowa okupacja.

Wyprostował pomiętą płachtę taniego papieru gazetowego i spojrzał w okno. Widok nie był zachęcający. Nagie gałęzie drzew na pierwszym planie i hałdy starannie już przemielonych gruzów. Berlińczycy otrząsnęli się wyjątkowo szybko i miasto stało się wielkim placem budowy. A ściślej mówiąc: odbudowy. Stopień zniszczeń dawał jemu, który widział wiele rozwalonych miast, dobre pojęcie o tym, co tu się działo. Dziwne, że w ogóle coś zostało. Krzątanina buldożerów i ludzi działała na niego pobudzająco, mimo listopadowej pogody z drobnym deszczykiem, siąpiącym z nisko wiszących, burych chmur. Znowu poczuł się potrzebny i po raz kolejny cynizm, pozwalający na nieustanne kpiny z amerykańskiej misji dziejowej, chował się głębiej, zawstydzony namacalnością rozgrywającej się na jego oczach rzeczywistości, potwierdzającej owo posłannictwo. Owszem, był cynikiem, ale widok za oknem był budujący. Dawał mu poczucie siły i choć z trudem się do tego przyznawał – napawało go także dumą. Nie potrafił jednak nawet w myślach nie kpić z tej swojej śmiesznej, amerykańskiej dumy: „Przyszliśmy tu ze swoją osławioną demokracją i chcemy, by jak najszybciej niegrzeczne niemieckie ludziki, które tyle nabroiły, przyswoiły sobie tę demokrację. Nie będziemy na nich krzyczeć i gniewać się o byle co. Musimy tylko jak najszybciej nauczyć ich naszych reguł. A mamy ku temu dobre powody. Niech szybko odbudują swoje miasta i swój kraj. Niech się bogacą. Im szybciej to się stanie, tym szybciej będziemy im mogli sprzedawać nasze towary i idee. To najlepszy biznes. Drugi powód też jest ważny: Rosjanie. Lepiej, o wiele lepiej będzie, gdy na granicy sowieckiej zony zaistnieje nowoczesny, normalny naród, niż gdyby miały tu siedzieć masy zahukanych, krnąbrnych konspiratorów. Uśmiechających się w dzień, a spiskujących w nocy. Dlatego nie będziemy na nich krzyczeć. Na pewne rzeczy będziemy patrzeć przez palce. Ale trzeba im się bacznie przyglądać i dyskretnie kontrolować. Dlatego potrzebni są nie tylko śledczy i żandarmi do wyłapywania poukrywanych po stodołach esesmanów, ale także analitycy, umiejący czytać między wierszami".

Gazet wychodziło coraz więcej. Niemal co tydzień pojawiały się nowe tytuły. Na coraz lepszym papierze, z większą liczbą zdjęć i coraz lepiej redagowanych. Przybywało także kolorowych tygodników. Pracy było sporo i Hemmings zastanawiał się, czy z czasem jego samodzielne stanowisko nie rozrośnie się aby w prawdziwe biuro, z tuzinem sekretarek i asystentek. Na razie musiał radzić sobie sam, ale to on ustanawiał standardy swojej pracy. Postanowił już na samym wstępie, że nie będzie bawił się w cenzora. To nie była jego rola. Z niemieckim nie miał problemów, choć od czasu rezydentury w Austrii minęło wiele lat. Dzięki temu, że tak dużo czytał, z każdym dniem było lepiej. Słuchał także radia. Berlińska rozgłośnia, w połowie zrujnowana, uruchomiła na razie jeden program. To radio podobało mu się znacznie bardziej niż programy amerykańskie. Nadawano mnóstwo świetnej muzyki symfonicznej i kameralnej. Reklam prawie nie było, za to dużo audycji literackich i polukrowanych, pacyfistycznych słuchowisk. Niewiele wiedział o niemieckich mediach z czasów Trzeciej Rzeszy. Wyobrażał sobie jednak, że te współcześnie powstające, mimo usłużnie eksponowanej poprawności politycznej, są w znacznym stopniu kontynuacją poprzednich. Wystarczyło samo porównanie stopek z archiwalnymi wydaniami. Tytuły były inne, ale składy kolegiów prawie takie same. W wielu przypadkach nie zmieniono nawet naczelnego! To mu wcale nie przeszkadzało. Dziennikarze zawsze mieli naturę sprzedajnych dziwek. Za pieniądze pisali to, co akurat należało pisać. O proszę. „Der Kurier". „Wzorowa stołeczna gazeta. Wstępniak jak się patrzy... reportaż z placu budowy... polityka zagraniczna. Prawie jak amerykańska – gadał sam do siebie. – Brakuje tylko skandalu albo, jeszcze lepiej, wielkiej afery politycznej... Diabli!" – zaklął, bo nieostrożnie trącona filiżanka zalała kawą pół szpalty, a szary, porowaty papier podłego gatunku szybko chłonął słodki płyn. Brązowy potop sięgnął tytułu kolejnego artykułu i Hemmings gorączkowo ratował tekst za pomocą serwetek. Tytuł półszpaltowego artykułu, sygnowanego przez niejakiego Valdiego Redke, był więcej niż intrygujący: *Superfortece z czerwonymi gwiazdami.* Hemmings szybko założył okulary, bo litery skakały mu przed oczami, i pochłaniał kolejne, złożone staromodną czcionką, akapity. „Chyba to żart? Ale skąd gość miał takie informacje? W końcu to nie pismo humorystyczne, tylko poważna gazeta. Trzeba faceta jak najszybciej sprawdzić". Hemmings nacisnął guzik wewnętrznych połączeń na białym, alarmowym aparacie. W niecałe dwie godziny później Redke siedział naprzeciw niego, życzliwie i, jak się zdawało, z lekką kpiną patrząc mu w oczy. Sądząc po stylu i sensacyjności informacji, Hemmings dałby głowę, że tekst wyszedł spod pióra młodego, bezwzględnego dziennikarskiego „pistoleta", tymczasem człowiek w brązowym wielbłądzim blezerze wydawał się uosobieniem niewinności i łagodności. Był poza tym chyba jeszcze starszy od Ernesta. Gdyby nie mundur Amerykanina, wyglądaliby jak para emerytów przy przedpołudniowej pogawędce. Redke, podobnie jak Hemmings, był zupełnie siwy, tyle że przy ledwie wystającym ze skóry głowy jeżyku pułkownika siwa czapa niedbale, ale fantazyjnie przystrzyżonych włosów dziennikarza wyglądała imponująco. Redke był niziutki, miał muskularne dłonie, właściwe ludziom bardzo silnym fizycznie, i jasne, pogodne spojrzenie, zabarwione czymś dziecinnym i wesołym. Hemmingsa to spojrzenie troszkę speszyło. Chrząknął i zaproponował kawę ze szklaneczką brandy, a przymusowo sprowadzony „gość" zaakceptował to bez słów, samymi oczami. Przez chwilę mieszali łyżeczkami w filiżankach aromatycznej brazylijskiej mokki, którą dla Hemmingsa przywożono specjalnie, wraz z kolejnymi transportami poczty i aprowizacji z kraju.

– Proszę się nie gniewać za ten gwałt; mam nadzieję, że nasi ludzie byli dla pana wystarczająco uprzejmi?

Redke poweselał jeszcze wyraźniej i znacząco stuknął pustą szklaneczką o blat biurka. Hemmings w lot zrozumiał i skwapliwie nalał. Sobie też. Lubił ludzi, którzy nie robili ceregieli z popijania. To byli najlepsi kompani do kieliszka.

– Spodziewałem się mniej więcej czegoś takiego, pisząc ten artykuł. Zdziwiłem się tylko, że zareagowaliście tak szybko. To imponujące nawet dla mnie, przyzwyczajonego do niemieckich metod.

Te „niemieckie metody" zabrzmiały dwuznacznie i Redke zaczerwienił się, wyrzucając sobie poczucie winy i zawstydzenia wobec Amerykanina. Hemmings wyczuł to i przez chwilę bezradnie błądził wzrokiem po grzbietach starannie oprawionych w granatowe płótno przedwojennych roczników berlińskiego „Monatshefte". Gdy się tu instalował (a było to niegdyś biuro jakiegoś handlowca), polecił, przejrzawszy kilka numerów, by nie wyrzucano miesięcznika. Był zabawny i nawet smaczny. Coś na kształt znanych mu magazynów dla mężczyzn.

Trochę porozbieranych kobiet, pięknie rysowane reklamy drogich samochodów i środka na przeczyszczenie, moda, oferta biur podróży i tylko czasem złowrogi akcent w postaci jakiegoś pomnika Teutona lub zdjęcia rozradowanego wodza z dzieckiem na ręku.

W końcu postanowił udać, że nie usłyszał dwuznaczności. Redke był mu za to wdzięczny i przestał się czerwienić. Hemmings pochylił się w krześle w stronę dziennikarza:

– Chciałbym się upewnić, że to nie żarty. Inaczej obydwaj mielibyśmy przykrości. Sprawa jest zbyt poważna.

Redke spojrzał pod światło na swój trunek.

– Zaręczam panu, że to nie żart. Mam dobrych informatorów po tamtej stronie. Informacje, panie pułkowniku, i to dobre informacje, kupuje się teraz za paczkę kawy albo za papierosy. Za te najwyższej wagi płacę nylonami bez szwów...

– Z amerykańskich magazynów? – wpadł mu w słowo Hemmings, ale Redke tym razem się nie zmieszał. Nienawidził polityki, uważając ją za grzebanie patykiem w gównie, ale uwielbiał interesy i sensacyjne informacje, na których można zarobić.

– To jedyne źródło – odparował spokojnie zaczepkę.

– Czy może mi pan zdradzić nazwiska swoich informatorów? – z głupia frant zapytał Hemmings, choć wiedział, że nie ma do czynienia z człowiekiem naiwnym i skorym do nieprzemyślanych posunięć.

Redke wyczuł, że to była jedynie zagrywka:

– Mogę. Ale ich nazwiska nic panu nie powiedzą. Bo to nie zawodowcy, tylko opłacani przeze mnie zwykli ludzie, którzy przez przypadek albo konieczność znaleźli się po tamtej stronie.

– Z branży? – dopytywał się niespiesznie Hemmings.

– Różnie. Wie pan, jak wojna pomiata ludźmi. Ja sam często łapię się na tym, że zastanawiam się, kim naprawdę jestem.

– Dziennikarzem? – podrzucił usłużnie Hemmings.

– Nie. Skądże. Dziennikarstwo to sposób na przeżycie w nowych czasach. Chce pan wiedzieć, co robiłem przed wojną? Aprobujące milczenie pułkownika było zachętą do zwierzeń. Redke znał się na ludziach, ale nie potrafiłby powiedzieć, gdzie w Amerykaninie kończy się oficer wywiadu, a zaczyna zwykły, ciekawy świata i ludzi człowiek.

– Widzę, że ma pan tu kolekcję „Monatshefte". Znajdzie pan tam masę moich reklam sprzed wojny. Sprzedawałem mercedesy. To było świetne zajęcie. I produkt najwyższej klasy. Nawet wojna go nie popsuła. Dorobiłem się własnego salonu niemal w centrum. Szkło. Marmur. Polerowana stal. Skórzane klubzesle dla klientów. Hostessy z nogami długimi na dwa metry i z buziami grzesznych aniołków. W dodatku biznes absolutnie neutralny politycznie. Jeśli takie w ogóle były możliwe... Na szczęście nie mam semickich rysów i nie miałem zbyt wielu wrogów. Oczywiście przyszedł czas, że firmę trzeba było zamknąć. Kto myśli o kupowaniu mercedesa, gdy nie ma wody do picia, nie mówiąc o benzynie? Miałem nadzieję, że po tej wojnie będę mógł dalej handlować limuzynami... Wie pan, limuzyny sprzedają się najlepiej między wojnami... – zażartował, ale zabrzmiało to gorzko.

– No i co z tym teraz? – życzliwie zainteresował się Hemmings, uważając, że swobodna pogawędka zawsze pomaga w zdobyciu istotnych informacji. Był w tym trochę podobny do przepowiadającej przyszłość wróżki.

– Jak wreszcie mogłem wyleźć ze schronu w metrze i odwiedzić swoją firmę, zastałem bardzo duży lej po dużej bombie. Chyba tonowej. Jeszcze się wszystko dymiło.

– A hostessy? – nie mógł sobie darować Hemmings.

– Niech pan da spokój. Mam nadzieję, że nic im nie jest, ale nie mam od żadnego z moich pracowników jakichkolwiek wieści. Wszystko się rozleciało na cztery strony świata. U mnie pracy już nie mają. Nie mam nic prócz wynajętego pokoiku i tej posadki. – Puknął kilkakrotnie palcem w płachtę „Kuriera".

Dłonie miał czyste, a paznokcie równo przycięte. To wystarczyło, by Hemmings jeszcze bardziej go polubił. Przepadał za ludźmi, którzy dbali o dłonie.

– Wie pan co? – powiedział zdecydowanie. – Jeśli nasza dzisiejsza rozmowa będzie na tyle owocna, że będę mógł w ciągu kilku dni sporządzić sensowny raport dla moich zwierzchników w kraju i zaprojektować dalsze działania, to... – przerwał i mimo woli uśmiechnął się, bo Redke kiwał głową życzliwie jak spowiednik, który z góry domyśla się przewinień penitentki – to wciągnę pana na nasze listy żołdu, jako... powiedzmy... konsultanta. – Pułkownik nie chciał, by padło konfidencjonalne określenie „informator". – To będzie bardzo przyzwoita miesięczna gaża. Oczywiście jak na tutejsze stosunki – dodał.

Redke nie zwlekał z odpowiedzią:

– Proszę. Niech pan pyta – zachęcał.

Hemmings odetchnął z ulgą i włączył dyktafon ukryty w szufladzie:

– Jeśli pan pozwoli, zaczniemy od początku.

 Waszyngton.
Departament Obrony.
Kilka dni później

– I co pan o tym sądzi, Jason? – Siwiuteńki jak gołąbek, siedemdziesięcioletni, ale wciąż dziarski Henry L. Stimson, jeden z najbardziej szanowanych ludzi w kraju, frasobliwie pocierał nieogolony z braku czasu podbródek. Generał Jason Clark, szef zespołu analityków, zamknął z trzaskiem teczkę, w której zawartość wczytywał się uważnie od dłuższej chwili. Zrobiło mu się na chwilę gorąco i zemdliło go, bo uprzytomnił sobie, jakie konsekwencje może mieć teraz, w obliczu nowych wątków, jego decyzja sprzed półtora roku. Postanowił jednak w pierwszym odruchu działać tak, jakby tamta rozmowa nigdy się nie odbyła. Postanowiwszy, poczuł się

105

lepiej, a było to uczucie ulgi podobne do tego, jakie odczuwa dziecko chowające głowę pod kołdrę, by zabezpieczyć się przed upiorami ciemności. Jeszcze raz los przypominał mu o tym, że obowiązkiem analityka jest nie lekceważyć informacji. Choćby wydawała się najgłupsza i najbardziej nieprawdopodobna.

– Fantazje... – wykrztusił wreszcie z wysiłkiem. – Hemmings chce się koniecznie wykazać. Na jego miejscu też bym wszędzie węszył spisek...

Stimson wyciągnął rękę po teczkę i spytał:

– Dlaczego tak brzydko o nim myślisz, Jason? To znakomity specjalista...

Clark, niski i tęgi, o twarzy przypominającej ryjek prosiaka, ozdobiony nie wiedzieć czemu idiotycznym wąsikiem, uśmiechnął się z politowaniem:

– To jasne. Ten facet to emeryt, który chce zrobić spóźnioną karierę.

Stimson spoważniał i wyprostował się w fotelu. Nie znosił Clarka, który jego zdaniem był zbyt stronniczy i zbyt pochopny w osądzie. Te dwie cechy w opinii sekretarza obrony czyniły z generała bardzo kiepskiego szefa zespołu analityków. Choć zwykle opanowany, nie mógł powstrzymać się od złośliwości:

– Jason. Hemmings nie musi robić spóźnionej kariery, bo zrobił ją jako młody człowiek, kiedy ty biegałeś jeszcze boso za orkiestrą wojskową. Weź pod uwagę, że to myśmy go prosili, żeby rzucił swoje książki i wykłady i tam pojechał. W jego wieku, o czym pewnie się przekonasz, najbardziej ceni się święty spokój. – Stimson z przyjemnością obserwował niepewność i skrywaną irytację na twarzy tego prosiaka w generalskim mundurze. – Ale dobrze! – Stimson najwyraźniej się rozgrzewał. Mimo lat i tony doświadczeń w manipulowaniu ludźmi, robienie ich w balona ciągle go bawiło.

– Dam ci szansę poprawy. Dlaczego uważasz, że to mrzonki?

Wiesz przecież, że Rosjanie nie oddali nam kilku samolotów, które musiały u nich przymusowo lądować? Czy ktoś w ogóle rozmawiał z ich załogami?

Clark odkaszlnął i spurpurowiał na twarzy i tłustym karku. Odzyskał już pewność siebie, więc postanowił odpowiedzieć tylko na pierwsze pytanie:

– Choćby dlatego, że B-29 to najbardziej zaawansowana konstrukcja na świecie. Żeby zrobić taki bombowiec, trzeba mieć za sobą tę całą żmudną drogę, którą myśmy przeszli. Nie da się iść na skróty. Niech pan tylko pomyśli. – Mimo całej nienawiści, jaką każdy głupiec obdarza mądrzejszych od siebie, ton prosiaka był pełen szacunku. Clark wiedział, co Stimson może wciąż w Białym Domu. Wyciągnął więc kolejne, oczywiste argumenty: – Przecież tu nie chodzi o prototypy. Japończycy zrobili jeden całkiem przyzwoity bombowiec dalekiego zasięgu. Niemal tak dobry jak B-29*. I co? Na jednej sztuce się skończyło. Może pan sobie obejrzeć zdjęcia. Niemcy? Niemcy też zaszli daleko, ale od prototypu albo serii przedprodukcyjnej do masówki jest jeszcze bardzo daleko. Nie. To niemożliwe. Rosjanie zatrzymali się na etapie tego dużego iljuszyna, który w zasadzie od początku nadawał się do muzeum†.

Stimson popatrzył na niego z zadumą. Mimo że głupi i zadufany, Clark dysponował sporą wiedzą. Była to jedyna w przypadku głupca metoda dorównywania mądrzejszym. Starszemu panu nieodparcie nasuwało się porównanie z kadetem

---

* Clark miał na myśli pierwszy, ale niezwykle udany czterosilnikowy bombowiec zaprojektowany w Japonii – Nakajima G8N Renzan. Osiągi samolotu były zbliżone do osiągów B-29. Clark mylił się jedynie co do liczby prototypów – wykonano ich cztery.

† Chodzi zapewne o bombowiec dalekiego zasięgu Ił-6. Ukończono jedynie dwa prototypy, a mizerny poziom osiągów przesądził o rezygnacji z produkcji seryjnej. Clark nie wspomniał o bardzo udanym, dorównującym osiągami B-17, bombowcu Pe-8. Tych maszyn powstało jednak tylko kilka sztuk serii informacyjnej.

Bieglerem z *Dobrego wojaka Szwejka*. Szczególnie wyraziście jego pamięć przywołała scenę przed wagonowym wychodkiem. Było to na tyle nieodparte, że Stimson zaczął chichotać jak pacjent na fotelu dentystycznym, znieczulany gazem rozweselającym. Z trudem się opanował, a Clark, o dziwo taktownie, wstrzymał się od komentowania ekstrawagancji przełożonego.

– Za tym, że Hemmings wyssał to wszystko z palca, przemawia jeszcze jedno... – Clark teatralnie zawiesił głos. Był w tym dobry, ponieważ ćwiczył takie kadencje przed lustrem, mając nadzieję, że zostanie w przyszłości senatorem – Stimson zaś był cały życzliwym oczekiwaniem. – Poziom metalurgii – Clark rzucił to takim tonem, jakim zawodowi brydżyści kończą licytację na poziomie „trzy bez atu".

– Metalurgii? – Stimson zdawał się smakować to słowo na języku.

Clark omal się żachnął. Jak można mieć jakiekolwiek wątpliwości w sprawach tak oczywistych?

– Panie sekretarzu – zaczął i dla pewności oparł dłonie na szeroko rozstawionych udach. Wyglądał teraz jak krzyżówka prosiaka z obrażonym susłem. – Superforteca ma pokrycie z aluminium.

– To nie nowina – wtrącił sarkastycznie Stimson.

– Tak, ale to pokrycie jest nieprawdopodobnie cienkie. Tylko szesnaście setnych cala. Przy tym – proszę posłuchać – konstrukcja wytrzymuje obciążenia rzędu 400 kilogramów na metr kwadratowy!

– Musi być takie cieniutkie? – Sekretarz obrony przez dłuższą chwilę usiłował sobie wyobrazić, co czuje załoga na wysokości siedmiu kilometrów, odgrodzona od lodowatej pustki blaszką grubości szkiełka w okularach, i przeszedł go dreszcz.

Clark wyjaśnił skwapliwie:

– Musi, żeby samolot miał jak najmniejszą masę własną. Wtedy będzie miał – oczywista – większy udźwig. Większy udźwig to więcej paliwa, czyli większy zasięg, i więcej bomb. Żaden inny samolot na świecie nie przenosi dziewięciu ton bomb na odległość ponad pięciu tysięcy kilometrów na takim pułapie i z taką prędkością! – tokował dumnie, jakby to on stworzył B-29.

Stimson poważnie kiwał głową.

– Pięknie, ale czy zakłada pan, że tylko u nas są dobrzy inżynierowie?

– Tego nie można powiedzieć, panie sekretarzu. Ot, choćby taki Tumiłow czy bliźniacy Güntherowie* od Heinkla, ale proszę wziąć pod uwagę, że ci ludzie pracowali w warunkach wojennych, a nasi mieli wiele lat spokoju i wystarczające fundusze na badania i eksperymenty. Tego nie zastąpi największy geniusz. Poza wszystkim – skąd Hemmings ma takie rewelacje?

– Pisze o tym nowa berlińska prasa. Jak sam pan wie, jeśli piszą o czymś w gazetach, to albo to jest prawda, albo fałsz, który wywoła skandal, a od skandalu fałsze zamieniają się w prawdę albo na odwrót. W każdym razie coś w tym jest.

Clark sapnął:

– I to jedyne źródło? Tu jest napisane – Clark wskazał wzrokiem raport Hemmingsa, leżący pomiędzy nimi – że... – pozwoli pan? – Sięgnął po skoroszyt z taką odrazą, jakby tekturowa teczka nasączona była wydzieliną skunksa. Jego głupota była wręcz kliniczna. – Że... – kartkował w poszukiwaniu właściwego akapitu – o, właśnie. Napisali, że kopie naszego bombowca produkuje się na masową skalę w licznych fabrykach w rejonie centralnego i południowego Uralu. Uważa pan, panie sekretarzu – na masową skalę.

---

* Utalentowana para braci. Zaprojektowali jeszcze przed wybuchem wojny w biurze konstrukcyjnym Heinkla bombowiec z wieloma rewolucyjnymi rozwiązaniami, heinkel He-177 Greif. Samolot miał znakomity zasięg, porównywalny z B-29, ale problemy z pożarami silników zyskały mu przydomek „latającej zapalniczki".

– Niech pan weźmie pod rozwagę – mitygował Stimson – że ten „Kurier" kolportowany jest także w strefach francuskiej i brytyjskiej. Gdyby okazało się jednak, że coś w tym jest, a my byśmy to zlekceważyli, nie zyskamy w oczach sojuszników. Wie pan, że sytuacja zmienia się błyskawicznie. B-29 to jedyny samolot do dalekich uderzeń jądrowych. Rosjanie z pewnością chcieliby go mieć w dostatecznej liczbie. Przecież pan wie, że Stalin o to zabiegał. Może to zabrzmi pretensjonalnie, ale tu chodzi o przyszłość świata. Zechce pan to wziąć pod uwagę? Poza tym Hemmings wziął na spytki autora tych rewelacji. Z tego, co tu napisano, facet ma swoich zaufanych informatorów po tamtej stronie i jest niezłym spryciarzem.

– Być może, panie sekretarzu… – Clark był zirytowany rozmową, w której jego interlokutor jak dziecko nie przyjmował oczywistych argumentów – być może Ruscy produkują jakiś czteromotorowiec i trzeba to zbadać. Wiemy, że Miasiszczew pracował nad taką konstrukcją, ale to, żeby zbudowali coś na kształt Superfortecy, wydaje mi się wielce nieprawdopodobne. – Clark rozparł się w fotelu i z lubością powtórzył koniec swego wystąpienia: – …wielce nieprawdopodobne.

Stimson popatrzył na niego spod ciężkich powiek i pomyślał: „Ileż to razy różni tacy jak ty mówili mi, że coś jest wielce nieprawdopodobne. Głupsi. Mądrzejsi. Z początku im wierzyłem. Byli tacy przekonywający. Potem zacząłem wątpić. Ostatnich kilka lat nauczyło mnie, że rzeczy wielce nieprawdopodobne są możliwe. Więcej. Że zmieniają kształt świata, w którym żyjemy, w sposób zupełnie zasadniczy. To nie jest kwestia otwierania się na postęp. To problem zupełnie innych możliwości. Ot, choćby taka penicylina. Wynaleziono ją bodaj w 1929 roku, ale trzeba było wojny światowej, żeby świat przekonał się o jej skuteczności. Na początku 1943 roku całej penicyliny świata wystarczyłoby ledwie na zastrzyki dla stu zakażonych. Po desperackim eksperymencie w Brigham penicylina w ciągu roku stała się popularnym antybiotykiem, który ocalił życie setkom tysięcy rannych żołnierzy*. Gdyby ktoś ledwie dziesięć lat temu powiedział mi, że bomba o masie niecałej tony może w sekundę zabić osiemdziesiąt tysięcy ludzi i okaleczyć całe pokolenia, puknąłbym się w czoło. To właśnie znaczy «wielce nieprawdopodobne». Dlaczego ten świniak nie odpowiedział na pytanie o internowane załogi? Czy poddano ich jakimś procedurom kontrwywiadowczym? To chyba nie przypadek, nawet przy całej głupocie Clarka? W każdym razie trzeba będzie zasygnalizować Hemmingsowi tę sprawę. I zażądać odnalezienia protokołów przesłuchań – jeśli takowe oczywiście istnieją i jeśli te przesłuchania istotnie się odbyły".

– Co pan proponuje? – Stimson chciał, by prosiak jak najszybciej wyniósł się z jego gabinetu.

– Myślę, że najrozsądniej byłoby odłożyć sprawę ad acta. Ewentualnie uczulić ludzi z wywiadu, żeby nadstawili ucha.

– To wszystko? – uprzejmie upewnił się Stimson i postanowił, że na najbliższym zebraniu połączonych sztabów postawi wniosek o przeniesienie prosiaka i odsunięcie go od ważnych spraw. Najlepiej gdzieś, gdzie jego radosna głupota będzie mogła być wykorzystana z pożytkiem dla armii. Tylko – czy takie miejsca istnieją?

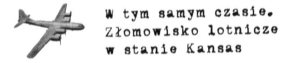 **W tym samym czasie.**
Złomowisko lotnicze
w stanie Kansas

Widok był niezwykły i przygnębiający. Spodziewał się nowych wrażeń, ale nie przypuszczał, że nekropolia maszyn może być przesycona fluidami śmierci i przemijania, tak jak

---

* W szpitalu Brigham, w stanie Utah, zaaplikowano penicylinę 500 zakażonym w czasie walk na Pacyfiku żołnierzom. Odsetek wyleczonych był na tyle imponujący, że przekonał korpus medyczny US Army do nadania lekowi „znaczenia medycznego najwyższego rzędu".

111

cmentarzysko ludzkich szczątków. Takie rzeczy dostrzegają pewnie tylko ludzie wrażliwi albo przewrażliwieni – albo tacy jak on, którego obowiązkiem jest dostrzeganie rzeczy niedostrzegalnych dla innych. Zatrzasnął drzwi czarnego packarda, auta stosownego dla przedsiębiorcy, i starannie obciągnął nieco pomiętą marynarkę. Zdążył się już przyzwyczaić do swego stroju; szarego, stonowanego garnituru i czarnego, żałobnego krawata. Dzień, choć to połowa listopada, był ciepły i suchy, zostawił więc płaszcz i kapelusz w samochodzie. Choć powinien przyswajać sobie amerykański styl, nie mógł przyzwyczaić się do chodzenia w kapeluszu. Przy jego zimnej, kostycznej urodzie watowane garnitury i kapelusz nadawały mu jednoznacznie wygląd gangstera. Zdecydowanie lepiej czułby się w mundurze. W tym kraju był jednak cywilem. Jak głosiła wizytówka – dyrektorem handlowym firmy Vanco. Firma – zgodnie z tym, co wpisano w papierach – zajmowała się bardzo wieloma rzeczami: skupem metali kolorowych, odzyskiwaniem surowców wtórnych, handlem częściami zamiennymi do rozmaitych maszyn i urządzeń – i Bóg raczy wiedzieć, czym jeszcze. Miała poważnych udziałowców z amerykańskim obywatelstwem i kilka stałych przedstawicielstw w miastach całego kraju oraz małe biuro w Kanadzie. Jej dyrektor handlowy, David Donald Tuskov, także miał obywatelstwo amerykańskie, choć naprawdę nazywał się zupełnie inaczej. Przed wojną przez kilka lat był przedstawicielem handlowym amerykańsko-rosyjskiej spółki AMTORG. Pracował tam pod innym nazwiskiem i jego oficjalna tożsamość, potwierdzona licznymi dokumentami, diametralnie różniła się od legendy, którą dorobiono mu do obecnego wcielenia. Z AMTORG-u odwołano go jeszcze przed sławetną aferą. Całe szczęście. Mógł uniknąć niepotrzebnego i niebezpiecznego rozgłosu i podjąć nowe, odpowiedzialne zadania. Zamknął starannie drzwi packarda i choć nigdzie nie widać było biura cmentarzyska, postanowił się przejść. Teren był rozległy. Od otaczającej pustynnej równiny oddzielały go jedynie ogrodzenia z kolczastego drutu. Brama, przez którą wjechał, prymitywnie sklecona z grubej tarcicy i takiegoż drutu, była otwarta na oścież. Nic. Żadnej tabliczki. Po ziemi wiatr turlał kępy ostrokrzewu, a drobny kurz natychmiast pokrył czarny lakier packarda. Jak okiem sięgnąć, w porządnych szeregach ustawiono martwe samoloty. Ktoś, kto nie znał rozmachu i skali amerykańskiego przemysłu lotniczego, mógł być zaskoczony liczbą niepotrzebnych niebu maszyn. On znał – i nie dziwił się. Szedł wzdłuż niekończącego, zda się, szeregu wyeksploatowanych hudsonów, ciężko wspartych na pneumatykach bez powietrza i niemal dotykających ciężkimi, rozdętymi brzuchami spalonej, szarej ziemi. Po większości z nich nie było widać śladu złego traktowania. Doszedł jednak i do takiego, z kompletnie roztrzaskanym oszkleniem kokpitu. W grubym szkle organicznym pociski z działek powyrywały imponujące dziury, a kabina robiła wrażenie kompletnie zrujnowanej. Gdy podszedł bliżej, wydawało mu się, że dostrzega na pleksi ślady zaschniętej krwi. Ale równie dobrze mógł to być olej albo po prostu brud. Gdy skończyły się hudsony, wszedł pomiędzy imponujące szeregi B-17. Wyglądały na porządnie sterane ciężką wojenną pracą, prezentując w słońcu zmatowiałe szyby kabin i osłony silników pochlapane olejem. Większość z nich doleciała jednak o własnych siłach na pobliskie polowe lądowisko, skąd przytaszczyły je na miejsce ostatecznego spoczynku kilkunastotonowe ciągniki artyleryjskie, którym przyszło pełnić rolę żuków grabarzy. Potem kwartał kilkunastu zaledwie pokładowych helldiverów w wyjątkowo dobrym stanie. Lakier *navy-blue* nie stracił niczego ze swej głębi i David Donald Tuskov postanowił, że kolejny dyrektorski garnitur każe sobie uszyć z wełny w tym właśnie odcieniu. Pomyślał nawet, że doskonałym uzupełnieniem będzie krawat w barwach amerykańskiej

113

kokardy albo, jeszcze lepiej, w głębokiej, butelkowej zieleni, takiej, jaka pokrywała śmigło leciwego sbd, nie wiadomo dlaczego eksponowanego w towarzystwie młodszych i nowocześniejszych kolegów. Wreszcie... są. Ślicznotki. Nikt nigdy nie zrobił piękniejszego bombowca. W południowym słońcu aluminium miało złotawą barwę, od której wspaniale odcinała się czerń numerów taktycznych i srebrzysty granat kokard. Bojowo i wyzywająco lśniły znieruchomiałe na zawsze łopaty czarnych śmigieł z żółtymi znacznikami na końcach. Na tym złomowisku nie było ich tak wiele. Pewnie koło dwudziestu. Wyglądały na w pełni sprawne i były po prostu wyeksploatowane. Pochodziły z wczesnych serii produkcyjnych, z czterdziestego pierwszego i czterdziestego drugiego. W linii zastępowane były nowszymi modelami. Tych nie opłacało się już modernizować. Nie szkodzi. To, o co mu chodzi, w późniejszych seriach nie uległo zasadniczym zmianom.

– Pan miłośnik lotnictwa?

Odwrócił się gwałtownie. Może zbyt gwałtownie. Stał przed nim krępy facet z głową, która zdawała się wyrastać z barczystego, muskularnego torsu bez pośrednictwa szyi. Twarz faceta była za to wyjątkowo sympatyczna. Musiał być kiedyś bardzo przystojnym chłopakiem. Nawet teraz, koło pięćdziesiątki, zachował w kącikach ust i oprawie ładnych, zielonych oczu coś dziecinnego czy chłopięcego.

– Tak. Lubię patrzeć na samoloty. Szczególnie tak piękne. Aż żal, że już nie polecą.

– Ależ polecą. Polecą. O, tam... – Facet wskazał muskularnym palcem na złowrogą bryłę gigantycznej zgniatarki. Stała pod słońce i Tuskov nie zauważył jej wcześniej. Przyłożył teraz daszek z dłoni do oczu i uważnie ocenił ogrom niszczycielskiej maszyny.

– I co z nimi będzie? – Tuskov pomyślał, że facet był zapewne śmiertelnie znudzony nadzorowaniem błyszczących wraków. Wyglądało na to, że mógł pogadać jedynie z jasz-czurkami. Trzeba mu dać się wygadać, a do rzeczy przejść później. Zarządzający lotniczą trupiarnią był wyraźnie wdzięczny za kolejną kwestię do obgadania.

– Jak to co? Zrobi się piękne kosteczki i do pieca. Znowu będą latać. Tyle że jako inne zabawki. To niemal reinkarna-cja. Nie uważasz pan?

Tuskov wyciągnął z kieszeni paczkę papierosów i poczę-stował rozmówcę. Ten z uznaniem spojrzał na pall-malle bez filtra i przypaliwszy, spytał:

– Lubi pan mocne wrażenia?

Tuskov nie od razu zrozumiał, ale zachęcający uśmieszek nie opuszczał jego wąskich, jakby bezkrwistych, warg. Po chwili pojął:

– Ach! Chodzi panu o te papierosiska? No cóż. Jeśli już palić, to coś porządnego. Próbowałem różnych gatunków. Najbliższe prawdy są francuskie gitany bez filtra, ale te są jednocześnie mocne i… – szukał przez chwilę odpowiednie-go określenia – i takie esencjonalne. A nie gryzą w gardło. Coś jak dobra kawa.

Zarządzający popatrzył na niego filuternie.

– Albo dobra whisky. Może pozwoli pan do biura. Wychy-limy po szklaneczce.

Tuskov pomyślał, że rzadko zaczynał tak wcześnie, bo słońce stało jeszcze wysoko na niebie. Ale czegóż się nie robi dla sprawy.

Jak dwaj najlepsi przyjaciele, paplając wesoło, przeszli wzdłuż zamarłego szpaleru superfortec, a David odruchowo liczył cienie rzucane przez strzeliste stateczniki. „Biuro" zarządzającego, który przedstawił się Tuskovowi jako Paul Dabrowski, było z zewnątrz nędznym blaszanym barakiem, ale w środku, za białymi żaluzjami, panowała zaskakująca czystość i chłód, a meble, obrazki i wyposażenie dobrane były z żartobliwym wyczuciem stylu. Dopiero po chwili

115

Tuskov zauważył, że większość sprzętów zrobiona została w pomysłowy, wręcz artystyczny sposób z aluminium, blachy, stalowych rur, sklejki i różnych elementów, pochodzących niewątpliwie ze złomowanych samolotów. Widocznie Dabrowski nie tylko tu urzędował, ale także mieszkał i przyjmował gości. W kącie stał doskonale utrzymany kontrabas, przy nim zaś składany pulpit i wysoki stołek z małym okrągłym siedziskiem. Były tu także adapter, stosy płyt i nut, i duża lodówka, z której zarządzający wyjął dwie oszronione puszki:

– Piwo będzie stosowniejsze na tę porę dnia – wyjaśnił dobrotliwie.

Tuskov ze smakiem wypił pierwszy łyk i zapytał, wskazując podbródkiem na wiśniowy instrument:

– Grywa pan?

– To był mój zawód. Jestem kontrabasistą i to pewnie jednym z najlepszych w tym kraju. Oczywiście wśród białych – zastrzegł się poważnie. I zapytał zaraz: – Jest pan także miłośnikiem muzyki?

– Poniekąd. – Tuskov poprawił się w aluminiowym fotelu, wyściełanym skórzanymi poduszkami, który z pewnością zdobyłby złoty medal na każdej wystawie sztuki stosowanej. – Koncertuje pan?

– Już nie. Gram tylko dla siebie. I czasami z kolegami, jak łaskawie mnie tu odwiedzą. Z miasta kawał drogi, a oni późno wstają.

Dopiero teraz Tuskov uświadomił sobie, że doskonale zna twarz, sylwetkę i nazwisko Dabrowskiego z przedwojennych afiszy, anonsujących koncerty jazzowe w najlepszych salach, których jako meloman bywał stałym gościem.

– Nie było z tego pieniędzy? – zagadnął.

– Były. – Dabrowski uśmiechnął się z nostalgią. – Całkiem niezłe.

– To dlaczego pan nie koncertuje?

– Zmieniłem zawód. Teraz uśmiercam samoloty. Tak jak one kiedyś…

To zawieszenie miało trochę teatralny wymiar, ale widać było, że zarządzający czeka, by ktoś przeżył jego smutki wraz z nim. Tuskov, zawodowy psycholog i przeszkolony agent wywiadu, był idealną widownią. Zrobił tak wyczekującą minę, że Dabrowski dokończył:

– Samolot zabił moją dziewczynę. Może nawet nie była specjalnie mądra, ale była prześliczna. Byliśmy ze sobą dopiero dwa miesiące.

– Samolot zabił pana dziewczynę? Leciała samolotem?

– Dabrowski przecząco potrząsał głową, patrząc w dywan. Chyba naprawdę to przeżywał. Tuskov brnął dalej: – Na wojnie?

– Nie. Nie na wojnie. Nawet nie leciała żadnym z tych gratów. Szła na basen. Skróciła sobie drogę przez łąkę. I jakiś drań, który nie umiał dobrze latać, spadł prosto na nią. Była samiuteńka na kilku akrach trawy, a on trafił akurat w nią. Jak po sznurku. Miała silnik w płucach i głowie. Wszystko się zapaliło. Wyglądała jak wędzony węgorz. Takie sportowe gówno. Waco albo coś podobnego. W pobliżu był aeroklub. Kto by uwierzył? Ludzie wpadają pod samochody, giną na wojnie, ale żeby na kogoś spadł samolot? Czy pan uważa, że to normalne?

Tuskov pokiwał głową i trącił się wyrozumiale z zarządzającym:

– I dlatego pan tu?

– Tak. Pomagam je grzebać. Takie dziwactwo, ale dobrze mi robi. Pan pewno myśli, że ze mną coś nie tego…?

– Dabrowski wyraźnie szukał usprawiedliwienia dla swoich fobii.

Tuskov postanowił zaryzykować:

– Myślę, że jest pan porządnie walnięty. Ale mnie to nie przeszkadza.

– Walnięty? Powiadasz pan. Ha. A to dobre. Rzeczywiście, jestem walnięty, a pan jest chyba pierwszym człowiekiem, którego to bawi. Rewelacja. – Jego humor był zaraźliwy i przez dłuższą chwilę chichotali serdecznie, smakując niezwykły wymiar paulowego „walnięcia". Potem Dabrowski spoważniał i spytał: – Co pana do nas sprowadza? Przecież nie przyjechał pan tu, żeby sobie popatrzeć na demobil i pogadać z szaleńcem.

Tuskov wyjął firmową wizytówkę i położył przed zarządzającym:

– Moja firma skupuje części do maszyn i odsprzedaje je dalej albo przetwarza we własnym zakresie. Czy jest pan upoważniony do handlowania tym złomem?

Dabrowski wysączył resztki piwa:

– Oczywiście. W dużym zakresie. Zresztą mam od każdej transakcji prowizję, ale muszę wszystko uczciwie księgować. Wie pan, nawet tu zdarzają się kontrole, a mój zastępca uważnie patrzy mi na ręce. Czasami wydaje mi się, że go tu specjalnie nasłali. Taki dupek. Dziś go nie będzie, bo ma anginę, a mieszka czterdzieści kilometrów stąd. Dzwonił rano. Dziś w ogóle jest spokój, bo facet na zgniatarce też ma anginę. Jakaś cholerna epidemia? Bez niego i ten na dźwigu jest niepotrzebny. Więc dałem mu wolne.

Dabrowski wstał i otworzył lodówkę.

– Chcesz pan jeszcze jedno? Nie? W takim razie ja sam. – Wyjął piwo i na powrót ciężko zwalił się na krzesło. Ważył zdecydowanie za dużo. Prztyknął klipsem i spytał: – A co byś pan chciał nabyć?

Tuskov odnosił nieodparte wrażenie, że gwarowe naleciałości Dabrowskiego są oszustwem. Tytuły książek na regałach i ich imponująca liczba świadczyły, że kontrabasista jest człowiekiem światłym. Za pomocą słownictwa, akcentu i owych „wiesz pan" Dabrowski chciał pokazać, że jest zwykłym cwaniaczkiem. Te dwie rzeczy zupełnie do siebie nie pasowały i Tuskov stał się czujny.

– Wie pan, mamy zamówienie od wytwórni maszyn rolniczych. Chcą robić przyczepy do kombajnów. Takie specjalne, przystosowane do pracy z ładowarkami. Muszą być bardzo solidne i odporne na wszelkie wertepy. No i wykoncypowali, że idealne będą do nich podwozia od B-29. Oczywiście po pewnych modyfikacjach. No i kazali nam to załatwić.

Dabrowski w zadumie pokiwał głową.

– Podwozia od B-29, powiadasz pan. – Tuskov także kiwnął głową.

Dabrowski indagował dalej tym samym, pełnym zadumy tonem:

– Główne czy przednie?

– I te, i te – szybko wyrecytował Tuskov i skarcił się w duchu za pośpiech wskazujący, że bardzo zależy mu na transakcji.

– Wie pan, te mniejsze będą z przodu, a te większe z tyłu.

– Oczywiście z kołami i oponami? – uściślał Dabrowski, notując coś na formularzu ulokowanym na aluminiowej podkładce. Tuskov dałby głowę, że ta podkładka jest również zrobiona przez zarządzającego. – Niech pan tylko weźmie pod uwagę – Dabrowski znów (pewnie przez nieuwagę) użył poprawnej formy – że opony są często w nieszczególnym stanie…

– To nic – znów nazbyt pospiesznie i gorliwie reagował Tuskov. Jednak Dabrowski działał na niego jak śledczy na podejrzanego i całe agenturalne doświadczenie Tuskova nie potrafiło go uchronić przed nadmiernym odsłanianiem się.

– To drobiazg – poprawił się. – Przecież można taką oponę regenerować?

– Pewno – łaskawie przytaknął zarządzający. – Do kombajnu to wystarczy, do superfortecy już nie. Rozleciałyby się przy pierwszym lądowaniu. Takie gumy mają nieduży resurs, ale wie pan, jakie tam są obciążenia? – Tuskov zrobił niewinną minę, mającą pokazać, że nie wie.

Dabrowski wyjaśniał uprzejmie:

– Prędkość lądowania jest bardzo duża. Dwieście pięćdziesiąt kilometrów na godzinę. Jechał pan kiedy z taką prędkością. Nie? To straszna szybkość i niech pan do tego dołoży masę bombowca. Nawet pustego, bez bomb, na resztkach paliwa i bez amunicji. Wyjdzie jakieś trzydzieści dwie tony. No i uderzenie o beton. Takie opony starczają na ledwie kilkanaście lotów. Potem trzeba zakładać nowe. Ale po co ja pana tu nudzę. – Podniósł wzrok znad notatnika i upewnił się: – I oczywiście chciałby pan kompletne hamulce? Tylko czy pompa hamulcowa tego kombajnu da sobie radę z takimi ciśnieniami? Wie pan coś na ten temat?

Tuskov wzruszył ramionami:

– To nie moje zmartwienie, tylko naszych klientów.

Dabrowski podkreślił coś energicznie w swoich notatkach:

– Dobrze. Taki komplet z jednego bombowca będzie pana kosztować osiemset pięćdziesiąt dolców. Plus oczywiście koszty wymontowania części. Powiedzmy, po jakieś sto pięćdziesiąt dolców za komplet. Muszę do tego ściągnąć kilku ludzi, którzy znają się na tej robocie. Urządza to pana?

Tuskov szybko przekalkulował transakcję i postanowił się targować, by jakoś zamaskować swoją poprzednią gorliwość:

– Nic taniej?

– Wie pan. To są ceny katalogowe, ale gdyby pan wziął więcej niż jeden komplet, możemy udzielić rabatu, nawet do dwudziestu pięciu procent... A właśnie: ile pan tego chce?

– Dabrowski znów zastosował swoje wnikliwe prokuratorskie spojrzenie i Tuskov znów się zmieszał, ale musiał odpowiedzieć szczerze:

– Jeśli można... Wszystkie.

Dabrowski cały był doskonałym, życzliwym zrozumieniem:

– Ta wytwórnia kombajnów ma rozmach! Mam w tej chwili na placu dwadzieścia dwie sztuki, a spodziewam się jeszcze kilku. Naprawdę chcesz pan wszystkie? To trochę potrwa.

– Spodziewam się – odparł Tuskov zadowolony, że poszło tak gładko. – Ale zależy mi na czasie. Każde opóźnienie to mniejszy zarobek. Rozumie pan. – Znów stał się niepotrzebnie wylewny.

Dabrowski wyciągnął do niego swój aluminiowy niezbędnik:

– To niech pan podpisze tu... o, i tu. To wstępna umowa. Gdyby się pan wycofał, przepadnie panu zaliczka, o którą muszę pana poprosić. A tu ma pan osobny kwestionariusz. Proszę wpisać wszystkie dane firmy i ostemplować. Wiesz pan, takie tam formalności, ale to wciąż własność armii, a oni uwielbiają papierki i stempelki. Między nami mówiąc, nie wiem, jak udało się im wygrać wojnę przy takiej biurokracji. Chyba, że Japończycy i Niemcy mieli jej jeszcze więcej. Nie uważasz pan? – śmiał się cichutko, ubawiony własnym żarcikiem, wyobrażając sobie, jak nadęty funkcjonariusz wydaje z magazynu lotnikom bombę atomową, żądając pokwitowań w pięciu kopiach i stosownych zaświadczeń, a Tuskov uprzejmie mu wtórował.

Gdy odprowadził gościa do czarnego packarda (uprzejmie stał, machając dłonią, aż auto zniknęło mu z oczu w obłoku kurzu), wrócił do biura i długo wczytywał się w wypełnione równym pismem kwestionariusze Tuskova. Wreszcie odłożył je z westchnieniem i głośno wyrecytował w stronę błyszczącego ciemnowiśniowym lakierem kontrabasu:

– Gówno prawda! Kombajny. Śmajny. Coś pan kombinujesz, panie Tuskov, i źle panu z oczu patrzy. Ale to, panie Tuskov, zajęcie dla właściwych organów.

Powiedziawszy to, sięgnął po telefon i gdy zgłosiła się centrala, poprosił:
– Z biurem szeryfa.

 Moskwa, Kreml.
Listopad 1943

Zdjęcia, pięknie wkomponowane w kremowe, mięsiste karty wielkiego, oprawnego w skórę albumu, z pewnej odległości przypominały formistyczną, czarno-białą grafikę. Dopiero gdy się nad nimi pochylił, odkryły przed nim swój sens. Były, jak na robione lotniczą kamerą z wysokości kilku tysięcy metrów, całkiem przyzwoitej jakości. Wszystkie niepokojąco podobne, symetryczne i odrażające jak każda pośmiertna, nieretuszowana fotografia. To były niezliczone ujęcia rozległego trupa, spalonego na fosforowym stosie. Od razu się domyślił, że gdy ten trup żył, nazywano go Hamburgiem. Fotogramy były tak sugestywne, że odruchowo pociągnął nosem, jakby spodziewał się zwietrzyć swąd spalenizny. Znał doskonale zapach płonącego miasta. Niepowtarzalną, nasyconą kompozycję wielu składników – od chemikaliów i charakterystycznie śmierdzących środków zapalających poprzez woń płonących drzew, murów, liści i spalonej benzyny, aż po befsztykowy swąd zrumienionego i zwęglonego ludzkiego białka. Ale album pachniał jedynie dobrą cielęcą skórą i kredowym, ciężkim papierem.
– I co myślicie, kapitanie Smoliarow? – zagadnął Stalin.
Smoliarow dyskretnie i służbiście spojrzał na wodza. Dotąd oglądał go tylko na portretach i w kronice filmowej. Albo w produkcjach Mosfilmu, granego przez zabawnie odętych aktorów. Teraz mógł obejrzeć go sobie z bliska. Największym zaskoczeniem były chyba włosy, bo to, że wielki przywódca jest niewielkiego wzrostu, wiedział już przedtem. Ale włosy? Stalin najwyraźniej łysiał i gdy nieopatrznie pochylał

głowę nad papierami, widać było błyszczącą niezdrowo, czerwonawą skórę głowy. Poza tym był całkiem zwyczajny, niemal swojski, i Smoliarow mimo wcześniejszych obaw czuł się w towarzystwie tego człowieka zupełnie dobrze. Bardziej niepokoił go znany mu przecież doskonale Każedub, siedzący nieco z boku, z jego czarną, martwą ręką. Jeśli zaś chodzi o Stalina, to nawet jego czujne, obmacujące spojrzenie było do wytrzymania. Wódz patrzył tak, jak jeden z kolegów z akademii, który wmawiał im, że jest jasnowidzem umiejącym czytać z ludzkich dłoni. To było spojrzenie człowieka, który chce pokazać, że jest przenikliwy i że wie więcej, niż powszechnie się sądzi. Smoliarow, choć młody, umiał patrzeć na ludzi krytycznie i złośliwie. Dzięki niani Robertson i możliwości angielskojęzycznych lektur wiedział o świecie dużo więcej od przeciętnego wychowanka wojskowej uczelni. Nigdy jednak nie chwalił się poszerzonym spojrzeniem na rzeczywistość, zdając sobie sprawę, że jest to niebezpieczne.

Oceniwszy w duchu jakość i siłę spojrzenia towarzysza Stalina, Smoliarow poczuł się od razu lepiej.

Wezwano go do Moskwy zaraz potem, jak Rickenbackera, po zakończeniu inspekcji fabryk i jednostek lotniczych na terenie kraju, wzięli pod swoje skrzydła Chińczycy i przesadzili do transportowej wersji liberatora z amerykańskimi znakami. To był najpewniej skutek raportu złożonego telefonicznie Każedubowi. Zaraz się zresztą okaże, ale przecież nie wzywa się przed najwyższe oblicze byle kapitanka z byle powodu. Najpierw jednak trzeba przedstawić stosowną, to znaczy spodziewaną, opinię. Powiedział więc ostrożnie to, co mu się najpierw nasunęło:

– Osiągnęli nieprawdopodobną skuteczność, towarzyszu Stalin. To tym bardziej godne uwagi, że mają tak wielkie straty.

– Nieprawdopodobną, mówicie? – Stalin położył dłoń na księdze. – Churchill mi tu pisze, że w tych nalotach bierze udział czasami i ponad siedemset bombowców naraz*. Jak leci takie stado, to trudno, żeby nie byli skuteczni. No, ale siadajcie, towarzyszu kapitanie. Nie przejmujcie się mną. Ja sobie pochodzę. Od siedzenia nad papierami boli mnie tyłek. Siadajcie i spróbujcie tego koniaku.

Stalin krzątał się koło niego jak kamerdyner koło angielskiego lorda. Nalał herbaty z posrebrzanego samowara i podsunął talerzyk z konfiturami. Najwidoczniej takie udawanie kogoś innego sprawiało mu przyjemność. Smoliarow to rozumiał. Przecież to zawsze inni skakali koło niego, dlaczego raz na jakiś czas nie odwrócić ról? To tak jak przebierać się za dziewczynę. Smoliarow w ogóle dużo rozumiał jak na dwudziestotrzyletniego człowieka i ta zdolność mogła mu w szybkim czasie złamać tak pięknie zapowiadającą się karierę. Wreszcie Stalin własnoręcznie nalał mu pękaty kieliszek armeńskiego, pięciogwiazdkowego koniaku. Zrobił to nad wyraz zręcznie, nie uroniwszy ani kropelki. Widać miał w nalewaniu nie byle jaką wprawę. Najwyższy odezwał się ponownie i był w tym świetnie udawany ton ojcowskiej troski:

– Umiecie pić koniak, towarzyszu kapitanie? Żeby potem nie trzeba było was wyciągać z Kremla za nogi, usmarowanego jak, nie przymierzając, moi marszałkowie. Umiecie? Przyznajcie się bez bicia.

Smoliarow zmierzył się z wodzem jasnym spojrzeniem:

– Umiem, towarzyszu Stalin. Do pierwszej ćwiartki. Potem bywa różnie, ale mój organizm daje gwarancję na 250 gram.

Stalin zachichotał i nalał także sobie i Każedubowi.

– Słyszałeś, Każedub? Daje gwarancję. Jak stocznia na okręt podwodny. 250 gram i ani grama więcej, bo trzaśnie. To mi się podoba. No. Wasze zdrowie, kapitanie Smoliarow. Może już czas, żebyście zostali najmłodszym majorem w WWS? Wszyst-

---

* Błękitne księgi z lotniczymi zdjęciami zmaltretowanego Hamburga dostali od generała Harrisa, szefa brytyjskiego lotnictwa bombowego, najpierw Churchill i król Jerzy VI, a potem także Stalin.

ko w waszych rękach. To teraz nabierzcie powietrza i mówcie jak na spowiedzi, jak to jest z tym ich superbombowcem. Ten Ricken... jak mu tam?

– Rickenbacker – usłużnie podrzucił z boku Każedub.

– Otóż to. – Stalin chrząknął, bo koniak podrażnił wysuszone przez tytoń gardło. – Ten Rickenbacker nie zmyślił tej maszyny? Nie mitologizował, żeby się pokazać? Jak sądzisz, Smoliarow?

Kapitan sięgnął do kieszeni po kartkę z notatkami. Sporządził je, przewidując powód wezwania.

– Nie sądzę, towarzyszu Stalin – odpowiedział ostrożnie, co wodzowi bardzo się spodobało.

Najwyższy lubił ostrożność. Ostrożność jest najlepszym wstępem do ataku. Każdy głupi potrafi polecieć z krzykiem naprzód i zginąć. A świat należy do ostrożnych. Oni zawsze poczekają, aż wystrzela się do nogi tych, co się wyrywają. Uśmiechnął się więc zachęcająco i ciepło do młodego oficera. Życzliwość i ciepło potrafił udawać znakomicie i większość jego świty zwykle się na to nabierała. Smoliarow też udał, że bierze życzliwość rozmówcy za dobrą monetę. I powtórzył:

– Nie sądzę, towarzyszu Stalin. Zresztą te informacje pewno potwierdzi wkrótce wywiad. A jeśli nie potwierdzi, to znaczy, że jestem naiwnym głupcem, który dał się wywieść w pole. Ale, jeśli pozwolicie, towarzyszu Stalin, na takie uogólnienie: w każdym kłamstwie jest nutka prawdy, w każdym fałszu drobina rzeczywistości, w każdym zwodzie chęć odwrócenia uwagi od tego, co istotne. Nawet jeśli Rickenbacker blefował, bo tak mu kazali, to znaczy tylko jedno...

Każedub z coraz większą aprobatą słuchał tego, co mówi Smoliarow. Zręczność, z jaką młody człowiek prowadził rozgrywkę z tak trudnym partnerem, była godna podziwu. Potwierdzało to tylko talent Każeduba do znajdowania właściwych ludzi do ważnych zadań. Ten chłopak był urodzonym wywiadowcą. Miał powierzchowność gimnazjalisty i czerwienił się z byle powodu jak panna, ale jednocześnie miał zimną krew. Był opanowany i ponad wszystko cenił sobie sprawność własnego umysłu. Umysł, który potrafi pokonać słabości w postaci wstydu czy zażenowania, jest najmocniejszy. Siłę intelektu wykuwa się poprzez świadome pokonywanie słabości. A nie poprzez szarżowanie na oślep. Rumieniec mu przejdzie, wystarczy, że otrze się kilka razy o śmierć albo zafunduje sobie porządną babę. Wszyscy najpierw się rumienią, a potem przestają. Potem potrafią bez żadnego zgoła rumieńca strzelać w tył głowy, nie wyjmując z ust papierosa. To kwestia czasu. Pewnych rzeczy nie da się przeskoczyć. „Ja też na początku się rumieniłem. No i jest całkiem atrakcyjny, co w tym fachu ma swoją wagę. Nie przepadam wprawdzie za tego typu urodą, ale znam kobiety, dla których ten Smoliarow byłby ideałem mężczyzny". Jeszcze raz przyjrzał się kapitanowi. „Dobrze, że jasną oprawę oczu i bardzo jasne włosy uzupełnia kanciasta szczęka i wydatne kości policzkowe. Inaczej byłaby to buzia cherubina. Dobrze, że chłopak ma gęsty jasny zarost i zupełnie niezwykłe, zielone oczy. Jak sitowie. Dobrze, że jest masywny i muskularny i ma ładne dłonie. To wszystko się liczy. Zrobimy z niego superagenta, a dziewczyny będą się dla niego truły, wypijając w toaletach buteleczki z przeterminowaną jodyną. Póki co ma uwieść Stalina, a jak na razie dobrze mu idzie". Każedub ulokował się wygodnie w fotelu i sącząc koniak, obserwował protegowanego.

– To znaczy tylko jedno…

– No. Mówcie śmiało – ponaglał Stalin, w którym Smoliarow zdołał rozbudzić autentyczne zainteresowanie.

– To znaczy, towarzyszu Stalin, że jeśli nawet nie uruchomili serii, to są już bardzo blisko. Tylko tyle.

– Aaa… – Stalin pokiwał głową. – A co według was za tym przemawia?

– Jest, towarzyszu Stalin, taka metoda. Nazywa się makroanaliza.

– Co też powiecie? – zainteresował się Stalin. – Pewno wymyślili ją kapitaliści?

– Dokładnie tak, ale to nie umniejsza jej walorów. – Smoliarow nie dał się łatwo zbić z tropu.

– I na czym niby ta makroanaliza ma polegać?

– Na tym, towarzyszu Stalin, by szczegóły umieć zobaczyć w perspektywie ich wpływu na rzeczy wielkie i zasadnicze.

– To ciekawe, co mówicie. Czy moglibyście dać jakiś przykład?

– Oczywiście, towarzyszu Stalin. – Smoliarowa nie tak łatwo było zagiąć. Rumienił się, ale parł do przodu tropami wyznaczonymi przez jego niepośledni intelekt: – Na przykład Tarent – rzucił pozornie niedbale.

– Tarent? – Najwyższy uniósł brwi. – Co niby macie na myśli?

– W skali mikro, towarzyszu Stalin, to był sukces kilkunastu starych brytyjskich dwupłatów Swordfish. To samoloty z poprzedniej epoki. Powolne. Niezgrabne. A jednak użyte z determinacją, pilotowane przez ludzi gotowych zginąć albo wykonać zadanie i... *just in time*...

– Jak, jak mówicie? – Stalin nadstawił ucha.

Smoliarow zmitygował się.

– To trudno przetłumaczyć. Po naszemu może to być: w sam czas*.

– W sam czas?

– Czyli: ani sekundę przed, ani sekundę po. Dokładnie wtedy, kiedy trzeba – wyjaśniał, rumieniąc się, Smoliarow.

– No i co? – łaskawie dopytywał Stalin.

– No i to latające muzeum wyeliminowało połowę włoskiej floty pancernej z walki. Układ sił na Morzu Śródziemnym uległ całkowitej zmianie. W skali mikro liczyły się ta determinacja i to *just in time*... a także to, że zdecydowano się użyć tak śmiesznych sił do ataku na bardzo silnie bronioną flotę. Bo tych dwupłatów było bodaj dwanaście, a samych baterii

* Ros. *w najlutszyj moment.*

127

przeciwlotniczych wokół włoskiej bazy tysiące luf. Do tego działa całej floty i myśliwce na pobliskim lotnisku.

– A w skali makro? – Stalin był pojętnym uczniem.

– W skali makro, towarzyszu Stalin, zmieniło to losy świata – uroczyście oznajmił Smoliarow.

– Co macie na myśli?

– Taki Tarent, tyle że zaplanowany w najdrobniejszych szczegółach, urządzili Amerykanom Japończycy w Pearl Harbor. Przyznacie, towarzyszu Stalin, że w kategoriach makroskali zmienia to losy i kształt świata.

– Istotnie, istotnie. – Stalin pogładził wąsy przesiąknięte żółtym nalotem nikotyny. – Bardzo zgrabnie żeście to wywiedli, majorze Smoliarow. Jak sądzę, może z was być dobry strateg... – A widząc zdumione spojrzenie młodego człowieka, wstał i poklepał go po ramieniu. – Tak. Nie gapcie się tak na mnie. To akurat mogę dla was zrobić, bo mi się zdecydowanie podobacie. Jak skończymy, możecie sobie od razu doczepić te gwiazdki i inne fidrygałki, a towarzysz Każedub zadba o formalności. Więc mówicie, że oni mają już ten bombowiec i gdyby chcieli... – Stalin zadumał się. Właśnie. Na cholerę im ten bombowiec? Przecież mają tę swoją „latającą fortecę" i liberatora...

Świeżo awansowany major znów spojrzał jasno na Najwyższego, jak nauczyciel, który pomaga w procesie heurezy zdolnemu uczniowi. I Stalin przyjął rolę. Radośnie jak uczniak klepnął się w niskie czoło i z uznaniem powiedział:

– Ano właśnie. Chcecie, żebym zrobił dla was, majorze, makroanalizę. Tak? No, to jest zupełnie proste. To chcieliście powiedzieć? Oczywiście. Wiedzą już, że są w stanie rozwałkować Japończyków na placek, tyle że potrzebny im dobry wałek. No i zrobili go sobie... No i zrobili go sobie... – powtórzył z zadumą.

– Dokładnie tak, towarzyszu Stalin. B-17 jest dobry do bombardowania Niemiec, ale jeśli Amerykanie chcą sięgnąć

128

Japonii z Chin albo z Filipin – oczywiście jak je odbiją – muszą mieć samolot o osiągach tej ich „superfortecy" – potwierdzał słuszność rozumowania Smoliarow.

– I mają. – Stalin, siadając, frasobliwie potarł podbródek. – A my? Zaspaliśmy. Kręcimy się w kółko, jak pies za własnym ogonem. Oni nawet w odwrocie myślą naprzód, a my? Ech, szkoda gadać. Zaspaliśmy. Smoliarow, w końcu to twój fach… Powiedz mi uczciwie: co może nasz najlepszy bombowiec i ile według ciebie trzeba nam czasu, żeby zrobić taką superfortecę?

Smoliarow odważnie wyłożył wszystko, co wiedział. Bombowce były jego konikiem.

– My, towarzyszu Stalin, nie mamy bombowca strategicznego z prawdziwego zdarzenia. Owszem, mamy dobre samoloty wsparcia taktycznego i izolacji pola walki. Ten Tu-2 jest świetną maszyną. Mamy koło osiemdziesięciu Pe-8, ale przecież alianci potrafią tyle stracić w jednym dużym nalocie na Niemcy. Zresztą ten samolot, w mojej opinii, zdecydowanie się Petliakowowi nie udał.

– Zaraz, zaraz, poczekajcie – przerwał szczerze zainteresowany Stalin. – Dlaczego się nie udał? Mnie tu przekonują, że to świetna maszyna, że jest tak dobra jak B-17 i trzeba budować jej więcej! A wy… „Nie udał się".

Smoliarow był rad, że rozmowa zeszła na konstrukcję Petliakowa. Znał ten bombowiec doskonale.

– Duży i słaby, towarzyszu Stalin. Przy tej rozpiętości pewnie dorównuje rozmiarami superfortecy, ale zabiera ledwie dwie tony bomb. Cóż to za ciężki bombowiec? Dwie tony przeniesie dziś byle myśliwiec bombardujący*.

– Co też mówicie? Naprawdę? – Stalin, zatroskany, przysiadł na krawędzi jednego z wyściełanych krzeseł. – Mówiono mi, że przenosi cztery tony.

* Niemiecki Focke-Wulf Fw-190G z tego okresu przenosił bombę o masie 1800 kilogramów.

129

Smoliarow nie zwlekał z ripostą.

– Owszem, ale wtedy zasięg dramatycznie spada. No i ta szybkość... – nie kończył celowo zdania, licząc na inteligencję rozmówcy.

Stalin sapnął i usiadł wygodniej, krzywiąc się.

– To do czego według was, majorze, nadaje się ta maszyna?

Smoliarow miał swoje pięć minut i nie przebierał w argumentach:

– Powiem wam szczerze, towarzyszu Stalin: do rozrzucania ulotek i wyświetlania filmów na chmurach. Tak jak kiedyś „Maksym Gorki"*... Pe-8 ma jeszcze dwa chore rozwiązania... – ciągnął Smoliarow, nie czekając na oburzenie wodza. Ten wszakże nie zamierzał się oburzać. Chłonął wszystko, co mówił młody inżynier, zachwycony sposobem, w jaki ten potrafił oceniać samoloty. Zezwolił więc łaskawie:

– Mówcie śmiało.

Smoliarow rozwijał skrzydła:

– Petliakow wiedział, że silniki są za słabe i nawet cztery nie pociągną tej poronionej machiny na przyzwoitą wysokość przelotową. Wiecie, co wymyślił? Według mnie miał wtedy gorączkę albo kaca. Nie powiedzieli wam? Potrzebował doładowania, czyli sprężarki, żeby zwiększyć ciśnienie ładowania, bo te mikuliny 34 FRN wyciągały ledwie trochę ponad 900 koni. Wymyślił, że wsadzi piąty motor. I to gdzie? Do kadłuba! I ten piąty silnik miał sprężać powietrze dla pozostałych. Tyle że masa maszyny wzrosła o dwie tony, bo trzeba było poprowadzić wiorstę przewodów wysokociśnieniowych i z trudem wyciągano 400 kilometrów na godzinę. Nawet gdy wymieniono silniki na mocniejsze i zlikwidowano ten piąty, maszyna zabierała ledwie dwie tony bomb. Pewnie jest generalnie za ciężka. Sama powierzchnia skrzydeł to prawie dwieście metrów

---

* Tak ochrzczono monstrualny samolot „propagandowy" ANT-20, dysponujący aparaturą, którą dziś nazwalibyśmy „światło i dźwięk". „Maksym Gorki" wykonał wiele agitacyjnych tur, propagując idee komunizmu.

kwadratowych duraluminium. Można by tym pokryć z dziesięć myśliwców.

Stalin z uznaniem kiwał głową, myśląc, że dobrze zrobił, pozwalając Berii wsadzić Petliakowa, nim ten wpadłby na pomysł kolejnych udoskonaleń. Pochwalił swego nowego faworyta:

– Wasze myślenie wydaje się bardzo zdrowe, ale nie powiedzieliście o tym drugim chorym pomyśle. – Spojrzał wyczekująco na majora.

Smoliarow ochoczo uzupełnił swoją ocenę konstrukcji:

– To rzeczywiście horrendalne. Koncept, towarzyszu Stalin, rodem z pierwszej wojny: Petliakow powsadzał dwóch strzelców do takich blaszanych komórek w gondolach silników...

Stalin machnął niecierpliwie dłonią.

– Wiem o tym doskonale, ale mówiono mi, że mają dobre pole obstrzału...

– Może i tak, towarzyszu Stalin – niezbyt dyplomatycznie przerwał mu Smoliarow – ale wyobrażacie sobie, co ci ludzie muszą znosić o dwa metry od tysiąckonnego motoru, a w razie pożaru bez możliwości przejścia do kadłuba. Jak przykuci łańcuchami galernicy – koloryzował. – Przecież to jakiś...

– Smoliarow szukał przez chwilę właściwego określenia, ale nie znalazł, więc także z rezygnacją machnął ręką w powietrzu.

Stalin znów spojrzał znacząco na Każeduba.

– Dobrze. Zostawmy już Petliakowa i jego maszynę. Wróćcie do sytuacji ogólnej.

Smoliarow zreflektował się w porę i przyjął spokojny ton poprzedniego wykładu:

– Możemy także planować wypady bombowe na tyły, na jakieś tysiąc kilometrów, i tu nasz średni iljuszyn zupełnie wystarczy, ale gdybyśmy chcieli albo musieli organizować naloty dywanowe, jak Amerykanie i Brytyjczycy, to nie mamy czym.

Stalin zdawał się aprobować to rozumowanie:

– A jaka jest, według was, tego przyczyna?

Smoliarow nie zastanawiał się długo:

– Spoczęliśmy na laurach. Sojusznicy bombardują Rzeszę, a my wojujemy na piechotę. Na ziemi. Albo na czołgach. A przecież to samoloty wygrają tę wojnę. Nawet Niemcy próbują zrobić „bombowiec uralski"*.

Stalin zniecierpliwił się:

– Chcecie powiedzieć, że mamy złych konstruktorów, że nasza myśl techniczna jest kiepska?

– Bynajmniej, towarzyszu Stalin. Konstruktorów mamy znakomitych. Nie gorszych niż Amerykanie, a może i lepszych... – a znając z krążących w środowisku plotek los większości z nich, dopowiedział w myślach: „I zgrupowanych w jednym miejscu". I nagle wydało mu się to śmieszne, więc uśmiechnął się do swoich myśli.

Obecni zauważyli ten uśmieszek i wymienili znaczące spojrzenia, a Stalin spytał:

– No to czego, według was, nam brakuje? – Podkręcił koniuszek wąsa i spojrzał na siedzącego z boku Każeduba, jakby chciał powiedzieć: „Widzisz go, jaki mądrala".

– Makroanalizy, towarzyszu Stalin. – Bez wahania, jak brydżysta licytujący trzy bez atu zamknął ten etap Smoliarow.

– Chyba macie rację. – Stalin pokiwał głową. Wyglądał staro i żałośnie. A wrażenie to potęgowała szara, niezdrowa barwa skóry i marszczące się wole. – Chyba macie rację – powtórzył. – Choć akurat doktrynerów nam nie brakuje. Tyle że gadać jest łatwo, a zrobić trudniej.

Stalin wysączył ostatnią kropelkę-sierotkę z kielicha i z żalem spojrzał na pustą butelkę. Pora jednak była zbyt wczesna, by rozpoczynać regularne, codzienne znieczulenie. Powiedział więc:

---

* To jest taki, który z terytoriów Rzeszy sięgnąłby fabryk przemysłu zbrojeniowego na Uralu.

– Smoliarow. Słuchaj no. Gdybyś był moim doradcą od spraw uzbrojenia lotniczego, to co byś mi poradził? Śmiało. Nie bój się.

Smoliarow spoważniał, dobrze wyczuwając, że nadeszła najważniejsza faza tego dziwnego spotkania. Przez chwilę poszukał wzrokiem natchnienia za oknem, ale listopadowe, nabrzmiałe śniegiem chmury nie były atrakcyjnym widokiem. Czaiła się w nich ciężka groźba. Wreszcie zebrał myśli, uświadomiwszy sobie, że to, co chciał powiedzieć, przygotował sobie dokładnie już przed spotkaniem.

– Po pierwsze, towarzyszu Stalin, trzeba poprosić Roosevelta, żeby dał nam choć jedną superfortecę.

– Nie da – sucho odparł Stalin. Nie dał B-17, nie da i tej maszyny, a jeszcze zorientuje się, że nie mamy dobrego bombowca.

Smoliarow z miejsca odparował:

– Amerykanie i tak wiedzą, że nie mamy bombowca dalekiego zasięgu, a poprosić nie zaszkodzi choćby z jednego powodu... – Chytrze zmrużył zielone oczy.

– Niby z jakiego? – Stalin zrobił minę dziecka, które rozpakowuje noworoczny prezent.

– Z takiego, żeby byli przekonani, iż sami nie podejmiemy pracy nad podobną maszyną. Bo nie potrafimy.

– A podejmiemy? – zaciekawił się Stalin.

– Oczywiście, towarzyszu Stalin. Należy opracować założenia i niech nasi konstruktorzy biorą się do pracy. Wstępne dane są gotowe i trzeba się do nich przymierzyć. W tym czasie niech wywiad ustali wszystko, co można ustalić. To i tak lepsze, niż czekać z założonymi rękami.

Stalin plasnął dłońmi o grubych palcach w uda i z uznaniem spojrzał na Każeduba.

– No, Iwan. Jak ci się podoba ta makrostrategia? Przyprowadziłeś mi tu prawdziwego spryciarza, ale zrobimy chyba, jak mówi?

– Pomysł majora Smoliarowa brzmi całkiem rozsądnie – potwierdził Każedub, zadowolony z wprowadzenia kolejnego pionka do kremlowskiej gry.

– No więc, towarzyszu majorze… – Stalin przeciągał samogłoski, świadom wrażenia, jakie jego słowa robią na młodym rozmówcy. – Powiedzmy, że mianuję was moim doradcą do spraw… – zawahał się – jak by to ująć…

– Do spraw lotnictwa strategicznego – podrzucił z boku Każedub.

– Ano właśnie: do spraw lotnictwa strategicznego. – Smakował nowe sformułowanie Najwyższy. – To co byście mi doradzili, prócz tej prośby do Roosevelta?

– Tak jak mówiłem, towarzyszu Stalin. Trzeba sprecyzować założenia i zadać je konstruktorom. Niech liczą.

– Dobrze. – Stalin wstał i obciągnął mundurową, nieprzepasaną bluzę. – Decyduję. Wy, towarzyszu Smoliarow, opracujecie te założenia i wytypujecie zespoły konstruktorskie. Jak rozumiem, Petliakowa nie weźmiecie pod uwagę. Napiszecie też w moim imieniu list do Roosevelta i wyłożycie mu starannie powody, dla których prosimy go o tę… superfortecę. Tylko wiecie… W białych rękawiczkach. Ja dodam te wszystkie dyplomatyczne zakrętasy – zatroszczcie się o dobre argumenty i nie zmyślajcie.

– Jeśli można, towarzyszu Stalin – wtrącił niespodziewanie Każedub. – Pamiętacie, jakeśmy roztrąbili na wiosnę nasze naloty na Prusy Wschodnie?

Stalin spoważniał:

– Pamiętam, że Sowinformbiuro troszkę się zagalopowało, ale jakie to według was ma znaczenie dla tej sprawy?

– Takie – odparł uprzejmie Każedub – że ogłosiliśmy oficjalnie, że produkujemy na wielką skalę czterosilnikowy bombowiec dalekiego zasięgu. To musiało dojść do Amerykanów*.

* W kwietniu 1943 roku moskiewskie Sowinformbiuro wystosowało komunikat następującej treści: „Uruchomiwszy masową produkcję cztero-

134

– No i widzicie, Smoliarow – Stalin poweselał. – Macie dobry punkt zaczepienia. Napiszemy Rooseveltowi, że już zaczęliśmy poważne naloty, ale nasza produkcja nie nadąża za rozwojem wojennej sytuacji i że potrzebne są dostawy strategicznego bombowca. To jest bardzo dobry argument. Dziękuję wam, towarzyszu Każedub. Ja myślę jednak podobnie jak Smoliarow. – Stalin obtarł łzawiącą powiekę. – Dadzą, nie dadzą, diabeł ich wie. Musimy mieć własny bombowiec. Tylko kto go zrobi? – Stalin wyjął nie całkiem świeżą chusteczkę z kieszeni spodni i długo tarł oko, czym jedynie pogorszył sytuację. Powieka stała się całkiem czerwona, a oko przekrwione i dzikie. Przez chwilę Każedubowi i Smoliarowowi wydawało się, że wódz rozpłacze się jak mały chłopiec. Pierwszy zdecydował się major. Wyjął własną, czystą chusteczkę i starannie namoczył ją w wystygłej herbacie ze szklanki Stalina. Podał ją łypiącemu jednym okiem przywódcy i poradził stanowczym tonem:

– Pozwólcie. Jak będziecie tarli, to tylko pogorszycie sprawę i dopiero będzie kłopot. Proszę. Przyłóżcie to sobie i przez pół minuty powstrzymajcie się od tarcia. Przejdzie samo.

Stalin nieufnie wziął kompres, ale zrobił tak, jak mu poradzono. Każedub i Smoliarow przyglądali się temu w napięciu, jak gdyby chodziło o operację na otwartym sercu. Wreszcie po dobrej minucie Stalin odsłonił zatarte oko, które wyglądało już o wiele lepiej, i ogłosił:

– Cóż. Mieliście rację. Pomogło, a ja, stary dureń, jak dziecko. Zaswędzi i za nic nie mogę się powstrzymać od tarcia. A tu – proszę. Od razu pomogło. Powinniście zostać okuli-

silnikowych bombowców dalekiego zasięgu w zakładach lotniczych Uralu, siły powietrzne sformowały z tych maszyn jednostki specjalne. Naloty tych jednostek na Gdańsk i Tylżę przygotowują naszą ofensywę powietrzną przeciwko hitlerowskiej Rzeszy". W tym samym dniu ukazał się także kolejny komunikat, mówiący o nalocie 200 (?) bombowców dalekiego zasięgu na Insterburg w Prusach Wschodnich. W istocie zbudowano jedynie 79 sztuk Pe-8.

135

stą, Smoliarow, a nie jakimś tam inżynierem od samolotów. – Zarechotał, a dwóch oficerów zawtórowało mu uprzejmie, ze stosowną w takich przypadkach dozą służalczości. – Ale do rzeczy, towarzyszu majorze – uciął rozrywkową część posiedzenia Stalin. – Co byście zaproponowali w naszej kwestii. Komu mamy polecić opracowanie bombowca i jakie wymagania postawić?

Smoliarow, choć świadom swej przewagi i podbudowany cudownym początkiem niespodziewanej kariery, postanowił nie szarżować. Zgarniając w porządny stosik swoje notatki, zaproponował:

– Jeśli pozwolicie, towarzyszu Stalin, wolałbym się nad tym zastanowić w spokoju. Proszę mi dać kilka dni, a przemyślę jeszcze raz sprawę i porządnie to dla was opracuję.

Najwyższemu postawa Smoliarowa bardzo odpowiadała. Po ojcowsku poklepał dłoń majora przez stół i rzekł z łaskawą aprobatą:

– I to mi się w was podoba. Jesteście młodzi, ale rozumu macie więcej niż ci moi, pożal się Boże, doradcy. Oni nim pomyślą, już wszystko wiedzą i lecą na wyprzódki... „Z pewnością, towarzyszu Stalin, bez wątpienia, towarzyszu Stalin, to oczywiste, towarzyszu Stalin". Nagadają, naknocą, a potem ja muszę się w pięty drapać, jak wszystko odkręcić... – Stalin, gestykulując zabawnie, małpował swoich zaufanych. – A więc zgoda, macie trzy dni na raport i na tekst tego listu.

Wódz wzrokiem i postawą dał mu do zrozumienia, że audiencja dobiegła końca. Składając wojskowy ukłon, Smoliarow zerknął na Każeduba, ale ten siedział swobodnie, oglądając z zainteresowaniem starannie wypolerowane paznokcie lewej dłoni. Widać dla niego audiencja jeszcze się nie skończyła.

Głównodowodzący
Towarzysz Stalin
Kreml, Moskwa
Szanowny Towarzyszu Stalin,

Zgodnie z Waszym poleceniem przedstawiam raport w sprawie rozpoczęcia prac nad ciężkim bombowcem strategicznym. Po przyjrzeniu się dotychczasowym osiągnięciom zespołów konstruktorskich, zgrupowanych w Specjalnych Biurach Technicznych, sugeruję nieangażowanie w prace projektowe zespołu Petliakowa. Jest to zgodne z Waszymi sugestiami, a ponadto nie zakłóci zaawansowanych prac nad myśliwcem wysokościowym.

Sugerowałbym zaangażowanie w projekt dwóch zespołów. Po pierwsze zespołu Miasiszczewa, za którym przemawia to, iż już dziesięć lat temu rozpoczął prace nad dwusilnikowym wysokościowym bombowcem dalekiego zasięgu. Trzeba Wam wiedzieć, towarzyszu Stalin, że już wtedy pomysły Miasiszczewa szły równolegle, a być może nawet nieco wyprzedziły nowatorskie rozwiązania, o których dowiedziałem się od Rickenbackera. Tak więc – towarzyszu Głównodowodzący – koncepcja DWB-102 przewidywała ciśnieniowe kabiny dla załogi i system zdalnego sterowania stanowiskami strzeleckimi, podwozie z kołem przednim i największą jak dotąd w naszych projektach komorę bombową. A ponadto projekt zakładał analogiczną jak w superfortecy prędkość, pułap i spory udźwig czterech tysięcy kilogramów, przy całkiem przyzwoitym zasięgu. Gdyby projekt udało się zrealizować ściśle według założeń, dziś mielibyśmy najnowocześniejszy na świecie dwusilnikowy bombowiec strategiczny. Niestety, nie mamy i jedyne, czym dysponujemy, to prototyp, który w czerwcu ledwo zaliczył próby przed komisją z nowymi silnikami Szwiecowa. Do dziś nie podjęto decyzji o produkcji seryjnej i zapewne jest to decyzja słuszna. Jak zwykle, rzecz rozbiła się o silniki. Klimowy 120-TK okazały się za słabe, a w dodatku po dwudziestu pięciu godzinach pracy trzeba było robić remont generalny. Jak z pewnością wiecie, dwadzieścia pięć godzin pracy silników to czas mniej więcej dwu typowych nalotów strategicznych. Szwiecowy również nie osiągnęły zaplanowanej mocy. Należy założyć, iż mimo innowacyjności koncepcji samolot spełniłby oczekiwania konstruktorów, gdyby nie problemy z silnikami. Jednak doświadczeń Miasiszczewa nie należy lekceważyć. Kolejna rekomendacja, która nasuwa się – towarzyszu Głównodowodzący – niejako automatycznie, to zespół Iljuszyna. Iljuszyn to konstruktor, który potrafi liczyć. Projektując samolot, nie czeka na cud. Udowodnił, że potrafi wycisnąć z każdego konia mechanicznego maksimum efektywnych osiągów. Poza tym Ił-4, choć dziś mamy konstrukcje o wiele bardziej zaawansowane, udowodnił, że Iljuszyn umie projektować dobre maszyny. Amerykanie – towarzyszu Głównodowodzący – nazywają takie samoloty końmi roboczymi, bo na nich spoczywa ciężar działań. Nawet jeśli zespół Iljuszyna stworzy maszynę o mniej spektakularnych osiągach, ale niezawodną i odporną na ciosy, warto – w mojej opinii – spróbować. Zwróćcie też, proszę, uwagę towarzyszu Głównodowodzący, na koncepcję użycia silników wysokoprężnych w Ił-6. Diesle w samolotach nie są głupim pomysłem, bo pozwalają uzyskać przy mniejszym zużyciu paliwa większą prędkość przelotową, co dla bombowca dalekiego zasięgu nie jest bez znaczenia. Nie powinniśmy także zrażać się niepowodzeniami innych w tej materii. Mam tu na myśli – jak się zapewne domyślacie – niezbyt fortunny przypadek wysokoprężnego junkersa Ju-86. Jasne, że jest to wciąż faza eksperymentu, ale być może przy dalszych udoskonaleniach doprężone silniki na olej napędowy określą przyszłość lotnictwa strategicznego. Trzeba wam bowiem wiedzieć, towarzyszu Głównodowodzący, że w tym przypadku łatwiej o turbodoładowanie. Trzecim zespołem, który chciałbym wam rekomendować, jest zespół Tumiłowa, a w tym przypadku nie muszę chyba przywoływać okolicznościowych argumentów, bo Andriej Nikołajewicz ma największe doświadczenie w projektowaniu konstrukcji wielosilnikowych.

Oczywiście, należy się dobrze zastanowić przy wyznaczaniu założeń nowej konstrukcji. Powinny one – w moim pojęciu – być wyśrubowane, co zdopinguje projektantów, a Wam pozwoli wybrać najbardziej obiecujące koncepcje.

Tak więc – towarzyszu Głównodowodzący – jako pierwszy wymóg należy postawić cztery silniki. Doświadczenia zarówno nasze, jak i Brytyjczyków i Amerykanów, dowiodły, że bez czterech motorów nie ma co marzyć o dostatecznym zasięgu i udźwigu. Należy przy tym wykluczyć użycie silników w tandemie. Niepotrzebnie komplikuje to system zasilania i konstrukcję płata. Po drugie, proponowałbym narzucić jednym zespołom silniki rzędowe, a innym gwiazdowe. W moim przekonaniu wpłynie to korzystnie na rozwój obydwu typów konstrukcji. Kolejne założenia powinny zagwarantować, że projekty nie będą zachowawcze w stosunku do tego, co już stało się standardem w wypadku superfortecy, a więc kolejno:

Podwozie z przednim kółkiem. Ciśnieniowe kabiny załogi i zdalnie sterowane uzbrojenie. Po trzecie, integralna komora bombowa długości co najmniej dziewięciu metrów, co umożliwi poziome zawieszenie bomb dużego wagomiaru i efektywniejsze ich wyrzucanie. Wracając do narzuconych osiągów – towarzyszu Głównodowodzący – możemy założyć, że teraz, kiedy przemysł lotniczy przebrnął przez najtrudniejszy okres związany z koniecznością przeniesienia produkcji daleko za linie frontu, konstrukcje silnikowe będą się rozwijać w coraz szybszym tempie, spełniając założone parametry. Dlatego też proponuję narzucić szybkość rzędu 650 km na godzinę na dużych wysokościach, pułap co najmniej dziesięciu kilometrów i zasięg z ładunkiem dziewięciu ton co najmniej dwóch tysięcy kilometrów...

Stalin odłożył na chwilę staranny maszynopis i przetarł chusteczką okulary.

– Wysoko lata sokolik... Ale ten, co wysoko mierzy, wysoko siądzie. Swoją drogą, gdyby się udało, mielibyśmy w zasięgu całą Europę i nikogo nie musielibyśmy pytać o zdanie. Co o tym sądzisz, Każedub?

Pułkownik wstał i przeszedł się po gabinecie, hołubiąc przy piersi martwą dłoń. Czasami w takie dni jak ten, grudniowy, bury i wilgotny, kiedy ciśnienie spadało w tempie ekspresowym, odczuwał w kikucie nieznośny rwący ból, na który jego pamięć reagowała przywołując dzień, kiedy odcięto mu dłoń. Nie przestając tulić uzbrojonego w drewnianą protezę kikuta, odpowiedział ostrożnie, nie patrząc na rozmówcę, ale w okno, z którego rozciągał się imponujący widok na kremlowski dziedziniec.

– Sądzę, że chłopak jest szczery, a cieszy mnie to, że się nie płaszczy i nie podlizuje. Wiecie chyba, co mam na myśli, towarzyszu Stalin?

Wódz pokiwał głową.

– A i owszem. Zgodnie z tym, co mi wbijacie do głowy, takie postawy trzeba promować, bo zdolni są do nich tylko ludzie najwyższej próby – recytował jak zadaną lekcję. – Ale ja i tak wiem swoje! – Stalin uśmiechnął się i machnął lekceważąco ręką. „Zaufać mu można, ale w ograniczonym zakresie. Póki co pokażę ten raport moim mędrcom. Ale powiem, że sam to wymyśliłem. Żebyś mnie Każedub czasami nie wsypał, co? – Głównodowodzący uśmiechnął się filuternie, jak uczniak, który wymyślił psikusa. – Zobaczymy, co ten areopag zrobi. Na pewno będą się mądrzyć, a najważniejsze dla każdego będzie to, żeby się nie okazać głupszym od pozostałych. Zamieszają, poprzelewają z pustego w próżne, a na koniec będą się wyprzedzać we włażeniu mi w tyłek". – Czasami rzygać mi się chce... wierzysz mi, Każedub? – Stalin wydawał się szczerze zmartwiony przewidywalnością rady wojennej. – Co ja bym dał, Iwan, żeby móc pracować z takimi chłopakami jak ten Smoliarow. Co to jeszcze nie zapisali się do żadnej koterii i myślą rzeczywiście tylko o tym, żeby pracować jak najlepiej na własną

140

przyszłość. Co ja bym dał… Ale już dobrze. Teraz daj mi popracować w spokoju. Muszę jeszcze poczytać ten list do Roosevelta. Ty nie spuszczaj oka z chłopaka. Czuwaj nad nim. Żeby go nie dostały w swoje szpony te moje harpie. Bo rozszarpią. Warto takiego ptaka podhodować… przyuczyć do polowania. Czuwaj, Iwan. Ty to potrafisz!

Każedub złożył krótki wojskowy ukłon, któremu nawet przedrewolucyjni wykładowcy z akademii nie mogliby niczego zarzucić, i cicho wycofał się z gabinetu. Stalin przez chwilę, spod przymrużonych kaukaskich brwi, patrzył na politurowane drzwi, które zamknęły się za pułkownikiem, a potem z westchnieniem ulgi zagłębił się w najwygodniejszym, skórzanym fotelu i przysunął sobie butelkę z koniakiem. Rozejrzał się raz jeszcze, wstał na chwilę i do fotela dosunął jedno z krzeseł. Teraz mógł zdjąć swoje wyglansowane buciska z miękko wyprawionymi cholewami i ulokować wygodnie zmordowane, obrzmiałe stopy. Codzienne duże dawki alkoholu powodowały anomalie krążenia i stopy puchły mu jak koniowi, który stoi zbyt długo w boksie. Chciałby je rozmasować, ale obwisły, rozrosły brzuch nie pozwalał do nich sięgnąć. Zadowolił się więc intensywnym ruszaniem palcami w szarych wełnianych skarpetach. To przynosiło pewną ulgę i uspakajało umysł. Przysunął sobie bliżej lampę z kremowym abażurem i dokładnie przestudiował list, który Smoliarow napisał w jego imieniu. Ołówkiem ze srebrną skuwką, uważnie i powoli, poprawił kilka zdań, ale był z pracy majora bardzo zadowolony. Chłopak idealnie nadążał za jego oczekiwaniami i podsuwał własne pomysły w ten sposób, by można je było gładko adoptować i prezentować bez żenady jako swoje.

Skończywszy pracę, Stalin założył nogę na nogę, a ręce podłożył pod rozkosznie już ciężką od koniaku głowę. I zamyślił się. „Oczywiście, panie Roosevelt, nie dasz tego bombowca. Bo podobnie jak twoi doradcy umiesz przewidywać rozwój wydarzeń. Głupcy w Londynie pukali się w głowę, gdy ogłosiłeś program wojskowej pomocy dla Rosji. Ci sami, którzy chcieli nas bombardować za to, że dostarczamy ropę Niemcom. Ale ty wiesz, co robisz. Gdyby Hitler, przejechawszy się po wycieńczonej Anglii, rozwałkował nas do końca i... No właśnie: i dorwał się do naszej ropy, naszych surowców, a wreszcie do milionów niewolników, których jedyny koszt to cena marnego żarcia i drutu kolczastego, to co by wtedy było? Dobrześ pan wiedział, co by wtedy było. Adolf mógłby wreszcie zrealizować genialne programy swoich naukowców. Tak. Tak. Wywiad donosi nam o projektach bombowców zdolnych przelecieć dwadzieścia tysięcy kilometrów. Albo takich, które z kadłubem latającej łodzi mogłyby tankować pośrodku Atlantyku z podwodnego zbiornikowca*. Prusacy dawno roili o podboju pańskiego kraju. Trudno zresztą wyobrazić sobie lepszą przestrzeń życiową. Dlatego dał nam pan bez wahania *lend-lease*. Bo to przecież jedyna gwarancja bezpieczeństwa pańskiego kraju i nikt tu nikomu łaski nie robi. Tego bombowca pan mi nie da i nie będzie to dla mnie zaskoczeniem. Tu też pokazuje pan, że potrafi myśleć perspektywicznie. Bo przecież ja tego bombowca nie potrzebuję teraz. Będę go potrzebował wtedy, gdy wspólnie wygramy wojnę i znów staniemy we wrogich obozach – a pan, panie Roosevelt, doskonale to rozumie".

---

* Mowa o zaawansowanym projekcie Blom&Voss 222. Wielka sześciosilnikowa łódź latająca woduje na środku Atlantyku, uzupełnia paliwo i ładunek bomb z podwodnego tankowca i leci bombardować Nowy Jork.

142

Lotnisko Sił Powietrznych Oceanu Spokojnego Centralnaja-Ugłowaja Władywostok, 29 lipca 1944, po południu

Legenda powoli zdjął słuchawki i delikatnie postukał paznokciem w czarną tarczkę termometru, wskazującego temperaturę powietrza w kabinie. Nie dowierzał przyrządowi, bo było mu zimno i miał dreszcze. Jednak wskazówka mówiła, że temperatura jest najlepsza z możliwych. Darrell spojrzał na drugiego pilota pytająco.

– Zimno mi – przyznał z zażenowaniem Teksańczyk.

– To ciekawe – powiedział Darrell – bo pot się z ciebie leje.

Istotnie, czoło Legendy zdobiły perliste kropelki. Obtarł je wierzchem dłoni i stwierdził, że w kabinie jest bardzo cicho. Żyro zatrzymało się. Popatrzyli na siebie i jak na komendę przenieśli wzrok na zewnątrz, za szyby szklarni. Samochody były już blisko i Legenda ze zdumieniem rozpoznał amerykańskie willysy. Harold ciężko wyłaził z fotela. Zapinając starannie guziki koszuli, polecił Legendzie:

– Powiedz chłopcom, żeby zostali na miejscach. – Sięgnął do schowka i wyjął kaburę ze służbowym coltem. Wzdychając, mocował ją do paska.

– Chcesz się z nimi strzelać? – Legenda ironicznie popatrzył na pistolet. – Nie masz szans. Zobacz, mają te swoje pepeszki, czy jak im tam. Rozniosą cię na strzępy. Już lepiej wygarnąć do nich z działek.

Harold spojrzał na kolegę posępnie.

– Nie wygłupiaj się. Reprezentujemy tu USAAF. Muszę wyglądać jak żołnierz. Jak zaproszą nas na wódkę, broń zostawię w samolocie. Powiedz chłopakom, żeby wzięli pistolety, ale siedźcie spokojnie.

– Co zamierzasz? – dopytywał się Legenda, wykręcając się do tyłu, bo dowódca podniósł już klapę włazu i sapiąc, wysuwał składaną drabinkę.

Z tej części samolotu wychodziło się przez luki przedniego podwozia. Darrell na drabince, z głową tuż nad podłogą, wyliczał metodycznie kwestie, które zamierzał poruszyć, gdy wylezie, a jednocześnie utwierdzał się w przekonaniu, że założona kolejność jest właściwa:

– Po pierwsze: spytam, dlaczego strzelają do sojuszników, po drugie: zażądam... no, powiedzmy, poproszę o kontakt z najbliższym amerykańskim konsulatem, a po trzecie: powiem, żeby zarezerwowali przyzwoity hotel i powiedzieli, gdzie tu się można porządnie napić. Aha, i daj mi świeżą paczkę tych swoich cameli.

Legenda przy każdym punkcie kiwał głową z aprobatą, wręczył Darrellowi nieodpieczętowane pudełeczko papierosów i na koniec krzyknął w stronę pustego już otworu, z którego znikła głowa Harolda:

– Spytaj też o dziewczynki. Słyszysz? – I natychmiast skarcił Andersona, który także najwyraźniej pchał się na ziemię: – Ani mi się waż. Siedźcie wszyscy na tyłkach i podziwiajcie widoki przez okno. Jeszcze będzie czas na zwiedzanie.

Darrell z przyjemnością postawił stopy na ziemi, która jak zwykle po długim przebywaniu w powietrzu wydała mu się bardzo twarda. Wyszedł spod kadłuba i z irytacją spojrzał na ostrzeżenie wymalowane czerwoną farbą na pokrywie luku: „Nie palić w promieniu 100 stóp". „Szkoda – pomyślał – że japońska obrona przeciwlotnicza nie może tego przeczytać". Wsadził camele do kieszeni spodni i starannie ulokował mundurową furażerkę na głowie. Przesunął kaburę colta na brzuch i sprawdził, czy zatrzask paseczka zabezpieczającego pistolet w pochwie lekko się odpina. Był zwolennikiem świadomego działania. Od kiedy regularnie ćwiczył dżiu-dżitsu, pozbył się w relacjach z ludźmi pochopności i gwałtowności. Koreańczyk prowadzący małe *dojo**, który był jego pierwszym mistrzem, mówił mu często: „Nie spiesz się. Tylko bądź gotów. Trzeba reagować spokojnie, ale w odpowiednim momencie. I zawsze porządnie wyglądać. To robi dobre wrażenie. I nie napinaj się niepotrzebne. Oddychaj". Oddychał więc, patrząc spokojnie, jak rosyjscy żołnierze wyskakują z samochodów, i nie zrobił ani pół kroku w ich stronę. Postanowił nie oddalać się od samolotu. W końcu Ramp Tramp to było terytorium Stanów Zjednoczonych, niezależnie od tego, gdzie wylądował. W kilka chwil Rosjanie otoczyli go, ale nie wyglądało to groźnie. Pistolety maszynowe mieli zawieszone na piersiach lub na ramionach. Wydawało mu się, że pachną czymś dzikim, egzotycznym i trochę kwaśnym, ale był to raczej zapach spalonej słońcem, kamienistej i zakurzonej ziemi. Przypatrywał się im z ciekawością, a oni gapili się na niego tak zachłannie, jakby przed chwilą spadł z Marsa. Uczono go zauważać szczegóły, więc rejestrował wszystko po kolei: spłowiałą barwę bluz w kolorze khaki, pozbawionych kołnierzyka i zapinanych na kilka guziczków pod samą szyją, workowaty krój brunatnych bryczesów, wpuszczonych w cholewy butów, które w Stanach uznano by za stosowne do konnej jazdy. Mimo upału wszyscy byli w głębokich, poobijanych z szarej farby hełmach. Wszyscy byli opaleni i starannie ogoleni, ale wielu z nich w rozdziawionych z zachwytu gębach brakowało uzębienia. Zauważył też, że nie dbają o dłonie i nie czyszczą paznokci, podobnie jak cholew swoich nieprawdopodobnych butów. Oni też rejestrowali zachłannie nieznany im widok. Stał wśród nich człowiek sprawiający ciepłe i sympatyczne wrażenie. Niewysoki, krępy i silnie zbudowany, o miłej, nieco dziecinnej twarzy i krótko przystrzyżonych, lekko już srebrzących się włosach. Nigdy nie widzieli tak dobrze skrojonego i dopasowanego munduru, a przecież był to zwykły roboczy komplet. Beżowokremowa koszula z patkami na dystynkcje. Spod rozpiętego swobodnie

* Jap. sala ćwiczeń, także szkoła sztuk walki.

145

kołnierzyka wyglądała schludna, biała bawełniana koszulka. Spodnie wpuszczone w wysokie lotnicze buty z miękką, sznurowaną cholewką z żółtej skóry były o kilka tonów ciemniejsze. Całość wieńczyła zgrabna furażerka z dwiema srebrnymi belkami. Podziwiali wspaniale wyprawioną skórę pasa i kabury oraz imponujący liczbą cyferblatów i pokręteł zegarek firmy Constantin i Vacheron, prezent od żony. W pewnej chwili odniósł nieodparte wrażenie, że najchętniej by mu ten zegarek zabrali.

Ponieważ nikt się nie odzywał, uznał, że jednak do niego należeć powinien pierwszy ruch. Zsunął więc obcasy, przyłożył dłoń do czoła i salutując, wyrecytował:

– Kapitan Harold Darrell. Siły Powietrzne Stanów Zjednoczonych. Jestem dowódcą tego samolotu. Załoga czeka w środku. Czy ktoś mówi tu po angielsku? – Opuścił dłoń i czekał na reakcję Rosjan. Przez chwilę gadali w swoim języku wszyscy naraz. Ale nic z tego nie rozumiał. Sytuacja była patowa, na szczęście podjechał spóźniony, kolejny willys i odsuwając czerwonoarmistów na boki, podszedł ku niemu jeszcze jeden tubylec. Ten nie nosił bryczesów i wysokich butów. Ubrany był całkiem zwyczajnie, pomijając mundurową kurtkę bez klap, a jedynie ze śmiesznym kołnierzykiem w kształcie stójki. Na głowie nie miał hełmu, tylko czapkę, i był bez broni. Nie brakowało mu zębów, ale szeroki, serdeczny uśmiech, który wciągnął na swoją suchą i kostyczną twarz, odsłaniał kilka złotych protez. Na pagonach bluzy miał imponujące dystynkcje i Harold w lot pojął, że nowo przybyły jest tu najstarszy rangą. Postanowił więc bez zwłoki powtórzyć prezentację. Ten nowy także stanął na baczność i w odpowiedzi przyłożył naprężoną dłoń do daszka czapki. Oficjalnym tonem powiedział coś, z czego Darrell wyłowił tylko „lejtnant" i „Myszkin". To pierwsze brzmiało znajomo i Darrell domyślił się, że ma przed sobą porucznika, to drugie natychmiast przywołało skojarzenia z *Idiotą* Dostojewskiego, którego jako dwudziestolatek namiętnie czytywał. Przypomniał mu się nawet stosowny do sytuacji cytat z tej sceny, w której napastliwy siostrzeniec Liebiediewa podejrzliwie krytykuje Myszkina: „Książę coś nie za mocny w arytmetyce albo może za mocny, chociaż chce wyglądać jak prostaczek"*.

Rosjanin, przedstawiwszy się, pokazał suchym palcem na rozpartą nad nimi superfortecę i spytał całkiem już bez sensu:

– *Eto wasz?*

Harold ledwo domyślał się istoty pytania, ale bez wahania, wskazując na wymalowany na dziobie napis nad malowidłem przedstawiającym niechlujnego włóczęgę, gotującego sobie coś w kociołku, wyraźnie wyrecytował:

– Ramp Tramp. – I dla pewności, że zostanie dobrze zrozumiany wymownie pokiwał głową. Rosjanin najwidoczniej uznał Rampa Trampa za coś w rodzaju sowieckich deklaracji w stylu „Za Stalina" albo „Teatr Mały dla frontu", więc też aprobująco pokiwał głową. Tak gorliwie, że czapka opadła mu na oczy. Wszyscy, łącznie z lejtnantem, zaczęli rechotać i Darrell uznał, smętnie spojrzawszy na ostrzegawczy czerwony napis ze stoma stopami, że najwyższy czas otworzyć camele. Podziałało. Czerwonoarmiści jak jeden mąż przesunęli swoje groteskowe, talerzowe automaty na plecy i wyciągnęli ręce w stronę zapraszająco otwartej paczki: w kilkanaście sekund była pusta, choć Darrell dałby głowę, że Rosjan nie było dwudziestu. Najwidoczniej kilku wzięło przez pomyłkę drugiego papierosa dla kolegi. Wsadził pusty kartonik do kieszeni i z satysfakcją patrzył, jak delektują się smacznym dymem. Wziął Myszkina pod ramię i wyczuwając żylaste i muskularne ciało, zmusił go delikatnie, by znów popatrzył na samolot. Myszkin nie miał nic przeciwko temu. Stał w postawie pełnej grzecznego oczekiwania, wydmuchując elegancko strugi dymu prosto w twarz Amerykanina. Darrell desperacko machnął rękami, postanawiając odegrać to, czego nie mógł powiedzieć. Myszkin obserwował go uprzejmie i kiwał potakująco głową,

* Tłum. Justyna Gładyś.

gdy Darrell pokazywał pantomimicznie nalot na stalownię i uderzenie japońskiego pocisku. Wcielił się nawet w japońskiego artylerzystę, palcami odciągając kąciki oczu i wykrzywiając w małpie grymasy twarz na tyle udatnie, że czerwonoarmiści zaczęli mu bić brawo. Zakończywszy pantomimę, w której był działem, obsługą, wybuchającym pociskiem, samolotem i sobą samym sprzed kilku godzin, żeby porucznik mógł to lepiej zrozumieć, zaciągnął go pod czwórkę i pokazywał nastroszone łopaty hamiltona i smugi brudnego oleju na gondoli. Jego dłonie, wytrenowane w chwytaniu, parowaniu i zadawaniu ciosów, wymownie demonstrowały opór powietrza na śmigle i trudności w utrzymaniu maszyny na kursie. Wreszcie, gdy wyczerpał cały zapas narracyjnych gestów, ustawił porucznika naprzeciw siebie i stukając się w piersi między kieszeniami koszuli, powiedział wyraźnie i głośno: „Darrell". Potem stuknął w kościsty tors lejtnanta i powiedział: „Myszkin". Na koniec chwycił dłoń Rosjanina i serdecznie, kilkakrotnie nią potrząsnął, mówiąc:

– Darrell, Myszkin, przyjaciele.

Myszkin podchwycił deklarację i potrząsając entuzjastycznie prawicą Amerykanina, powiedział zupełnie poprawnie:

– Przyjaciele. – I jakby komunikował rzecz niezwykle doniosłą, powtórzył kilkakrotnie swoim ludziom słowo, którego się właśnie nauczył. Nie omieszkał przy tym za każdym razem energicznie potrząsać dłonią i przy okazji całym Darrellem. Wreszcie, ku zdumieniu Harolda, chwycił go w objęcia i ucałował w policzek. Potem Myszkin poszeptał krótko z którymś z grenadierów, a ten wrócił po chwili z czerwono-perłową harmonią i bańką – zupełnie taką, w jakiej przewozi się świeże mleko. Tyle. że nieco pordzewiałą. Po chwili pod zdumioną superfortecą zagrzmiała trzyrzędowa guzikówka, a Darrell musiał przyznać w duchu, że obsługujący ją czerwonoarmista jest mistrzem w swoim fachu. Muzyka była natarczywa i porywająca. Do tego stopnia, że Rosjanie zaczęli bez zachęty

148

klaskać w dłonie, a dwóch, odłożywszy pepesze, puściło się w tany. Dreptali naprzeciw siebie z rękami skrzyżowanymi na piersiach, wykonując szybkie, drobne i zapewne trudne techniczne pas. Myszkin patrzył na ów pospiesznie zorganizowany festyn z szerokim, pozłacanym uśmiechem i szukał aprobaty w twarzy swego nowego przyjaciela. Bańka okazała się pełna piekielnie mocnego, ale przyjemnie pachnącego fuzlem bimbru. Wobec niemożliwości konwersacji Darrellowi nie pozostawało nic innego, jak przyjąć poczęstunek w postaci nalanej po brzegi pokrywki od tej pordzewiałej trochę, ale jakże swojskiej bańki. Przejście od dramatycznych sekwencji smugowych pocisków z ławoczkinów do harmonii, alkoholu i tańca było tak niespodziewane i zaskakujące, że Darrell nie był zupełnie pewny swoich zmysłów. Z początku upił mały łyczek, ale ponieważ jego umysł tęsknił za alkoholem, z rozkoszą wyciągnął dobrą setkę bimbru z pokrywki i oblizał wargi. Napój, sądząc po zdrętwieniu języka, musiał mieć koło sześćdziesięciu procent. Rosjanom jego wyczyn najwyraźniej się spodobał. Tak bardzo, że Myszkin, zawładnąwszy na powrót pokrywką, nalał mu bimbru po brzegi. Darrell postanowił być dzielny i godnie reprezentować amerykańskie siły powietrzne, więc dokładnie na szerokość bioder, tak jak w sali ćwiczeń, ulokował stopy na powierzchni władywostockiego lotniska i bez pośpiechu opróżnił kolejną pokrywkę. Rosjanie zdawali się tylko na to czekać. Jak na zawołanie zjawiły się blaszane kubki i bańka napełniała je kolejno. Myszkin nie miał nic przeciwko temu. Darrellowi świat w jeden chwili wydał się bardzo zabawny i zachęcający. Sytuacja, w której się znalazł, z tragicznej przerodziła się niespodziewanie w komiczną i Harold zaczął klaskać w dłonie, starając się odnaleźć rytm rosyjskiego tańca. Pomyślał, że załoga nie może stracić przedstawienia. Klepnął więc porucznika w ramię i pokazując na przedni luk, spytał, zapominając, że Rosjanin ni w ząb nie rozumie jego języka:

– Poproszę kolegów? Niech też się napiją. – I nie czekając na zgodę Myszkina, wspiął się na kilka stopni drabinki i krzyknął w głąb samolotu: – Ej! Wiara! Chodźcie tu wszyscy na dół. Ale weźcie coś na zakąskę, bo jest gorzała. I jakieś szkło – dodał zapobiegliwie. Nie minęło wiele czasu i załoga w komplecie wysypała się z Trampa. Nieśli ze sobą to, co zostało z zapasów. Czekoladę, suszone owoce, papierosy i konserwy. Darrell, ogarnąwszy wzrokiem ich zapał do integrowania się z nową rzeczywistością, ostrzegał: – Ostrożnie, panowie. Ten bimber jest niebezpieczny.

Legenda wyglądał bardzo godnie na swoich lekko krzywych nogach. Myszkin, rozpoznając w nim kogoś niemal równie ważnego jak Harold, nalał mu z bańki jako pierwszemu. Fisher wypił z godnością i odchrząknął, oznajmiając Darrellowi:

– Znają się na pędzeniu. To jest cholernie dobre. Byłoby jeszcze lepsze, gdyby przedtem w tej bańce nie trzymali benzyny.

Myszkin, który był zapewne inteligentnym człowiekiem, odgadł aprobatę Amerykanina z jego twarzy i postawy i natychmiast postarał się o dolewkę. W pewnej chwili Darrell poczuł niepokój. Przypomniał sobie, jak zwykle w jego życiu kończyły się takie improwizowane, radosne pijaństwa, i postanowił podjąć stanowcze kroki. Ujął pod ramię Myszkina i starając się wymawiać wolno słowa, powiedział:

– Amerykański konsul.

Myszkin pokiwał głową w czapce przekrzywionej na bakier i potwierdził:

– Konsul.

Harold wskazał palcem na swoją pierś i wyrecytował:

– Chcę się widzieć z amerykańskim konsulem. Rozumiesz, Myszkin?

Lejtnant pokiwał radośnie głową jak pijany satyr i powtórzył mechanicznie: „Rozumiesz Myszkin?" Nawet intonacja była prawidłowa i Darrell pomyślał, że Myszkin przy odrobinie

150

wysiłku mógłby stać się prawdziwym poliglotą. Harold jednak chciał wiedzieć, że Rosjanin go zrozumiał. Pomyślał sobie, że musi znów uciec się do metody poglądowej. Wręczył więc najbliżej stojącemu czerwonoarmiście blaszany kubek z bimbrem i przyciskając łokcie do ciała, jak na defiladzie, zaczął ostentacyjnie maszerować w stronę hangarów. Recytował przy tym dobitnie:

– Idę na spotkanie z amerykańskim konsulem. Na spotkanie z konsulem! Słyszysz Myszkin. Ty sukinsynu?

Nie uszedł daleko. Gdy tylko przekroczył granicę długiego o tej porze dnia cienia samolotu, Myszkin zakomenderował coś szczekliwie i dwóch grenadierów z automatami zdecydowanie zagrodziło drogę Amerykaninowi. Załoga z życzliwym zainteresowaniem patrzyła na występ dowódcy. Nie zdążyli jeszcze wypić tyle, co on. Legenda podbiegł i opiekuńczo, choć stanowczo, ujął Harolda pod ramię.

– Daj spokój. Bawmy się. To nie jest pora na dyplomatyczne rozstrzygnięcia. Jak będą chcieli, to sami nas zawiozą gdzie trzeba. Na razie pijmy.

Harold popatrzył na swego zastępcę z życzliwością człowieka wstawionego:

– Myślisz?

– Jasne. A kroki dyplomatyczne podejmiemy później.

Darrell ciężko przysiadł na zakurzonej trawie i skrzyżował nogi. W tej pozycji odpoczywał najlepiej. Z rezygnacją obserwował mozolną wędrówkę konika polnego po nogawce jego munduru. Konik także miał najwyraźniej dość upału, tego zapowietrzonego lotniska i wyglądał, jakby bardzo chciał się napić. Zeskoczył z łydki Darrella i skierował się w stronę cienia superfortecy. Pilot pomyślał, że można by go złapać i dać mu kawałeczek suszonej figi albo trochę soku pomarańczowego. Nim jednak zdecydował się wyciągnąć dłoń w stronę sympatycznie wyglądającego stworzenia, świerszcz zginął pod ciężkim, podkutym butem jednego z żołnierzy. Ten najwyraźniej był dumny ze swego morderczego wyczynu, bo pokręcił jeszcze stopą, metodycznie rozgniatając małego lotniskowego muzykanta. Darrell popatrzył w górę na rozradowaną, bezmyślną i nawet urodziwą twarz żołnierza i pomyślał, że można by wstać i skręcić sukinsynowi kark. Można było nawet nie wstawać i zrobić to na siedząco. Przez krótki, niepowtarzalny moment był pewien, że właśnie tak zrobi, i gdy już prostował stopę, żeby podciąć grenadiera i sprowadzić go do poziomu, na którym zginął niewinny świerszcz, ktoś oparł się na jego ramieniu i po chwili Legenda ciężko klapnął obok dowódcy. Darrell natychmiast przestał myśleć o zabijaniu Rosjan i z ulgą zwrócił się do drugiego pilota:

– Nie wygląda to najlepiej. – Nasunął dolną wargę na górną, co nadawało jego twarzy wyraz pełen zadumy i akademickiego iście dostojeństwa.

Fisher miał już wypracowane stanowisko w sprawie rysującego się konfliktu międzynarodowego:

– Dopóki nie ściągną tu jakiegoś tłumacza, nic nie zwojujemy. Formalnie nie wypowiedzieli jeszcze Japończykom wojny, więc sprawa nie jest tak oczywista, choć to nasi sojusznicy. Ale zobacz, co tu się wyrabia. Wyobrażasz sobie, że na naszym lotnisku ląduje niespodziewanie sowiecki bombowiec, wracający, powiedzmy, z bombardowania Meksyku, a my robimy imprezę z wódką i tańcami… – Legenda popatrzył w twarz dowódcy. – Przecież to nie do pomyślenia.

Harold potaknął głową ciężką od męczącego lotu i mocnej wódki.

– Ale my byśmy nie strzelali.

Legenda nagle się ożywił i wyciągnął znacząco dłoń z naczyniem w stronę przedniego strzelca, który zawładnął bańką i pełnił rolę rozgrywającego.

– Jesteś pewien, że byśmy nie strzelali? A skąd byśmy wiedzieli, że taki sowiecki bombowiec nie zrzuci nam czegoś na głowę?

Harold machnął niecierpliwie dłonią.

– To zupełnie inna sprawa. Oni doskonale wiedzą, że latamy nad Mandżurią i że takie przypadki jak nasz mogą mieć miejsce, a poza wszystkim to, do cholery, nasi sojusznicy. Dostają od nas wszystko, co im potrzebne, żeby dobrać się do dupy temu kretynowi z wąsikiem. Wiesz Fisher, mogę wszystko znieść, ale nie jestem w stanie zaakceptować tego, że mężczyzna... no, bo przecież ten cholerny Adolf jest mężczyzną, może być taki kiczowaty. Przecież on wygląda jak jakiś fryzjerczyk z małego miasteczka. Koszmar. Jak można tolerować takiego wodza? Na miejscu niemieckich dziewczyn już dawno zrobiłbym rewolucję albo zamach i wybrał na szefa kogoś w lepszym stylu.

Myszkin przepijający do Andersona najwidoczniej usłyszał, że mówi się o Adolfie. Stanął przed siedzącymi na ziemi Amerykanami, zmarszczył się komicznie i przyłożył dwa palce nad górną wargę, pozorując słynny wąsik. Potem dumnie pokazał na siebie i na Darrella i wyrecytował popisowo, mimo delikatnego rumieńca na szczytach kości policzkowych, świadczącego o zaawansowanym stanie:

– Darrell, Myszkin przyjaciele! – Potem wcielił się znów w Adolfa i zaczął: – Hitler...

Legenda nie dał mu dokończyć i uzupełnił po angielsku:

– To wał.

Myszkin podchwycił ochoczo z bardzo udatnym akcentem:

– To wał! – Potem powtórzył, smakując brzmienie nowego słowa, raz jeszcze: – To wał – i zachichotał zupełnie tak, jakby rozumiał znaczenie tego subtelnego określenia.

– Widzisz? – Legenda był dobrej myśli. – Są bardzo spolegliwi i skłonni do współpracy. Mają takie same poglądy na nazizm jak ja. To dobrze rokuje na przyszłość. Jak właściwie podejdziemy do rzeczy, wyciśniemy tego ciołka jak cytrynę.

Harold był bardziej sceptyczny:

– Po mojemu ten ciołek jest albo taki głupi, że ryzykuje karierę, a co najmniej kilka dni paki, albo... – Legenda spoważniał i jego spojrzenie zachęciło Darrella do kontynuowania analizy – albo ma takie rozkazy.

– No dobra. – Legenda nie upadał na duchu. – Tak czy inaczej nie da nam się stąd ruszyć, a impreza w toku. Alkohol jeszcze jest i nie wypada odmawiać.

Darrell zdawał się zupełnie zrezygnowany:

– Dobra, ale mam nadzieję, że będziesz uważał. Oczywiście, ty nigdy nie tracisz kontroli, więc na ciebie liczę. – Wygłosiwszy tę prośbę, która była właściwie rozkazem, oddał się we władanie rosyjskiego bimbru.

Myszkin okazał się na swój sposób gościnnym człowiekiem. Gdy zaczynało się ściemniać, wycofał część swoich ludzi i rozstawił posterunki w sporej odległości od samolotu. Zostało zaledwie kilku żołnierzy, uprzejmie dotrzymujących towarzystwa załodze. Nie wiadomo skąd zjawiły się proste drewniane stoły i taborety. Przyniesiono lampy naftowe, potem zajechała też ciągnięta przez sympatycznego osła kuchnia polowa i Rosjanie poczęstowali ich znakomicie pachnącą, gorącą zupą z marynowanej, jak sądził Darrell, kapusty, po której pływały grzyby, liście laurowe i oczka tłuszczu. Zupa była przyjemnie kwaśna i sycąca. Pokazując na nią, Myszkin zachęcająco nazywał ją „szczy". Podano też smaczny, bardzo ciemny chleb i lekko słone masło. Wszystko to bardzo załodze smakowało i podobało im się nawet to, że zastawę stanowiły blaszane menażki i cynowe „niezbędniki", czyli połączone topornym nitem łyżki i widelce. Na koniec, gdy międzynarodowa impreza miała się ku końcowi, pod samolot zatoczono blaszaną cysternę na kołach.

Przy zaworze wisiały nowiutkie wiadro i miednica. Myszkin dopił ostatnią szklankę wódki, ale w bańce, której nie omieszkał im zostawić, było jeszcze kilka litrów alkoholu. Zasalutował i wymownie pokazał na cysternę i na samolot. Wsiadł do willysa i odjechał, machając serdecznie dłonią. Widzieli jednak, że poza kręgiem światła z lamp naftowych miarowo przechadzają się czujne posterunki.

Mieli więc spędzić noc w samolocie. Nie było to w końcu takie przykre. Było tam dość miejsca do spania i koców. Toaleta także powinna funkcjonować jeszcze przez dwa dni. Darrell mimo najszczerszych chęci nie zdołał się ogłuszyć alkoholem. Głowę miał zupełnie jasną i w ogóle nie przejmował się sytuacją. Cieszyło go granatowe niebo nad Władywostokiem. Przez chwilę szukał znajomych konstelacji, ale szybko zorientował się, że niebo wygląda tu inaczej niż... Właśnie. Niż gdzie? Kilka ostatnich lat to były lata umiejscowione nigdzie, a może najbardziej w nim samym. I o dziwo to też mu się bardzo podobało. Przypadkowe miejsca, przypadkowe trunki, przypadkowe kobiety. Jedyne, co było powtarzalne, to wspomnienia i *kata* dżiu-dżitsu, które ćwiczył, gdy nikt nie widział i gdy poczuł na to ochotę, wyobrażając sobie partnera. Teraz też postanowił, że wstanie bardzo wcześnie i poćwiczy pod samolotem. Może po tak pogodnej nocy zakurzona szara trawa będzie pokryta parzącym w bose stopy szronem. To byłoby naprawdę rozkoszne. Ulokował się wygodnie na twardym taborecie i ta twardość sprawiła mu przyjemność. Za plecami Legenda wydawał załodze polecenia:

– Anderson. Zróbcie tam jakieś zasilanie. Nie będziemy się kłaść po ciemku. Steiner, powiedz chłopakom, że jak się chcą umyć, to niech to zrobią teraz. Jak komuś jeszcze mało maczania ryja, to niech pije tu. Nie bierzcie wódki do samolotu. Gdyby chcieli pić tę ruską wodę z cysterny, niech wrzucą kwasek cytrynowy, bo dostaną sraczki. Pobudki jutro nie ma. Niech się wyśpią.

Pierwszego pilota krzątanina załogi niewiele obchodziła. Zresztą Legenda rządził tak celowo, jakby był szkolony na okoliczność takich sytuacji. Darrella to zafrapowało i gdy drugi pilot, skończywszy z rządzeniem, z ulgą rozparł się koło niego z kubkiem bimbru i litrową butelką soku pomarańczowego, wyciągając wygodnie długie nogi na blacie stołu, zagadnął go:

– Byłeś skautem?

– Jakbyś zgadł, Harold. Nigdy tego nie zapomnę. To były najpiękniejsze lata mojego życia.

– Naprawdę? A coś tam robił?

Fisher zapalił papierosa i z wielką przyjemnością powolutku puszczał kółka z dymu. Powietrze zrobiło się przyjemnie chłodne i zupełnie nieruchome. Wokół samolotu koncertowali przyjaciele zamordowanego świerszcza (ale nie brzmiało to jak pawana), a jasno świecące gwiazdy zdawały się wisieć tuż nad ich zapatrzonymi w niebo twarzami.

– Dużo latałem w nocy, ale nigdy gwiazdy nie były tak blisko. Patrz – Fisher wyciągnął dłoń w stronę granatowo-brylantowej wystawy kosmicznych klejnotów – wystarczy sięgnąć.

Darrell sięgnął po sok i rozcieńczył bimber, który w tym nowym aliansie uzyskał obiecujący walor, a nie palił podniebienia i języka. Pociągnął duży łyk i powiedział:

– Są piękne i takie bezstronne. My się tu lejemy od kilku lat, aż drzazgi lecą, a stamtąd nie widać nawet największych pożarów. Takich jak w Hamburgu czy w Berlinie.

– Z Księżyca podobno widać – zaprzeczył Legenda.

– Księżyc to nie gwiazda, a poza tym jest bardzo blisko, a te... szkoda gadać. Czasami, jak nie myślę o whisky, śmierci, mojej pierwszej żonie i tych wszystkich dziewczynach, których nie przeleciałem, to robi mi się cholernie smutno... – Nie dokończył.

Legenda przyjrzał mu się z boku. W migotliwym, przytulnym naftowym świetle profil przyjaciela nabrał nowych znaczeń. Z boku twarz Darrella nie była taka misiowata i dziecinna jak wtedy, gdy patrzyło się Haroldowi w oczy. Czoło miał wysokie, masywne i nisko nasępione nad oczami. Nos z lekkim garbkiem, a całość wydała się Legendzie zdecydowanie rzymska. Zakończywszy wpatrywanie się w znany przecież do bólu ze wspólnych lotów kontur, Fisher zainteresował się wyrozumiale:

– Dlaczego robi ci się smutno?

– Dlatego, że żyję w takich czasach, kiedy poświęcamy całą energię... tyle narodów... tyle milionów ludzi... takie pieniądze na to, żeby się wzajemnie powybijać. Wyobraź sobie teraz, że ten cały wysiłek idzie w badania, w programy naukowe. Może przynajmniej dożyłbym tego, że mój syn poleciałby... – Darrell znów nie dokończył i kubkiem wykonał biesiadny ruch w stronę najjaśniejszej konstelacji. Fisher zaaprobował toast i też trącił się kubkiem z gwiazdami. Doskonale wiedział, że Harold nie ma syna, ale postanowił nie poruszać tej właśnie kwestii. Zresztą dowódca nie zostawił mu czasu na myślenie i indagował:

– Miałeś opowiedzieć o tych skautach. No więc, coś tam robił? Bawiłeś się w podchody i w robienie indiańskiego szałasu?

– Prawie. – Legenda nie tracił kontenansu. – Grałem w orkiestrze. Na saksie. Całkiem nieźle. To był taki zespół... Co ja mówię „taki”. Był całkiem duży. Tak naprawdę to nie było tam żadnego skautingu, bo głównie chodziło o koncerty. Była duża orkiestra dęta, ale nie myśl sobie, że trąbiliśmy jak amatorzy ze straży pożarnej – tłumaczył gorliwie Legenda, widząc ironiczny grymas przyjaciela. – To byli muzycy z college'ów i ze szkół muzycznych, często bardzo dobrzy. Do tego chór żeński w wieku od piętnastu, a może nawet czternastu lat do dwudziestu kilku. Razem ze dwieście osób. W tym dwie trzecie bab. Wyobrażasz sobie?

– Chór żeński, powiadasz? No to byłeś w swoim żywiole. Teraz rozumiem, skąd to niezdrowe zainteresowanie rosyjskim folklorem. Ty byłeś zboczony od dzieciństwa – rezonował Darrell.

Legenda wciągnął się w tok opowiadania. Sprawiało mu to przyjemność. Zamierzał opowiedzieć dowódcy o czymś, czego się wstydził, ale to także było przyjemne.

– Nie byłem wtedy dzieckiem. Miałem dziewiętnaście lat i byłem już pilotem całą gębą, który spryskał z miliard akrów w całym stanie.

Harold wciął się bez pardonu:

– I te dziewczyny też oczywiście spryskałeś? – I zachichotał głupio z własnego, niezbyt udanego dowcipu.

Legenda klepnął go w udo:

– Poczekaj, Harold. Nie opowiadałem tego dotąd nikomu i nie wiem, dlaczego tobie to opowiadam, ale, na Jowisza, nie przerywaj mi. Bo nie dam ci więcej wódki.

– No już dobrze... Nawijaj. Tylko nie koloryzuj – zgodził się Darrell.

– No więc, jeździliśmy przez sierpień po całym stanie i koncertowaliśmy. Dla armii, w obozach skautingu i w publicznych salach. Coś tam nam nawet płacili, ale jeździło się głównie po to, żeby połajdaczyć się w fajnym towarzystwie. Bo tam było mnóstwo fajnych facetów...

Harold nie wytrzymał:

– I fajnych dziewczyn – dopowiedział za Legendę.

– I o to chodzi! – entuzjazmował się Fisher. – Wyobraź sobie sto dwadzieścia panienek w wieku najbardziej stosownym do rżnięcia. Zgromadzonych w jednym obozie, w namiotach albo jakichś koszarach. Bez rodziców i niań. Bez zazdrosnych braci z rewolwerami. Napalonych i nieostrożnych. W dodatku byliśmy ich szefami.

– Jak to? – znów nie wytrzymał Harold, ale Legenda się nie obraził i gorliwie tłumaczył, mając na względzie dobro narracji:

– Widać, że nie byłeś skautem. Tam obowiązuje hierarchia taka jak w wojsku. Zdobywa się stopnie, szkoli młodszych, dowodzi, szefuje, no i przekazuje im najszlachetniejsze idee skautingu. Pomoc potrzebującym, lojalność, opiekuńczość, solidarność... – mówił coraz wolniej i z coraz słabszym przekonaniem, aż wreszcie Darrell położył dłoń na jego przedramieniu i powiedział, wstrząsany suchym, bezgłośnym chichotem:

– Daj spokój. Opowiadaj dalej.

– No właśnie. – W głosie Legendy brzmiała wdzięczność za to, że przyjaciel okazał się tak domyślny i tak wyrozumiały.

– No więc była tam puzonistka… bardzo ładna. Długie włosy… buzia… figurka jak marzenie. Inspektorka orkiestry… – nie dokończył, bo Harold przerwał po raz wtóry, rozbijając pytanie na sylaby:

– I n s p e k t o r k a?

– No wiesz, to ktoś, kto rozkłada nuty przed próbą i koncertem, dba o sprzęt, rozstawienie stołków, praktykabli…

– Czego? – dopytywał się Harold, lubiący znać treść technicznych pojęć.

– Praktykabli. Takich podestów dla muzyków i chórzystów, żeby nie musieli siedzieć na jednym poziomie. Nie widzieliby dyrygenta…

Legenda spojrzał na Harolda, a ten pokiwał głową, jakby wszystko było dla niego jasne:

– A więc mieliście i dyrygenta. Też pewno zboczony?

– Jakbyś go znał! – entuzjazmował się Legenda. – Rozkochał w sobie flecistkę, która ledwo skończyła piętnaście lat. Świata za nim nie widziała, a on traktował ją jak domowe zwierzątko. Czasami bił i krzyczał: „Leżeć suko"! Taki palant.

– Nie mogła mu oddać? – zdumiał się Harold.

– Coś ty? Świata poza nim nie widziała. Chyba to bicie nawet jej się podobało. Takich facetów trzeba trzymać z dala od kobiet. W końcu nie wytrzymałem i niejako w jej imieniu wypłaciłem mu solidną teksańską fangę w nos. Wiesz, taki zamachowy z południowego wschodu na północny zachód. Facet był solidnie zrobiony z wyjątkiem nosa, który trzasnął jak nadepnięta purchawka. Trysnęło chyba ze sto litrów krwi. Od tego czasu nie celuję już nigdy w nos. To niehumanitarne. I nieestetyczne. – Legenda pokiwał głową nad własną mądrością i pociągnął solidny łyk.

Darrell też pokiwał głową nad pokrętnymi ścieżkami, którymi chadzają dziewczęce uczucia, i bawiąc się w znawcę dusz, nie tyle spytał, co stwierdził:

– Pewno miała do ciebie pretensję?

– Oczywiście, że miała. Natychmiast zaczęła tulić i pielęgnować tego kretyna. Obcierać mu tego rozkwaszonego giniola z krwi, a co ja się nasłuchałem... Szkoda gadać. – Legenda z rezygnacją machnął ręką, po czym jego oczy rozszerzyły się zdumieniem: – Ej... A ty skąd wiesz? Opowiadałem ci to już?

– Nie – z satysfakcją zaprzeczył Darrell. – Ale jeśli dawała się tak traktować i nie odeszła od niego, to znaczy, że go kochała. A jeśli tak, to nic dziwnego, że stanęła w jego obronie. Dla ciebie też stąd lekcja, nawet dwie...

– No? No? – nie mógł doczekać się Legenda.

– Po pierwsze, nie graj Lancelota w takich układach. Ja wiem, że trudno stać z założonymi rękami i patrzeć. Ale to w końcu były sprawy między nimi, a ty przyłałeś gościowi najprawdopodobniej dlatego, że go nie lubiłeś, a akurat znalazłeś powód.

– Co racja, to racja. Nie lubiłem go, bo był Żydkiem, który miał w nosie cały świat z wyjątkiem własnej osoby. No i nazywał się Jack Kasperstein, a to, przyznasz, wystarczający powód.

– Jasne! – Harold w stanie, w jaki wprawiła go rosyjska wódka, gotów był zaakceptować argumenty drugiego pilota, mimo iż nie był zdeklarowanym rasistą. – Po drugie – ciągnął – naucz się nie walić jako pierwszy. Zawsze to będzie wyglądać tak, że zacząłeś, uderzyłeś, zaatakowałeś i tak dalej. Kiedyś możesz mieć z tego powodu problem, jak gość pójdzie do sądu.

– To co robić, jak chce się komuś przylać? – gorliwie dopytywał się porządnie już wlany Fisher.

– Doprowadzić do tego, żeby on pierwszy uderzył. Wtedy ty się tylko bronisz. Kapujesz? A że przy okazji złamiesz gościowi nos albo rękę... To już zupełnie inna sytuacja.

Legenda podrapał się w głowę.

– No pięknie, ale jak to zrobić?

Darrell uśmiechnął się z wyższością:

– Różne są sposoby. Najprościej powiedzieć coś wyjątkowo obraźliwego. Można też gościa wyzwać na pojedynek, ale tu też sytuacja prawna jest wątpliwa. W końcu pojedynki są zabronione. Zawsze jednak należy poczekać, aż gość zdecyduje się na pierwszy ruch.

– No dobra. – Legenda miał jednak wątpliwości. – Ale jak oddam gościowi inicjatywę, może być po mnie. Mnie uczyli, że kto pierwszy, ten lepszy.

– No i źle cię uczyli. Nawet w tym twoim boksie najcięższe nokauty są wtedy, kiedy ktoś się nadzieje na kontrę.

– Coś nie chce mi się w to wierzyć – powątpiewał Legenda.

– Pokażę ci kiedyś, jak będziesz grzeczny. A teraz mów o puzonistce. Jak będziesz tak uciekał w dygresje, do rana się nie dowiem. I wódka się skończy.

– Helen... – Legenda rozmarzył się, co w jego przypadku związane było nieodmiennie z kolejnym łykiem.

– Co Helen? – nie rozumiał Darrell.

Legenda wrócił z raju wspomnień na ziemię:

– Miała na imię Helen i możesz mi wierzyć... albo nie... ale jak rozmawiam z tobą, nigdy nie koloryzuję... Tak mogłaby wyglądać Helena Trojańska.

– To znaczy? – powątpiewał Harold.

– Przede wszystkim włosy. Długie. Chyba do pasa. No i buzia. Taki dziewiętnastoletni dzieciak. Oczy. Nos. Wargi. Ideał.

Harold był w nastroju żartobliwym, więc dopytywał się złośliwie:

– A właśnie. Czy dmuchanie w puzon nie zepsuło jej rysunku ust?

Legenda bez wahania stanął w obronie wdzięków byłej kochanki, jak prawdziwy rycerz:

– Coś ty! Właśnie to dmuchanie w puzon bardzo dobrze jej zrobiło. Jej wargi to było narzędzie. Rozumiesz? Co ty możesz rozumieć. Kochałeś się kiedy z puzonistką? A widzisz. Ona potrafiła tymi wargami wydobywać dźwięki, jakie chciała. Także ze mnie. Kapujesz?

Darrell sapnął z podniecenia.

– To interesujące. Moja pierwsza wielka miłość była dla odmiany harfistką. Wiedziałeś o tym? – spytał.

– Nie. Pierwsze słyszę. Ale to by znaczyło, że obaj mamy artystyczną przeszłość na sumieniu.

– No! – potwierdził dumnie pierwszy pilot i dodał zaraz: – Ta moja harfistka miała za to nadzwyczaj zręczne palce. Muzykowanie robi zdecydowanie dobrze kobietom. Bez względu na to, na jakim instrumencie się to odbywa. Nie sądzisz, Forrest?

Zarechotali obydwaj, doskonale wyczuwając swoje świńskie konteksty. Legenda podjął wątek:

– Całej sprawie pikanterii dodawał fakt, że na ten muzyczny obóz miała przyjechać moja dziewczyna. Perkusistka.

– Ładna? – koniecznie chciał wiedzieć Harold.

Legenda, stękając, sięgnął po bańkę i nalał najpierw sobie, a potem przyjacielowi.

– Ładna, ale nie tak zjawiskowo. Za to dobra, ciepła, wyrozumiała i tak dalej. Miałem jednak trochę czasu, bo całe dwa dni. Na pierwszej próbie zobaczyłem tę Helen, no i już nie mogłem się od niej odlepić. Ona też chyba to od razu wyczuła. Żeby było jeszcze śmieszniej, to do niej też miał przyjechać chłopak. Dużo starszy ode mnie. Poważny gość. Ale dopiero za tydzień. Postanowiłem ostro wziąć się do roboty, a ona zdawała się tylko na to czekać. Wiedziałem, że muszę uwieść tę Helen, zanim przyjedzie autobus z moją dziewczyną. Potem będzie trudniej. Poza tym wokoło wszyscy wiedzieli, że ja mam dziewczynę i że Helen ma chłopaka. W tym zespole wszyscy się znali. Wiesz? Życzliwych nie brakuje.

Harold nie odpowiedział, ale znacząco pokiwał głową. Legenda ciągnął:

– Na szczęście już pierwszego dnia zorganizowano potańcówkę, a ja jestem dobry w te klocki. Po godzinie była we mnie wtulona jak niemowlę w matczyne łono. Ja jednak cały czas musiałem zachowywać pozory. Skończyło się na ostrym całowaniu w krzakach, a ona koniecznie chciała doprowadzić rzecz do końca. Widać ten jej narzeczony trochę się jej znudził. Ja się jednak hamowałem...

– A niby po co? Nie mogłeś jej po prostu zerżnąć od razu? – chciał wiedzieć Darrell.

– Jasne że mogłem, ale te krzaki były cholernie blisko namiotów. Światło do nich sięgało. Nie chciałem tego robić pospiesznie i byle jak. Już wtedy byłem romantyczny. Ale i na swój sposób dorosły. Wiedziałem, że ta dziewczyna, podobnie jak ja, szuka tylko przygody, przeżycia, niczego więcej. Po całej sprawie ona wróci do swego poważnego chłopaka, a ja do swojej perkusistki.

Darrell pokiwał głową. Taka argumentacja przemawiała do niego. Legenda opowiadał dalej:

– Następny dzień zszedł nam obydwojgu na podchodach. Zagadywaliśmy, niby to przypadkowo się mijając. Pożyczyłem jej jakąś książkę, był to bodaj *Zamek* Kafki, ale ilekroć zbliżaliśmy się, przekraczając dystans dwu metrów, włączały się w nas elektromagnesy. Dałbym głowę, że jej włosy wyciągały się w moją stronę, jakby to były druciki przyciągane polem elektromagnetycznym. Ja musiałem założyć długą do połowy uda kurtkę, choć było cholernie gorąco. Ale – jak sam rozumiesz – nie mogłem tam paradować wystoperczony z przodu jak satyr. I tak ledwo mogłem chodzić i czułem się tak jak ten trójnożny Marsjanin z *Wojny światów* Wellsa*. Czytałeś?

– Taa... – mruknął Darrell, zaintrygowany rozwojem relacjonowanych przez Legendę wydarzeń.

– A więc doskonale wiesz, co mam na myśli. Tak czy inaczej przy braku możliwości normalnych kontaktów, no, bo sam rozumiesz, oboje byliśmy na cenzurowanym, musieliśmy się jakoś porozumieć. Dając jej tę książkę, postawiłem wszystko na jedną

---

* W *Wojnie światów* Wellsa opisywane są marsjańskie roboty bojowe, poruszające się na trzech nogach.

kartę i wystękałem zemocjonowanym półgłosem, rozglądając się na boki jak sutener z Brooklynu: „Wieczorem uważaj na moje sygnały. Rozumiesz? – upewniałem się. – Musisz chwytać w lot. Tylko poczekaj kilka minut. Nie idź od razu za mną. Za obozem jest taka droga przez zagajnik. No leć. Bo już się gapią". I faktycznie, zarówno przyjaciółki mojej perkusistki, jak i koledzy tego jej absztyfikanta już się na nas podejrzliwie gapili. Na tych obozach mieliśmy taki sympatyczny zwyczaj, że wieczorem wszyscy – to znaczy kto miał ochotę i akurat nie gził się w namiocie albo w krzakach – stawaliśmy w takim wielkim kręgu. Przeważnie śpiewaliśmy coś na głosy, bo wszyscy to potrafili, albo przerzucaliśmy się dowcipami i paliliśmy papierosy.

– To skaut może kopcić to świństwo? – przerwał Darrell, który był wojującym przeciwnikiem tytoniu.

– Może – rzucił niecierpliwie zły, że mu przerywają, Legenda. – Pod warunkiem, że nie jest w mundurze organizacyjnym albo na posterunku. No więc kołysaliśmy się w tym kręgu, a ja przytulałem do piersi pod bluzą mały kocyk. Nie mogłem przecież położyć takiej pięknej dziewczyny wprost na szyszkach albo nie daj Bóg na mrowisku. Ona też się tam kołysała wśród przyjaciółek, ale trzymaliśmy się nawzajem oczami. Wiesz, jak to jest. Można tak patrzeć na kogoś, że tylko ten ktoś będzie o tym wiedział. To było bardzo silne. Niemal namacalne. Tak trzyma się bombowiec w wiązce reflektorów. Nie ma z takiej wiązki ucieczki. Podobnie było z nami. Gdy uznałem, że już czas, dałem jej znak oczami w kierunku tej drogi za obozem. Zamknęła powoli oczy, co było wystarczającym sygnałem, że zrozumiała. Odczekałem jeszcze dla przyzwoitości kilka minut, a potem wycofałem się z kręgu i w zapadającym zmierzchu poszedłem z bijącym sercem tą drogą. Po jakichś dwustu metrach, kiedy nie było już widać świateł obozu, przycupnąłem pod drzewem i czekałem. Z emocji i ze zdenerwowania nie chciało mi się nawet palić.

– No, to rzeczywiście musiałeś być na nią nagrzany. Tobie nie chciało się palić. Szkoda, że nie mamy tej puzonistki na pokładzie – dogadywał Darrell bez złośliwości.

– Harold, uwierz mi. Pożądanie może być tak silne, że aż robi się od tego niedobrze. – Legenda podkreślał wagę swych słów, zwijając muskularną, żylastą dłoń w pięść i potrząsając nią w geście przypominającym republikańskie pozdrowienie z Hiszpanii.

Darrell westchnął jak ktoś, komu przypominają rzeczy oczywiste:

– Mnie tego, kolego, nie musisz uczyć. Pożądanie może nawet zabić. – Pierwszy pilot, dobrze już pod gazem, wygłosił tę zastanawiającą kwestię takim tonem, jakim brydżyści licytują trzy bez atu. Natychmiast się jednak zmitygował i dodał: – No, może nie tak dosłownie, w sensie fizycznym, ale pożądanie może zabić na ten przykład miłość. Mnie się to zdarzyło i kiedyś może ci o tym opowiem.

– Dlaczego „może"? – dopytywał równie „zaawansowany" drugi pilot.

– Dlatego, że mi się tak podoba – uciął Darrell, ale tej stanowczej deklaracji towarzyszyło przyjacielskie, pijane przytulenie policzka do ramienia przyjaciela i Legenda pojął, że nie należy teraz oczekiwać od dowódcy zachowań podyktowanych logiką i zdrowym rozsądkiem. To go rozczuliło. Oznaczało bowiem, że Harold poluzował. Popuścił sobie cugli i wszystko wskazywało na to, że trzeba go będzie na plecach ładować do samolotu, żeby się przespał. Nie tylko rozczuliło, ale wprawiło Legendę w dumę. „Nie pozwoliłby sobie na to, gdyby mi nie zaufał. Gdyby nie miał przekonania, że w razie czego wezmę załogę w garść i będę potrafił podjąć właściwe decyzje". Dlatego, mimo iż gest zawierał w sobie męsko-męskie aluzje, serdecznie poklepał dowódcę po chłodnej czaszce, mogącej (sądząc z temperatury) równie dobrze należeć do stygnącego trupa, i sięgnął po zdradziecką bańkę. To akurat rozumiał. Wiedział, że po dużej wódce mężczyzna taki jak Darrell, taki jak on, taki jak wszyscy ci wspaniali chłopcy, chrapiący już smacznie o kilkanaście stóp nad jego skołataną głową, są bardzo samotni. Marzą wtedy o spędzeniu drugiej części nocy u boku dziewczyny. Nawet nie konkretnej. Po prostu j a k i e j ś dziewczyny. Żeby można było poczuć jej oddech na swojej piersi. Żeby można było poszukać grzbietem bosych stóp śmiesznie pomarszczonych spodów jej bosych stóp. Żeby można było bez żadnych zamiarów położyć czujną, opiekuńczą dłoń na tym miejscu, gdzie zaczyna się cudowna dolina dzieląca pupę na dwa łagodne, ciepłe wzniesienia. Żeby można tam było wyczuć gładkie, obciągnięte przyjazną, ciepłą skórą perełki zakończeń kręgów. Żeby można było spleść dłonie i razem przejść na tamtą stronę Północnego Wichru. Żeby można było mieć pewność, że nie obudzimy się sami w pustej pościeli, która nawet nie odwzorowała kształtu kobiecych ud. Żeby...

– Halo! Chcesz posłuchać, jak to się skończyło? – Legenda usiłował posadzić prosto dowódcę, ale nie było to proste. Darrell zdawał się nie mieć w środku niczego sztywnego i nawet gdy Legendzie udało się na moment ustawić go w pionie, natychmiast cała cielesna konstrukcja Harolda składała się jak zepsuty parasol. Forrest westchnął z rezygnacją i sięgnąwszy przez stół, przykręcił knot lampy naftowej. Spojrzał tęsknie na sowiecką bańkę, ale obiecał sobie w duchu, że jeśli poczuje ochotę, to do niej wróci. Harold za diabła nie dawał się ocucić, był w tym stanie, w którym odbiera się jeszcze bodźce z zewnętrz, ale mechanizm woli jest już kompletnie unicestwiony.

– A bodaj cię cholera! – klął Fisher, usiłując wywlec dowódcę zza stołu. Jedynym efektem było przewrócenie taboretu i hałas spadających kubków. Legenda dał spokój. Darrell ważył dobre 160 funtów i nawet nie było co marzyć o załadowaniu go do samolotu. Musiał zostać tu, gdzie był. Legenda posadził dowódcę na trawie i oparł o stół. Postanowił, że zrobi mu spanie na ziemi. Wzdychając, wspiął się po drabince do Rampa Trampa. W środku było na tyle swojsko i przytulnie, że Legenda przez krótką chwilę miał szczerą ochotę zostawić Darrella na dole i pójść spać. Przemógł się jednak, a raczej zwyciężyło w nim poczucie obowiązku wobec przyjaciela i to coś, co w silnych, zdecydowanych ludziach daje o sobie znać mimo alkoholu. Po chwili był na powrót pod samolotem z dwoma kocami i dwoma lekkimi śpiworami. W bajkowym świetle naftowej lampki wybrał miejsce równe i mało (jak sądził) kamieniste. Na podwójnie złożonych kocach rozpostarł śpiwory. Teraz pozostawało tylko zdjąć Haroldowi buty i zapakować go do wnętrza jednego z nich. Zdołał tego dokonać, turlając i przesuwając Darrella po ziemi. Gdy wreszcie skończył i podciągnął zamek śpiwora pod brodę pierwszego pilota, ten na krótką chwilę otworzył oczy i uśmiechnął się do Legendy. Wymruczał coś, co brzmiało jak: „Dzięki. Jest OK".

Fisher, klnąc i sapiąc, bo potykał się i zataczał, przygotował także swoje posłanie. Nim wszakże wsunął się do śpiwora, zawładnął bańką ze stołu i ulokował ją wraz z sokiem i kubkiem u wezgłowia. Potem mrucząc z rozkoszy, bo był już solidnie zmordowany, wlazł do środka i zapiął zamek na tyle, by móc swobodnie sięgać po bańkę. Nalał sobie natychmiast w nagrodę za pracowitość i opiekę nad dowódcą. Ten zaczynał już delikatnie i melodyjnie pochrapywać. Naftowa lampka z brudnym kloszem mrugnęła kilka razy i zgasła. Widać skończyła się nafta. Ciemność tylko z początku była gęsta. Po chwili delikatne światło gwiazd sprawiło, że wzrok Legendy rozróżniał kontury i szczegóły. Drugi pilot ułożył się wygodnie na łokciu. Zupełnie nie chciało mu się spać. Był tylko fizycznie znużony. Umysł miał wyjątkowo jasny, a miejsce, w którym wypadło mu spędzić noc, działało na niego jak afrodyzjak. Stwierdził ze zdumieniem, że jest podniecony i najchętniej przeleciałby się kilkanaście razy dookoła superfortecy albo – gdyby tylko była taka możliwość – popływał w zimnej wodzie. Miał też pretensje, że Harold zasnął, nim on dokończył opowieści. Tak czy inaczej, musiał ją skończyć, ułożył się więc wygodnie i wrócił do niej myślami, pokonując w sekundę dziesięć lat i kilkanaście tysięcy kilometrów.

Pamiętał, że w pewnej chwili srebrzysta ciemność na drodze zgęstniała i uformowała sylwetkę dziewczyny. Jeszcze chwila i była przy nim, ale nie pocałowali się. On wziął ją za rękę i musnął wargami grzbiet jej dłoni. Rozumieli się doskonale i gdy zszedł ze ścieżki, nie puszczając jej drobnej dłoni, której delikatne kosteczki mógł przesuwać nieznacznymi ruchami palców, ona posłusznie skręciła, trzymając się blisko jego boku. Nie musieli iść daleko. Po kilkunastu metrach nikt już by ich z drogi nie zauważył. Puścił jej dłoń i rozsuwając ekler wiatrówki, wstydliwie wydobył swój kocyk. Gdy klęcząc rozpościerał go na ziemi i wyrzucał spod spodu zdradzieckie szyszki, ona nie marnowała czasu. Zobaczył zdumiony i zaskoczony, jak klęka na tym jego kocyku bez majtek i drelichowych spodni w samych pasiastych skarpetkach. Te nogi były bardzo smukłe, a jednocześnie to, co powinno było w nich być okrągłe i troszkę pulchne – było. Sięgnął zaraz dłonią w dół, ku, jak mu się zdawało, oszronionemu wieczorną mgłą kłębuszkowi, ale ona uprzedziła ten zachłanny ruch, pochylając się niżej i zdecydowanie manipulując koło jego paska. Nie minęło więcej niż kilkanaście sekund, a już mógł się przekonać, co mogą sprężyste i miłe wargi puzonistki. Nie pozostało mu nic innego, jak bawić się jej długimi włosami, związanymi teraz w ścisły węzeł na czubku głowy. Mógł też zapuścić chłodne dłonie pod jej bluzę na plecach, rejestrując dotykiem, jak zwięzłe i sprężyste ma ciało. Rzecz zapowiadała się fantastycznie, bo rósł w jej buzi jak drożdżowe ciasto na kaloryferze. Wiedział już, że będzie to jego kolejny erotyczny triumf, o którym obozowa plotka nieść się będzie już od następnego poranka. Widział już oczyma wyobraźni pełne podziwu spojrzenia najmłodszych, jeszcze niezdeflorowanych chórzystek i zazdrosne rzuty oczu trądzikowatych kolegów, którzy tylko mogli pomarzyć o posiadaniu tak pięknej dziewczyny. Wtedy rozległ się pierwszy, cieniutki jeszcze i niepewny bzyk. Zlekceważył ten odgłos, myśląc, że mu się to przywidziało. Po chwili jednak coś bardzo mocno zaczęło go swędzieć na gołym zadku. Helen, chcąc oczyścić sobie pole operacji, brutalnie obsunęła mu na wyprężonych z emocji udach spodnie i bawełniane bokserki. Wyprostował się i wyprężył z intencją odebrania maksymalnej dawki wrażeń. Do pierwszego, nieśmiałego bzyku dołączył jednak drugi, a wkrótce trzeci, czwarty i dziesiąty. Komary zamieszkujące ten młodniak musiały mieć sprawny wywiad i informację o ich schadzce. W minutę były ich setki. Helen zdawała się nie zwracać na nie uwagi. Wypuściwszy ustnik ułożyła się na plecach, jak pokorna branka, nawet nie przynaglana srogim spojrzeniem zdobywcy, i motylim ruchem rozchylając uda, pociągnęła go na siebie. Miała dopiero siedemnaście lat. Jej dziecinnie małe, wąskie stopy w pasiastych skarpetach śmiesznie i trochę żałośnie zawisły w powietrzu. Była bardzo opalona, ale w ciemnościach skóra przykryta podczas słonecznych kąpieli majteczkami i stanikiem kostiumu wydawała się bardzo biała. Mimo iż kolejne klucze moskitów atakowały lotem koszącym jego wypięty zadek, starał się w niej ulokować. Nad podziw mocne ręce dziewczyny przyciągały go z niekontrolowaną siłą. Oddychała spazmatycznie i widział, że jest podniecona do ostatnich granic. To w połączeniu z niemiłosiernym swędzeniem żałośnie i niespodziewanie pozbawiło go sztywności. Helen także wyczuła, że Forrest mięknie i flaczeje, ale mimo wszystko udało się jej zręcznymi, silnymi palcami wetknąć w siebie smutną i sflaczałą pozostałość po jego zwykle sprawnej i imponującej łodydze. Poczuł się źle i żałośnie, bo koniec nadchodził bardzo szybko. On, który potrafił poruszać się zwykle w kontrolowany, wyrafinowany technicznie sposób przez całe kwadranse, dozując kwiczącym z rozkoszy partnerkom kolejne dawki doprowadzanego prawie do szczytu podniecenia, wylał się jak woda z węża, upuszczonego niechcący przez ogrodnika. Czuł się tak, jak gdyby uchodziła z niego cała męska

169

godność i zasłużona sława uwodziciela. A przecież pracował na nią tak ciężko fizycznie i intelektualnie. W tamtej chwili mógł jednak myśleć tylko o swędzącym uczuciu upokorzenia. Ona też była solidnie pokłuta, co rozczuliło go tak, gdy pomagał jej wciągnąć drelichowe spodenki, że o mało się nie rozbeczał jak małe dziecko.

– Nie przejmuj się – odezwała się niespodziewanie, bo wszystko dotąd odbywało się w dyszącym milczeniu. – Mój chłopak robi to jeszcze gorzej i ma całkiem malutkiego pipelka. Tak bym chciała, żeby ktoś wreszcie doprowadził mnie do końca. Jemu się to nigdy nie udaje.

To go dobiło i gdy wyszli z przeklętego zagajnika na drogę w całkowitej już ciemności, rozpłakał się cicho i bez łez. Nie widząc w ciemnościach, musiała to jednak wyczuć, bo przylgnęła do niego całym ciałem i sięgając brutalnie i bez ceregieli dłonią po trzydziestosiedmiomilimetrowe działko wyprężyła je do imponujących rozmiarów w kilka zaledwie sekund. Musiało to zmienić jej pogląd na przyszłość, bo wydyszała mu w ucho:

– Daj spokój. Przyjdziemy tu jutro. Tak jak dziś. Chcesz?

Pokiwał głową, dziwiąc się, jak bardzo dorosłe potrafią być młode dziewczyny. Zdołał tylko wychlipać:

– Za bardzo mi się podobasz. Po prostu się spalam. To tak jak trema na występie. Możesz to zrozumieć?

Wzięła go po koleżeńsku i serdecznie pod rękę:

– Oczywiście, głuptaku. Spróbujemy jutro. W innym miejscu. – I puściła się biegiem w stronę obozu, a on przez dobrą chwilę słuchał drobnego tupotu jej stóp w płóciennych trampkach.

Legenda uniósł się na łokciu i cichutko spytał melodyjnie pochrapującego Darrella:

– Chcesz wiedzieć, jak to się skończyło? Chcesz? – upewnił się, choć pierwszy pilot spał w najlepsze. – To ci powiem. Następnego wieczoru, mimo że rozłożyliśmy się w otwartym terenie, poza zasięgiem moskitowego zwiadu, skończyło się jeszcze większym blamażem. Coś musiało przeskoczyć w mojej psychice i nie byłem w stanie prawidłowo się usztywnić. To coś zupełnie mnie paraliżowało. Wreszcie dokończyłem mój kompromitujący występ językiem, ale do końca życia zostanie we mnie wstyd po tej historii. Zresztą tobie pierwszemu ją opowiadam i nikomu jej nie powtarzaj. Sam rozumiesz, jak to zaszkodziłoby mojej reputacji.

To ostatnie stwierdzenie miało zabrzmieć jak autoironia, ale zabrzmiało nadspodziewanie serio. Legenda ułożył się wygodnie na plecach i patrząc w niewiarygodnie wyraźne i jasne gwiazdy, wymruczał ostatnie zdanie swojej niesłyszanej przez nikogo spowiedzi:

– Kilka lat później dowiedziałem się, że w asyście tych komarów zrobiłem jej dziecko. A raczej dzieci. Bo to były bliźniaki. Chłopczyki. Ale ona nigdy nie powiedziała o tym swojemu facetowi. On oczywiście myślał, że to jego. Masz pojęcie, brachu? Takie ładne dzieci takim żałosnym flaczkiem? Świat jest zupełnie niezrozumiały…

I Legenda zasnął wreszcie, mając pod powiekami obraz ślicznych bliźniaków dmuchających w maleńkie złote puzony. Kilka minut później przyśniło mu się, że wydmuchiwali z nich roje brylantowych gwiazd, które ulatując w górę, lokowały się pokornie na przynależnych im pozycjach granatowo-kryształowej władywostockiej sfery.

Koszary Sił Powietrznych Oceanu Spokojnego. Pierwsza dekada sierpnia 1944 roku. Pokój przesłuchań w lewym skrzydle budynku B

Przecież nie palił. Teraz jednak z przyjemnością by to zrobił. Rosjanin, choć też nie palił, kilkakrotnie proponował mu papierosa, ale Harold pomyślał, że przyjęcie poczęstunku mogłoby uczynić wyłom w jego iście sokratejskim uporze. Poza tym nie dość, że popadł w tarapaty i nie pozwolono mu na razie skontaktować się z amerykańskim konsulem, to jeszcze po raz drugi w swoim życiu wpadłby w nałóg, którego nienawidził. Miał do siebie dziwaczną i zupełnie absurdalną pretensję, że zgodził się na lądowanie w Rosji. Może lepiej było lecieć w kierunku bazy i wzywać pomocy, a w chwili, gdy zabraknie paliwa, zdać się na łut szczęścia i ludzkie uczucia chińskich komunistów? Racjonalna część jego umysłu mówiła mu, że rozwiązanie, które wybrali, było optymalne i jak na razie sprawdzało się w tym choćby sensie, że nikomu z załogi włos nie spadł z głowy. Ba, nikt nie nabił sobie nawet siniaka. Następnego dnia po powitalnym pijaństwie zainicjowanym tak gościnnie i z takim polotem przez Myszkina, poproszono ich uprzejmie, acz stanowczo o opuszczenie Rampa Trampa. Mogli zabrać jedynie rzeczy osobiste, broń musieli zostawić w samolocie. To wszystko wciąż tłumaczono im na migi, bo Rosjanie nie zdołali sprowadzić nikogo, kto mówiłby choć trochę po angielsku. W Darrellu wszystko buntowało się przeciwko opuszczeniu samolotu. Miał uczucie takie, jakby poddawał, przyjmując haniebne warunki, swoją warownię. Czuł się jednak odpowiedzialny za załogę i wiedział, że w razie oporu Rosjanie rozstrzelaliby go wraz z jego ludźmi. Nie pomyślał nawet o tym, by spróbować zniszczyć najbardziej tajne urządzenia i wyposażenie bombowca. Ale niby jak miał to zrobić? Tłuc w instalacje młotkiem albo podpalić samolot? O ileż lepiej mieli kapitanowie branych do niewoli okrętów. Mogli odkręcić zawory kingstonów i z honorem, salutując, pójść na dno wraz ze swymi tajemnicami. Błogosławił się za pomysł schowania dokumentacji, którą w tej chwili studiują rekiny czy co tam pływa w tej ich zatoce. Wyobraził sobie nawet takiego rekina o pysku przypominającym lejtnanta Myszkina, jak w gronie swoich pobratymców pochyla się na dnie pełnym falujących wodorostów nad schematem rozmieszczenia paneli termoizolacyjnych w kabinach B-29. To wyobrażenie tak go rozbawiło, że zachichotał, zapominając, gdzie jest.

– Co pana śmieszy, kapitanie Darrell? – Ton sowieckiego oficera, posługującego się bardzo dobrą angielszczyzną, był zasadniczy, niemal surowy, ale pełen respektu.

– Proszę wybaczyć. Wyobraziłem sobie coś zabawnego. To nie ma żadnego związku z pana pytaniami.

Rosjanin nie wydawał się zdziwiony. Może także miał niekiedy skłonność do zabawnych i zupełnie niestosownych imaginacji. Kiwnął tylko głową, ale w jego spojrzeniu Harold dostrzegł niemal niewidoczną nutkę zdziwienia.

Major Smoliarow istotnie się zdumiał, choć pilnował się, by tego nie okazać. Nie bardzo mieściło mu się w głowie, że w tak poważnej sytuacji można wyobrażać sobie zabawne rzeczy. On na miejscu amerykańskiego dowódcy, którego podziwiał mimo woli, byłby zapewne śmiertelnie poważny, może przestraszony, a już z pewnością czujny. „Nie byłoby mi do śmiechu. A ten chichocze sobie w najlepsze. No cóż, czasu jest sporo i może uda się tego człowieka, albo kogoś z jego załogi, skłonić do współpracy".

Wiadomość o przymusowym lądowaniu B-29 we Władywostoku była zupełnie niespodziewana. W środku nocy wyrwano go ze snu, kazano spakować niezbędne rzeczy i w wariackim tempie zawieziono na lotnisko. Pod pękatym kadłubem bostona* czekał na niego wystrojony w skórzany, czarny płaszcz Każedub. Wyglądał złowieszczo, jak czarny, śliski nietoperz wampir, czekający na kolejne ofiary. Jednak na widok wyskakującego z auta Smoliarowa uśmiechnął się z sympatią, wycią-

---

* Użycie szybkiego bombowca Douglas w roli samolotu dyspozycyjnego świadczy o tym, jak pilną sprawą było przesłuchanie załogi Darrella. Douglas A-20 Boston, o maksymalnej prędkości 545 km na godzinę i zasięgu bez bomb przekraczającym dwa tysiące kilometrów, mógł dostarczyć Smoliarowa do Władywostoku w ciągu dwóch dni. W ramach lend-lease Rosjanie otrzymali 3125 egzemplarzy Bostona.

gając do niego żywą, lewą dłoń. Prawą kurtuazyjnie schował za plecami:

– Aleksandr. Dobrze, że tak się pospieszyłeś. Powiedzieli ci, o co chodzi?

– Z grubsza, towarzyszu pułkowniku.

Każedub frasobliwie potarł nieogolony policzek. On także nie zdołał przespać nawet trzeciej części krótkiej letniej nocy:

– Żeby wszystko było jasne; wysyłam cię na własną odpowiedzialność. Głównodowodzący jeszcze nic o tym nie wie, a jego inne pieski mają za krótkie uszka, żeby dowiadywać się wcześniej ode mnie. Ale musimy nad tym zapanować, zanim Beria położy na wszystkim łapy. Wolę już, żeby sprawę przejął Smiersz, bo oni nie są jeszcze tak zeszmaceni*. Rozumiesz Smoliarow, co mam na myśli?

Aleksandr nie mógł opanować ziewania, ale elegancko przysłaniał usta dłonią. Marzył o tym, żeby napić się gorącej, mocnej herbaty. Najlepiej z wiśniowymi konfiturami. Na pokładzie bostona nie ma zapewne takiej możliwości. Z trudem oderwał myśli od wizji parującego wiśniową przyjemnością kubka i odpowiedział niepewnie:

– Nie za bardzo, towarzyszu pułkowniku.

Każeduba to nie zdziwiło. Odciągnął majora kilkanaście kroków w stronę swojego samochodu, bo bombowiec zaczął rozgrzewać silniki i w pobliżu dwóch tysiącsześciusetkonnych wrightów nie sposób było cokolwiek usłyszeć.

– Sprawa jest delikatna. I jak ją spaprzesz, obydwaj możemy pójść pod murek. Amerykanie to nasi sojusznicy. Miej to cały czas na uwadze. Stalin – ja go znam – będzie się tak wykręcał, żeby w razie skandalu odpowiedzialność nie spadła na niego.

---

* Główny Urząd Kontrwywiadu (Smiersz to skrót od obiegowej nazwy urzędu: Śmierć szpiegom). Wiosną 1943 roku Stalin rozczłonkował NKWD na NKGB, pod zarządem Mierkułowa, i GUK, podlegający Głównemu Sztabowi Armii. Najprawdopodobniej miało to służyć ograniczeniu władzy Berii.

Zawsze tak robi i wielu oddanych mu ludzi straciło przez tę politykę nie tylko stanowisko, ale i życie. Ja zamierzam jeszcze trochę pożyć, ale muszę odgadywać jego intencje. Taka już dola zaufanego człowieka. Mówię to tylko tobie, Smoliarow, i nie zrób z tego użytku, bo będzie po tobie. Zawsze zdążę cię sprzątnąć, rozumiesz? Zresztą, gdybym ja poszedł na dno, i tak pociągnę ciebie. Takie są reguły.

Smoliarow przestał ziewać i zupełnie już otrząsnął się z senności. Śmiało zapytał:

– Jeśli tak, to po co mi o tym mówicie, towarzyszu pułkowniku. Może lepiej, żebym nie wiedział i robił swoje.

– Musisz pewne rzeczy wiedzieć, bo inaczej będziesz popełniał błędy wynikające z tej niewiedzy. Słuchaj więc uważnie. Stalin używa mnie przeciwko Berii, ale nie tak, jak używał Berii przeciwko Jeżowowi, a Jeżowa przeciwko Jagodzie. Ja z pewnością nie będę następcą Berii. Zresztą nawet siłą by mnie do tego nie zmusili. Zawsze wolałem kryć się w cieniu. Tak jest łatwiej i skuteczniej. – Każedub przerwał i uważnie przyjrzał się twarzy majora. Spytał nagle, zmieniając ton: – Czy ty w ogóle rozumiesz, o czym ja mówię?

Aleksandr w odpowiedzi użył określenia, które już padło:

– Z grubsza. – To mogło znaczyć wszystko i nic, i obydwaj zdali sobie sprawę, że to „z grubsza" jest takim zręcznym wykrętem. Ale Każedub nie miał pretensji:

– Szybko się uczysz, majorze. Powiedziałbym, że za szybko. Rzeczywiście najbezpieczniej jest nie mówić tego, co się myśli, nigdy i nikomu. Znasz przecież wielu takich towarzyszy. Gęby im się nie zamykają. Wszystkich poklepują, do wszystkich się uśmiechają, a jak się dobrze zastanowić i dobrze ich posłuchać... okazuje się, że nie mówią nic. A funkcjonują. I są powszechnie szanowani, i mają opinię aktywnych i zaangażowanych. Ale gdybyś chciał się przyczepić do czegoś, co powiedzieli – nie da rady. Bo nic nie powiedzieli, prócz wielu słów, które nie znaczą ani „tak", ani „nie". Tak jak to twoje

„z grubsza". Ale ty pracujesz dla mnie. To ja cię znalazłem i to ode mnie zależy twoja kariera, i to nie z grubsza, tylko w stu procentach. Chodź do środka, napijemy się herbaty, zanim ci chłopcy skończą hałasować. No, chodź. Bez ciebie nie polecą – zażartował niespodziewanie.

W czarnym, posępnym packardzie z tapicerką pachnącą luksusową skórą był duży termos z herbatą, zaopatrzony w kubki na obydwu końcach. Takiego Smoliarow jeszcze nie widział. Herbata była z wiśniowymi konfiturami i na chwilę obaj zapomnieli o polityce i wojnie. Każedub wyprosił swego kierowcę z auta i poczekał, aż ten odejdzie na kilka kroków i obróci się tyłem do hałasującego bombowca, by pod osłoną kołnierza munduru przypalić papierosa. Dzień, choć letni, był zimny i wietrzny…

– Widzisz, Smoliarow – zaczął Każedub, odrywając wargi od gorącego brzegu kubka. – Stalin co pewien czas musi „wymienić" wodę, w której hoduje sam siebie i w której wciąż rośnie jego władza. Rozumiesz? Żeby ta władza nie zwiędła jak kwiat, który wykorzystał już wszystkie składniki w wazonie. Żeby zrobić miejsce dla świeżej wody, musi wylać starą. Bo inaczej się przeleje i wszystko pójdzie w diabły.

Smoliarow, do którego rzeczy te docierały jak świetliste meteory, oszołomiony kiwał tylko głową. Fantastyczne było to, że do mglistej układanki, pełnej dziur, domysłów i brakujących elementów, rewelacje pułkownika pasowały bardzo dobrze. Aleksandr, jak każdy żyjący w świecie pełnym mistyfikacji, świecie nieustannej obróbki umysłów i życiorysów, był podejrzliwy. Taki świat nie pozwala ani przez moment zobaczyć rzeczywistości wyraźnie, gdyż usuwa nieustannie poza obszar obserwacji elementy jednoznaczne i oczywiste. Siłą rzeczy obraz takiej rzeczywistości jawi się obserwatorowi w sposób fragmentaryczny i wyrywkowy. Teraz jednak pułkownik wysypał przed jego zdumione i zafascynowane oczy brakujące klocki. Nagle Aleksandr uświadomił sobie, że te elementy, a ściślej ich wzajemne relacje i powiązania, pasują do każdej rzeczywistości.

Czytywał przecież jako chłopiec *Quo vadis* polskiego pisarza Sienkiewicza oraz, by daleko nie sięgać, *Trzech muszkieterów* Dumasa. Czyż Richelieu nie poświęcił Milady dla ocalenia swojej zagrożonej pozycji w strukturze władzy? Czasy władców oświeconych, niestety, w Rosji minęły. Stalin nie będzie wyrywać bród swoim bojarom po to, by przestawić ich na nowe tory myślenia. Stalin – jak widać (a nie ma powodu, by nie wierzyć Każedubowi) – woli ich pacyfikować metodami, które za złe uznał już Piotr Wielki. „To nas jednak nie powinno boleć. Czas mamy wojenny i wszelkie chwyty są dozwolone. Z pewnością to, co robi Każedub, nie jest tylko zwykłym karierowiczostwem, ale czymś więcej. Czymś, co pozwoli Rosji wyjść z tej wojny z tarczą, a mnie…? Właśnie. Co ta wojna zrobi ze mną?" – Smoliarow spojrzał z ukosa na pięknego, starzejącego się pułkownika uważniej niż dotąd. Czy to dobrze, że za te najważniejsze sznurki pociągają tacy jak on? Chyba dobrze. Bo pułkownik jest bardzo przystojnym mężczyzną. Niech sobie mówią, że wygląd nie decyduje o wartości człowieka, ale przecież o ile przyjemniej mieć do czynienia z kimś takim niż z jakimś tłustym, obwisłym skunksem, przekonanym o własnej nieomylności i sile. Zupełnie wbrew sobie (tak mu się przynajmniej wydawało) Aleksandr zaczął nagle myśleć o Każedubie w kategoriach bynajmniej nie służbowych. Obrysował spojrzeniem profil, nasuwający nieodparcie skojarzenie z drapieżnym ptakiem, muskularne barki i szyję, ukryte w oliwkowym, wzorowo dopasowanym mundurze. Przyjrzał się zupełnie wyjątkowej w proporcjach i kształcie lewej dłoni, która teraz spoczywała swobodnie na doskonałym, brązowym suknie bryczesów, i wciągnął w nozdrza powietrze, spodziewając się poczuć zapach pułkownika. Nie poczuł nic szczególnego, a raczej przyjemną obozową woń mocnej czarnej herbaty z konfiturami. Każedub przerwał wywód i z ukosa, ale nie bez uśmiechu, spojrzał na młodszego oficera:

– Co się tak gapisz? – Smoliarow wyczuł jednak, że to oglądanie sprawiło także pułkownikowi przyjemność. Widać był nie tylko ładny, ale także próżny, a w tej próżności świadom swej urody. – Lepiej zapamiętaj sobie dokładnie. Nie możesz przegiąć pały. Nie wiem, co zostanie zdecydowane w sprawie tej załogi i tego samolotu, ale póki co postaraj się ich sobie zjednać. Żadnych gróźb, mordobicia i tak dalej. Ja tu zrobię wszystko, żeby do tych Amerykanów nie dorwały się te zwierzaki od Abakumowa*.

W dwa dni później dokumentnie zmaltretowany fizycznie, bo boston nadawał się do wszystkiego prócz dalekodystansowych przelotów, Smoliarow wylądował wczesnym popołudniem we Władywostoku. Tu pogoda dla odmiany była upalna, a powietrze, w przeciwieństwie do moskiewskiego, ciepłe i zupełnie spokojne. Wyskoczywszy na zakurzoną murawę, Smoliarow natychmiast zaczął się pocić i zatęsknił za mglistym chłodem poranka sprzed dwu dni. W charakterze komitetu powitalnego wystąpił żylasty lejtnant w czapce spadającej na oczy. Każedub musiał go już ustawić za pomocą dalekopisowych instrukcji, bo był wyjątkowo uprzejmy, a nawet usłużny wobec gościa. Smoliarow, choć nigdy tego nie robił, doskonale odnalazł się w roli wydającego polecenia i zadającego pytania.

– Gdzie są Amerykanie?

Lejtnant Myszkin pomógł mu wsiąść do gazika i troskliwie poprawiwszy niewielką walizeczkę majora na tylnym siedzeniu, ulokował się za kierownicą i ze zgrzytem włożył pierwszy bieg.

– Poleciłem opróżnić część pomieszczeń dla personelu. Amerykanie mają tam własne toalety, prysznice i ogrodzony teren, gdzie mogą pospacerować.

– I bardzo dobrze żeście zrobili, lejtnancie – łaskawie pochwalił Smoliarow, a zadowolony Myszkin postanowił nie

* Wiktor Abakumow, właściwie Aba Kum, Ormianin, wysoki funkcjonariusz aparatu bezpieczeństwa. W latach 1943–1946 szef kontrwywiadu wojskowego, zwanego Smierszem. Stracony w 1953.

178

dodawać, że nader często zdarzają się przerwy w dostawie wody do owych pryszniców i toalet, co w sierpniowym upale nie jest bez znaczenia.

– A co jedzą? – dopytywał się major, rozglądając się dookoła i spodziewając się, że lada chwila zobaczy pierwszą w Rosji superfortecę.

– Dostają posiłki z kuchni oficerskiej, ale sami wiecie, towarzyszu majorze, jak wygląda wojenna kuchnia. Nawet oficerska. Jesteśmy tu na wysuniętej rubieży. Delikatesów nie ma, ale jest trochę ryb, zdarza się świeże mięso. W każdym razie nie narzekają i nie zostawiają na talerzach. Nawet jak jest tylko kasza ze słoniną.

Smoliarow wydął dolną wargę w sposób, który podpatrzył u któregoś ze swych wykładowców, i z dumą zakomunikował:

– Przywiozłem dla nich trochę smakołyków. Kawę, suszone owoce, konserwy, koniak, jest nawet kawior. Musimy o nich dbać, lejtnancie. Każcie to wyładować z bostona, piloci mają szczegółowe konosamenty. Powinno się wszystko zgadzać… – zawiesił głos i spojrzał znacząco na Myszkina, upewniając się, że został właściwie zrozumiany i część wiktuałów wojennym zwyczajem nie zostanie zarekwirowana na prywatne cele. Potem kontynuował indagację: – Jakoś nie widzę ich samolotu?

Istotnie, w porozrzucanych w przypadkowy, jak mu się zdawało, sposób skupiskach licznych maszyn, wśród których dominowały najnowsze modele myśliwców Ławoczkina i mitchelle*, służące zapewne Rosjanom do służby patrolowej nad morzem, nie widać było superkolosa. Myszkin stracił pewność siebie. Wyjaśniał pospiesznie:

– Nie wiem, towarzyszu majorze, czy dobrze zrobiłem, bo przecież nikt mi nie kazał… Postanowiłem… – Znów spojrzał na oficera młodszego wiekiem, ale starszego stopniem, i nie wie-

---

* North American B-25 Mitchell, dostarczony Rosjanom w liczbie 862 sztuk. Bombowiec taktyczny, ceniony przez rosyjskich lotników za spory udźwig i silne uzbrojenie obronne.

dząc, czy nie zostanie zrugany za samowolne działanie, wydusił wreszcie: – Kazałem osłonić silniki i uzbrojenie i zaciągnąć to cudo do hangaru. Po co wszyscy mają się gapić, jak wierni na malowane wrota w cerkwi.

Smoliarow był zaskoczony. Lejtnant przy pierwszym kontakcie sprawiał wrażenie niezbyt rozgarniętego. A tu, proszę! Wykazał nie tylko samodzielność, ale i rozsądek.

– Bardzo dobrze, towarzyszu. Po co samolot ma się prażyć w słońcu. Gorąco tu u was – dodał i rozpiął haftkę przy kołnierzu bluzy. Potem spytał o rzecz, która najbardziej go interesowała: – A co w ogóle mówią. W jakim są nastroju?

Myszkin zasmucił się i odparł:

– Tłumacz, którego nam przysłali, niewiele co umie. Widać nie przykładał się w szkole do nauki. Zna ledwie kilka zwrotów. A Amerykanie? No cóż, min za dobrych nie mają. Pewnie chcieliby jak najszybciej do swoich, a ja miałem rozkaz, żeby póki co z nikim z konsulatu ich nie kontaktować. Zabawiamy ich, jak umiemy…

– To znaczy? – zachęcająco uśmiechnął się Smoliarow, a Myszkin już raźniej opowiadał:

– Pierwszego dnia, zaraz jak wylądowali, urządziłem im przywitanie z muzyką. Poszło coś z piętnaście litrów samogonu… – dodał i spojrzał pytająco na majora, niepewny, jak ten odbierze informacje o alkoholu.

– Bardzo dobrze – pochwalił jednak od razu Aleksandr i spytał: – Smakowało im? Nikt się nie pochorował? Z czego pędzicie ten bimber?

Myszkin z fantazją ominął wyrwę w pasie startowym, omal nie wywracając gazika, i po kolei odpowiedział.

– Wypili do dna. Wszyscy zdrowi. Pędzimy z gruszek. Rosną na skraju lotniska, nad stawem. Takie dziczki, kiedyś był tam pewno sad, ale trunek wychodzi pierwsza klasa. A mocny jak diabeł. Może towarzysz major chce spróbować? Mamy tego dużo, bo gruszki obrodziły. Nie nadążamy przerabiać.

Smoliarow popatrzył figlarnie na rozmówcę. Tego Myszkina można było nawet polubić. Z pewnością zyskiwał z każdą minutą.

– Jeszcze jestem za młody – zażartował i nie zmieniając konwencji, dopytywał się: – A co na to zwierzchność?

Lejtnant uśmiechnął się porozumiewawczo. On też zaczynał lubić majora, choć generalnie nie przepadał za nasłańcami z Moskwy. Zwykle byli odęci i czepiali się byle głupstwa. Odpowiedział więc z nutką wyraźnej sympatii:

– Zwierzchność też lubi wypić, a o monopolkę trudno. Przecież to obszar zamknięty. To, co w sklepach, pochodzi tylko z oficjalnego zaopatrzenia, a z oficjalnym zaopatrzeniem bywa różnie. Czasem przez miesiąc nie kupisz nawet zapałek.

Smoliarow przyglądał się mijanemu mitchellowi, a jego załoga – młodzi, rozbawieni chłopcy – przyglądała się nieznanemu majorowi. Byli w tym samym wieku. Mitchell na bladozielonym kadłubie miał wymalowanego w sposób wysoce artystyczny groźnego, białego niedźwiedzia. Na wysokości przedniego koła podwozia niedźwiedź szczerzył wielkie, zakrzywione kły i był zaiste imponujący. Major po raz pierwszy widział takie malowidło. Przyzwyczajony był, i owszem, do rozmaitych górnolotnych napisów i haseł w rodzaju: *Za Stalina* czy *Śmierć hitlerowskiej bestii,* ale ten niedźwiedź miał najzupełniej inny charakter, szczególnie że krwisty podpis pod malowidłem głosił tajemniczo: *Misza B.*

– Zatrzymajmy się – poprosił Aleksandr, a Myszkin, bynajmniej nie zdziwiony, z piskiem osadził willysa prawie w miejscu, tak że jego pasażer omal nie rozbił głowy o ramę przedniej szyby. Smoliarow, nie wiadomo dlaczego z czapką w dłoni, obciągając poły bluzy, podszedł z szerokim uśmiechem do załogi:

– Witajcie. – Sprawnie zasalutowali wyprężeni. Była w tym swoboda, ale i rutyna. Byli weteranami, mimo swej zaraźliwej młodości.

181

– Mogę o coś spytać? – uprzejmie zaczął Smoliarow, a że milczeli grzecznie i wyczekująco, ciągnął: – Kto to jest Misza B.?

Wypchnęli naprzód wysokiego, potężnie zbudowanego chłopca o dziecinnej opalonej buzi. Tężyzna fizyczna i radość istnienia tworzyły pełną energii, zadziwiającą mieszankę witalności i siły. Jeden z lotników oznajmił uroczyście:

– To jest, towarzyszu majorze, Miszka B.

– Czyli? – nie mogąc powstrzymać uśmiechu, dopytywał się Aleksandr.

– Czyli starszy sierżant Michaił Bojaryszkin, na rozkaz – służbiście, ale radośnie zameldował wypchnięty przed szereg. I dodał równie radośnie: – Tego niedźwiedzia to nie myśmy malowali, tylko Amerykanie. Taki już przyleciał wymalowany. Widać chcieli nam zrobić prezent...

– A napis? – napierał ciekawie Smoliarow, a chłopcy z załogi potakiwali gorliwie, jak dzieciaki na szkolnym przedstawieniu, kiedy wszyscy znają koniec, bo uczestniczyli w próbach, ale oczekują go z niezmiennym entuzjazmem.

– Napisu, towarzyszu majorze, najpierw nie było... – Miszka B. zawiesił teatralnie głos, a Smoliarow wstrzymał oddech – ...a potem – ciągnął chłopiec – nagle się pojawił. W nocy... Ktoś namalował. Mnie to nie przeszkadza. A jak w końcu polecimy bombardować Japońców, to będzie nawet fajnie...

– Dlaczego? – chciał wiedzieć Smoliarow.

– Będziemy mogli, towarzyszu majorze, napisać na każdej bombce: „Z pozdrowieniami od Miszki B." Jak pragnę zdrowia, że tak napiszemy. – Miszka B. był esencją entuzjazmu.

– Po rosyjsku? – powątpiewał Smoliarow.

– Nieeee! – oburzył się Miszka B. posądzeniem o tak istotne niedopatrzenie. – Mamy to po japońsku. Jest tu taki jeden Korejec w pralni, to nam napisał na kartce.

Smoliarow pożegnał sześciu wspaniałych i pomyślał, że warto przyjrzeć się Koreańczykowi pracującemu w radzieckiej pralni wojskowej i piszącemu po japońsku. Wojskowej? Oczywiście, tu przecież wszystko było wojskowe. Zaczął się także zastanawiać (co było zupełnie nie na miejscu), jak też może brzmieć po japońsku cudowne zdanie: „Z pozdrowieniami od Miszki B".

To było wczoraj. Myszkin przedstawił go Amerykanom, a Smoliarow, zmęczony nieludzko dziewięcioma tysiącami kilometrów w jazgoczącym i trzęsącym bombowcu, miał tylko tyle energii, by zakomunikować załodze B-29 swoje przybycie i zapowiedzieć spotkanie na następny dzień. Oczywiście natarli na niego hurmą. Było ich w końcu jedenastu. Przekrzykiwali się pretensjami i pytaniami o konsula i organizację transportu do kraju. W końcu zaszczycił ich ktoś, kto ich świetnie rozumiał i mówił poprawną, prawie bezbłędną angielszczyzną. Byli rozbrajający, a Smoliarow opędzał się od nich jak wychowawca od natarczywych pionierów, co to chcieliby wiedzieć wszystko i natychmiast. Potem kazał poukładać na stole w sali, w której zgromadzono amerykańską załogę, swoje prezenty. Amerykanie poweseleli i w zabawnym rozgardiaszu oglądali nieznane sobie marki wiktuałów i alkoholu, głośno komentując, w czym przodował żylasty, przystojny dryblas o urodzie westernowego twardziela. Smoliarow zaś na ostatnich nogach, skrzętnie ukrywając ziewanie, wycofał się na swoją kwaterę, z żalem porzucając towarzystwo ekscytujących go świeżością spojrzeń i zachowań ludzi. Miał jeszcze na tyle energii, by rozebrać się i wejść pod prysznic, sikający wodą letnią i zalatującą rdzą. Potem zwalił się na żelazne łóżko zupełnie nago, nie mając nawet ochoty wchodzić pod twarde wojskowe koce i zasnął natychmiast.

Teraz siedział naprzeciw amerykańskiego dowódcy i unikając spojrzenia mu w oczy, szukał sensownego argumentu. Nie znalazł go, więc wypalił głupio:

– Będzie pan musiał... pan i pańscy ludzie, uzbroić się w cierpliwość.

To oświadczenie w najwyższym stopniu zirytowało Darrella, więc postanowił zmusić rosyjskiego oficera do szczerości. Nie miał przecież nic do stracenia.

– Panie majorze – rzucił. – Chciałbym, żeby pan to zaprotokołował, jeśli już mamy traktować tę rozmowę w kategoriach przesłuchania.

– Co mianowicie? – uprzejmie zainteresował się Smoliarow.

Darrell chrząknął i poprawił się w krześle. Po czym frasobliwie przygładziwszy włosy na skroniach, wyrecytował tekst, który miał doskonale przećwiczony podczas wielogodzinnego bezczynnego oczekiwania na rozwój wydarzeń:

– Oświadczam oficjalnie, iż reprezentując tu Siły Powietrzne Armii Stanów Zjednoczonych i powierzoną mi odpowiedzialność za życie i zdrowie mojej załogi oraz mienie wojskowe, składam protest przeciwko metodom stosowanym przez sojuszniczą armię. A w szczególności przeciw izolowaniu mnie i mojej załogi i niepoinformowaniu przedstawiciela władz amerykańskich o zaistniałej sytuacji.

Darrell recytował to wszystko, patrząc uważnie na reakcję Rosjanina. Dostatecznie wiele wiedział o ludzkich reakcjach, by wywnioskować, że major zamierza się jego protestem podetrzeć czy, jak to się mówi w kręgach dyplomatycznych, „schować pod sukno”. Smoliarow, mieląc w myślach argumenty, dolał sobie esencji i uzupełnił wrzątkiem z samowara. Myśli i argumenty tasowały się w jego głowie, ale nie powstawało z tego nic sensownego. Darrell nie czekał, aż major sformułuje odpowiedź, i uzupełnił głosem zimnym i uprzejmym:

– Chciałbym to też złożyć na piśmie, jeśli zaopatrzy mnie pan w papier. Pióro na szczęście mi zostało.

Była to aluzja do tego, że Amerykanie musieli oddać broń osobistą. „Ze względów obopólnego bezpieczeństwa”, jak to gładko wyartykułował Smoliarow. Zabrano im nawet scyzoryki, zapewniając, że wszystko zostanie zwrócone (tu kolejne gładkie zdanie) „w stosownym czasie". Darrellowi, który nie był typem materialisty gromadzącego dobra, żal było jednak rozstać się z ulubioną czterdziestką piątką. To nie był zwykły służbowy pistolet. To było arcydzieło. Dostał go od ojca z okazji oficerskiej promocji. Colt musiał kosztować majątek i był z pewnością robiony na zamówienie. U podstaw owego dzieła sztuki leżał zwykły, jeśli wypada tak mówić o niezwykłej konstrukcji, pistolet przyjęty przez US Army w miejsce niezbyt udanego browninga 0,38 – czyli US Pistol Automatic, kaliber 45, model M1911A1. Poniklowano go jednak na matowy w fakturze kolor beżowego srebra i zaopatrzono w wykładziny ze starannie selekcjonowanego kalifornijskiego orzecha, którego regularne słoje można było studiować jak fantastyczną księgę. Wszystkie zewnętrzne ruchome części i przyrządy celownicze oksydowane były w klasycznej, olejowej czerni, a kolorystyczną kompozycję wieńczyły nabite na okładzinę srebrne płytki z stylizowanym japońskim znakiem *kanji*, oznaczającym „uczenie się"*. Pistolet był ciężki, ale leżał w dłoni jak ulał, a jego duża masa równoważyła podrzut, wywołany monstrualnym kalibrem jedenastomilimetrowego naboju. Ze względu na siłę ognia i celność dawał właścicielowi komfortowe poczucie posiadania kieszonkowej artylerii. Człowiek trafiony z „governementa" z niewielkiej odległości bywał wyrzucany w powietrze niczym szmaciana lalka, uderzona kijem bejsbolowym przez sprytnego ulicznika. Darrell nigdy nie był miłośnikiem broni palnej (z wyjątkiem lotniczych działek i wukaemów), ale swego colta bardzo lubił. Ściślej: lubił jego milczącą, gotową obecność. Zabieranie broni w świecie ludzi nawykłych do bezwzględnej władzy broni palnej równa się wyrwaniu jadowitych zębów wężowi. W świecie ludzi uprawiających sztuki walki nie znaczy nic. Po pierwsze on sam – Darrell – był bronią i to bardzo niebezpieczną, o czym rosyjski major nie wiedział. Po drugie, zostawili mu *suntetsu*, zupełnie nie

* *Manabu.*

185

wiedząc, cóż by to mogło być. A wyglądało to zupełnie tak, jak się nazywało, bowiem *suntetsu* znaczy „kawałek żelaza". I rzeczywiście, były to dwa bliźniacze kawałki żelaza o wymiarach krótkiego ołówka z doczepionym w dwóch trzecich długości pierścionkiem na obrotowym sworzniu. Pierścionek zakładało się na serdeczny palec i miało się w dłoniach śmiertelnie skuteczne narzędzie, przy którym tradycyjny kastet czy szpadryna były dziecinnymi zabawkami. To *suntetsu* podarował mu Koreańczyk, uczący go zaawansowanych technik szkoły *daito-ryu*.

Smoliarow udał, nawet całkiem przekonująco, że nie zrozumiał aluzji, i cierpliwie tłumaczył. Wydawało mu się, że łagodzi zapał i emocje Amerykanina. Skąd mógł wiedzieć, że Darrell, by się rozgniewać, musiał markować gniew?

– Oczywiście. Proszę przyjąć do wiadomości, iż doskonale rozumiem pańskie nastawienie i pańską irytację. Jasne, że dostarczymy panu wszystkiego, czego panu potrzeba. Proszę jednak zrozumieć, że my mamy swoje procedury postępowania w takich przypadkach i swoje instrukcje. Gdyby to ode mnie zależało, proszę mi wierzyć – Smoliarow dla lepszego efektu położył dłoń na piersi – już bylibyście panowie w samolocie do kraju. – Smoliarow uśmiechnął się, zdając sobie sprawę z hipotetyczności własnego oświadczenia.

Darrell naciskał jednak dalej:

– A czy pańscy zwierzchnicy, ktokolwiek by to był, zdają sobie sprawę z tego, że nasze kraje są sojusznikami w tej wojnie? A może coś im się pomyliło?

Smoliarow westchnął. Rozmowa grzęzła na rafach wątpliwych argumentów. Obydwaj doskonale wiedzieli, że chodzi o coś poza przedmiotem, który omawiali, ale obaj uznali, że nie czas jeszcze na szczerość. To na razie była licytacja w ciemno. Odpowiedział więc:

– Oczywiście, ale proszę nie zapominać, że nas, nawet jako waszych sojuszników, obowiązuje pakt z kwietnia czterdziestego pierwszego.

– Jaki znowu pakt? – zainteresował się Darrell.

– Ten, który podpisaliśmy z Japończykami*.

– Tak ich kochacie, jak psy dziada... – rzucił Darrell, który wiedział coś niecoś o prowadzonych od dziesięcioleci krwawych podchodach w Mongolii i Mandżurii.

– To nie ma nic do rzeczy – odparował Smoliarow. – Mój kraj i Japonia nie są w stanie wojny, a pański, a więc pan i pańska załoga, są – formalnie rzecz ujmując i w zgodzie z międzynarodowymi konwencjami – stroną w wojnie, w której my jesteśmy stroną neutralną. Tak więc lądując tu, musiał pan brać pod uwagę możliwość internowania...

Darrell pochylił się w stronę rozmówcy i zmarszczył brwi. Wyglądał jak ciężki, zły niedźwiedź i Smoliarow, mimo iż miał u pasa pistolet, cofnął się odruchowo.

Darrell wysyczał:

– Co pan rozumie przez możliwość internowania?

– Proszę nie brać tego tak poważnie – niepewnie cofał się major. – Muszę panów tu na razie zatrzymać. To może potrwać kilka dni. W tym czasie moi zwierzchnicy zadecydują, kiedy będzie można was odesłać...

– Dobrze – przerwał mu Darrell i zdjął z rozmówcy ciężkie spojrzenie. – Na razie proszę nas jak najszybciej skontaktować z naszym konsulatem.

– Oczywiście – gorliwie podjął Aleksandr. – Cały czas czynimy starania, ale konsula chwilowo nie ma w mieście.

– Wyjechał? – podjął Darrell.

– No właśnie – major z ulgą skorzystał z podpowiedzi.

– Ale ktoś chyba jest w konsulacie... ktoś go zastępuje? Nie powie mi pan, że nie można się z nimi skontaktować.

Smoliarow musiał zapuścić się w nieznane sobie rejony i zaczął lawirować, co ostatecznie zniechęciło Harolda, choć

* 14 kwietnia 1941 roku wracający z Berlina szef japońskiego MSZ Yosuke Matsuoka podpisał przygotowany przez Mołotowa pakt o nieagresji, który formalnie obowiązywał do 5 kwietnia 1945 roku.

Rosjanin robił na nim dobre wrażenie. Darrell zupełnie nie znał się na ludziach. Łatwo można było wziąć go na lep przyjaźni. Gotów był całkiem bezinteresownie i naiwnie uwierzyć w dobre intencje i lubił robić ludziom, nawet świeżo poznanym, przysługi. Chyba dlatego, żeby byli mu wdzięczni. Darrell lubił być doceniony. Ze Smoliarowem także gotów był się zaprzyjaźnić. Ale to, co wygadywał ten sympatyczny chłopak w mundurze majora, okazywało się partacką zszywanką z niechlujnym ściegiem. „Taki młody. Nie umie nawet porządnie łgać. Ot, choćby tak jak Legenda. A ma już szlify majora. Ciekawe, za co go tak szybko awansowali? Łgać też trzeba umieć. Cóż, na razie protestujmy szczerze i czekajmy na rozwój wypadków. Cóż innego nam pozostaje niż ten festiwal mitomaństwa" – dumał Harold, patrząc w młode oczy Rosjanina. Młode i zupełnie niezmęczone życiem. Ten widać spostrzegł, że jego wykręty nie są brane za dobrą monetę, bo poczerwieniał i zupełnie już bez sensu dodał:

– Ten cały konsulat to dwoje ludzi. Konsul i sekretarka, która, chyba korzystając z wyjazdu konsula, wzięła sobie urlop. Tak sądzę… – dodał niepewnie i poczerwieniał jeszcze bardziej, a Darrell dyplomatycznie udał, że tego nie zauważa, i litując się nad rozmówcą zamknął licytację:

– Cóż. Składam więc oficjalny protest i proszę o papier, to złożę go także na piśmie. Od siebie proszę, by jak najszybciej porozumiał się pan ze stosownymi władzami i uzyskał od nich dyrektywy co do naszego dalszego losu.

– Oczywiście, panie kapitanie. – Smoliarow spuścił oczy i gorączkowo szukał sposobów rozwiązania patowej sytuacji. Nie mógł przecież zarządzić brutalnego śledztwa. Wyczuwał, że to by nic nie dało. Najlepszym dowodem była postawa załogi Darrella, którą widać dobrze poinstruowano, jak mają się zachowywać. Major próbował rozmawiać z innymi, ale ci ograniczali się do uśmiechów, wymieniania stopni służbowych i numeru jednostki, a z wszelkimi pytaniami odsyłali Aleksandra do dowódcy. Żaden z nich, nie wykluczając żylastego kowboja, drugiego pilota, który zdawał się najbardziej skłonny do pogawędek, nie powiedział nic ponadto. Z Moskwy dalekopisem przyszły materiały pospiesznie zebrane przez Każeduba. Wynikało z nich, że Darrell jako fabryczny oblatywacz Boeinga, wtajemniczony we wszystkie etapy procesu powstawania superfortecy, jest najważniejszym elementem misji. Na nim trzeba było się skoncentrować. Tylko jak to zrobić? Trzeba pozyskać jego zaufanie i przychylność. Innej drogi nie ma. Tylko jak, do takiej mamy?

Rozwiązanie przyszło samo. Oczywiście. Trzeba sprawę oprzeć o bufet. Rosyjska dusza Smoliarowa podpowiadała mu, że najlepiej będzie się z Darrellem napić. I z tym jego zastępcą. Myszkin na pewno zna tu dobrą knajpę z porządną kuchnią i panienkami. W końcu kadra, znudzona pobytem w tej Ultima Thule, musi się gdzieś bawić. Oficerskie kasyno to nie to. Musi być taka knajpa.

Smoliarow, zainspirowany własnym pomysłem, raźnie ruszył do przodu:

– Zostawmy na razie problemy. Jak pan kapitan raczył zauważyć, jesteśmy sojusznikami. To zobowiązuje. – Darrell z zainteresowaniem obserwował nową inicjatywę majora i kiwał przychylnie głową z uśmiechem Buddy. Smoliarow rozkręcał się: – Tak czy inaczej, niezależnie od tego, co postanowią moi zwierzchnicy, pełnię tu obowiązki gospodarza. Gospodarza – dodał, żeby utwierdzić się w swojej decyzji. – I zapraszam pana i pańskiego zastępcę na kolację. Zjemy w mieście. Odpoczniemy trochę od wojny. Proszę mi nie odmawiać i być gotowym, powiedzmy, na szóstą. Gdyby była potrzebna pomoc przy prasowaniu albo czyszczeniu, proszę powiedzieć dyżurnemu i żołnierze się tym zajmą…

– Nie. Nie, lejtnancie. Nie o to chodzi, żeby w pustej sali żołnierze z automatami wisieli nam nad karkiem. Zróbcie tak, żeby stolik był odpowiednio duży i w jakimś zacisznym miejscu,

189

a ludzi rozstawcie, jak chcecie, byle ich nie było widać. I mają być trzeźwi. Zrozumiano?

Myszkin, uśmiechając się ze zbyt domyślnym jak na gust Smoliarowa wyrazem twarzy, zasalutował i regulaminowo potwierdził:

– Tak jest, towarzyszu majorze!

Smoliarow odetchnął z ulgą. Myszkin nie zadawał zbędnych pytań. Widać miał taką właśnie knajpę na oku. Smoliarow, ciągnąc go za rękaw munduru, zmusił do zajęcia miejsca na krześle i przysuwając się konfidencjonalnie, wyłożył ściszonym głosem następną sprawę:

– Poza tym jeśli moglibyście się postarać... przydałoby się nam... To znaczy głównie im...

Myszkin uwolnił delikatnie swoje przedramię i spytał rzeczowo:

– To ile ma być tych panienek?

Aleksandr zaczerwienił się jak pionier przyłapany na podglądaniu koleżanek w łaźni i zaczerpnął zbyt wiele powietrza, co zaowocowało suchym, gwałtownym kaszlem. Gdy po dłuższej chwili nad nim zapanował, uznał, że nie od rzeczy będzie poznać opinię Myszkina, który z pewnością ma w tej materii większe doświadczenie.

– Dwaj Amerykanie, ja i wy. Myślę, że przydałyby się cztery... Co o tym sądzicie, lejtnancie? Czy w ogóle w tym mieście są jakieś przyzwoite panienki?

Mocno wysłużony, odkryty studebacker trząsł niemiłosiernie. Droga była w fatalnym stanie i Smoliarow zrozumiał, dlaczego nie wzięli willysa. Otwartej półciężarówce na wielkich kołach z oponami terenowymi było wszystko jedno, po czym jedzie.

Amerykanie, trzymając się burt, chciwie chłonęli nieznane widoki. Kierowca w furażerce zawadiacko nasadzonej na bakier chciał się widać popisać, bo gnał jak potępieniec, wykorzystując tolerancję twardego zawieszenia na wszelkie nierówności. Lotnisko morskich sił powietrznych było odległe od centrum i portu o dobre trzydzieści kilometrów. Mimo późnej pory słońce stało wysoko nad horyzontem i upał był wciąż przytłaczający. Smoliarowowi, który jak dotąd przekonany był o swej niewrażliwości na chorobę lokomocyjną, zrobiło się niedobrze. Klepnął kierowcę po ramieniu i kazał mu zwolnić. Hałas silnika i zawieszenia zelżał, co skłoniło Amerykanów do pytań. Na Legendzie upał zdawał się nie robić wrażenia, ale Darrell, ocierając lepki pot z zakurzonego czoła, indagował:

– Czy tu zawsze jest tak gorąco i duszno?

Myszkin odpowiadał, a Smoliarow, pokonując mdłości, tłumaczył:

– Proszę nie zapominać, że to jeszcze strefa monsunowa, ale rzeczywiście w tym roku lato jest wyjątkowo gorące. Zwykle bywa bardziej znośne. W ogóle klimat tu nie najlepszy. Zimy bywają bardzo surowe. Morze zamarza i na trzy miesiące, wieje jak cholera. Ciężko tu wytrzymać, ale nie narzekamy. – Myszkin uśmiechnął się, błyskając złotymi koronkami, i w stulonych dłoniach przypalił sprytnie camela, którym poczęstował go Fisher. Potem dodał: – Widoki za to ładne.

Istotnie, było na co patrzeć. Jechali pełną wyrw, miejscami tylko wyasfaltowaną drogą wzdłuż zachodniego brzegu półwyspu, mijając rzadko rozrzucone, brzydkie i zaniedbane zabudowania przedmieść. Wrażenie, którego doznał Harold, patrząc z samolotu, potwierdzało się całkowicie. Miejsca, które mijali, wyglądały tak, jakby ludzie za wszelką cenę starali się zniwelować i zepsuć naturalne piękno krajobrazu. Słońce powoli, ale zastanawiająco stromo opuszczało się nad przeciwległy brzeg zatoki, uwieńczony łagodnymi wzgórzami o zatartych w tej godzinie, szarych i mglistych w parnym powietrzu konturach. Wyglądało to tak, jakby wzgórze ucięte u podstawy unosiło się nad iskrzącymi się bilionami błysków falami. Darrell po raz pierwszy widział taki zachód słońca. Zdawało się olbrzymie i przytłaczające, a jednocześnie było centralnym elementem fantastycznie zharmonizowanej kolorystycznie kompozycji. Słońce było prawie białe, a wokół niego, jak kolejne kręgi tarczy strzelniczej, lokowały się mglistoperłowe fantasmagorie. Każdy z tych bardzo regularnych kręgów miał swoje tony i odcienie. Im dalej od centrum, tym bardziej zamierały biel i perłowy róż na korzyść nostalgicznej szarości. Oświetlony tą fantastyczną iluminacją otworzył się przed nimi port wojenny z czarnymi sylwetami niszczycieli i transportowców, tonącymi w mglistym oparze. Samo miasto lokowało się na wzgórzach i pagórkach, ozdobionych zielenią i malowniczo wrzynających się w zatokę, ale tylko z daleka wyglądało dobrze, bowiem mijane przecznice dzielnic peryferyjnych były brudne, ściany domów pokrywał liszaj odpadającego tynku, a wszędzie pełno było śmieci i odpadków. Tam, gdzie miasto stromymi uliczkami schodziło nad morze, pomieszczono tysiące byle jak skleconych bud, baraków i składów. Nieliczni mijani po drodze mieszkańcy przemykali się chyłkiem, czujnie, pod ścianami, unikając spojrzeń i czym prędzej chroniąc się za najbliższym rogiem. Najwidoczniej pojazdy z ludźmi w mundurach nie miały tu dobrej opinii. Centrum wyglądało bardziej szykownie, prezentując rozmaitość budowli, których świetność dawno już minęła, a których stylistyka, pełna kolumn, kopułek, zwieńczeń i tympanonów, mogła przyprawić o ból głowy historyka architektury. Siedzący obok Smoliarowa Fisher splunął z wprawą za burtę ciężarówki i trącił majora łokciem:

– Kiedyś musiało tu być całkiem ładnie, no nie?

Smoliarow nie wiedział, co odpowiedzieć. Miasto bardzo mu się podobało. Chciał zobaczyć więcej, toteż polecił Myszkinowi, by pokazał im całe centrum. Kierowca, który uruchomiwszy wskazówkowy kierunkowskaz, szykował się, by skręcić w prawo, w najbliższą przecznicę schodzącą w stronę morza, posłusznie wyprostował koła i potoczyli się dalej prosto.

Architektoniczna fantasmagoria miała swój wdzięk, a fasady większości dużych gmachów pyszniły się fantastycznie kolorowymi tynkami. Jechali teraz główną ulicą. Spytany o jej nazwę, Myszkin oznajmił dumnie, że to Aleuckaja. Najwidoczniej w czasach świetności miasta była to dzielnica reprezentacyjno--handlowa. Po lewej wspaniale prezentował się dworzec kolejowy, który najpewniej wywołałby łzy wzruszenia hollywoodzkich scenografów. Wyglądał jak kilka połączonych w harmonijną całość domków dla lalek, z mnóstwem sztukaterii, kopułek, spadzistych dachów, pseudobarokowych łuków i kolumienek. Za dworcem skręcili w lewo i przeciąwszy tory niemal przed nosem sapiącego składu towarowego, znaleźli się na wschodnim brzegu półwyspu.

– Złoty róg! – oznajmił dumnie lejtnant i kazał kierowcy zatrzymać studebakera. Widok był fantastyczny. Ani Darrell, ani Legenda nie widzieli nigdy wspaniałości Stambułu, ale panorama zatoki i miasta, rozpościerająca się przed nimi, zapierała dech.

– No pięknie! Nie ma dwóch zdań!

Legenda, zwykle wstrzemięźliwy w wyrażaniu uczuć, był naprawdę poruszony. Szybko zniżające się, czerwone teraz słońce maskowało rany zadane krajobrazowi przez ludzi. Tak jak czerwone światło reflektorów operowych zręcznie maskuje stelaże, zastawki i siatki bajkowej scenografii, zalewając półcieniami szczeliny i łączenia. Przez dobrą minutę nie padło żadne słowo. Myśleli chyba o własnych sprawach, wyjąwszy kierowcę, który w skupieniu dłubał w nosie z miną świadczącą o tym, że nie myśli o niczym. Po chwili jechali znów pod górę spadzistymi uliczkami ze stłoczonymi dwu-trzypiętrowymi budynkami, pełnymi zdobień, balkoników i tympanonów.

– Prawie jak Frisco – Legenda dyplomatycznie podtrzymywał konwersację. – Tylko ludzi jakoś mało... – zawiesił głos i wyczekująco popatrzył na Myszkina, a Smoliarow automatycznie przetłumaczył jego słowa, nie zastanawiając się nad ich treścią. Dopiero teraz dotarło do Aleksandra, że miasto mimo urody i blaknących kolorów było martwe. Ulice portowej metropolii o tej porze dnia i roku powinny kipieć. Ludzi tymczasem było jak na lekarstwo. Bramy domów pozamykane i niewiele świateł w oknach mimo gęstniejącego mroku. – Nie macie tu piwiarni, knajpek, chińskich restauracji? – niecierpliwił się Legenda, a Myszkin pytająco patrzył na Smoliarowa. Ten, nie rozumiejąc, o co chodzi złotozębemu porucznikowi, przyzwalająco skinął głową i tłumaczył jego wyjaśnienia. W miarę jak docierał do niego ich sens, przekładał coraz wolniej i coraz staranniej dobierał słowa. Teraz obaj Amerykanie patrzyli na niego ze zdziwieniem.

– Kiedy upadł Port Artur, Władywostok stał się głównym rosyjskim portem na Dalekim Wschodzie. Mieszkali tu głównie Chińczycy i Koreańczycy. To oni budowali. Dlatego wszystko tu się miesza. Po rewolucji, aż do dwudziestego drugiego roku, rządzili tu Japończycy. Dużo było Amerykanów, Anglików i Francuzów. Inwestowali. Budowali hotele. Myśleli, że będą tu robić interesy. No bo punkt idealny. Do Japonii dzień drogi i stacja kolei. Robili interesy z Chinami i z Japonią. Blisko do Szanghaju, blisko do Hongkongu. Blisko do Pusan. Wszędzie blisko. Potem, w dwudziestym drugim, wrócili nasi. Żółci musieli się wyprowadzić z miasta...

– Wyprowadzić? – powątpiewał Legenda. – A dokąd?

– Tego to ja nie wiem – usprawiedliwiał się Myszkin i pospiesznie opowiadał dalej, tonem, którego używają przewodnicy wycieczek. – Jestem tu od trzech lat i wiem tyle, co z opowiadań. Mieszkania były potrzebne dla żołnierzy i urzędników. Mamy tu teraz dużą bazę. Byle kto nie może tu przyjechać. To nie jakiś Kisłowodzk albo Jałta*. W zasadzie sami wojskowi i rodziny. Poza tym stoczniowcy. Specjaliści. No

---

* Po powrocie Władywostoku pod skrzydła Moskwy Stalin kazał rozstrzelać lub deportować ludność napływową, pozbywając się tym prostym sposobem większości Chińczyków i Koreańczyków. Północną dzielnicę

i trochę miejscowych... Ci pracują głównie dla armii. – Myszkin jeszcze raz spojrzał na majora, ale Smoliarow miał zupełnie matowe, nic niemówiące spojrzenie, więc ciągnął: – Poza tym, jak to przy wojsku i w porcie. Element marginalny, by tak rzec, choć władze mają nad tym pełną kontrolę...

Smoliarow tłumaczył coraz mniej pewnym tonem, dopóki nie wybawił go Legenda:

– Czyli dziwki, sutenerzy, handlarze narkotyków i różne podejrzane typki. Normalka. Przynajmniej z tym jest zawsze tak samo, na całym świecie. Od razu poczułem się jak u siebie. Powiedz, Myszkin, dokąd nas wieziesz? Dadzą coś do jedzenia?

– I do picia? – uzupełnił milczący dotąd Harold.

– Proszę się nie martwić – oburzył się Myszkin ustami Smoliarowa. – Zadbałem o wszystko. Na pewno będziecie panowie zadowoleni z naszej rosyjskiej gościnności.

Lokal, w którym wylądowali, mieścił się na rogu Tygrysiej i Nadbrzeżnej. Obydwie nazwy ulic bardzo spodobały się Legendzie i kazał Myszkinowi zapisać je sobie grażdanką w kalendarzyku, z którym się nie rozstawał. W kalendarzyku tym zanotowane były wszystkie ważne wydarzenia, a także cykle miesiączkowe aktualnych narzeczonych według metody dni płodnych i niepłodnych Ogino-Knausa. Legenda zapisywał tam także skrupulatnie wszystkie swe wyczyny, używając do tego tajemnego kodu. Każdorazowe wprowadzenie danego dnia oznaczone było kółkiem. Jeśli partnerka Legendy, którą w kodzie symbolizowała jedynie pierwsza litera imienia, osiągnęła orgazm, to podniosłe i ważne wydarzenie oznaczone było kółkiem przekreślonym ukośną kreseczką. Ekscesy wykraczające w pojęciu Legendy poza obyczajową normę oznaczone były, w zależności od rodzaju, rysunkiem lizaka na patyku lub

miasta, o nazwie Wtoraja Rieczka, zamieniono na etap tranzytowy dla tysięcy więźniów i deportowanych. Trafiali stąd głównie na złotonośne pola Kołymy.

gwiazdką z koncentrycznie rozchodzących się kreseczek, jako żywo przypominającą dziurkę w tyłku. Każdy miesiąc zakończony był bilansem, który dawał Legendzie jasny pogląd na proporcje wprowadzeń i szczytów, a więc na jego uwodzicielską formę. Dla porządku dodajmy, że bywały tam dni uwieńczone nawet ośmioma kółkami, z czego połowa była przekreślona. W licznych okresach abstynencji – co było zrozumiałe, gdy wzięło się pod uwagę czasy wojenne – Legenda wspomagał się przeglądaniem swych zapisków i przypominaniem sobie szczegółów, w czym opracowany przez niego kod był bardzo pomocny.

Lokal nazywał się Wersal i pomieszczono go na pierwszym piętrze klasycystycznego hotelu o tej samej nazwie. Obsługa była najwidoczniej uprzedzona, bo od razu, bez zbędnych pytań, szef sali w białym, zapiętym pod szyję kaftanie zaprowadził ich do okrągłego stołu, przy którym bez problemu mogło bankietować nawet i dziesięcioosobowe towarzystwo. Stół nakryty wykrochmalonym obrusem stał na podwyższeniu oddzielonym od reszty sali galeryjką, zupełnie taką, jaka oddziela ołtarz od nawy głównej. Ze względu na upał balkonowe dwuskrzydłe oszklone drzwi były szeroko otwarte i mieli stąd wspaniały widok na Zatokę Amurską, na której księżyc wydeptywał już połyskującą matowym złotem ścieżkę. Darrell, rozparłszy się wygodnie w wyściełanym czerwonym pluszem foteliku, rozglądał się ciekawie po sali. Była długa i bardzo wysoka, z plafonem malowanym w kwiaty i liście. Z sufitu zwisały ciężkie żyrandole z mnóstwem pseudokryształowych wisiorków i żarówkami na białych tutkach, udających świece. Niektóre z tych żarówek były przepalone. Mozaikowe posadzki także wykwitały bukietami roślinnych motywów, jednak świetność lokalu dawno już przeminęła. Ściany z gipsowymi sztukateriami były brudne i poszarzałe, kotary i obicia w kolorze bordo spowiałe i zakurzone, firmowa porcelana z ozdobną literką W na każdej sztuce wyszczerbiona i poobtłukiwana. Tylko kaftan maître'a jaśniał nieposzlakowaną czystością i był tak wykrochmalony, że Darrell spodziewał się, iż zarządzający zacznie trzeszczeć. W przeciwległym krańcu sali kilkuosobowa orkiestra – złożona, jak zdążył zauważyć, z kontrabasisty, perkusisty, gitarzysty, saksofonisty i pianisty – sposobiła instrumenty. Na sali nie było pustych stolików, a przy większości królowała armia we wszystkich swych władywostockich wcieleniach. Wspaniale na granatowym i białym tle błyszczało złoto dystynkcji oficerów marynarki, pyszniły się medale przy bluzach lotników, skromnie zieleniły się i brązowiły mundury artylerzystów i piechoty. Twarze przeważnie młode i bardzo opalone. Kilka posiwiałych szarż i całkiem sporo kobiet w wyzywających, jaskrawych kreacjach w kwiaty i, o dziwo, zupełnie męskich blezerach narzuconych na gołe ramiona. Przy dwóch zestawionych stolikach Smoliarow dostrzegł doborowy zespół Miszki B. i pomachał do nich serdecznie. Zerwali się jak na komendę i wznieśli w rewanżu pełne kieliszki w jego stronę. Niemal wszyscy palili i Darrell wstrząsnął się z obrzydzeniem. Legenda także od razu zapalił i poczęstował camelem usłużnego Myszkina. Było także kilku cywilów. Ci trzymali się razem, nie podnosząc głosu i unikając spojrzeń innych gości.

– Czy przyjmują tu czeki? – Darrell od kilku minut miał przed oczami duszy złocistą wizję szklanki pełnej burbona z lodem.

Smoliarow nie zrozumiał dowcipu i serdecznie się oburzył:

– Ależ panie kapitanie! Jesteście panowie naszymi gośćmi i proszę całkowicie zdać się na nas w tej materii. To dla nas zaszczyt…

Darrell, któremu zdarzało się mówić zbyt szczerze, wyrwał się z mało dyplomatyczną ripostą:

– Zrobilibyście nam zaszczyt, wyprawiając nas do domu!

Na moment zapadło niezręczne, ciężkie milczenie, które przerwał gniewnie Legenda krótkim:

– Daj spokój. Lepiej się napijmy.

– O właśnie! – Lejtnant Myszkin oderwał usta od ucha pochylającego się nad nim maître'a i powiedział: – Jest takie przysłowie: *Gulat' tak gulat' – strelat' tak strelat'*!*

– A cóż to znaczy? Na Boga! – Legenda wypuścił kunsztowne kółko z dymu i trafił w jego środek kulką skręconą z kawałka serwetki.

– Że wszystko ma swój czas – nie tyle przetłumaczył, co zinterpretował major i zatarł dłonie niespodziewanie hulaszczym gestem. – No, poruczniku, czym nas uraczysz?

Myszkin komicznie spoważniał i wyprostował się w foteliku. Wyglądał jak sekretarz partii otwierający debatę Biura Politycznego na temat postępów elektryfikacji. Uwielbiał atmosferę bibki i czuł się w anturażu nocnego lokalu jak ryba w wodzie. Zaczął perorować, podkreślając co ważniejsze ustępy mimiką i ruchliwymi dłońmi:

– Ponieważ towarzysz major zostawił mi w tej kwestii dużą swobodę, pomyślałem, że towarzysze Amerykanie, którzy bazują w Chinach...

– Kto panu powiedział, że bazujemy w Chinach? – przerwał zaczepnie Harold, ale Smoliarow uspokoił go:

– Przecież to oczywiste, panie kapitanie. Nie ma innej możliwości, chyba że przylecieliście z Tokio! – A potem, pochylając się w stronę Darrella, poprosił: – Dajmy lejtnantowi skończyć. Widać, że lubi przemawiać.

Myszkin podziękował mu spojrzeniem i mówił dalej, nie wychodząc z roli:

– Tak więc uznaliśmy, że kuchnia chińska mogła towarzyszy znudzić. Dlatego, po gruntownym namyśle i zasięgnięciu opinii towarzysza kierownika sali, chciałbym zaproponować menu rosyjskie. I to zarówno w kwestii potraw, jak i – co oczywiste – trunków.

---

* Albo się bawić, albo strzelać – odpowiednik polskiego „Wszystko w swoim czasie".

198

Legenda zaczął bić brawo i zatrzymawszy w pół kroku dziewczynę roznoszącą kwiaty i cygara, szczodrym gestem rzucił jej na tacę pięciodolarówkę i wziąwszy kilka sztuk, rozdał pozostałym. Wyrzucił papierosa, z lubością przyłożył cygaro do ucha i delikatnie obracając, posłuchał cichego trzasku ciasno zwiniętych liści.

– Prima – zawyrokował, odgryzł koniec i prztykając kółkiem ronsona, przypalił Myszkinowi i Smoliarowowi. – Na pewno z przemytu – przesądził z miną znawcy. – Trzeszczą jak brazylijskie.

Smoliarow wprawdzie nie palił, ale postanowił spróbować. W życiu nie trzymał w ustach cygara. Pociągnął ostrożnie, rozprowadzając dym w ustach. Nie było to takie złe. Tylko trzeba się było przyzwyczaić. Wydmuchując dym, zaprzeczył:

– *Sorry*. We Władywostoku nie ma żadnego przemytu.

Legenda delektował się gęstym, słodkim dymem.

– Nigdzie nie ma, a jest. Niech pan mi nie wmawia, majorze, że takie cygara robi się w Moskwie. Już miałem przyjemność palić rosyjskie papierosy… – zawiesił znacząco głos, a Smoliarow zainteresował się patriotycznie:

– I co, nie smakowały panu?

Legenda rozparł się w fotelu.

– Nie wiem, czy mi smakowały, czy nie. Były tak gryzące, że smak pozostał dla mnie tajemnicą. Podejrzewam, że to kwestia bibuły – dodał naukowo.

Smoliarow zamierzał bronić przemysłu tytoniowego, ale za sprawą dwóch zręcznych kelnerów na stół wjechały zakąski i wódka w kubełku z lodem. Obsługa wprawnie napełniła angielki gęstym od chłodu alkoholem i Myszkin, wracając do roli, zakomenderował:

– Zdrowie sojuszników! – A kelnerzy czekający w pogotowiu natychmiast nalali ponownie, nie roniąc ani kropelki.

Wypili. Niewinnie wyglądające ni to szklaneczki, ni to kieliszki o grubych ściankach i niskiej nóżce miały pojemność, którą Legenda bezbłędnie ocenił na 75 gramów. Wódka była pyszna. Haroldowi oczy zaszły mgłą rozkoszy. Wydmuchnął resztki powietrza ze stremowanych płuc i rozejrzał się po zastawionym ze znawstwem stole. Nim wszakże zdążył sięgnąć po cokolwiek, orkiestra zagrała hymn państwowy i sala stanęła na baczność, śpiewając składnym chórem coś, co brzmiało niezwykle podniośle. Gdy usiedli i Harold oczami wybierał coś do przekąszenia, zabrzmiał hymn amerykański i znów „wersalscy" imprezowicze, zachęceni przykładem Smoliarowa, poderwali się z miejsc. Gdy wreszcie skończyła się część oficjalna i gitarzysta melodyjnym barytonem zaśpiewał miękko: „Do Smoleńska nam droga przez las, przez las, przez las...", Harold uśmiechnął się, bo mimo dwuznaczności sytuacji zrobiło mu się ciepło na sercu. Piosenka miała swojski, spokojny i znajomy rytm bostona. Rosjanie przy stolikach natychmiast zawtórowali, ale w innym już tonie, bo muzyka, a zapewne i słowa, co widać było po twarzach, brzmiały lirycznie i rozdzierająco. Część gości wyszła na parkiet i pary tuliły się do siebie w walcu. Szybkość, z jaką przeszli od podniosłego entuzjazmu do klimatu żalu i nostalgii, była zdumiewająca. Harold przestał obserwować salę i zwracając się w stronę Rosjan, powiedział:

– Jesteśmy wdzięczni za ten gest, ale sami panowie rozumiecie, że...

Smoliarow nie dał mu dokończyć:

– To lejtnant zadbał o to... Widzę, że ma pan problem wyboru. Radzę zwrócić uwagę na tę sałatkę. Jest znakomita na początek. – Wskazał na miseczkę. Podobne, z taką samą zawartością, postawiono przy każdym nakryciu.

Harold nieufnie spróbował, upewniając się przedtem, że w sałatce nie ma czerwonego mięsa. Była istotnie znakomita i miała oryginalny smak dzięki surowym borówkom wkomponowanym w pomidory, ogórki, zielony groszek i małe cebulki. Zakąsek było w bród. Najdzielniej walczył z nimi Legenda, systematycznie kosztując z każdego półmiska. Rosjanie, patrząc na jego możliwości z uznaniem i sympatią, dzielnie mu sekundowali, a Myszkin, zawładnąwszy butelką, dbał o pełne kieliszki. Haroldowi najbardziej jednak smakował delikatnie gazowany napój o smaku gruszek. Tak się zresztą nazywał: Gruszewyj.

– Nie widać, że jest wojna – powiedział Darrell. – Przynajmniej na tym stole. Chyba że macie jakieś specjalne przydziały. Dawno nie jadłem takich wspaniałości. Czy to kawior? – spytał, wskazując widelczykiem na miseczkę skrzącą się czarnymi perełkami.

Smoliarow, przełykając w pośpiechu, informował:

– U nas mówi się *cziornaja ikra*. To z... – szukał chwilę angielskiego słowa – z jesiotra. Tu ma pan grzanki... – Podsuwał talerz. – Jeszcze gorące. Proszę posmarować masłem, ale nie za grubo, i na to kawior... O właśnie. Doskonale. A teraz jeszcze cytryna... – A ponieważ Darrell nie bardzo wiedział, co należy zrobić, Aleksandr skropił jego grzankę sokiem wyciśniętym z ćwiartki cytrusa.

– Mmm. Spróbuj, Fisher. Niebo w gębie. Nie jadłem w życiu czegoś tak dobrego – mówił z pełnymi ustami Harold.

Legenda miał inny problem. Dopytywał się, patrząc pod światło na swoją sześciokątną angielkę pełną wódki:

– Jak wy to robicie? To niesamowite. Znam wiele wódek, ale takiego smaku nawet nie potrafię określić. Poza tym konsystencja. To się leje, jak... jak olej po języku, nie jak zwykły alkohol. Ma inny ciężar właściwy czy co?

– Wytłumaczę panu. – Myszkin przestał niecierpliwie spoglądać na zegarek i przysunął się z fotelikiem do Legendy. – Cała rzecz polega na dwóch rzeczach. Po pierwsze, podwójna destylacja...

– To akurat rozumiem. Niektóre żytniówki u nas też tak się destyluje, ale ten cudowny posmak na języku... Pijesz wódkę i jakbyś nie pił wódki, tylko jakiś zupełnie niesłodki likier. Jeśli przeżyję tę cholerną wojnę, założę firmę, która zajmie się dystrybucją waszej gorzały w Stanach. Jak pragnę zdrowia. To niesamowite i warte każdych pieniędzy, Myszkin! – Klepnął szczupłego Rosjanina w plecy, aż porucznika przygięło. – Gadaj, skąd ten posmak.

Myszkin odkaszlnął:

– A więc, towarzysze, podwójna destylacja. To strąca fuzel i wódka przestaje smakować jak bimber pędzony w brudnej wannie i klarowany karbidem. Gdy mamy już nieskazitelną podstawę, bez żadnych zakłóceń, by tak rzec, dalsza sprawa polega na dodatkach...

– Na dodatkach? – Fisher był wyraźnie rozczarowany. – Przecież to czysta. Jakie dodatki do cholery? – Drugi pilot wszedł w fazę, w której wszystkie szczegóły zakrapianej dyskusji wydają się uczestnikom niezwykle ważne.

– To zależy. – Myszkin nie dawał się wytrącić z równowagi, choć Smoliarow, tłumacząc dialog, nie mógł powstrzymać się od znaczących grymasów i min. – Pijemy, jak panowie widzą, dwa gatunki naraz... – Demonstrował to, wyjmując flaszki z wiaderek i pokazując etykiety, które częściowo się już odkleiły. – To jest Stolicznaja. Wydaje się, jak słusznie zauważył towarzysz Fisher, delikatna i jakby oleista. To zasługa cukru.

– Cukru? – nie mógł uwierzyć Legenda i dla sprawdzenia nalał sobie zaraz całą angielkę i szybko wypił. – Tu nie ma żadnego cukru. Idealnie czysta, wyborowa.

– Jest – powiedział z uśmiechem Myszkin. – Ale bardzo malutko i to wystarczy, żeby skierować smak alkoholu w określoną stronę.

– Może – Legenda wycedził na wywalony język ostatnią kropelkę i długo smakował. – A ta druga?

– Moskowskaja – uprzejmie wyjaśnił lejtnant i wziąwszy czystą szklankę, nalał hojnie Legendzie. Sobie zresztą też. Zabawa zaczynała go wciągać, a amerykańscy chłopcy byli wspaniali. Przede wszystkim umieli pić. Ten kowboj był trochę za głośny i zbyt ostentacyjny, za to amerykański dowódca miał styl. Widać, że długo ćwiczył. – Do Moskowskiej – ciągnął Myszkin fachowy wykład – dodaje się dla odmiany sody...

– Sody? – Legenda z podziwem kręcił głową osadzoną na żylastym, potężnym karku, a Smoliarow dopiero teraz zauważył, że Teksańczyk przy całej żylastej i barczystej potędze swej cielesnej konstrukcji ma z wyjątkiem wyrazistej szczęki rysy drobne i delikatne, jakby rzeźbione najcieńszym cyzelatorskim dłutkiem, i w dodatku zabawnie asymetryczne. Szczególnie usta, ozdobione cieniutkim jasnym wąsikiem, poruszały się jakby trochę na ukos twarzy. Całość jednak sprawiała niezwykle sympatyczne wrażenie. – Sody? – Legenda był nieustępliwy w swym dążeniu do szczegółowej wiedzy. – Takiej jak do ciasta?

– Chyba właśnie dokładnie takiej – uprzejmie wyjaśniał Myszkin, a Fisher zaperzał się zabawnie, bo ostatnia dawka poglądowego alkoholu uderzyła w jego świadomość gorącą, sprężystą falą:

– Ale ja tu nie czuję żadnej sody!

Myszkin był cierpliwy i wyrozumiały. Wyjaśniał:

– Tej sody też jest malutko, a jednak wystarczy, żeby dać właśnie taki efekt.

Harold postanowił dołączyć swój głos do dyskusji, która zaczęła go bawić:

– Nie marudź, Forrest. Nie rozumiesz, że najlepszy efekt doprawiania albo przyprawiania jest wtedy, jak dodaje się czegoś bardzo mało. Weź – Darrell, także poczerwieniały na twarzy, pochylał się z wysiłkiem przez stół – choćby perfumy. Jakby twoja dziewczyna wylała na siebie całą butelkę, nie byłbyś w stanie do niej podejść. Chyba że w masce gazowej. Ale mała kropelka za uszami i na dekolcie daje efekt taki jak trzeba i już przebierasz nogami...

– I na brzuszku, i między pośladkami. Tam, gdzie się plecy kończą. – Legenda się rozkręcał, a Smoliarow czerwieniał, to tłumacząc.

– Ach! Wreszcie są nasze panie! – Myszkin wybawił go z opresji. Zerwał się z miejsca i w lansadach, sadząc długie, posuwiste kroki tuż nad podłogą, czym przypominał trochę najstarszego z braci Marx, sunął w stronę czwórki dziewcząt, rozglądających się niepewnie po przestronnej sali.

Legenda kuksnął Harolda pod żebro:

– Widziałeś? Nie do wiary! – I ściszając głos, tak by nie dotarł do majora, dodał: – Załatwili nam panienki… – Rozczulił się nie na żarty. To się nazywa sojusz. – Majorze, czy mnie oczy mylą? Będziemy mieli damskie towarzystwo? Muszę przyznać, że stanął pan na wysokości zadania.

– Przynajmniej jeśli chodzi o dziewczyny. Wygląda na to, że w dodatku są ładne i młode – wyrozumiale pokpiwał Darrell, dla którego sprawą w tej chwili najważniejszą był alkohol. Jednak i on poczuł dreszczyk emocji i podniecenia.

– To nie moja zasługa – jeszcze bardziej rumienił się Smoliarow. – Ja przecież nie obracam się w miejscowym towarzystwie. Wszystko załatwił towarzysz Myszkin – uzupełnił skromnie, spuszczając oczy.

– Z tego wniosek, że towarzysz Myszkin się obraca – entuzjazmował się Legenda, który z emocji aż poderwał się z miejsca, jakby teksański grzechotnik ugryzł go w zadek.

Dziewczęta zaganiane przez ruchliwego lejtnanta, który jak dobrze ułożony pies pasterski pilnował, by zdążały we właściwym kierunku i nie zrejterowały, zbliżały się do stolika. Legendzie od razu wpadła w oko rosła, choć smukła blondynka o wydatnych, pięknie obrysowanych ustach i szerokich ramionach chłopca. Poderwał się jak koń wyścigowy i wyselekcjonował ją zręcznie ze spłoszonego stadka, sadzając niemal siłą koło siebie. Podziękowała mu śmiałym uśmiechem, który upewnił go, że wybór był właściwy. Miała bardzo białe, duże i ścisłe zęby, dolną zaś wargę leciutko wystającą przed górną, co w połączeniu z bujnymi, lekko kręcącymi się lokami i fantastycznymi, długimi nogami, których stopy w białych zrolowanych nad kostkę skarpetkach wydawały się drobne w czarnych skromnych bucikach bez obcasa, czyniło ją w jego oczach godną miejsca w kalendarzyku. Tymczasem owczarek Myszkin doholował pozostałą trójkę i czyniąc mnóstwo zupełnie zbędnego zamieszania, ulokował towarzystwo przy stole. Jak spod ziemi zjawili się kelnerzy, wprawnie uzupełniając nakrycia i zapasy alkoholu. Potem na moment zapadła niezręczna cisza, a mężczyźni i kobiety ciekawie taksowali się wzrokiem. Najtrudniejsze i najmniej wdzięczne zadanie miał major, bo tylko jedna z dziewcząt, jak się okazało, mówiła po angielsku. Musiał więc tłumaczyć różne rzeczy naraz, a chcąc wybrać towarzystwo także dla siebie, dekoncentrował się i zacinał. W każdym razie, choć doświadczenie miał w tej materii niewielkie (dla porządku uściślijmy, że zupełnie znikome), w jego opinii dziewczęta nie wyglądały na dziwki. Były na to zbyt ładne i zbyt speszone niezwykłą chyba także i dla nich sytuacją. Nie wypadało mu wypytywać Myszkina, skąd je wytrzasnął. Tymczasem wypadało mu tłumaczyć prezentację, którą wziął na siebie tokujący lejtnant.

– Towarzyszki pozwolą, że przedstawię towarzyszy sojuszników. To kapitan Darrell, a to kapitan Fisher z Ameryki, a to towarzysz major, który przyleciał do nas z Moskwy od towarzysza Stalina, żeby godnie przywitać naszych amerykańskich przyjaciół. – Wygłosiwszy wszystkie te niedorzeczności, Myszkin opadł na fotel i czym prędzej wzmocnił się kolejną angielką Moskowskiej, zagryzając ją z trzaskiem kiszonym ogóreczkiem. – Po czym dodał niezbyt po rycersku: – A towarzyszki będą musiały przedstawić się same.

– Jestem Maja Morozowa – zdecydowała się jako pierwsza ta, którą wybrał Legenda, i uśmiechnęła się do niego w sposób, który przekonał go do reszty.

– Lena Kulikowa – powiedziała druga, o bardzo ciemnej karnacji i granatowoczarnych włosach, których niesforne loki wciąż opadały jej na nieco chmurną, ale miłą twarz z wielkimi oczami i nieco drapieżnym noskiem. Powiedziała to wyraźnie w stronę majora, bo choć miała ochotę na towarzystwo jednego z Amerykanów, przystojniejszy z nich już dokonał wyboru, a drugi nie wydał się jej zbyt atrakcyjny i miał w oczach iskierki ironii, czego nie znosiła u mężczyzn. Myszkin najwyraźniej skłaniał się ku pulchnej, ważącej o kilka kilogramów za dużo dziewoi o ładnej buźce, ozdobionej perkatym noskiem i lubieżnymi, czerwonymi ustami. Najwidoczniej szczupłego i drobnego lejtnanta zafascynował bardzo wydatny, ciężki, ale kształtny biust, rozsadzający śmiały dekolt obcisłej sukienki. Ta dziewczyna przedstawiła się jako Katiusza, nie dodając z sobie wiadomych powodów nazwiska. Jednak Myszkinowi i reszcie towarzystwa jej nazwisko nie było zgoła do niczego potrzebne i nikt nie zadawał zbędnych pytań. Dziewczyna mówiąca po angielsku na pierwszy rzut oka mogła wydać się najmniej atrakcyjna, ale Harold, który zaproponował jej głównie z grzeczności miejsce koło siebie, już po kilku minutach obserwacji i rozmowy stwierdził, ze dziewczyna jest fascynująca. To był towar dla znawców i koneserów. Mówiła cicho, lecz wyraźnie, odpowiadając na jego pytania prostą, ale całkiem poprawną angielszczyzną. Poruszała się jakby automatycznie, a jej ruchy były odmierzone i spokojne. Rozmawiając albo odwracała głowę, patrząc przed siebie, albo zupełnie niespodziewanie nawiązywała silny kontakt wzrokowy, a wtedy jej spojrzenie było nad podziw badawcze i wnikliwe.

Darrellowi trudno było dociec, czy jej zachowanie było wystudiowane, czy naturalne. Imię miała też dziwne – Jagoda. Piła wódkę jak mężczyzna, odrzucając wprawnie głowę do tyłu i strząsając ostatnią kropelkę na podłogę dla miejscowych, władywostockich bogów. Nie rumieniła się i śmiało odpowiadała na jego leniwe zaczepki.

– Jagoda – zapytał, uśmiechając się prosto w jej ładną twarz o zimnych niebieskich oczach i trochę kwadratowym obrysie – skąd żeście się tu wzięły? Przecież nie jesteście zawodowymi dziwkami.

– Trochę jesteśmy, trochę nie jesteśmy – odpowiedziała przekornie, przekrzywiając głowę, jak ptak patrzący z drzewa na krzątaninę ludzi na dole.

– Jak to? – dopytywał się, biorąc w swoje ciepłe dłonie jej chłodne i gładkie, ale chętne i garnące się do jego dłoni.

– Jesteśmy takie bankietowe speckomando – odpowiedziała i niebieskie iskierki humoru zapaliły się w jej ni to szelmowskim, ni to surowym spojrzeniu. Nie rozumiał, więc spokojnie tłumaczyła: – Widzisz, Władywostok to dziwne miejsce. Nic tu nie jest normalne. Nawet zachody słońca są jak w teatrze. Widziałeś, jak dzisiaj zachodziło słońce? – Pokiwał głową, dziwiąc się, że nie tylko on spostrzega takie rzeczy.

Jagoda, popijając drobnymi łyczkami wodę mineralną, patrzyła mu w oczy, upewniając się, że rozumie. Potem wyjaśniła:

– Przyjeżdżają tu różni na inspekcję. Ważni. Z Moskwy. Niżej generała się nie trafia. Chcą się zabawić. My z dziewczynami mamy dobre posady w wojskowej administracji. Różne przydziały i tak dalej. Możemy chodzić na kursy. Dokształcać się. Tak się nauczyłam angielskiego. Mamy ładne służbowe mieszkania w centrum. Rozumiesz? Żyje się nam całkiem przyjemnie, ale musimy być zawsze gotowe.

– Tak zupełnie? – Utwierdzał się w swoich przypuszczeniach, choć bardzo chciał, by zaprzeczyła.

Odgarnęła zmęczonym, dorosłym mimo swych dwudziestu kilku lat, ruchem krótkie proste włosy znad oczu i jej spojrzenie stwardniało:

– Musisz to wiedzieć. Przecież dziś to ty jesteś ten ważny. Tyle że nie generał, a kapitan. Ale dla mnie to bez różnicy. Chcesz, żebym ci powiedziała, że tylko pijemy i tańczymy, i na tym koniec? Mogę ci tak powiedzieć, ale jeśli ci tak powiem, to tak będzie. Żebyś potem nie żałował swojej dociekliwości. – Sięgnęła po swój kieliszek i z prowokującym uśmiechem trąciła nim jego angielkę. – Przestań już medytować. Zobacz, jak twój kolega się bawi. A najlepiej poproś mnie do tańca.

Legenda istotnie bawił się na całego. Wtargnąwszy na podium dla orkiestry, zdołał już zawładnąć saksofonem i przekabaciwszy resztę zespołu, wykonał przy powszechnym aplauzie żywiołowe boogie. Muzycy byli sprawni i zapewne słuchali płyt z przemytu, bo wykonaniu nie można było niczego zarzucić. Zadowolony z siebie, oddał wreszcie saksofon i nagrodzony hucznymi oklaskami, rozkładając ręce niczym skrzydła, zeskoczył z podium wprost w ramiona zachwyconej najwyraźniej jego występem wybranki. Orkiestra składnie rozpoczęła kolejny numer, wprost idealny do spokojnego pokołysania się w łagodnym rytmie. Harold nie przepadał za tańcem, ale zachęcony przez Jagodę wytoczył się ciężko na parkiet. Dziewczyna wtuliła się w niego ufnie i poprzez cieniutką i śliską tkaninę jej jedwabnej sukienki poczuł, jak twarde i sprężyste ma uda i piersi. Byli tego samego wzrostu, miał więc jej oczy dokładnie na poziomie swoich, patrzące ciekawie, zachłannie i – jak mu się zdawało – z wyraźnym wyzwaniem. Nie zdołali przetańczyć i pół kawałka, gdy poczuł klepnięcie na ramieniu, a gdy odwrócił się, rosły oficer marynarki spróbował wyłuskać Jagodę z jego ramion. Zrobił więc wraz z dziewczyną łagodny unik, ale marynarz, najwidoczniej podpity, nie dawał za wygraną, więc Harold, osłoniwszy sobą partnerkę, delikatnie odepchnął intruza. Ten, bez zwykłych w takich knajpianych utarczkach wyzwisk i wstępnych rytuałów, wyprowadził potężne, czyste uderzenie z prawej. Należał najwidoczniej do bokserów, którzy potęgę cielesną łączą ze zwinnością ciosu. Dla szkoły *daito-ryu* był to atak idealny. Lewa dłoń Darrella, blokując uderzenie, wykonała ruch taki, jakby kapitan chciał przygładzić fryzurę poniżej przedziałka, a potem wystarczyło przepleść ręce i zawładnąć środkiem ciężkości napastnika. Choć Harold wykonał technikę w łagodniejszej, mniej morderczej wersji, żeglarz łupnął ciężko plecami i tyłem głowy o parkiet, a nie umiejąc zamortyzować upadku, stracił momentalnie przytomność. Niczym w wyreżyserowanej sekwencji filmowej do boju ruszyło natychmiast, oderwawszy się od swych partnerek, dwóch kolejnych wilków morskich. Harold odsunął się od nieruchomego ciała i opuściwszy ręce do bioder, czekał na rozwój wypadków z lekkim rumieńcem na szczytach kości policzkowych. Tak jak chciał, dopadli równocześnie do tych prowokacyjnie zwisających dłoni, chwytając je oburącz i z całej siły. Obniżenie poziomu bioder, cofnięcie, kilka tanecznych i zwiewnie wyglądających manewrów – i dwa kolejne ciała po widowiskowych koziołkach łupnęły o parkiet, a Harold przyklęknął, chcąc przyjąć kolejne ataki w niskiej pozycji, w której czuł się najlepiej. Wydawało się, że cała sala ruszy teraz do boju, więc Fisher, obserwujący błyskawicznie rozwijające się wydarzenia, przewrócił najbliższy stolik, zamierzając najwidoczniej wyrwać nogę i użyć jej jak maczugi. To nie było jednak konieczne. W gęstym od emocji powietrzu seria z automatu zabrzmiała jak grom i mężczyźni zastygli w pół ruchu, a wejścia i amfilady zaroiły się od uzbrojonych żołnierzy, którzy wzięli salę na cel, patrząc groźnie spod hełmów. Najwidoczniej poukrywał ich w przyległych pomieszczeniach przewidujący Myszkin. Z sufitu posypał się tynk i z trzaskiem eksplodowała jakaś żarówka. Lejtnant z przerażonym Smoliarowem rozgarniał oniemiałych gości. Jakaś kobieta zaczęła płakać, pociągając nosem. Harold dźwignął się z podłogi, czując wciąż rozkoszne i bolesne ukłucia adrenaliny w nadnerczach.

– Nie, nie. Nic się nie stało. Bawmy się. Tańczmy. To nieporozumienie – wołał w stronę Smoliarowa. Ten przedarł się wreszcie ku Darrellowi, flankowany przez bladego, ale niewątpliwie usatysfakcjonowanego rozwojem wydarzeń i sprawnością interwencji rozstawionych ochroniarzy Myszkina.

– Nic się panu nie stało, kapitanie? – Smoliarow był najwyraźniej roztrzęsiony. Patrzył w osłupieniu na trzech nieprzytomnych mężczyzn w marynarskich mundurach. – To pan ich tak…

Darrell otrzepywał spodnie i rozglądał się za partnerką.

– Ja – odrzekł skromnie. – Ale w raporcie może pan napisać, że potknęli się na śliskiej podłodze, bo za dużo wypili. Jak im tylko pomogłem się elegancko wywrócić. O cholera! – zaklął, widząc, że ten, który zaatakował pierwszy, gramoli się z podłogi, jęcząc i podtrzymując ramię sterczące pod dziwnym kątem z barku. – Trzeba to nastawić. Niech pan mi pomoże, Smoliarow, i go przytrzyma.

Aleksandr ze zdziwieniem patrzył, jak Darrell siada na podłodze, ściąga but i podkładając stopę w wojskowej skarpetce pod łopatkę leżącego na plecach marynarza zgrabnie i z widoczną wprawą nastawia wywichnięty bark.

– Niech pan mu powie, żeby natychmiast poszedł do lekarza i kazał to sobie włożyć w gips. Inaczej ramię będzie już zawsze wypadało – powiedział Harold do majora, wstając z podłogi i klepiąc oszołomionego matrosa po plecach. – I to w najmniej spodziewanych okolicznościach. Tak jak u mojej żony. Kiedyś panu o tym opowiem. Najwidoczniej poszła torebka stawowa. To moja wina. Jestem już trochę wstawiony – dodał zafrasowany, a ujrzawszy pełne zachwytu dla swoich wyczynów oczy Jagody, uśmiechnął się, zażenowany i zawstydzony jak chłopiec, który stłukł największy słój konfitur, łasując w spiżarni.

– Niech pan da spokój. – Smoliarow wziął Darrella pod ramię opiekuńczym gestem i poprowadził w stronę stolika. – Przecież to pana zaatakowano. Sami sobie winni. Nigdy nie lubiłem marynarzy. Za dużo piją.

Myszkin zdążył już odwołać swoją gwardię i urzędował za stołem razem z Legendą, rozlewając wódkę. Gdy wznosili naczynia, orkiestra zagrała z werwą *Yankie Doodle*, a sala wstała, salutując w stronę Amerykanów. Kobiety biły brawo. Ktoś nawet przeraźliwie zagwizdał na palcach. Pojawił się także maître z butelką szampana w srebrnym wiaderku.

– Nie zamawialiśmy – mruknął wciąż kontrolujący sytuację lejtnant, patrząc na butelkę załzawionymi oczyma.

– To od marynarki. Z przeprosinami. Sami nie mają odwagi tu podejść... – wyjaśniał szef sali.

– Pewno się boją, że towarzysz kapitan wszystkich ich tak porozrzuca – komentował znów rozochocony Myszkin, rad że międzynarodowy konflikt został zażegnany tak szybko i przy minimalnych ofiarach w ludziach i sprzęcie. I dodał: – Pierwszy raz widzę coś takiego. Co to za sztuczki, towarzyszu majorze? Nasi desantowcy też umieją przerzucić przez bark, ale towarzysz Amerykanin nikogo nie przerzucał. Sami jakoś te koziołki fikali. Powiedzcie kapitanowi, żeby nas tego nauczył...

– Co mówi pan Myszkin? – uprzejmie zainteresował się Harold, czując zainteresowanie lejtnanta. Z trudem oderwał się od przeżywania przyjemności płynącej z dotyku chłodnej dłoni Jagody. Kilka chwil przedtem poszukała jego dłoni pod stołem, a znalazłszy, położyła ją na swoim równie chłodnym udzie i delikatnie dotykała opuszkami palców jej grzbietu. Harold postanowił, że nie będzie penetrował tak hojnie oddanych mu we władanie terenów pod restauracyjnym obrusem, delektując się jedynie niezobowiązującą pieszczotą. Potwierdzeniem słuszności jego decyzji było aprobujące i wesołe spojrzenie dziewczyny o leśnym imieniu.

– Pan Myszkin – ochoczo podchwycił Smoliarow – mówi, że jest pan sztukmistrzem i chętnie nauczyłby się takich sztuczek.

Darrell z żalem porzucił dłoń Jagody, ale lubił podkreślać słowa gestem, szczególnie po kilku głębszych. Poprosił:

– Niech pan wyjaśni, że najzwyczajniej w świecie nadużyłem swojej wiedzy fachowej, czego nie powinienem robić w żadnym wypadku...

– Tylko czekać, aż ci rozbiją głowę butelką? – wtrąciła niepytana o zdanie Jagoda, ale Harold postanowił to zignorować, rzuciwszy jej jedynie spojrzenie spod nasępionych brwi.

– W żadnym wypadku – powtórzył. – Czy pan wie, że podręczniki tych, jak to nazywa lejtnant Myszkin, sztuczek drukowane są w limitowanych, bardzo niewielkich nakładach i sprzedawane tylko wtajemniczonym?

– Tak jak kiedyś podręczniki czarnej magii? – próbował kpić Smoliarow, ale Harold wsiadł już na ulubionego konia, który jak zwykle trochę go ponosił.

– Podobnie – odpowiedział. – A wie pan dlaczego? – I nie czekając na odpowiedź, wyjaśnił: – Bo technik tej szkoły nie powinien znać nikt niepowołany, choćby dlatego, żeby nie zrobić sobie samemu krzywdy.

– No, to już pan przesadził, kapitanie – nacierał Smoliarow.

– Komuś, to rozumiem, ale sobie?

– Nie wiem, jak to panu wytłumaczyć, ale technika źle zrozumiana i źle wykonana może najbardziej zaszkodzić temu, kto ją ćwiczy. I to nie tylko w fizjologicznym sensie, ale także... – Tu Haroldowi zabrakło argumentów i słów, więc wykonał tylko enigmatyczny gest w okolicach własnego czoła, potem opuścił dłoń o rozcapierzonych palcach na wysokość serca, a wreszcie znów położył ją na udzie Jagody. – Wytłumaczę to panu jutro. Teraz myśli mi się plączą i zjadłbym coś konkretnego – dodał i popatrzył na Myszkina, który zdawał się tylko na to czekać. Bo gdy major przetłumaczył kwestię, oznajmił:

– Świetna myśl. Czas na coś gorącego. Północ. – Na stół wjechały kolejne półmiski i Harold, przesycony alkoholem i adrenaliną, poczuł nieodparty głód.

– Czy tu jest czerwone mięso? – upewnił się, wskazując na spore, płaskie i smakowicie pachnące pierogi.

– Skądże – oburzył się Myszkin. – Tylko kapusta, grzyby i przyprawy. To się nazywa *pian-sie*. Proszę najpierw nadgryźć i wypić trochę soku ze środka. I radzę uważać, bo są ostre.

– To dobrze. Lubię ostre jedzenie – Darrell zignorował radę Myszkina i zaatakował pierożek widelcem.

Jagoda krzyknęła, bo gorący sok trysnął jej na sukienkę, którą musieli ratować za pomocą serwetek i wody mineralnej. Pierożki były znakomite, ale największym przeżyciem kulinarnym okazał się chłodnik. Harold wychłeptał dwa talerze i z żalem, czując, że za chwilę pęknie, zrezygnował z trzeciego.

– Z czego to zrobione? To jest boskie!

Myszkin, ekspert w dziedzinie kuchni, tłumaczył dumny, że choć w ten sposób może zaimponować Amerykanom:

– To kwas chlebowy. Schłodzony i zaprawiony delikatną śmietaną, a w środku świeże ogórki i pomidory. Ot i wszystko. No, napijmy się. U nas w Rosji mówi się, że tylko ludzie głupie nie piją przy zupie. – Wzniósł szkło i zaśmiał się hałaśliwie, a Smoliarow chwilę męczył się, próbując sensownie przełożyć gwarowe wyrażenia.

– Bardzo dobre przysłowie – sapnął Darrell i z ulgą rozluźnił pas na brzuchu. – À propos, panie majorze, czy będę mógł jutro odwiedzić naszego Rampa Trampa? – Gdy Smoliarow spojrzał na niego czujnie, dodał tonem usprawiedliwienia: – Chciałbym zobaczyć, jak się czuje. Lubię ten samolot i myślę, że może poczuć się samotny i zapomniany – dowcipkował niezręcznie, ale major zgasił już zielone iskierki w oczach i odpowiedział uprzejmie:

– Oczywiście. Sam bym to panu zaproponował. Wybierzemy się tam razem. Jeśli pan pozwoli. Myślę, że to najlepsze miejsce do tego, byśmy wreszcie poważnie porozmawiali o naszej współpracy. – Smoliarow zapomniał o ostrożności i zagalopował się, mówiąc coraz szybciej, coraz więcej i coraz głupiej: – Marzę o tym, żeby wreszcie dokładnie poznać waszą wspaniałą maszynę, a przecież nikt nie będzie lepszym przewodnikiem niż pan. Jestem wprawdzie tylko dyletantem, ale już obiecuję sobie niezapomniane wrażenia. Chyba nie będę mógł zasnąć...

Darrell zmusił się siłą do uśmiechu, myśląc: „Dyletantem może i jesteś, ale tylko jako kiepski agent. Coś mi mówi, że akurat na samolotach znasz się całkiem nieźle. Przecież nie przysłaliby tu z Moskwy, i to w takim ekspresowym tempie, amatora. Na razie, gołąbeczku, zmieńmy temat, a martwić będziemy się jutro". Gdy rozwiązał problem teoretycznie, pochylił się konfidencjonalnie do ucha majora i spytał, zniżając głos:

– No właśnie, w kwestii spania. Czy nie mógłby pan poprosić pana Myszkina, żeby załatwił jakieś pokoje? Nie będziemy chyba w tym stanie tłuc się po nocy na lotnisko, a ja jestem porządnie zmęczony... – Darrell spojrzał w oczy majora niemal błagalnie, czując, jak dłoń Jagody pod jego dłonią aprobuje propozycję. Najwidoczniej nie mówił wystarczająco cicho. Smoliarow przetłumaczył, a Myszkin aż poderwał się oburzony, że podejrzewa się go o całkowity brak przezorności, i przez chwilę w równie słyszalnej co Haroldowa konfidencji perorował coś zawzięcie majorowi, a dziewczyny, z wyjątkiem spokojnej i chłodnej Jagody, chichotały jak pensjonarki.

– Oczywiście. Towarzysz Myszkin twierdzi, że wszystko załatwione i gdy tylko pan zechce, może udać się do apartamentu piętro wyżej. Pokoje są przygotowane – oznajmił Smoliarow, czując, jak ciężko bije mu serce.

– No to wspaniale – rozjaśnił się Harold. – Forrest, słyszałeś? Możemy tu się przespać!

– Słyszałem – Legenda był już w stadium dość czytelnego dla reszty towarzystwa porozumienia cielesnego ze swoją rosłą i białozębną sympatią, której to, iż Amerykanin dotyka pod sukienką rąbka jej majtek, zdawało się wcale nie przeszkadzać.

Jeszcze godzinę temu był przekonany, że chce używać Jagody bez przerwy, do rana. Teraz, gdy wziął gorący prysznic i przepłukał usta, sprawa wyglądała inaczej. Nie po raz pierwszy w życiu chęć leniwego rozpuszczania resztek podniecenia i świadomości w dobrym alkoholu wzięła górę nad... Właśnie. Nad czym? Nad tym, by tę poznaną kilka godzin temu, piękną dziewczynę doprowadzić do zachwytu nad jego sprawnością? By zobaczyć, jak bezradna i bezbronna, pokonana własnym spełnieniem, otwiera dziecinne usta i zamyka oczy niczym posłuszna, nakręcana przemyślnym kluczykiem lalka z *Opo-*

214

wieści Hoffmanna? Teraz nawet nie chciało mu się wyjmować tego kluczyka z fałdów hotelowego płaszcza kąpielowego. Leżał ociężały, z szumiącą niczym ocean głową, przygarniając po przyjacielsku tulącą się do niego Jagodę. I wciąż pił. Teraz bardzo już drobnymi łyczkami, drinka złożonego z wódki i gruszkowego soku w wielkiej szklanicy podzwaniającej kostkami lodu. Pachnący pluskwami i dawną świetnością władywostocki Wersal dbał o gości legitymujących się papierkiem z pieczątką najwyższego sekretariatu. Choć noc po upalnym dniu była rześka i chłodnawa, Jagoda leżała obok niego całkiem naga. Jak można się było tego spodziewać, nie pozowała na wampa. Wyciągnęła się wygodnie i całkiem naturalnie, nie dbając o szczegóły. Nie wytarła nawet krótkich włosów, które oblepiły jej kształtną czaszkę niczym lśniący, dobrze dopasowany hełm. Błyskawicznie dotarło do niej, że Harold nie ma ochoty na nic poza leniwym popijaniem. Jej także wystarczało to, że dotyka jego ciepłego ciała palcami stóp, płaszczyzną ud i brzucha i rozpłaszczonymi na jego torsie, drobnymi piersiami o twardych sutkach. Stuknęła różowym, ładnie wykrojonym paznokciem wskazującego palca w jego szklankę, którą dla wygody, pokonując dreszcz, oparł na brzuchu i gdy kryształowe szkło wybrzmiało melodyjnie, spytała bez cienia pretensji.

– Dlaczego tyle pijesz?

– Bo lubię – odpowiedział natychmiast, pogładziwszy w geście zadośćuczynienia jej mokre włosy.

– Nie powinieneś rozpuszczać sobie mózgu w alkoholu – szeptała, choć nikt ich przecież nie podsłuchiwał. – Zawsze tyle piłeś? – Chciała wiedzieć i rozumiał, że nie pyta tylko z zawodowego obowiązku.

Odpowiedział chętnie i szczerze:

– Jest wojna. Mam niebezpieczne zajęcie.

Przekręciła się na brzuch, naciągnęła na ładną, białą, pokrytą od nocnego chłodu gęsią skórką pupę prześcieradło, ale wciąż mógł delektować się widokiem jej smukłych łydek i długich,

drobnych stóp o dziwnie gładkich i wypielęgnowanych pode-
szwach. Nie wiadomo dlaczego wyobrażał sobie przedtem,
że Rosjanki mają stopy podbite twardą, wygarbowaną skórą,
niczym niedźwiedź grizzly. Uniósł się na łokciu i dotknął jednej
z nich, a Jagoda zamajtała nogami i poprosiła:

– Przestań, mam… jak to się mówi?

– Łaskotki – podpowiedział.

Była zachwycona brzmieniem słowa.

– Naprawdę tak się to nazywa?

– Naprawdę – odpowiedział i sam się roześmiał, bo brzmienie słowa było rzeczywiście zabawne.

– Twój przyjaciel też dużo pije, ale jakoś inaczej – zawyrokowała Jagoda i zawładnąwszy szklanką, upiła trochę.

– Jak inaczej? – zainteresował się Darrell.

– Pije, żeby się upić. Trochę tak jak Rosjanie. Wiesz? Rosjanie piją zawsze tak, jakby zaraz miał nastąpić koniec świata.

Uniósł się na łokciach i odebrał jej szklankę. Spytał:

– Dlaczego nie mówisz „my Rosjanie", tylko „oni Rosjanie"?

Jagoda spoważniała, z czym było jej najbardziej do twarzy:

– Bo nie czuję się Rosjanką, jestem Estonką, a nazwisko
mam skandynawskie. Nawet nie spytałeś… – Spojrzała na niego
spod jasnych rzęs i po raz pierwszy, rezygnując z naturalności,
zagrała pretensję.

– No to pytam. Jak masz na nazwisko? – zapytał Harold
łaskawie.

– Persen. Nazywam się Jagoda Persen – odpowiedziała.

– Dobrze, panno Persen. Teraz ja spytam: Dlaczego to niby
upijam się inaczej niż kapitan Fisher? – Włożył dłoń pod prześcieradło i zaczął delikatnie gładzić ją po pupie, czując, jak
drobne mięśnie wybiegają naprzeciw jego ciepłej i suchej dłoni.

– Kapitan Fisher – odparła – pije, żeby się upić. Żeby dać
komuś po pysku. Potańczyć. Poszaleć. Zaciągnąć dziewczynę
do łóżka…

– A ja? – dopytywał się.

– Ty – odparła – nie pijesz nawet, żeby zapomnieć. Pijesz, żeby pić. Samo picie sprawia ci przyjemność. I to tak dużą, że nawet... – Zamilkła, nie chcąc go urazić.

– Tak, jak jest teraz, jest dobrze. Chciałabyś, żebym się zmuszał, żebym coś udawał? Wierz mi – zapewniał ją w alkoholowym uniesieniu – to o wiele więcej niż, niż... – nie znajdował dość łagodnego określenia.

– Niż gdybyś mi wsadził? – wyręczyła go.

– No właśnie – przyznał z ulgą. – Cieszę się, że to rozumiesz. Mówisz, że samo picie... Może masz rację. Kiedyś piłem tak jak Legenda. Teraz rzeczywiście jest inaczej... – Stan, w który się wprowadził za pomocą Moskowskiej i Stolicznej, był niezwykły. Można było widzieć i rozumieć rzeczy w sposób absolutnie trafny i przejrzysty. Wszystko było proste i oczywiste. Nawet to, że jemu (tak zwykle obowiązkowemu w sprawach seksu) nie chciało się wsadzić Jagodzie Persen. A przecież tak mu się podobała z jasnymi włosami, troszkę kwadratową buzią i smukłymi nogami. – Może to kwestia mojego małżeństwa? – podsunął rozwiązanie sam sobie.

– Jesteś żonaty? – zainteresowała się bez cienia pretensji, a nawet – jak mu się zdawało – entuzjastycznie.

– Jeszcze jestem, ale to już nie ma żadnego znaczenia – odparł i uświadomił sobie, że rzeczywiście tak jest i że nie jest to tylko pusty frazes. – To nie był dobry pomysł, to małżeństwo. Ale mam za swoje. Nie należy tego robić tylko dlatego, że chcemy coś udowodnić komuś i sobie. Pamiętaj, Jagoda, nie wychodź za nikogo z z e e e e m s t y... ani dlateeeeeego, że...

– Harold ziewnął potężnie i momentalnie zasnął, nie wypuszczając szklanki z dłoni i nie zdejmując drugiej dłoni z pupy dziewczyny.

Delikatnie się uwolniła. Wyjęła drinka z jego ręki i duszkiem, niespiesznie wypiła gruszkowy alkohol do dna. Odstawiła szklankę na podłogę i zgasiwszy światło, długo leżała z otwartymi oczami, wpatrując się w pełganie cieni na suficie. Od morza zalatywało chłodną świeżością i leżąc tak, poczuła dwie rzeczy naraz. Poczuła, że jest szczęśliwa, a jednocześnie miała ochotę serdecznie i głośno się rozryczeć.

Obudził go szmer. Leżał na boku, zwrócony w stronę pokoju. Było już zupełnie jasno, a pierwszą rzeczą, którą ujrzał, była śliczna dupka Jagody, która stojąc na dywanie, wciągała majtki. Tym razem wszystkie mechanizmy pożądania, które zawiodły go w nocy, zadziałały prawidłowo i z taką intensywnością, że zupełnie impulsywnie wyciągnął rękę, chwycił za materiał tych majtek i pociągnął Jagodę ku sobie. Coś trzasnęło i po chwili miał ją całą goluteńką i chłodną przy sobie. To była smaczna dziewczyna. Całował ją obrzmiałym po pijaństwie językiem, mając wrażenie, że chłonie świeżość i delikatną, łagodzącą kaca mgiełkę. Wszystko w tym całowaniu było sprężyste i chłodne. Sprawiało mu to przyjemność najzupełniej czystą i odartą z jakiejkolwiek zewnętrzności. Dziwił się, że może być tak dobrze i tak oczywiście i jednoznacznie. Od wielu miesięcy nie doznawał czysto fizycznej przyjemności połączonej z ekscytacją, za którą nie musiał płacić stresem rezygnacji, pokonywania siebie, przełamywania uprzedzeń i zahamowań. Przyszło mu do głowy, że takiej czystej przyjemności zaznaje się zapewne w raju Mahometa. Ciała Jagody i Harolda uznały, że preludium i uwertura do dzieła, które wykonywały, odegrane zostały już w nocy.

Dlatego zapewne ciało Jagody nie protestowało, gdy ciało Harolda obróciło ją na brzuch. Dla uzyskania lepszej reakcji chwyciła drobnymi, długimi dłońmi o dziecinnie zarysowanych kostkach za krawędź hotelowego łoża i ni to leżąc, ni to klęcząc pokornie czekała na akcję. Harold był napięty tą gotowością, którą kumulują tygodnie wstrzemięźliwości i wypity poprzedniego dnia alkohol. Był też trochę za mało wilgotny, więc krzyknęła boleśnie, ale poddała się taranowi szturmującemu wrota. Także i ona była gotowa, a gotowość ta pojawiła się szybko i z oszałamiającą siłą. On znów miał wrażenie tym razem wewnętrznej sprężystości i chłodu. To także było niezwykłe. Właśnie nie ciepła, które zwykł napotykać w takich sytuacjach, ale chłodu. Nie obejmującej wilgotnej miękkości, ale chwytającej go sprężystości. Nie odnosił przy tym wrażenia, że dziewczyna kocha się z nim tak doskonale, bo jest profesjonalistką wykształconą w swoim fachu. Gdyby tak było, jej zachowania i jego wrażenia nie byłyby tak świeże, a drobne dłonie nie zaciskałyby się tak spazmatycznie na jego dłoniach, którymi dla wzmocnienia akcji bioder chwycił się także drewnianego wezgłowia hotelowego łoża. Te dłonie niczym doskonały serwer przenoszący ruch odzwierciedlały siłę i diapazon jego posunięć, a on, czując tak wzmacnianą i sygnalizowaną reakcję na swoje starania, starał się jeszcze bardziej. Gdy kończyli, przestraszył się, że ochroniarze Myszkina, zwabieni jej cienkim i bolesnym krzykiem, wyważą drzwi do numeru i wycelują w niego automaty. Nic takiego się na szczęście nie wydarzyło, a oni, nie rozłączając się jeszcze przez kilka minut, kurczyli się w sobie, spazmatycznie łapiąc oddech w stremowane przeżyciem płuca. On miał wrażenie, że oddał jej w kolejnych spazmach skurczów całe swoje wnętrze wraz z duszą, ona czuła się owinięta wokół niego wraz z ciałem i wszystkimi skierowanymi ku temu owinięciu myślami. Ochłodziło się. Niebo było zachmurzone, a hotel pachniał poranną kawą. Harold delikatnie gładził spocone z emocji czoło Jagody Persen, a ona w swoiście pojmowanym rewanżu kolistym ruchem wskazującego palca masowała spracowaną i obrzmiałą głowicę taranu. Odsunął jej gorliwą dłoń i spytał, choć doskonale wiedział, jaka będzie odpowiedź.

– Jagódko. Było ci dobrze?

Odpowiedziała, rozklejając spieczone podnieceniem wargi:

– Najlepiej.

Nim pomyślał, że nie powinien, spytał:

– Dużo mężczyzn…

Zdawała się tylko na to czekać:

– Jesteś trzeci. I na pewno najlepszy. – Podparła się na łokciach. – Skąd masz taką technikę? Wobec takich rzeczy dziewczyna nie ma nic do powiedzenia. Musi jej być dobrze.

Leniwie podrapał się po obficie owłosionej piersi:

– Jestem inżynierem...

Jagoda roześmiała się:

– Ale od samolotów, a nie od dziewczyn.

Nie zwlekał z odpowiedzią:

– Pewne rzeczy działają tak samo. Silnik też nie zaskoczy, jak nie zapewni mu się właściwych warunków. A czasami niby wszystko gra, a maszyna kaprysi i za Boga nie zmusisz jej do pracy. Samoloty też mają duszę...

Posmutniała, bo chętnie porozmawiałaby z nim na temat jego pracy i jego samolotów, ale ci, którzy kazali jej dotrzymywać mu towarzystwa, poinstruowali ją dokładnie, o czym wolno jej rozmawiać.

 **Moskwa,
koniec sierpnia 1944**

– Słyszałem, Aleksandrze, że nieźle się tam bawiłeś? – Każedub ciężko przemierzał dywan, ręce założywszy do tyłu, a Smoliarow siedział na krześle niczym uczniak, zestawiwszy porządnie obcasy idealnie wyglansowanych butów. Oczywiście. Pułkownik miał już pełną relację z jego interesujących poczynań – pomyślał i spłonął po korzonki włosów w piekącym rumieńcu. Że też kariera wymaga takich rzeczy. Gdyby nie zależało mu na awansach, nie musiałby się przed nikim tłumaczyć z upojnych nocy nad brzegiem Oceanu Spokojnego. Nie musiałby? Uważne surowe spojrzenie mentora sprawiło, że Aleksandr nie był już tego taki pewien.

– Towarzyszu pułkowniku... – zaczął niepewnie, ale w miarę, jak mówił, jego głos brzmiał coraz mocniej. – Kaza-

220

liście mi przecież prowadzić sprawę delikatnie... ze względów operacyjnych... – dodał nie całkiem mądry argument, którego sam nie rozumiał.

– Ale nie kazałem ci urządzać orgietek po hotelach i gzić się z dziwkami za państwowe fundusze! – grzmiał Każedub jak Zeus, choć w duchu chichotał, wyobrażając sobie przebieg wydarzeń. Ruganie Smoliarowa sprawiało mu przyjemność. Dobrze mieć świadomość tego, że los kogoś tak młodego, zdolnego i przystojnego spoczywa w naszych rękach. „Mnie też, chłopcze, gdy byłem zwykłym kapitanem, rugano za takie rzeczy" – medytował Każedub, przemierzając coraz szybciej i donośniej dywan. – Ale przecież praca operacyjna, na którą się powołujesz, nie polega tylko na zdolnościach, które bardziej przystoją małomiasteczkowym rzeźnikom i przydają się jedynie podczas świniobicia. Chociaż i tam wskazany jest humanitaryzm. Swoją drogą powinieneś przejść i przez to, tak jak i ja przeszedłem. Bez doświadczeń w znęcaniu się nad innym człowiekiem nie osiągniesz pełni człowieczeństwa. Pomyślimy i o tym. Musisz umieć zamęczyć na rozkaz. Wtedy, i dopiero wtedy, przestanie cię to fascynować swoim niezbadanym wymiarem i pozbędziesz się niepotrzebnej chęci mordowania. Chyba że ci się to zanadto spodoba i nie będziesz mógł przestać. Ale mnie akurat tacy nałogowcy są zupełnie niepotrzebni. Same z nimi kłopoty i żeby się ich pozbyć, istnieje tylko jeden sposób... Nałóg mordowania zaślepia umysł tak, jak nałóg alkoholowy pozbawia przyjemności picia. Mordowanie powinno być przyjemnością, a nie koniecznością. Dopiero wtedy sprawia prawdziwą rozkosz – i tego też cię, drogi chłopcze, nauczę.

– Sami przecież mówiliście, Iwanie Francowiczu, że Amerykanów trzeba oswoić i przekonać...

Każedub uśmiechał się już serdecznie, choć jeszcze odwracał twarz, tak by major nie mógł zobaczyć, że burza minęła.

221

– Trzeba było ich zabrać do muzeum, albo do parku...
– kpiąco doradzał pułkownik, a Smoliarow, zapominając, gdzie jest i z kim rozmawia, żachnął się szczerze:
– Akurat. Tylko o tym marzyli. Trzeba, żeby towarzysz major poznał tego Fishera...

Mimo woli wrócił mu przed oczy obraz wydarzeń. Chyba do końca życia będzie się czerwienił na wspomnienie swoich wyczynów. Darrell pożegnał się najwcześniej i poszedł z tą piękną blondynką o kwadratowej twarzy na piętro. Potem niepostrzeżenie zmył się Myszkin i ta pulchna cycatka. Zostali we czwórkę. Legenda z tą swoją rosłą Morozową i on z Leną, dziewczyną o wyraźnie semickich, ale pięknych rysach i orlim nosku. Nazywała się bodaj Kulikowa. Po kilku gwałtownych toastach i wielu wybuchach żywiołowej radości z powodu opowiadanych przez Legendę i Smoliarowa historyjek, Amerykanin przywołał maître'a i wskazując na butelki i półmiski zarządził, a Smoliarow rad nierad musiał tłumaczyć, choć język porządnie mu się już plątał. Tłumaczył zupełnie dosłownie, pomijając sowieckie honoracje i chichotał mimo woli:

– Mistrzu! – perorował Legenda. – Proszę to zabrać i iść za nami. Tylko niczego niech pan nie zapomni... proszę.

Potem Legenda zadysponował, jak to nazwał, „wsiadanego" i gdy całą czwórką wychylili jeszcze po angielce diabelskiej wódki, wyruszyli z trudem na piętro, do numeru Legendy, bowiem kapitan nie chciał przyjąć do wiadomości, że Smoliarow też ma zarezerwowany pokój. Amerykanin tłumaczył natarczywie, tykając Aleksandra i szturchając go boleśnie twardym palcem w pierś:

– Nie chcę nic słyszeć. Rozumiesz, Aleksandrze Wielki (Legenda wymyślił ten epitet na użytek swej inwokacji)? Tak, Aleksandrze Wielki. Tu nie Macedonia. Tylko Władywostok. (Tu zachichotał głupkowato, bo widać coś zabawnego przemknęło mu przez pamięć.) Właśnie. Władywostok i wszyscy idziemy do mnie. To znaczy do nas – poprawił się, kłaniając się na schodach swojej szerokoramiennej, co o mały włos nie skończyło się rozbiciem nosa.

Aleksandr, podpierany uczynnie przez Lenę, która zdążyła już zgubić na schodach pantofelki i dreptała frasobliwie w czarnych jedwabnych pończoszkach, nie upierał się, czując, że lada chwila rzygnie na czerwony dywan, którym wyłożono stopnie. Jak to zwykle bywa w takich stadiach upojenia, Smoliarow za wszelką cenę starał się zapamiętać słoje kamienia. W tamtej chwili dałby się posiekać za stwierdzenie, iż zapamiętanie wzoru jest absolutnie priorytetową czynnością asa kontrwywiadu.

– Idziemy do mnie. To znaczy do nas. – Legenda z hałaśliwą galanterią cmoknął swoją blondynkę w rękę i wyjaśnił: – Mój numer jest także w całkowitej dyspozycji tej damy, a wszelkie straty pokryjemy solidarnie z obydwu polis. – Najwidoczniej ubzdurało mu się, że jest w rodzinnym kraju. Gdy maître porozstawiał butelki i dyskretnie się wycofał, mrugając porozumiewawczo do Smoliarowa, Legenda po raz ostatni szturchnął majora w pierś i ogłosił: – Teraz się zabawimy. Zobaczysz, Aleksandrze Wielki, jak się bawimy w Ameryce.

Smoliarow, przysiadłszy niepewnie na brzeżku hotelowego łoża, zajmującego pół apartamentu, oczekiwał jakichś wstępów, podchodów, certolenia się i tym podobnych rzeczy, które znał doskonale z koedukacyjnych spotkań, urządzanych przez jego instytutowych koleżków pod nieobecność rodziców. Oczekiwał wszystkiego, ale nie tego, że Teksańczyk zabierze się z miejsca do rozbierania swojej partnerki. Osłupiały Smoliarow obserwował, jak Fisher wprawnie i szybko ściąga z dziewczyny szmatki. Prawda, że miała ich na sobie niewiele; sukienka, krótka halka, stanik, majtki i te śmiesznie zrolowane nad kostkami długich, pięknych nóg białe skarpetki. Skarpetki jej zostawił, sam zaś, szybko ściągnąwszy do kostek spodnie i wojskowe zielone kalesony, usiadł w najbliższym fotelu i pociągnął Morozową na siebie. Osłupiały Smoliarow patrzył zafascynowany, jak dziewczyna po krótkiej przymiarce ostrożnie osiada na Amerykaninie niczym tatarska branka dobrowolnie nabijająca się na pal. Ta druga, o orlim nosku i ślicznej semickiej buzi, widząc, że rosyjski oficer nie kwapi się do dzieła, czym prędzej rozebrała się sama i przysiadłszy na poręczy rzeczonego fotela, zaczęła całować małe, ale twarde piersi jęczącej już z nadmiaru szczęścia Morozowej. Intensywnie pracujący nad zaspokojeniem swojej partnerki Legenda znalazł jednak dość zrozumienia dla sytuacji i wychyliwszy się spod pachy swej dziewczyny, zaproponował młodszemu koledze:

– Smoliarow, potrzebujesz niańki? Rozbieraj się do cholery i zajmij swoją dziewczyną, bo jak się do mnie zabiorą obydwie, niewiele ze mnie zostanie.

Poinstruowany w ten sposób major rozebrał się jak automat, składając ubranie w staranną kostkę na podłodze, jakby za chwilę miał stanąć przed komisją poborową. Co gorsza, nie był wcale podniecony i czuł się raczej jak szpitalny pacjent przed zabiegiem. Trącona przez Fishera Kulikowa oderwała się od drugiej dziewczyny i spojrzawszy na Aleksandra, w mig wczuła się w rolę. Goluteńka, krokiem wystudiowanym albo może raczej podpatrzonym na filmie, wysuwając ruchem wampa smagłe ramię, a drugą dłonią przytrzymując ciężkie, kołyszące się piersi, podeszła do niego, a gdy chciał poderwać się z fotela, pchnęła go delikatnie w pierś tak, że z westchnieniem ulgi opadł weń na powrót. Przekonanie majora, że mimo wszystko jest mężczyzną, zajęło jej bodaj pół minuty, a gdy pal był gotowy, nasunęła się nań gładko, naśladując zabieg swej koleżanki. Odrzuciwszy bujne czarne włosy na plecy i patrząc gdzieś ponad głową chłopca, rozpoczęła galopadę tak gwałtowną, iż majorowi wydało się w pewnej chwili, że ruszy wraz z hotelowym fotelem w cwał. Wprawa i wyuzdanie tego, co robiła, zupełnie nie szły w parze z jej niewinnym wyglądem.

Tego, co działo się potem, Smoliarow wolał nie wspominać przynajmniej w tej chwili, bojąc się, że pułkownik odczyta to z jego twarzy. Wystarczy jednak dodać, iż w repertuarze pomysłów, jakie miał Legenda na ową niezapomnianą noc, prozaiczna wymiana partnerek była punktem najmniej ekstrawaganckim.

Major miał tak zawstydzone spojrzenie i tak dramatycznie starał się nadrabiać miną, że Każedub uznał, iż czas na zwrot akcji.

– Już dobrze – ułaskawił Aleksandra. – Te raporty dotarły do mnie jeszcze przed tobą, ale... – major zdawał się spijać każde słowo z warg przełożonego, ten zaś ciągnął niespiesznie – ...ale tu się zatrzymały i nikt ich oglądać nie musi. Ponieważ byłeś łaskaw użyć terminu „operacyjny", uznajmy, że ta cała alkoholowo-seksualna ekwilibrystyka odbyła się w celach operacyjnych, a ty poszerzyłeś swoje skromne w tym zakresie umiejętności o techniki tak specyficzne i typowo zachodnie jak – tu pułkownik zajrzał do raportu – „podwójna penetracja", „zenitówka" i „motocykl z przyczepką" (agent podglądający wyczyny Smoliarowa i Legendy użył takich określeń, ale Każedub jedynie mgliście wyobrażał sobie szczegóły). Może to i lepiej, żeście tak zaszaleli. Ten Fisher pewnie się już do ciebie przekonał?

„Z pewnością – pomyślał Smoliarow – szczególnie po tym, jak wpadłem na pomysł zdjęcia żyrandola, by podwiesić w to miejsce na skręconym prześcieradle Kulikową, która opadając na nastawionego, leżącego na stole Fischera, nakręcała się jednocześnie na amerykańskiego kapitana". Legenda, zadziwiony pomysłowością swego nowego przyjaciela, nazwał ów obrót, nie wiadomo dlaczego, „hiszpańskim skrętem".

– Teraz siadaj i mów.

Każedub zmusił młodszego oficera do zajęcia miejsca, a sam stanął tyłem do niego w szeroko otwartym oknie i patrząc na zapadający nad Moskwą sierpniowy, czerwony zmierzch, zadawał szczegółowe pytania:

– Poznałeś tego Darrella?

– O tyle o ile, towarzyszu pułkowniku – relacjonował Aleksandr. A widząc, że czarna dłoń Każeduba zaczyna nerwowo drgać, jak wskaźnik sygnalizujący koniec paliwa, dodał pospiesznie: – To zupełnie inny typ niż ten hulaka, ale też bardzo sympatyczny. Tyle że zupełnie nie sposób go rozgryźć. Uśmiecha się. Jest uprzejmy, ale nigdy nie mówi za dużo…

– Piszą tu, że napadli na niego w restauracji… – rzucił pułkownik, nie odwracając wzroku od ulicy.

– Zaraz napadli… – poprawił Smoliarow. – Chcieli tylko odbić mu dziewczynę. Dziewczyna bardzo ładna. Najładniejsza na sali – dodał takim tonem, jakby tłumaczył ważne techniczne szczegóły konstrukcji.

– Wiem, że ładna. Mam zdjęcie – przerwał Każedub i zaraz pytał dalej: – Tylko chcieli odbić? W raporcie jest coś o wybitym barku, zmiażdżonej torebce stawowej, utracie przytomności i wstrząsie mózgu. Ten Darrell to bokser?

– Nie, raczej nie. Nie znam się na tym, ale wyglądało to tak, jakby się sami o niego poprzewracali. Duże chłopy, towarzyszu pułkowniku. Matrosi.

– Hm. – Pułkownik zamyślił się nad sztuką, która pozwala jednemu miłemu i uprzejmemu lotnikowi załatwić kilku wyższych o głowę i o połowę cięższych matrosów. Ale że widział już w życiu różne umiejętności, więc tylko pokiwał ze zrozumieniem srebrną, ostrzyżoną na jeża głową. A potem poczuł krótki i piekący ból w przegubie dłoni, której nie miał od dwudziestu kilku lat. Odwrócił się gwałtownie od okna i drugą dłonią rozmasował przedramię, po którym biegały setki lodowatych igiełek. – Hm – powtórzył i indagował dalej: – Dostałeś teczkę Darrella. Wiesz, co w niej jest?

– Tak, towarzyszu pułkowniku. Przeanalizowałem wszystko dokładnie. Ale są tam dziury.

Każedub machnął niecierpliwie sztuczną dłonią, która równie nagle jak zaczęła, tak przestała go boleć.

– Pomijając luki, zdołałeś się chyba zorientować, że ten Darrell to prawdziwy skarb. Inżynier lotniczy. Oblatywacz od Boeinga, a najważniejsze jest to, że brał udział w większości prac nad przygotowaniem seryjnej produkcji tej maszyny. Aleksandrze! – Pułkownik podszedł do Smoliarowa i położył mu obie dłonie, żywą i martwą, na ramionach, a majorowi zdało się, że ta martwa jest o wiele cięższa. – Pokładam w tobie wielkie nadzieje. Musisz przekonać tego człowieka do współpracy. Jak to zrobisz, twoja sprawa. Jedno jest pewne. I weź to, proszę, pod uwagę. Za kilka dni, choćbyśmy nie wiem jak nie chcieli, musimy tych chłopców skontaktować z konsulem we Władywostoku. Wiesz dlaczego? – I Każedub odpowiedział sobie i majorowi: – Choćby dlatego, że przed lądowaniem wysłali radiogram do bazy i Amerykanie już się o nich dopytują. Nie możemy dłużej udawać durniów.

– Już z nim trochę rozmawiałem – relacjonował Aleksandr. – Tak jak kazaliście, z nim i z resztą załogi. Szczegóły operacji. Taktyka. Organizacja lotów, procedury…

– No i? – niecierpliwił się pułkownik, a Smoliarow znów się zaczerwienił, nim odpowiedział:

– Szczegóły opisałem w raporcie…

– Znam raport! – znów przerwał Każedub. – Mów!

– No więc… równie dobrze mógłbym rozmawiać z osłem, który ciągnie cysternę na lotnisku. Owszem, są bardzo uprzejmi, ale nie udało mi się wyciągnąć niczego, czego bym nie mógł domyślić się sam. Przy tym, towarzyszu pułkowniku, jak na tak swobodny styl bycia są, jako żołnierze, bardzo zdyscyplinowani i solidarni…

– To znaczy? – dopytywał się Każedub.

– Według zasady: im niższy stopień, tym mniej gadać…

– To tak jak u nas – poważnie podsumował Każedub, a Smoliarow sceptycznie się uśmiechnął i sprostował:

– U nas szeregowcy nie gadają, bo nie mają o niczym istotnym pojęcia i mają taki rozkaz…

– U nich jest inaczej?

Smoliarow metodycznie zmierzał do konkluzji, która i jemu wydała się zastanawiająca:

– Odnoszę wrażenie, że cała załoga jest znakomicie wyszkolona i poinformowana o wszystkich aspektach zadania. Nie chcą mówić nie tylko dlatego, że im zabroniono, ale chyba bardziej dlatego, że nie chcą. Nie wiem, czy wyrażam się jasno? – upewnił się Aleksandr, a gdy pułkownik pokiwał głową, uzupełnił:

– Nazwisko, stopień, numer służbowy i kodowy numer jednostki. Mówią tylko to, co wolno im podać.

– Pytałeś o dokumentację? – Każedub chciał uchwycić się jakiegoś konkretu, a Smoliarow gorliwie podjął nowy wątek.

– Od razu na to wpadłem i przeszukaliśmy samolot. Kazałem nawet poodkręcać niektóre płyty podłogi, zaglądaliśmy za obicia, do luków, nawet do toalety. Jedyne, co znaleźliśmy, mam tutaj... – zakończył niepewnie i położył przed Każedubem talię kart, które zamiast figur prezentowały znakomite, realistyczne rysunki gołych panienek upozowanych na damy, króle i paziów.

Każedub z bezmyślnym uśmiechem przesuwał karty po stole, dłuższą chwilę przyglądając się jokerowi, w którego wcieliła się ładna brunetka w błazeńskiej czapce z dzwonkami na bujnych lokach, za to bez majtek na kształtnej, wypiętej w stronę patrzącego pupie. By dopełnić całości obrazu należy dodać, że dziewczyna miała na smukłych nogach łyżwiarskie buty z łyżwami figurowymi. Wreszcie porządnie zebrał karty w talię i odłożył koszulkami do góry na biurko. Siadł i splatając – jeśli można użyć tego określenia – dłonie, sondował:

– Pytałeś go?

– Tak, towarzyszu pułkowniku. Nazajutrz po tym towarzyskim spotkaniu...

– To znaczy, jak tylko doszliście do siebie? – nie wytrzymał Każedub.

– No właśnie. Znaczy, późnym popołudniem. Darrell chciał obejrzeć samolot. Prosił mnie jeszcze z wieczora... – Smoliarow spojrzał niepewnie na pułkownika, szukając akceptacji w jego oczach.

Każedub nie był zachwycony. Odchylił się na oparcie krzesła i spytał zimno, jakby nie wierząc w to, co słyszy:

– I ty mu pozwoliłeś? Niewiarygodne. Rzeczywiście trzeba tam było wysłać jakiegoś rzeźnika, a nie chłopca, który dopiero co został inżynierem i myśli tylko o babach i wódce. Niewiarygodne – powtórzył, ale w duchu wcale nie miał do majora pretensji. Na jego miejscu też by pewnie na to pozwolił, choć byłby czujny. Wystarczy przecież chwila nieuwagi – i można coś podpalić albo zdetonować. Diabli wiedzą, jak na taką okoliczność Amerykanie zabezpieczają swoje najnowsze, tajne technologie?

Jakby odgadując jego myśli, Smoliarow zaraz gorliwie poinformował:

– Byłem uzbrojony i cały czas bacznie obserwowałem, co robi. On był bez broni, bo pistolety skonfiskowaliśmy całej załodze…

– Ale był u siebie i z tego, co pokazał na parkiecie w Wersalu, mógł cię udusić razem z twoim pistoletem albo wybić ci ten móżdżek z twojej głupiej makówki w trzy sekundy. Ach, Aleksandrze – westchnął szczerze, bo bardzo polubił majora – musisz się jeszcze długo uczyć!

Dopiero teraz Smoliarow uświadomił sobie, że rzeczywiście mogło się tak stać. Ale się nie stało. Wrócił myślami do chwili, w której kurtuazyjnie przepuszczony przez Darrella wlazł po raz drugi do samolotu. Amerykanin rozejrzał się po wnętrzu i gestem zaprosił majora do przedziału inżyniera pokładowego. Tu było najwygodniej i można się było rozsiąść. Była tu też mała lodówka i Smoliarow ucieszył się z tego, że zabronił zabierać z samolotu cokolwiek poza dokumentami i bronią. Zasilanie było oczywiście wyłączone, ale na zewnątrz, choć samolot stał w hangarze, było chłodno i piwo miało miłą temperaturę. Aleksandr po raz pierwszy widział takie piwo. To były puszki! Podobne trochę do obronnych granatów bez trzonka i z cieniutkiej, chyba nierdzewnej blachy. Na wierzchu puszka miała mały uchwyt. Darrell pokazał, jak z niego skorzystać, i puszka otworzyła zachęcająco trójkątny otworek, przez który można było całkiem wygodnie pić. Napój rozkosznie koił obrzmiały po przepiciu język i umysł majora. Darrell też chłeptał łapczywie i z widoczną przyjemnością, a oblizując piwne „wąsy", spoglądał życzliwie na majora.

Ten, otrzeźwiony boskim napojem z kukurydzy (bo piwo było amerykańskie), wpadł w tak dobry nastrój, że gotów był przytulić kapitana do piersi. Dłuższą chwilę trwało milczenie, po czym zaczął ostrożnie Rosjanin:

– Proszę mi powiedzieć, jak to możliwe, że w tak dużym bombowcu nie ma żadnych instrukcji, dokumentacji i tych wszystkich niezbędnych szpargałów. Nie znam się na tym – łgał ośmielony piwem Smoliarow – ale z tego, co wiem, to w każdym wielomiejscowym samolocie powinno tego trochę być...

Darrell przekrzywił głowę jak drozd spoglądający z gałęzi i przytknąwszy kapslem kolejnej puszki, fluternie popatrzył na majora:

– I było. Z pięćdziesiąt kilo.

– I co się z tym stało? – zbyt pospiesznie wpadł mu w słowo Aleksandr.

– Proszę sobie wyobrazić, że nam wypadło. – Darrell popatrzył wyzywająco na sojusznika, a ten, nie pojąwszy dość szybko, że z niego kpią, wyrwał się z kolejnym pytaniem:

– Jak to wypadło?

– Ano tak. Chcieliśmy coś sprawdzić, a że oglądaliśmy to przy otwartym oknie, to nam wypadło. Bodaj nad morzem.

Smoliarow poczuł się urażony, ale nie wypadał z roli, by nie wyjść na całkowitego idiotę:

– Pięćdziesiąt kilo? Proszę się ze mnie nie nabijać. Wyrzuciliście?

– Niech pan nie będzie dzieckiem, majorze. Oczywiście, że wyrzuciliśmy. Mamy przecież swoje procedury na takie okoliczności. Chociaż takiej właśnie okoliczności jak ta nikt w naszym dowództwie nie przewidział.

– Wyrzucił pan na wszelki wypadek? – domyślił się Aleksandr.

– Właśnie tak! – dodał Darrell. – I jak pan widzi, dobrze zrobiłem. Po co wam nasza dokumentacja? Wszystko, co powinniście wiedzieć, wynika z porozumień pomiędzy naszymi rządami. Reszta... wybaczy pan, jest własnością armii i rządu Stanów Zjednoczonych, i nie jest to ani moja, ani pańska własność, łącznie z tym poczciwcem (klepnął w obicie fotela inżyniera pokładowego, w którym się ulokował obok majora). No, niech pan odpowie szczerze. Po co to panu? Co chcecie wiedzieć, czego nie wiecie?

– Mam swoje rozkazy. Proszę zrozumieć. Mnie prywatnie nie przyszłoby do głowy...

Darrell miał dość dyskusji nieprowadzącej do żadnego celu. Zamknął więc ten etap licytacji tonem, który nie zachęcał majora do dalszych indagacji:

– Pan ma swoje rozkazy, ja swoje, i na tym poprzestańmy. – Zastanowił się chwilę. – I jeszcze jedno. Bardzo proszę, Smoliarow, niech pan nie rżnie dyletanta, bo nawet po sposobie, w jaki pan wchodzi do samolotu, można poznać specjalistę. Zresztą nie przysłaliby tu byle dupka. To przecież jasne...

– Dupka? – Smoliarow nie znał tego określenia.

– To od dziury w zadku – usłużnie podpowiedział Amerykanin, a major chwilę szukał rosyjskiego odpowiednika. Po czym ze zrozumieniem i uznaniem dla bogactwa angielskiego słownictwa powiedział:

– Coś jak nasza *mraz'*.

– *Mraz'* – Darrell, nie rozumiejąc, powtórzył całkiem poprawnie i chwilę smakował nowe brzmienie na języku. – To też od dziury w zadku? – zainteresował się.

– Nie – Smoliarow pokręcił głową. – To jakby pan rozsmarował gówno na ścianie.

231

– Pięknie – zachwycił się Harold i pociągnął spory łyk piwa.
– A nie macie takiego zwykłego „dupka"? Tamto dla mnie zbyt poetyckie…

– U nas mówi się *krietin* albo po prostu *żopa*.

– Czyli? – Harold podniósł śmiesznie brwi w oczekiwaniu na odpowiedź. Był już leciutko podchmielony, podobnie jak Smoliarow, i wszystko bardzo mu się podobało.

– Dupa – wyjaśnił Aleksandr i uzupełnił autorytatywnym tonem, by zamknąć lingwistyczną sekwencję tej dziwnej rozmowy: – Ale to, o czym pan był łaskaw powiedzieć – Smoliarow użył specjalnie podręcznikowej konstrukcji – najlepiej jednak odda *mraz'*.

– No więc… – Harold był w pełni usatysfakcjonowany wyjaśnieniami – wracając do naszej dyskusji: nie przysłaliby tu byle dupka. Niech no pan powie, majorze, w czym się pan specjalizuje. Obiecuję, że nikomu nie powiem.

– No wie pan… – Smoliarow był pełen wątpliwości, ale Darrell kusił go: – Czy się pan przyzna, czy nie, i tak powiem panu tylko to, co będę chciał powiedzieć, i niczego to nie zmieni. Ale będziemy mogli pogadać jak fachowcy…

Major zdecydował się wreszcie, uznając argument, który brzmiał rozsądnie:

– Skończyłem instytut lotniczy…

Amerykanin szybko punktował go następnymi, krótkimi pytaniami:

– W jakiej specjalności?

– Mam dwie – nie bez dumy z własnych osiągnięć odpowiedział Smoliarow. – Płatowiec i silnikową, ale zrobiłem także licencję pilota, choć dużo nie latałem. Wojna.

– Pięknie. – Amerykanin użył tego samego określenia, którym skwitował rosyjski synonim. I dodał z żalem: – Szkoda, że spotykamy się w takich czasach. Pan ma sympatyczne oczy… Szkoda. Rozumiem pana sytuację. Cóż. Niech pan pyta. Ale teraz tym bardziej. Po tych wzajemnych wyznaniach powinien pan zrozumieć mnie i to, że mogę powiedzieć niewiele. – Darrell spojrzał Aleksandrowi w oczy, a major zrozumiał, że jego rozmówca jest mądrym i bardzo doświadczonym człowiekiem. W tym spojrzeniu nie było ani politowania, ani wyzwania, ani triumfu. Była tylko mądra, pogodna próba zrozumienia drugiego człowieka i Smoliarow poczuł się bezradny jak dziecko, którym w końcu wciąż po trosze był.

– No, tak – głos Każeduba przywrócił Smoliarowa do moskiewskiej rzeczywistości. – Z tego, co mi mówisz, to on więcej wyciągnął od ciebie, niż ty od niego. Pytałeś go o zasięg, pułap, szybkość?

– Jasne, towarzyszu pułkowniku.

– I co, powiedział ci coś ciekawego? – dopytywał się Każedub.

– Odpowiadał, jak chciał – wyjaśnił Smoliarow.

– To znaczy? – chciał wiedzieć Każedub, choć wszystkie konkrety, jakie udało się majorowi uzyskać, zapisano już w raporcie.

Smoliarow westchnął.

– Jak pytałem o zasięg, powiedział, że mogę wziąć mapę i szybko to obliczyć. O pułapie powiedział tylko, że „jest wystarczający", a o szybkości, że „nie narzeka, ale mogłaby być większa" – i dodał jeszcze, że „nigdy nie był entuzjastą zbyt dużej szybkości w jakichkolwiek przedsięwzięciach, w przeciwieństwie do kapitana Fishera".

Każedub zadumał się, rozmyślając nad tym, czy Smoliarow powinien kontynuować misję. Uznał jednak, że każdy kolejny nasłaniec uzyska dokładnie to samo – czyli nic – a będzie musiał w dodatku zaczynać od początku i przechodzić przez drogę przetartą już przez majora. Lepiej czy gorzej, głupiej czy mądrzej, ale przecież przetartą.

– Dobrze – powiedział i zadał ostatnie pytanie: – Czy ten Darrell domyśla się, po co to wszystko, cała ta heca?

Tym razem Aleksandr wbrew swej służbistej metodzie nie odpowiedział od razu, ale po chwili i to powtarzając pytanie zwierzchnika:

– Czy się domyśla, po co to wszystko? Nie wiem tego, towarzyszu pułkowniku. A po co ta heca?

– Posłuchaj mnie uważnie, Aleksandrze. Bardzo uważnie. Musisz doprowadzić do tego, żeby ten Darrell znalazł się tu, w Moskwie, i to jak najszybciej. Oczywiście najlepiej, żeby zgodził się tu przylecieć. Na pewien czas. Jeszcze lepiej, żeby zgodził się z nami popracować, i tu możesz mu obiecać, co ci tylko ślina na język przyniesie. Pieniądze. Dom. Letnisko. Wpływy. Stanowisko. I my to zapewnimy. Najlepiej by było, żeby zgodził się przylecieć tu tym samolotem.

– Z całą załogą? – nie wytrzymał napięcia Aleksandr.

Każedub spojrzał na niego uważnie.

– Nie. Tylko on. To może będzie jeszcze do strawienia przez Amerykanów. Powiemy, że go zaprosiliśmy, że jest naszym gościem. Resztę załogi po spotkaniu z konsulem ulokujemy gdzieś w stosownym miejscu... na pewien czas.

– Pozwólcie, towarzyszu pułkowniku – do Aleksandra powoli docierało znaczenie tego, o czym mówił Każedub. – Po co nam tu ta superforteca i jej dowódca?

Każedub machnął martwą dłonią, jakby odpędzał natrętną muchę.

– Dowiesz się w swoim czasie. Na razie wiesz tyle, co musisz. Gdyby nie chciał, wsadzisz go do samolotu siłą. Dostaniesz pod swoją komendę kilku najlepszych frontowców z pułku bombowego i dwóch inżynierów oblatywaczy z OKB. Masz doprowadzić tego Rampa Trampa do formy, zabrać Darrella i wrócić tu superfortecą jak najszybciej. Szczegóły ustalimy po drodze dalekopisem. Masz jakieś pytania?

– Mnóstwo, towarzyszu pułkowniku, ale wy mi na nie nie odpowiecie. Dobrze myślę?

– Znakomicie. – Każedub wstał i podał majorowi czarną, skórzaną dłoń, ale jednocześnie serdecznie poklepał go po ramieniu żywą ręką. – No, leć i spraw się dobrze.

Myszkin przystał na jego prośbę. Pewno porozumiał się ze Smoliarowem. W każdym razie mógł do woli korzystać z obszernego pomieszczenia, które miało przyzwoity i zupełnie niezniszczony parkiet. Kiedyś, za dobrych czasów, była tu pewnie sala gimnastyczna albo treningowa. Teraz przestronne wnętrze zawieszone było w połowie suszącą się na sznurach bielizną i pościelą. Smoliarow zniknął, mówiąc mu tylko tyle, że leci po instrukcje (na szczęście zostawił na stałe pannę Persen, z czego Darrell, dysponujący osobnym pokojem, był bardzo zadowolony).

Załoga pod przewodnictwem Legendy zorganizowała sprawnie wielce uproszczoną ligę bejsbolową, przywłaszczywszy sobie (oczywiście za wiedzą Myszkina) nieczynne boisko piłkarskie, a on postanowił wykorzystać przymusowy urlop, a raczej niewolę, i wrócić do formy. Ćwiczył więc dwa razy dziennie po trzy godziny, ograniczył drastycznie (do jednego wieczornego piwa) alkohol i rano dodatkowo biegał w kółko po boisku pod czujnym wzrokiem patroli. W owej ni to sali, ni to suszarni pierwszego dnia nikt mu nie przeszkadzał i mógł do upadłego powtarzać *kata* i poszczególne elementy techniczne. Nie przejmował się drobnym, szczupłym Azjatą z włosami splecionymi w długi warkocz, przemykającym raz po raz pomiędzy szpalerami suszącej się bielizny. Rejestrował go jedynie kątem oka, poinstruowany na tę okoliczność przez Myszkina. Tłumaczyła Jagoda:

– Koreańcem niech się pan nie przejmuje. To oryginał, ale spokojny człowiek. Już mu powiedziałem, że będzie u niego ćwiczył ważny Amerykanin. Na pewno nie będzie panu przeszkadzał.

– To jego pralnia? – zapytał szczerze wdzięczny Harold.

235

– Trzeba wam wiedzieć, towarzyszu kapitanie, że u nas od dawna nic nie jest czyjeś. Prowadzi tę pralnię od lat. Pracuje u niego kilku Chińczyków. Mnie wtedy jeszcze tu nie było. Wojsko płaci mu regularne pobory, bo jest bardzo solidny, i wolno mu przyjmować robotę także od cywilów z miasta. Mówią, że dorobił się niezłych pieniędzy, ale nigdy nie widziałem go w restauracji. Do miasta też rzadko jeździ. Dziwak. Teraz zainwestował w magiel i ma dziewczyny, Chinki, które robią poprawki krawieckie. Pewnie z nimi śpi. – Myszkin porozumiewawczo mrugnął przekrwionym okiem.

– Pozwolono mu tu zostać i pracować? – chciał wiedzieć Darrell. – Mówiliście przecież…

Myszkin żachnął się, zły, że rozmowa schodzi na podejrzane tory:

– To nie moja sprawa, tylko dowództwa. Ponoć ma jakieś wielkie zasługi, więc go tolerują. Zresztą to Korejec…

Następnego dnia pośrodku przestrzeni, na której ćwiczył, zobaczył jakiś kwadratowy przedmiot. Gdy podszedł bliżej, ze zdziwieniem rozpoznał porządnie i najzupełniej przepisowo – czego on nigdy się nie nauczył – złożone *keikogi** w delikatnym kolorze écru. Na wierzchu leżało złożone kilkakrotnie proste *obi*†. Brązowe z delikatnym białym szlaczkiem. Serce zabiło mu gwałtownie, bo złożone w kostkę ubranie miało nieodparty wygląd prezentu. Usiadł na podłodze przed *keikogi* i z niedowierzaniem, delikatnie, by nie naruszyć misternego układu taśm i fałd, dotykał materiału. Takiego jeszcze nie widział. Miało miękkość i fakturę bawełny, ale tkane było na kształt japońskiej maty *tatami* i misterny wzór tworzył fakturę zachodzących na siebie kwadracików, przy czym każdy z sąsiadujących miał

---

* *Keikogi* – strój do treningu sztuk walki, złożony z bluzy o kroju kimona i szerokich „spódnicospodni", zwanych *hakama*.
† *Obi* – szeroka na około 10 cm i długa na cztery metry szarfa, którą praktykujący sztuki walki opasuje się trzykrotnie, wiążąc wolne końce na specjalny węzeł.

splot przebiegający pod kątem prostym do kolejnego. Materiał był w dotyku bardzo miły, chłodny i mięsisty. *Obi* było chyba bawełniane, choć nie dałby za to głowy. Poczuł wzruszenie i dopiero teraz uświadomił sobie, że przyszedł do sali w wojskowych, wyświechtanych spodniach od dresu i zielonej koszulce. Nie miał w swoim skromnym lotniczym bagażu niczego innego. Spodnie i koszulka służyły mu za piżamę, gdy trzeba było spać w samolocie, albo w polowych okolicznościach. W sali nie było lustra, ale dopiero teraz, widząc przepisowy strój, uświadomił sobie, jak niestosownie jest ubrany. Jednak nie mógł tego przyjąć. A może Koreańczyk zostawił to przez przypadek? Poprawił wierzchnią taśmę i cofnął dłoń.

– Dzikie jedwabniki.

Nie zdążył się nawet przestraszyć. To było zbyt niespodziewane. Odwrócił się wolno. Dokładnie za jego plecami siedział szef pralni. Miał na sobie chiński kaftan z czarnej satyny, takież spodnie i był boso. Ukłonił się delikatnie i Haroldowi nie pozostawało nic innego, jak oddać ukłon. Gdyby ktoś patrzył na to z boku, nie potrafiłby powiedzieć, kto się komu kłania. Obydwaj mężczyźni na wszelki wypadek sygnalizowali szacunek i żaden z nich nie chciał pierwszy oderwać lewej dłoni od podłogi. Wreszcie, pchnięci tym samym impulsem, zrobili to jednocześnie. Darrell podniósł wzrok i napotkał uprzejme i pogodne spojrzenie Koreańczyka o kościstej, trochę indiańskiej (jak mu się zdawało) twarzy z cieniutkim, szczurzym wąsikiem. Azjata był szczupły, ale postawny i chyba w dobrej formie. Siedział prosto i spokojnie.

– Dzikie jedwabniki – powtórzył. Jego angielszczyzna była miękka, ale bardzo poprawna. – Tylko one potrafią zrobić coś takiego. Sam się pan przekona. To chłodzi w lecie, a grzeje w zimie. Materiał jest bardzo odporny i trwały. Ten strój ma dwadzieścia lat, a przyzna pan, że nie widać tego po nim. Poza tym można to bezpiecznie prać w wodzie. Nie deformuje się i wyprasowane długo zachowuje fason.

Koreańczyk zakończył swój wywód jeszcze jednym ukłonem, podniósł się sprawnie z podłogi i przeszedłszy na tyły, znów usiadł. Poczekał, aż Amerykanin się znów obróci, i uprzejmym ruchem obu dłoni podsunął pakiet w stronę Darrella. To jednak był prezent, ale Harold nie miał doświadczenia w przyjmowaniu prezentów od ludzi Wschodu, postanowił więc odwlec całą sprawę.

– Mówi pan znakomicie po angielsku. Chyba nie nauczył się pan tego tutaj? – zagadnął. Koreańczyk posmutniał i opuścił spojrzenie.

– Kiedyś studiowałem w Europie. Tu można nauczyć się tylko pogardy dla innych i dla siebie. Widzę, że ma pan skrupuły. Proszę wyświadczyć mi ten zaszczyt i przyjąć ten skromny podarunek. To moje stare *keikogi* i będę dumny, wiedząc, że trafia w godne ręce. Patrzyłem wczoraj, jak pan ćwiczy, i wydało mi się, że wojskowe kalesony nie najlepiej harmonizują z tak starą i czcigodną szkołą.

– Zna pan *daito-ryu*? – Ucieszył się Darrell. – To wspaniale. Wie pan…

Niespodziewanie stracił kontenans, bo Koreańczyk uśmiechał się życzliwie, tak jakby rozumiał absolutnie wszystko. Nie zdejmując z ust kościanego uśmiechu, uprzejmie odpowiedział:

– Czy znam? Za dużo powiedziane. Raczej wiem o nim tyle, ile chcę wiedzieć.

– Pan wybaczy. Nie rozumiem… – Darrell dałby w tej chwili wszystko, żeby Azjata uściślił to, co przed chwilą powiedział.

– Dobrze. – Koreańczyk wygładził jakąś zmarszczkę na swoim stroju, którą tylko on dostrzegał. – Powiem panu, jak to rozumiem. Każdą umiejętność, każdą sztukę można doprowadzić do perfekcji. Zabiera to mnóstwo czasu i kosztuje, jak pan wie, wiele potu i łez. A wie pan z pewnością, ponieważ poziom, który pan osiągnął – co ja, skromny laik i obserwator, ośmielam się doceniać – jest zaawansowany. Widać, że pan wkłada w to serce i miał pan po drodze wiele wątpliwości i załamań. Może się mylę?

– Nie, nie – gorliwie zaprzeczył Darrell. – Jest dokładnie tak, jak pan mówi. Kilka razy chciałem przestać i miałem do siebie pretensje, że w ogóle zaczynałem, ale... Może pan nie uwierzy. Po każdym takim załamaniu działo się coś nowego, coś od początku. Po kilku latach doszedłem do wniosku, że...

– Zastanowił się dłuższą chwilę, a Koreańczyk życzliwie i cierpliwie czekał. Minę miał taką, jakby dokładnie przewidział dalsze rozumowanie Harolda. I miał o to do siebie pretensje. Nie powinien pokazywać nowicjuszowi, że zna jego słabości. Ba! Że jest w stanie je przewidzieć.

Harold wreszcie znalazł słowa zdolne wyrazić jego myśl:

– Że te kryzysy, opierdalanki i załamania, o które winimy naszych mistrzów, są...

– Częścią nauki. Czyż nie tak? – uprzejmie zainteresował się Azjata, nie dając poznać, że wulgaryzmy w ustach rozmówcy są nie na miejscu.

Darrell rozpalał się, mając po raz pierwszy od wielu miesięcy okazję rozmowy z kimś, kto rozumiał temat i związane z nim problemy.

– Właśnie tak. Wie pan? – przysunął się ku rozmówcy po podłodze, uznając, że dzieli ich dystans zbyt duży do wzajemnego zrozumienia. – Często zastanawiałem się nad taką głupią kwestią. Czy moich nauczycieli nikt nigdy porządnie nie zjebał. Wybaczy pan to określenie. I czy oni przeżywali to tak boleśnie jak ja?

Koreańczyk pogładził szczurzy wąsik, który i tak układał się w nieskazitelną kreseczkę nad jego górną, wąską, choć wyrazistą wargą. Poprawił się na piętach i odparł:

– Umiejętność – jak pan to dosadnie wyraził – zjebania, i to w takich proporcjach, żeby zdopingować ucznia, a nie zniechęcić go do dalszej praktyki, świadczy o talentach i poziomie mistrza. Pan – jak widzę – miał takich, którzy doskonale znali te proporcje.

– Wie pan, czego najbardziej nie lubię u nauczyciela? – dopytywał się Darrell, który nagle uświadomił sobie nie tylko emocje, ale i wielką przyjemność, jaką czerpał z rozmowy z Azjatą.

– Mogę się tylko domyślać, ale wolałbym, żeby pan sam to sformułował. Może dzięki temu uświadomi pan sobie to bardzo dokładnie, a to bardzo ważne.

– No, to panu powiem. – Harold przysunął się jeszcze bardziej do Koreańczyka, a jedyną reakcją tamtego było dumne wyprostowanie ramion i wypięcie muskularnej, choć wąskiej klatki ku rozmówcy. – Najbardziej mnie wkurza, jak nauczyciel się popisuje. Czy pan to rozumie? – I nie czekając na odpowiedź, zaperzył się: – Dla samego popisu. Dlatego, że jemu to wychodzi raz za razem, bo to wyćwiczył. To głupie. I zniechęcające. Taki triumf tego, co umie, nad takim, co jeszcze nie umie.

– To też doping – wtrącił spokojnie Koreańczyk. – A poza tym, niech pan weźmie pod uwagę, że mistrz również jest człowiekiem i nie musi być wolny od ludzkich ułomności.

– To znaczy? – Darrell całym ciałem wyrażał chęć poznania odpowiedzi i był w tym bardzo szczery i naturalny.

– To znaczy, że mistrzom też potrzebna jest akceptacja. Mistrz nieakceptowany więdnie. Pan się jeszcze z tym nie zetknął, ale to się zdarza. To dopiero jest problem. – Szef pralni potwierdził swoje słowa zdecydowanym ruchem głowy, z którego wynikało, że nieakceptowanie mistrza to najważniejszy problem we wszechświecie.

– Sekundę! – Harold zaczynał się gubić. – Mówił pan, że zna pan *daito-ryu* – zastanowił się chwilę – to znaczy wie pan o nim tyle, ile chce wiedzieć.

– No właśnie. – Szef pralni odprężył się jak ktoś, komu wreszcie zadano pytanie, na które czekał. I wolno dozując myśli i słowa, odpowiedział: – Wie pan, można ćwiczyć po to, żeby pięknie ćwiczyć. Można ćwiczyć po to, żeby być najlepszym. Można ćwiczyć po to, żeby zwyciężyć. Którą opcję pan wybiera?

– Żadnej – bez namysłu odparował Harold.

Koreańczyk zdjął dłonie z ud i pomasował frasobliwie swój wąsik. Pokiwał głową.

– A może pan zaproponować inną?

Harold zadumał się. Nikt jeszcze nie stawiał go przed takim pytaniem.

– Chyba nie, ale moja motywacja składa się po trosze ze wszystkich przez pana wymienionych.

– No właśnie. Można rozumieć praktykę właśnie tak. Celowo korzystać z nabytych umiejętności zależnie od sytuacji. Tak jak pan to zrobił w restauracji.

– Widzę, że wieści rozchodzą się szybko, a ja jestem już większą gwiazdą niż ci przodownicy pracy i służby, których zdjęcia wiszą w korytarzach – zażartował Darrell, ale Koreańczyk nie zareagował uśmiechem, tylko spytał:

– Sprawia to panu przyjemność?

– Przyznam, że tak. Szczególnie podoba mi się uznanie w oczach kobiet i tych facetów z czerwonymi gwiazdami, którym wydaje się, że wszystko im wolno. À propos, czy oni wiedzą, że pan doskonale włada angielskim?

Koreańczyk uśmiechnął się i był w tym uśmiechu cień grzecznej prośby:

– Nie wiedzą i mam nadzieję, że po tej rozmowie ich ocena moich zdolności lingwistycznych pozostanie niezmieniona.

– Może pan na mnie liczyć – upewnił go Harold. – Nie mam żadnego interesu w tym, żeby ich informować. Teraz rozumiem, dlaczego pozwolili mi tu ćwiczyć. Poza tym mógłbym chyba oczekiwać na pana pomoc w poinformowaniu naszego konsulatu?

– Konsul już został poinformowany i najprawdopodobniej w ciągu kilku dni będziecie panowie mieli z nim spotkanie – spokojnie odpowiedział Azjata.

– Jest pan dobrze poinformowany... – Darrell skłonił się z uznaniem, a Koreańczyk natychmiast oddał ukłon i wyjaśnił:

– Pralnia jest jak targowisko. Przychodzą tu ludzie z całego miasta, a gacie generała nie różnią się tak bardzo od gaci sprzedawcy z bazaru. Z ludźmi przychodzą wieści i plotki. Jak umie się oddzielić ziarno od plew, można wiele wywnioskować. Tu nie ma wielu rozrywek, więc ludzie plotkują i mają długie języki. Ja umiem słuchać. To wszystko.

– Nawet nie wiem, jak pana tytułować... – wtrącił Harold.

– Proszę mówić do mnie Kim. To nazwisko bardzo popularne wśród Koreańczyków, więc do niczego to pana nie zobowiązuje.

– No właśnie – Darrell znów wpadł w ton entuzjastyczny. – Mój pierwszy mistrz w Stanach też nazywał się Kim. Wspaniały facet, ale chyba już nie żyje. Gdy zaczynałem, piętnaście lat temu, miał koło siedemdziesiątki, ale był niezwykle sprawny. W naszym *dojo* chyba nikt by z nim nie wygrał. Nikt nie odważył się zresztą próbować.

– Ten Kim, pański mistrz, też miał pralnię? – Koreańczyk odchylił się do tyłu, a w oczach zamigotały mu wesołe iskierki.

– Nie. Był właścicielem takiej małej sieci sklepików z żywnością. Wie pan... ryż... przyprawy... makarony, sosy. Pycha. Nauczył mnie przy okazji szacunku dla koreańskiej kuchni. Dałbym się posiekać za dobre *pulgogu*, nawet na chwilę mógłbym złamać swoje wegetariańskie zasady.

– Nie je pan mięsa? To bardzo rozsądne – pochwalił Koreańczyk. – A co się panu tak podoba w koreańskiej kuchni?

– Najbardziej dwie rzeczy – bez wahania odpowiedział Darrell. – Ostrość. Zabójcza. Nie ma jej w żadnej innej kuchni, a znam meksykańską, tajską, chińską i kilka innych. Po drugie, jak by to ująć – kreatywność.

Kim dłuższą chwilę zastanawiał się nad znaczeniem słowa, którego widać nie znał. Wreszcie poprosił o pomoc:

– Jak pan to rozumie?

– Najprościej. Kuchnia koreańska nie zamyka drogi do ostatecznego rozwiązania. Daje składniki i narzędzia. Troszkę podpowiada, ale wiele można zrobić samemu. Jest się kompozytorem dania. Uczestniczy się w tworzeniu smaku. W każdej koreańskiej knajpie, a takie były przy tych Kimowych sklepikach, w każdym stoliku było takie małe palenisko na węgiel drzewny i goście sami mogli sobie smażyć i gotować. Zresztą, po co ja to panu mówię. Przecież pan doskonale zna te sprawy. Czy Rosjanie nas nie podsłuchują?

– Moje dziewczyny stoją na czatach i dadzą nam znać, gdyby co. Wtedy ja szybko się zmyję, a pan będzie sobie ćwiczył.

– A ten strój? – powątpiewał Harold.

– Strój może pan zostawiać tu. Każdego ranka będzie czekał wyprany i wyprasowany. Sądzę, a raczej mam nadzieję, że będziemy mieli okazję razem poćwiczyć? Mógłbym się od pana wiele nauczyć.

– Niech pan nie przesadza – Darrell zaczerwienił się, ale było mu bardzo przyjemnie z tak oprawionego w kurtuazję komplementu. – Właśnie – zreflektował się. – Zaczęliśmy przecież od *daito-ryu*. Nie powiedział mi pan w efekcie, co znaczy to „wiem, ile chcę wiedzieć".

Darrell wyczekująco i niemal błagalnie spojrzał w uważne i życzliwe oczy Kima. Ten nie spuszczał wzroku, ale jego spojrzenie było łagodne i akceptujące. Odparł:

– Sztuki walki, jeśli traktujemy je z szacunkiem, powinny się nawzajem uzupełniać. Jak panu zapewne wiadomo, kiedyś królem był łuk, bo dużo walczono w polu i trzeba było zabijać na odległość. Tak było w Chinach, w Korei i wreszcie w Japonii, która wszystko importowała od nas. Oznaką przynależności do stanu rycerskiego był właśnie łuk. Potem nadszedł czas miecza. Miecz wymagał uzupełnień w postaci walki bez miecza, przeciwko mieczowi i tak dalej. Stąd wywodzi się wiele szkół i stylów, które generalnie służyły przetrwaniu na polu walki i na rozintrygowanych dworach. Gdyby życia starczyło, należałoby solidnie poznać wszystkie te style i szkoły, bo one wyrastają z jednego pnia i wzajemnie się uzupełniają. Ale nie starczy. Zatem, jeśli tak... – Koreańczyk upewnił się, że Amerykanin słucha go uważnie, a widząc zaangażowanie w spojrzeniu i całej postawie Darrella, ciągnął: – zatem jeśli tak, należy przynajmniej mieć świadomość owej wspólnoty, ciągłości i wynikania. Żeby to panu przybliżyć: ja jestem praktykiem *kenjutsu*, ale gdybym chciał zamknąć się tylko w kręgu miecza, to nie byłoby właściwe.

– Dlaczego? – spytał Harold.

– Choćby dlatego, że warto znać konteksty, które pomagają zrozumieć istotę rzeczy. Panu na przykład – proszę wybaczyć, że ośmielam się to sugerować – przydałoby się poznanie choć podstaw *kenjutsu*. Wtedy pańskie formy byłyby bardziej świadome i przez to z pewnością doskonalsze...

– Chodzi panu pewnie o to, że lepiej oddawałyby ducha walki. Przecież to tylko *kata*, a prawdziwa walka to co innego, choć i w takich sytuacjach już byłem. Sam pan wie. Choćby ten ostatni wyczyn... – zreflektował się, że przerwał Kimowi zbyt pochopnie, nie dając dokończyć myśli. Więc zamilkł niepewnie.

Koreańczyk uśmiechnął się wyrozumiale.

– Proszę nie mówić, że walka i formy to co innego. To dokładnie to samo. Choć zapewne, żeby uświadomić sobie tożsamość tych dwóch rzeczy i brak różnic, najpierw trzeba te wszystkie różnice poznać i wyeliminować.

– Nie bardzo pojmuję – Harold poczuł się zdezorientowany, a Azjata pospieszył z wyjaśnieniami:

– W japońskiej kulturze miecza, którą ja bardzo poważam i cenię, funkcjonuje takie powiedzenie: „jest róg i nie ma rogu". – Koreańczyk zilustrował to, rysując niewidoczne linie szczupłym palcem na klepkach posadzki.

Harold, upewniwszy się spojrzeniem w oczy rozmówcy, że czas na kolejne pytanie, poprosił:

– W dalszym ciągu nie rozumiem. Uznać, że nie ma różnic, dlatego że są różnice?

– Właśnie – potwierdził Koreańczyk. – Może jednak jest pan teraz na etapie, w którym takie spekulacje nie są panu potrzebne albo nurtują pana zupełnie inne problemy?

– Problemów mi nie brakuje, ale chciałbym zrozumieć. To japońskie przysłowie… – Darrell mimowolnie skrzywił się, wymawiając „japońskie", co nie uszło uwagi Azjaty – co ma właściwie pokazywać?

– To – odrzekł Koreańczyk – że wszystkie przeciwieństwa są jednocześnie jednościami. Tak jak ta kontrafałda z tyłu *hakama*.

Koreańczyk rozłożył spodnie i pokazał na tylne zaprasowane rozcięcie.

– Wie pan, co ona oznacza?

– Oznacza? – powątpiewał pilot. – Czy fałda może coś oznaczać? To problem dla krawców…

– Ano właśnie. To typowo zachodnie podejście. Jak wymyślicie dla problemu nazwę, nie rozwiązując go, to już jesteście zadowoleni, a przecież to ani o włos nie posuwa was na drodze rozumienia rzeczywistości. Ile ma pan belek na mundurze? Dwie, prawda. I nie dyskutuje pan z tym, że to oznacza, że jest pan kapitanem. Ale na tym sens owych belek się przecież nie kończy, jak pan zapewne zauważył. Te dwie belki powodują, że ludzie, którzy mają ich mniej, są obowiązani pierwsi panu salutować, ale także nakładają one na pana więcej obowiązków i więcej odpowiedzialności niż na ludzi, którzy tych belek nie mają. To oznacza także, że myśli pan o sobie w sposób nieco inny, a może nawet diametralnie inny, niż myślałby pan, gdyby naszyto ich panu mniej lub więcej. To w końcu oznacza także, że pańska droga życiowa jest w pewnym sensie temu znaczeniu przyporządkowana, przynajmniej w tej właśnie, czyli dwubelkowej fazie.

Koreańczyk odchylił się w tył i klepnął po udach, najwidoczniej zadowolony ze swojej piętrowej konstrukcji, a Harold musiał przyznać w duchu, że spojrzenie Kima na problem znaczenia belek było interesujące.

– Z tym znaczeniem pan więc nie dyskutuje, ale dziwi pana to, że inna kultura może mieć swoje znaczenia? Ta kontrafałda oznacza jednocześnie połączenie i rozłączenie, harmonię i dysharmonię, jedność i odrębność. Ale tradycyjnie pojmuje się tę kontrafałdę jako podwójny symbol, oznaczający – wybaczy pan, że użyję japońskich określeń, ale one lepiej oddają istotę rzeczy – *chugi* i *meiyo*, czyli lojalność i honor.

– Ale mówił pan przed chwilą, że ta tylna kontrafałda to jedność przeciwieństw?

– A czyż lojalność i honor nie bywają ze sobą sprzeczne? – szybko odparował Koreańczyk. Wszak łatwo być absolutnie lojalnym, gdy można zapomnieć o honorze. Nietrudno też ocalić honor, gdy nikt nie wymaga od nas lojalności. Może już za chwilę zostanie pan postawiony przed takimi właśnie dylematami? Wtedy może pan pomyśleć o tej fałdzie. Żadna z wartości w życiu nie funkcjonuje samodzielnie. Nie można mówić o odwadze, gdy nie zna się tchórzostwa i nie zazna lęku. Cham może w pełni docenić walor grzeczności, ale tylko wtedy, gdy zostanie nią pokonany. Tam, gdzie nie ma chamów i ludzi nieznających etykiety, nikt nie doceni właściwego zachowania. Czyż nie? – Koreańczyk odwrócił *hakama* tak, by ukazały się fałdy na froncie spodni. – Tu ma pan *yuki* – odwagę, *jin* – miłosierdzie, *gi* – prawość, *rei* – grzeczność i wreszcie *makuto* – prawdomówność. Istnieją także interpretacje konfucjańskie, ale za tymi nie przepadam, choć one właściwsze są mojej kulturze.

– Dlaczego pan nie przepada? – Darrell słuchał tego, co mówił szczurzy wąsik, z zapartym tchem, tak wydawało mu się to bliskie i świeże.

– Dlatego że konfucjanizm wyrządził Korei więcej złego niż dobrego. Wie pan coś o tym?

Pilot poczuł się raźniej i wyjaśnił:

– Coś niecoś. To wspaniała filozofia…

Koreańczyk machnął dłonią w powietrzu.

– Dobrze, że pan traktuje to w kategoriach filozoficznych, a nie religijnych albo politycznych. Tragedia Korei polega właśnie na tym. Zresztą, jak panu zapewne doskonale wiadomo, tragedia wszystkich kultur zagrożonych zniszczeniem polega na ortodoksji i nieumiejętności zobaczenia idei i wartości w innym świetle. Niech pan popatrzy na tych tu… – Azjata aż potrząsnął podbródkiem, chcąc gestem zamanifestować dezaprobatę wobec wszystkiego, co sowieckie. – Stworzyli piękną ideę, ale ortodoksyjna realizacja, w dodatku bez znajomości pryncypiów tej ideologii, doprowadziła ich tu, gdzie są.

– To znaczy? – zadumał się Darrell.

– Ze wspaniałej, cudownej i niezwykłej kultury została im harmoszka, skłonności do ekspansji i przemocy, łatwość gwałcenia zasad i reguł. To początek ich końca. Nie uważa pan?

– A pańscy Japończycy? Czy nie zrobili tego samego? – replikował Harold. – Wspaniałe tradycje, wzory, odrębność. Z tego wszystkiego wzięli tylko jedno. I zrealizowali to. Ekspansja. Za wszelką cenę. I co? To też początek ich końca. Z tej drogi nie ma odwrotu. A po drodze trupy, zbrodnie, bestialstwa. Czy to dobra cena? Pan jako Koreańczyk musi coś o tym wiedzieć. Poza tym – skąd to uznanie dla okupantów? Pan powinien ich nienawidzić z całego serca.

Koreańczyk nie zwlekał z odpowiedzią:

– Nie utożsamiam tych, którzy gwałcą Koreanki, z japońską kulturą. To dwie różne rzeczy i w dwu różnych fazach.

Darrell wykorzystał moment wahania rozmówcy i naciskał dalej:

– To niech pan nauczy podobnie relatywnego podejścia te gwałcone koreańskie dziewczyny. Będą panu wdzięczne i łatwiej im będzie to znieść. Nie sądzi pan?

– Być może. – Azjata trzymał swoje uczucia na wodzy. – Rozpatrzmy jeszcze jeden przykład dla potwierdzenia tego, co mówię.

– Mianowicie? – elegancko zainteresował się pilot, a Koreańczyk lekko wstał z podłogi i szerokim gestem wskazał na swój prezent:

– Niech się pan przebierze. To będzie coś, co pańscy rodacy nazywają demonstracją albo prezentacją.

Harold z sensualną i intelektualną przyjemnością doświadczał nowego stroju. Wkładając obszerne *gi*, myślał: „Jakież to wygodne! Żadnych guzików. Dopasowanie polega na ściślejszym lub luźniejszym zawiązaniu kokardy. Odpadają te wszystkie kłopoty z rozmiarami. No, może pomijając wzrost".

– Pozwoli pan? – Koreańczyk postanowił interweniować, widząc, że Amerykanin, znając ogólne zasady, nie rozumie szczegółów. – Te taśmy powinien pan wiązać tak, by oczka kokardy zachowały położenie poziome.

– Czy to nie wszystko jedno? – zadowolony Harold dociągał taśmy bluzy, ale dla szczupłego kierownika pralni różnice były istotne. Podszedł bliżej do pilota i patrząc mu w oczy, rozwiązał jednym pociągnięciem ładny i gładki węzeł.

– Pan wybaczy – pospieszył usprawiedliwić swoje zachowanie. – Taką pionową kokardę w Korei i w Japonii wiąże się zwyczajowo nieboszczykowi. Chyba nie chce pan wyglądać jak nieboszczyk? – zainteresował się Kim życzliwie, a Darrell pomyślał, że nie potrzeba do tego kokardy, tylko takiego pijaństwa, jakie zorganizował Myszkin, i kilku nocy z Jagodą Persen.

Koreańczyk tymczasem operował zręcznie szczupłymi palcami, wyjaśniając zasady:

– Jak pan ostatnie przewiązanie przewlecze od dołu, to całość przyjmie położenie poziome. O, właśnie tak! – Cofnął się o krok, by ocenić swoje dzieło. – Poza tym, jeśli pan pozwoli, nie można tak wysoko podciągać *hakama*, bo będzie je pan stale przydeptywał i w połowie treningu trzeba się będzie na nowo ubrać. Po co to pan tak zaciska?

Haroldowi zawsze – to znaczy od czasu, kiedy ćwiczył – wydawało się, że im wyżej zawiąże *hakama* na początku treningu, tym na dłużej mu tego podciągnięcia starczy. Zwykle kończyło się tym, że ściągał z siebie przypadkowym przydepnięciem spodnie, które jakoś nie chciały trzymać się powyżej talii. I to, o dziwo, nawet wtedy, gdy bardzo mocno zaciągał taśmy.

– W dodatku, wszystkie przeciągnięcia taśm wiąże pan powyżej węzła pasa – gderał Azjata, ale ton głosu świadczył o tym, że sprawia mu to przyjemność. – Myśli pan, że z tego powodu spodnie nie opadną i nie wejdzie pan w nie. Otóż wręcz przeciwnie. Mówiłem panu przed chwilą o jedności przeciwieństw i o tym japońskim przysłowiu...

Darrell przerwał zaczerwieniony, bo zakładanie stroju przyspieszyło mu puls:

– Jest kąt, ale nie ma kąta? – rzucił.

– Właśnie – wszedł mu w słowo Azjata, zręcznie rozwiązując misterne konstrukcje Amerykanina. – Im niżej i luźniej pan to zawiąże, tym lepiej się będzie na panu trzymać. Ręczę, że wystarczy na trzygodzinny, intensywny trening – zakończył Kim, obracając dłońmi kompletnie już ubranego rozmówcę.

Darrell odniósł nieodparte wrażenie, że te dłonie są zwinne, silne i śliskie. Dokładnie takie, jak namoczone gałęzie drzewa.

– I jeszcze jedno. Tych końców niech pan raczej nie zostawia tak luźno. To dobre dla aikidoków. Pan uprawia stare formy i trzeba raczej zawiązać spodnie po rycersku... Tak jak przed wyruszeniem w pole. Końce taśm nie mogą dyndać. To dobre dla tych nowych, sportowych szkół, ale nie dla pana.

– Czyli? – Darrell obracał w palcach luźne końce taśm *hakama*.

– To proste. Pojedynczy węzeł, a końce niech pan schowa do środka. Nie. Nie od góry. Nie pamięta pan? Jeśli chce pan, żeby nie opadało na dół, niech pan przeplata właśnie od dołu.

– Czy w kulturze Wschodu wszystko jest na odwrót? – irytował się Harold, podziwiając jednocześnie pomysłowość prostych i niezawodnych sposobów.

– Nic nie jest na odwrót – korygował naiwne myślenie Kim.

– Wszystko jest na swoim miejscu, ale każda rzecz ma swoje przeciwieństwo i dopiero obydwie te rzeczy tworzą jedność. To proste.

– Faktycznie.

Amerykanin przeszedł się, zrobiwszy kilka dynamicznych kroków, prowokując strój do awarii. Ale nic się nie wydarzyło, a ponadto, co go zdumiało, czuł się bardzo swobodnie. Nic go nie uciskało ani nie tamowało oddechu. Gdy ubierał się sam, odczuwał zwykle irytujący dyskomfort i nieodmiennie wydawało mu się, że przytył w pasie.

– Wie pan dlaczego jest tak dobrze? – Koreańczyk nie starał się ukryć tonu satysfakcji w głosie. – Bo ma pan swobodę, a jednocześnie pełną kontrolę.

– Ale jak to możliwe, że im luźniej, tym pewniej? – zdumiewał się Harold trochę na pokaz, bo już intuicyjnie wyczuwał odpowiedź.

Kim wyjaśniał:

– Bo tylko w takiej konfiguracji może pan kontrolować strój brzuchem. Wystarczy troszkę swobodniej go wypiąć, a żadna siła z pana stroju nie ściągnie. Jasne? To się nazywa kontrola stroju i jest wysokim stopniem wtajemniczenia.

– Wierzę, bo to działa – odparł Darrell. – A teraz proszę mi wyjaśnić konieczność znajomości *kenjutsu* w *daito-ryu*.

– Oczywiście, ale niech się pan rozgrzeje. – Koreańczyk skłonił się. – Ja pójdę po miecze.

Nie było go kilka minut, w czasie których Harold wykonał pobieżne i pospieszne *taiso*, nie dbając o kolejność ani o szczegóły. Kończył, gdy Koreańczyk przydreptał frasobliwie, trzymając w rękach *boken**. Zdążył się przebrać w *keikogi*, w którym było mu bardziej do twarzy i postury niż w chińskim kaftanie i spodniach.

Chwilę przypatrywał się rozgrzewce Amerykanina, po czym znów zaczął narzekać:

– Widzę, że nigdy nie przydarzył się panu porządny uraz z powodu zaniedbania rozgrzewki. Jest równie ważna jak sam trening, a pan to robi po łebkach. Zróbmy to porządnie... – Pytająco spojrzał na Amerykanina, a ten, zawstydzony, pokiwał głową.

– A zatem, proszę mnie naśladować. Część ćwiczeń z pewnością pan zna. Reszta od razu wyda się panu znajoma.

Następny kwadrans okazał się dla Darrella, któremu zbyt często wydawało się, że wie dużo o rozgrzewaniu ciała, upokarzającą lekcją poglądową. Koreańczyk zaczął od rzeczy najprostszych i stopniowo przechodził do ćwiczeń, które wymagały bezbłędnej równowagi i elastycznych, porozciąganych stawów. Na pozór oczywiste, okazywały się dla Harolda piekielnie trudne i bolesne, szczególnie gdy w zatrzymanych sekwencjach gimnastyki *tai-chi* trzeba było przezwyciężyć ból mięśni i zapanować nad oddechem. Azjata, który w ocenie Darrella miał ze trzydzieści lat więcej od niego, wykonywał wszystko z wdzięczną lekkością, w dodatku cały czas gderając:

– Niechże pan oddycha! – napominał. – Proszę swobodnie złożyć brzuch na udzie i nie naprężać się. Wtedy to będzie możliwe. O właśnie. Proszę mi wierzyć, pańskie ciało to lubi i będzie panu wdzięczne.

Kilka razy Harold był bliski tego, by się wymówić przed dalszym udziałem w tej rozgrzewce albo powiedzieć, że musi wyjść do toalety. Ale zrobiło mu się najzwyczajniej wstyd, że jest taki słaby i gnuśny. Owszem, potrafi rzucić trzema marynarzami o podłogę, a nie potrafi wytrzymać kilkudziesięciu

* Drewniany miecz do treningu *kenjutsu*.

sekund w rozciągniętej do granic możliwości organizmu niskiej pozycji. Tymczasem starszy pan Kim miał w sobie zadziwiającą, suchą, lekką i muskularną stabilność. Nie słychać było jego oddechu, podczas gdy Darrell, starając się oddychać przez nos i nie wspomagać się między oddechami, sapał jak lokomotywa ciągnąca pod górę ciężki skład. Gdy wreszcie skończyli, Darrell poczuł się fantastycznie lekki i ciepły. Jakby tkanki ciała wypełnił musujący i lekko mrowiący gaz. Czuł teraz, że mógłby zrobić w zasadzie wszystko. Nawet wbiec na ścianę i przebiec po suficie. Kim zauważył zadowoloną minę Amerykanina i z uśmiechem pokiwał głową.

– Widzi pan. Energia dostępna w dużej ilości aż z pana kipi, jak z czajnika. I o to chodzi. Niech pan nigdy nie zaniedbuje rozgrzewki, a już szczególnie wtedy, gdy będzie pan uczył. Niech pańscy uczniowie robią to porządnie. Wtedy nie będzie pan miał kłopotów ze stłuczeniami, naderwanymi przyczepami, rotorami i tym podobnymi rzeczami. Dobrze. Czy miał pan kiedyś w rękach *boken*? Nie. To proste. Cała rzecz w tym, by go nie ściskać. Trzymać go swobodnie i operować luźnymi barkami w pełnym zasięgu ramion. O, właśnie tak. Bardzo dobrze!

Harold był pojętnym uczniem i w kilkanaście minut przyswoił sobie pozornie prostą, a jednak bardzo złożoną technikę cięcia. Pomyślał przy okazji: „Prosta a złożona. Jest róg, ale nie ma rogu. Jasne. Byle tak dalej". Drewniany miecz był świetnie wyważony i Darrell szybko pojął, że to nie prozaiczny przedmiot, treningowa pomoc, ale coś obdarzonego własną wolą, historią i energią. Miecz był nad wyraz życzliwy. Widocznie wyczuł, że Harold traktuje go z szacunkiem, a niewprawne dłonie mają dość doświadczeń z inną sztuką walki. Kim także był usatysfakcjonowany.

– Co pan czuje? – spytał, a Amerykanin, nie przestając wykonywać prostych cięć znad głowy, odpowiedział:

– To niesamowite. Ten *boken*... *boken*? Dobrze mówię? – upewnił się. – Ma swoje drogi. Mam wrażenie... Może mówię głupstwa? Proszę mnie poprawić. Ale wydaje się… Nie! Jestem pewien, że on doskonale wie, jak się poruszać. Trzeba mu tylko impulsu.

Kim nie mógł powstrzymać zadowolenia. Po raz pierwszy w swojej długiej karierze praktyka i nauczyciela spotkał kogoś, kto tak szybko to pojął.

– No właśnie! Ale nie, niech pan nie wkłada w to żadnej siły. Coś panu pokażę.

Ruszył w kąt sali i przyniósł drugi drewniany miecz. Stanął obok Harolda, trzymając swój *boken* na tej samej wysokości, co Amerykanin.

– Teraz proszę wznieść miecz nad głowę. Tak jak ja. Potem opuścić go tak, jakby go pan chciał zawiesić tuż nad głową przeciwnika. Teraz zrobimy rzecz następującą: pan tnie, jak umie najszybciej i najmocniej, a ja wypuszczę swój miecz z ręki i nie nadam mu nawet żadnego impulsu. Jest pan gotów?

Harold postanowił zadziałać z zaskoczenia, ale mimo iż Koreańczyk otworzył dłoń, w której trzymał swój miecz, ułamek sekundy po tym, jak zaczęło się cięcie, puszczony swobodnie miecz wyprzedził miecz Amerykanina w powietrzu.

– Widzi pan – triumfował Azjata – wystarczy pozwolić mu opaść i nie przeszkadzać, a cięcie będzie i tak szybsze, niż gdyby włożył pan w to całą siłę. Czy wkłada pan siłę w parowanie ataku? Prawda, że nie? Niech pan sobie teraz wyobrazi, że to jest ostry miecz, pan ma tylko gołe ręce, a ja chcę panu cięciem z góry rozłupać czaszkę na dwie połówki. Proszę się bronić!

Kim oburącz wzniósł miecz nad głowę w szerokim zamachu, a Haroldowe *daito-ryu* zadziałało zupełnie instynktownie i zrealizowało pierwszą formę podstawowego poziomu. Akcja Kima skończyła się tylko zamachem, bo jego ramiona zostały przejęte przez dłonie Darrella. Potem *atemi** i prosty rzut, przytrzymanie skręconej boleśnie ręki powalonego przeciwnika i uderzenie

* Uderzenie.

w skroń leżącego. Oczywiście zatrzymane o milimetry od skóry jego czaszki.

– Doskonale! – Kim był najwyraźniej zadowolony i sprężyście poderwał się z podłogi. – Sam pan sobie odpowiedział na własne wątpliwości. Teraz proszę wykonać tę formę samemu, ale bardzo wolno, i patrzeć na mnie i drogę mojego miecza.

Gdy skończyli, Kim zapytał:

– Rozumie pan teraz? Wszystko wynika z miecza, który był pierwszy, a walka bez miecza przeciwko mieczowi to konsekwencje, ale nawet nie potrafię sobie wyobrazić, jakie były tego początki... – Kim zadumał się. – Jeśli zostanie pan tu jeszcze kilka dni, pokażę panu więcej związków. To może być bardzo przydatne w dalszej praktyce...

Usiedli znów, a Darrell rzekł ze smutkiem:

– Bardzo pięknie, ale nie żyjemy w czasach, w których mogłoby coś z tego wyniknąć. To nie są czasy dobre dla miecza. – I dodał: – Widzę, że zna pan doskonale japońskie szkoły walki. Pan... Koreańczyk...

Kim odpowiedział niezbyt uprzejmie, jakby ta uwaga go dotknęła:

– Może kiedyś zrozumie pan, że z każdej kultury trzeba brać to, co jest w niej najlepsze. Można uczyć się od Japonii jej militaryzmu i chęci bycia pępkiem świata, co łączy się z pogardą dla wszystkiego, co niejapońskie, ale można także uczyć się tego, czego dziś pana uczyłem...

– Czyli? – przerwał Darrell.

– Rozumienia zasad i respektowania ich. Gdyby chciał mi pan zarekomendować wybraną wartość pańskiej kultury, to cóż by to było?

Pytanie było trudne i zaskakujące, a pierwszym skojarzeniem Darrella była, nie wiadomo dlaczego, inskrypcja z pięciodolarowego banknotu, głosząca, że *In God we trust*[*]. Rzecz

[*] W Bogu pokładamy ufność.

tym bardziej zastanawiająca, że Harold nie wierzył w żadnych bogów, wyjąwszy może boga wojny, ale chyba nie o tego chodziło autorom banknotowego napisu. Drugie skojarzenie, jeszcze dziwniejsze, to widziany w dzieciństwie stragan z pamiątkami w stylu indiańskim. Były tam tandetne pióropusze, jakieś paciorki, tomahawki i gliniane fajki. Zupełnie nie wiedział, co odpowiedzieć. Przelatywały mu przez głowę różne pomysły: Góry Skaliste, grizzly stojący na tylnych łapach, muzyka country, literatura, *Moby Dick* i Armia Zbawienia. Wreszcie postanowił się przyznać i powiedział:

– To dziwne, ale nic nie przychodzi mi do głowy. Naprawdę dziwne, bo świat amerykańskich wartości, tego w co wierzymy, jest dość prosty i oczywisty.

– Może dlatego nie chce pan niczego wyróżnić? – podpowiadał Koreańczyk.

– Może dlatego… – potulnie zgodził się Darrell, ale natychmiast się wycofał: – Nie. Z pewnością nie dlatego. Tym Ruskim, gdyby mnie o to spytali, odpowiedziałbym natychmiast.

– A co by im pan powiedział? – Koreańczyk bardzo uważnie słuchał tego, co mówi Amerykanin.

– Powiedziałbym, że amerykańską kulturę wyróżnia w sensie pozytywnym to wszystko, czego brakuje ich obecnej kulturze. Czyli zasad. Żelaznych zasad, których trzeba przestrzegać – zapalał się – bo jak się tego nie robi, traci się zaufanie i przyjaźń sojuszników i przyjaciół.

– W pańskim kraju tak się właśnie robi? – powątpiewał Azjata i Harold natychmiast także zaczął wątpić, uświadamiając sobie, że polityka to jedno, a idee głoszone przez polityków to drugie. Wykonał więc dłonią zamaszysty gest.

– Dajmy spokój. Nie rozumiem, dlaczego chce pan to ze mnie wyciągnąć?

– Choćby dlatego – spokojnie odpowiedział Kim – żeby ustrzec pana przed pochopnym wydawaniem sądów o innych. Krzywi się pan na Rosję, nienawidzi Japonii, ale może to właśnie was wybrano, żebyście pomogli tym narodom się odnowić, wrócić na ścieżkę dawnych wartości?

– Wybrano? – powątpiewał Harold. – Za jaką cenę? Zginęło już tylu ludzi. Jeśli tak ma wyglądać droga narodu wybranego do pomocy innym narodom w powrocie na właściwą drogę, to ja dziękuję. Poza tym myśli pan, że jak się komuś porządnie przyłoży, to ten ktoś od razu się nawróci, poprawi? Japończyków trzeba wdeptać w ziemię, tak żeby nic nie wystawało. Hitlera też, a tę ziemię wypalić jeszcze dla pewności miotaczem płomieni i zasadzić kwiatki. A na wszelki wypadek postawić tam jeszcze żandarma z karabinem. Na kilka lat. Dla pewności – powtórzył.

– Żadnego narodu nie da się zniszczyć do końca – replikował Kim. – Ani żadnej kultury. Zawsze coś ocaleje i będzie początkiem odrodzenia. Tak było zawsze, a Japonia musi teraz wybrać pomiędzy dwoma potężnymi nieprzyjaciółmi. Wybrać na przyszłość. To, że wojnę przegrała, to już oczywiste i nic tego nie zmieni. Rosjanie, którzy wykaraskali się już w Europie z najcięższych opałów, wcześniej czy później zerwą rozejm i ruszą na Wschód. Tak musi być. Nigdy nikomu niczego nie darowali i jak wypraszano ich drzwiami, wracali kominem. Są uparci, a ten ich Stalin to wielki gracz. Największy z żyjących, proszę mi zaufać. Ruszą do Mandżurii i do mojego kraju. Miliony żołnierzy, tysiące czołgów i samolotów. W tym wiele, które od was dostali.

– Pożyczyli… – mimowolnie sprostował Harold, ale Kim puścił to mimo uszu i nacierał dalej:

– Jak pan myśli? Dlaczego tu was trzymają? Ze względów formalnych? Bo mają rozejm z Japończykami? Niech pan nie będzie naiwny. Nie domyśla się pan, o co im tak naprawdę chodzi?

I Harold uświadomił sobie rzecz, którą dotychczas lekceważył:

– O samolot? – Położył dłoń na ustach, jakby chciał, żeby nic więcej z nich nie wyszło, i pokiwał głową, a potem podniósł wzrok i powiedział: – Chyba ma pan rację, ale nie wiem, czy dobrze robię, rozmawiając o tym z panem? Nie wiem o panu nic. Może pan być równie dobrze japońskim szpiegiem i może powinienem poprosić majora Smoliarowa, żeby pana przymknął? Co? Co pan na to?

Przez chwilę wydawało się Darrellowi, że Kim zbiera się w sobie, by go zaatakować, ale Azjata popatrzył mu przenikliwie w oczy i Harold rozluźnił się.

– Mogę być japońskim szpiegiem, jeśli wygodnie panu tak mniemać, ale chyba pan sam nie wierzy w swój pomysł?

– Nie. Nie wierzę. Rosjanie mogą cuchnąć i być niewychowani, ale są aż za sprytni. Nie wierzę, żeby byli aż tak głupi, by prać gacie u japońskiego agenta w samym środku bazy wojskowej. – Spojrzał spod oka na Kima, a ten roześmiał się szczerze, co zupełnie już rozbroiło Harolda.

– Niech pan pamięta na przyszłość, że agenci obcych wywiadów zawsze lokują się w samym środku baz, choćby po to, by mieć co raportować swoim centralom. Ale zostawmy dowcipy. Życzę panu dobrze i mogę panu coś poradzić, bo nieźle poznałem Rosjan. Chce pan posłuchać?

Darrell kiwnął w skupieniu głową, bo coś nieodparcie ciągnęło go ku temu człowiekowi. Kim przeniósł stopy do przodu i podwinął je, opierając dłonie na lekko uniesionych kolanach, a Harold naśladował go, dziwiąc się, jak lekko mu to przychodzi.

– Jeśli dopuszczą do spotkania z konsulem, to niech pan się nie łudzi, że zostawią was z nim samymi. Nawet jeśli poproszeni czy zmuszeni wyjdą, to może pan być pewny, że będą podsłuchiwać wszystkimi dziurami w ścianach i w suficie. Co w tej sytuacji pan zrobi?

– Napiszę raport i protest i wręczę konsulowi – odparł po chwili zastanowienia Harold.

– Bardzo dobrze. Co pan podkreśli w tym raporcie? – dopytywał się Kim.

– Żeby nasi byli szczególnie wyczuleni w kwestii samolotu i technologii, i żeby bezwarunkowo zażądali zwrotu maszyny, zanim Ruscy rozkręcą ją na śrubki.

– Bardzo dobrze – znów pochwalił Kim i spytał: – A potem, co pan zamierza?

– Jak to potem? Przecież po kontakcie z konsulatem muszą nas uwolnić, bo konsul poinformuje nasz rząd, a rząd podejmie odpowiednie kroki – pewny swego replikował Darrell, a Kim tylko kiwał głową i uśmiechał się jadowicie, jak nauczyciel, który jest pewien, że uczeń mimo napomnień po raz kolejny popełni ten sam błąd.

– A jak nie uwolnią? Albo uwolnią wszystkich prócz pana? – spytał. – Ma pan plan na taką okoliczność?

– Dlaczego mieliby nas nie uwolnić…

– Właśnie – wpadł mu w słowo Kim. – Dlaczego?

– No właśnie – zreflektował się Darrell. – Mogą znaleźć tysiące powodów. Już zresztą to robią, bo tkwimy tu co najmniej o dziesięć dni dłużej, niż powinniśmy.

Kim ciągnął:

– Proszę zapomnieć o powinnościach, bo w Rosji te rzeczy przestały obowiązywać w momencie, kiedy do władzy doszli bolszewicy: niech pan zacznie myśleć trochę bardziej intuicyjnie. Co się stanie po spotkaniu z konsulem i po tym, jak pan przekaże mu swoją notę?

Harold chciał odpowiedzieć, ale Kim ubiegł go, odpowiadając sam sobie:

– Nic się nie stanie. Pańscy rodacy będą protestować, nawet głośno i z oburzeniem, ale przecież sojuszu ze Stalinem nie zerwą z powodu jednego samolotu i jednej załogi. Tak więc pokrzyczą i dadzą spokój. Ameryka, kapitanie, ze względu na swoje interesy w Europie i na Pacyfiku nie może teraz zbyt głośno karcić Stalina, a pan dostał się pomiędzy miecze potężnych szermierzy, i to nie pańska wina, tylko tego, co nazywa się polityką międzynarodową.

– Co więc pan mi radzi? – niepewnie podjął Darrell, a Kim odpowiedział od razu, jakby całą rzecz miał przemyślaną w szczegółach:

– Niech pan rozegra swoją grę. Niech pan zaplanuje i wykona własną rolę na tej scenie.

– Czyli? – wszedł mu w słowo podekscytowany Amerykanin, poprawiając się na piętach.

– W mojej opinii, jeśli będzie pan obstawał przy swoim, czyli domagał się uwolnienia, poinformowania i tak dalej, to skończy pan w jednym z tych miłych obozów gdzieś w Azji Środkowej i przesiedzi pan tam do końca wojny, nudząc się jak mops i grając w karty ze swoimi kolegami. Specjalnej krzywdy pewno panu nie zrobią, ale zablokują kontakt ze światem, bo nie będą ryzykować większego skandalu, zanim wojna się skończy. Jak się skończy, takie incydenty pójdą w zapomnienie, bo będą się decydować sprawy o wiele ważniejsze. Wie pan, będzie wielu bohaterów, jak to zwykle na końcu. Będzie się rozliczać winnych, nagradzać tych, co zasłużyli, i dzielić łupy i terytoria. Zrywać dotychczasowe sojusze i zawierać nowe. Tym kończy się każde starcie, a koniec każdej wojny jest początkiem drogi, która prowadzi do następnej. Nikt wtedy nie będzie się przejmować pańską niewolą i pogwałceniem sojuszy, a i pan sam nie będzie miał ochoty na procesy i dochodzenia. Ja chcę podsunąć panu inne rozwiązanie, które pozwoli panu wtrącić swoje trzy grosze do historii i być może zmienić choć trochę jej bieg. Co pan na to?

– Niech pan mówi… – zdecydował się Darrell, czując, że stąpa już po kruchym lodzie.

– Jak powiedziałem, znam nieźle Rosjan i mogę panu podpowiedzieć, jak z nimi postępować. Opór, bierny lub czynny, skończy się tak, jak powiedziałem…

– Obóz? – podpowiedział Darrell, a Kim przytaknął:

– Jeśli uznają, że jest pan dla nich nieprzydatny, wyeliminują pana. Oczywiście nie fizycznie, choć po nich można się wszystkiego spodziewać. Ale po prostu usuną pana w cień. Poza obszar wydarzeń. Pana i pańską załogę.

– Cóż mi pozostaje? – z rezygnacją w głosie spytał Harold, a Koreańczyk wyjaśnił:

– Z tego, co dotychczas się wydarzyło, można już wiele wywnioskować. Choćby to, że jest im pan potrzebny. Pan i pański samolot. Nie organizuje się dziwek takiej klasy dla jeńców wojennych ani nawet dla zagranicznych delegacji. Dziwki są dla swoich, tych z Moskwy, i dla tych, których chce się zjednać albo kupić. Dobra dziwka to też wartość, tak jak złoto czy władza, a przyzna pan, że trafiają się prawdziwe, pięknie oszlifowane brylanty.

– Tym bardziej powinienem być ostrożny? Nie sądzi pan? – dopytywał się coraz bardziej przekonany argumentacją Koreańczyka.

– Oczywiście, że pan powinien, ale też powinien pan choćby dowiedzieć się, czego od pana chcą, a jak już będzie pan miał jakąś orientację w ich taktyce, to wtedy będzie pan mógł wpływać na rozwój wydarzeń. Zapyta pan pewnie, w jaki sposób – uprzedzał wątpliwości Harolda. – A choćby w taki, że może pan zgadzać się na pewne rzeczy lub udawać, że się zgadza. Stawiać warunki. Sondować zamiary. Brać udział w grze. A w odpowiednim momencie, gdy pozna pan silne i słabe strony przeciwnika, może pan wyprowadzić kontrę. Zadać dobry decydujący cios, który może przełamać atak. Siedząc w obozie, będzie pan wygrywał tylko w brydża albo w kierki. Niech pan to przemyśli.

– Czemu pan mi to mówi? – spytał Darrell. – Pańskie rady nie brzmią ani jak rady przyjaciela, ani jak rady wroga. To, co pan mówi, brzmi jak... jak czysto techniczna wskazówka na sali ćwiczeń. Czego pan chce? Jakie są pańskie cele, bo przecież – nie oszukujmy się – nie jest pan zwykłym kierownikiem pralni. – Harold wpatrzył się w sympatyczną twarz Azjaty swoim najbardziej przenikliwym (przynajmniej tak mu się zdawało) spojrzeniem.

Kim przymknął powieki i odpowiedział powoli, bardzo dobitnie akcentując poszczególne słowa:

– Chciałbym, żeby po tej wojnie, tu, w tej części świata, więcej do powiedzenia mieli pańscy rodacy niż Rosjanie. Znam Rosjan i boję się ich zdolności do ekspansji jeszcze bardziej niż ekspansji japońskiej. Do tego wszystkiego ci przeklęci Chińczycy, którzy już teraz, co pan zapewne zauważył, grają na dwie strony. Ale bardziej im po drodze do Rosjan. Dwa imperia, od wieków niewolące poddanych, szybciej wejdą na wspólną drogę niż sowieckie imperium i ta pańska osławiona demokracja. Dlatego uważam, że powinien pan zagrać z Rosjanami. Zrobi pan zresztą, co uzna za stosowne. Może się poza tym okazać, że stary kierownik pralni się myli i grzecznie odeślą was i wasz samolot do domu. Wtedy niech pan zapomni o naszej pogawędce i dalej lata bombardować japońskie miasta. Im szybciej złamie się ich ducha, tym szybciej Japonia będzie mogła wejść na ścieżkę odnowy. Już najwyższy czas, bo ten naród topnieje jak śnieg na wiosennym słońcu. A teraz, drogi panie, zostawmy politykę i poćwiczmy jeszcze. Pokażę panu ładną starą formę, tylko przyniosę dobry miecz. Niech pan łaskawie chwilę poczeka.

Wrócił szybko ze spowiałym futerałem z barwionego na granatowo jedwabiu. Siadł znów naprzeciw Darrella i powoli, dozując oszczędnie gesty, wyjął ze środka miecz w skromnej oprawie. *Saya*, choć wykonana w drogim lakowaniu w stylu *chaichime**, była miejscami wytarta. Okucia były surowe i proste, z czarnego oksydowanego żelaza. Jedyną ekstrawagancją wydawała się ażurowa tuba, wyobrażająca łodygi bambusa. Kim zsunął z miecza pokrowiec i położył broń przed sobą. Po

---

* Rodzaj lakowania pochwy w kolorze mocnej brązowej herbaty, z rysunkiem naśladującym skórę zwierzęcą.

czym podniósł jasny i dumny wzrok posiadacza na Harolda i spytał:

– Widział pan już kiedyś bojowy miecz japoński?

Darrell zagryzł dolną wargę i zgryźliwie podchwycił:

– Pan jako Koreańczyk powinien mieć miecz koreański... A może się mylę?

Kim nie pozostał dłużny i równie zgryźliwie odparował:

– Być może, ale widział pan kiedyś miecz koreański i jego formy? Nie? Powiem panu pokrótce. To jest przyrząd, który do niczego się nie nadaje. Może jedynie do tego, żeby sygnalizować, że ktoś, kto go nosi, jest bardzo ważny. Można by też ewentualnie używać go jako rożna albo jako linijki. To jest bardzo dobry przykład degeneracji wzorca kulturowego, więc niech pan posłucha. Jak panu wiadomo, kultura koreańska jest bardzo stara. Starsza od japońskiej. Technologię skuwania i obróbki cieplnej stali opanowaliśmy wcześniej od Japończyków. I robiliśmy świetną broń. Tyle że nie bardzo nadającą się do walki. Miecz koreański jest zupełnie prosty. Jednosieczny. W kształcie podobny do *ken*, tyle że z innym jelcem. I zupełnie nie wiadomo, dlaczego tradycja każe go nosić w ręku. A nie za pasem lub na rapciach. Nawet jak się jedzie na koniu, to nie wolno go panu wsunąć za pas, tylko musi go pan trzymać w dłoni. Oczywiście w pochwie. To – jak się pan domyśla – znacznie ogranicza użycie broni i konia, ale jest zgodne z tradycją. Oczywiście konfucjańską. Dobywszy miecza, musi pan albo odrzucić pochwę, albo trzymać ją nadal w lewej ręce. Formy na nasz miecz (oczywiście uwzględniające to ograniczenie) są przepiękne. Proszę mi wierzyć. Ale nie nadają się do niczego. Może do cyrku. Ale zabić byłoby łatwiej tłuczkiem do mięsa, wyciągniętym z kuchennej szuflady. To wspaniały przykład dysfunkcji, wynikającej z ideologizacji kultury. Wytłumaczyć to panu? – Kim spojrzał pytająco na Amerykanina.

– Nie. Myślę, że wiem, o co panu chodzi. A ten miecz?

– To jest miecz japoński. *Katana* albo „nowy miecz"*. Krańcowo funkcjonalny w porównaniu do koreańskiego, choć gdyby nie nasza i chińska metalurgia i tradycja, nigdy by nie powstał. Japończycy, choć mało (by użyć pańskiego określenia) kreatywni w powszechnej opinii, wypracowali do perfekcji sztukę udoskonalania. Potrafią udoskonalić wszystko. I doprowadzić do porażającej funkcjonalności. Wzięli ten prosty koreański miecz i zaczęli go nie tylko kopiować, ale także zmieniać i dostosowywać. I jak pan widzi, to nie jest zwykły plagiat. Gdyby wejrzał pan w japońską historię, to *chokuto* pojawiło się w niej już w siódmym wieku. Wyspiarze dość szybko przekonali się, że to jest broń świetna do sztychów, ale ciąć się tym specjalnie nie da. Dlatego już w sto lat później, w epoce Nara, pojawił się *ken*, czyli miecz z piórem. Jakby częściowo obosieczny. To znaczy, że mógł pan ciąć w ruchu na dół i znów do góry bez odwracania głowni. – Szef pralni ilustrował swój wykład ruchami prawej, wyprostowanej dłoni, złożonej na kształt miecza. – I zaczął się zakrzywiać – ciągnął – bo w miarę, jak nim cięto nieprzyjaciół, okazywało się, że krzywizna jest znacznie stosowniejsza do cięcia niż taki prosty drąg. Ugięcie głowni, z początku prawie niezauważalne, rzędu kilku milimetrów, powiększało się z czasem, aż osiągnęło wielkość dwu i pół centymetra†. Tak jak w tym przypadku. Proszę spojrzeć. – Koreańczyk delikatnie obnażył część głowni.

Harold, który nigdy nie widział samurajskiego miecza, a tylko o nim słyszał, spodziewał się czegoś bardziej błyszczącego, na wzór lustra. Tymczasem stal przypominała mu raczej

---

* Mniej więcej do końca XIV stulecia miecz japoński noszony był na rapciach, tak jak europejska szabla, i zwisał u lewego boku ostrzem w dół. Było to wygodne przy walce z konia. Potem zaczęto go nosić ostrzem do góry za pasem *obi*, co ułatwiało zadanie cięcia, które było kontynuacją wyjęcia miecza z pochwy w jednym płynnym ruchu *nukitsuke*.

† Ugięcie – określenie krzywizny głowni (*tori*) – może być płytkie lub głębokie.

duraluminiowe pokrycie B-29. To była gładka matowość. Tak jakby delikatnie chuchnąć na lusterko. O ile jednak wypolerowane poszycie superfortecy było nieskazitelnie jednorodne, o tyle powierzchnie głowni aż mrowiły w oczach tysiącami niespodziewanych efektów, przywodzących na myśl bardzo drobne i bardzo delikatne słoje drewna. Kim powoli obracał miecz, a stal zdawała się zmieniać kształty i barwy płynnie, co ułamek sekundy.

– Czy mógłbym go wziąć w ręce? – nieśmiało zapytał Amerykanin. Jak każdy wojownik o wrażliwej duszy, zapragnął zobaczyć głownię w całości. Dotknąć jej i poczuć jej ciężar. Podobnie chłopiec, który zdoła podejrzeć obnażone udo poprawiającej podwiązkę dziewczyny, chciałby natychmiast przekonać się, jak ten kawałek komponuje się z resztą ciała.

– Za chwilę go panu użyczę, ale proszę mi obiecać, że będzie pan robił dokładnie to, co powiem. Nie będzie pan dotykał głowni. Chuchał na nią i machał bez polecenia. – Harold w podnieceniu kiwał głową przy każdym zdaniu. – No więc, niech pan wstanie. Teraz proszę wziąć miecz w obie ręce, ale kciuk prawej dłoni proszę zawsze trzymać na jelcu trochę z boku, o tu. I nigdy proszę nie przechylać miecza na stronę rękojeści. Gdy zamek jest słaby, miecz może się wysunąć pod własnym ciężarem i zrobić krzywdę. Doskonale. Teraz proszę wymacać pierwsze owinięcie pasa kciukiem lewej ręki i wsunąć tam koniec pochwy. Bardzo dobrze. Teraz niech pan powoli i... jak to się mówi po angielsku... aha... z godnością wsunie go do końca. Nad najniższą taśmą *hakama*. Tak. *Kashira*, czyli w pańskim języku głowica albo kapturek rękojeści, powinna znaleźć się dokładnie naprzeciw pępka. To od razu orientuje miecz i ciało w stosunku do centrum. Teraz muszę panu jeszcze o czymś powiedzieć. Coś bardzo ważnego. Sztuka miecza to w zasadzie sztuka posługiwania się pochwą. Proszę lewą ręką wysunąć miecz wraz z pochwą zza pasa... tak... tak doskonale – widzę, że pan już intuicyjnie wyczuwa, jak zabezpieczyć głownię przed wysunięciem się – i dać mi. Niech pan siądzie tam dalej, pod ścianą.

Następnych kilkunastu minut Darrell nie zapomniał nigdy. Kim demonstrował formy, a przed Haroldem odkrywał się nowy, piękny świat. Gdyby to tylko było możliwe, najchętniej zostałby w tej pralni na najbliższych kilka lat, by nauczyć się tego wszystkiego i do woli gadać z Azjatą o kościanej, miłej twarzy i profilu indiańskiego wodza.

– To jest *hoki-ryu* – wyjaśniał Kim. – Bardzo stara szkoła, stworzona na bazie doświadczeń wojennych w XVI wieku. Szybko stała się wylęgarnią idealnych ochroniarzy, bo jest uniwersalna i ma recepty na wiele dziwnych i niespodziewanych zagrożeń. Ma mnóstwo wspólnych elementów z pańskim *daito* i jest stosunkowo mało sformalizowana i wciąż diabelnie skuteczna. Oczywiście, jak pan widzi, walczy się w bliskim dystansie i głównie na podłodze. Co nie znaczy, że tego dystansu w razie potrzeby nie można skrócić jeszcze bardziej. Widzi pan: trzeba iść biodrami pod przeciwnika, wtedy go pan swobodnie sięgnie. – Drobny, suchy Kim przesuwał się po posadzce suszarni tak swobodnie, płynnie i szybko jak konik szachowy, przestawiany dłonią wprawnego gracza na odległe z pozoru pola. – Niech pan popatrzy – demonstrował – przeciwnik chce wydobyć miecz, ale ja uderzam swoją rękojeścią w jego dłoń na rękojeści, potem podsuwam biodra, jestem tuż przy nim i nie mogę już ciąć z zamachu, ale mogę przystawić ostrze do jego tętnicy szyjnej i pociągnąć, prowadząc to także lewą dłonią. Tu musi zwiotczeć i polecieć na twarz, a wtedy… – Haaaać! – krzyk zabrzmiał jak wystrzał i Harold wzdrygnął się odruchowo, gdy Kim, przestawiając z łomotem bose stopy, dźgnął sztychem wyimaginowanego przeciwnika. Znieruchomiały w doskonałej równowadze na palcach stóp, ze sztychem miecza wciąż zagłębionym w wątrobie oponenta, wyjaśniał mechanikę formy, a Darrell był coraz bardziej pewien, że Kim nie jest żadnym kierownikiem pralni ani tym bardziej

Koreańczykiem. – Trzeba celować nad szarfą, w miękkie... nawet jak wejdzie tylko na trzy centymetry i pacjent (naprawdę użył tego angielskiego określenia) będzie jeszcze się stawiał, to nietrudno będzie wyrównać dystans i zakończyć. – Miecz bezgłośnie spadł na głowę nieistniejącego, pełzającego po podłodze, zakrwawionego oponenta, a Kim konkludował: – Choć to mało prawdopodobne, bo ma złamane palce, naciętą tętnicę i dziurę w wątrobie. Dlatego tak lubię *hoki*. Szybko zadaje ciosy w różne miejsca, a co najmniej jeden z trzech musi być skuteczny. Jak pan to sobie przemyśli, to być może dojdzie do wniosku, że i bez miecza sprawa – czyli atak i obrona – wyglądałaby podobnie, a stąd już prosta droga do potwierdzenia tego, o czym mówiłem. Wszystko wynika z miecza. Reszta to szczegóły.

Harold był pod wrażeniem. Oczy mu błyszczały. Bardzo chciał zamachnąć się *katana*.

– Zawsze myślałem, że miecz świszcze przy cięciach...

Zawiesił głos, a Kim odparł z uśmiechem:

– Owszem, byłoby go słychać, gdyby miał... – chwilę szukał angielskiego słowa – taki rowek pod tylcem... wiem... to po waszemu strudzina. Byłoby go słychać. O tak. Szczególnie w takim cichym, pustym wnętrzu. Ale ten nie ma strudziny. To stara głownia ze szkoły Bizen. Gdy prowadzi się ją starannie i dokładnie, musi milczeć. Nie ma prawa się odezwać. Wtedy wiadomo, że cięcie jest prawidłowe. Dobrze widzę, że pan ma ochotę spróbować? Bardzo proszę. Chyba pan już zauważył, na czym polega praca pochwy? Proszę więc to uwzględnić, ale bardzo powoli.

Harold, ulokowawszy miecz za pasem, dobył go zgodnie z instrukcjami Kima i trzymając przed sobą, dziwił się, że broń jest tak lekka i jej ciężar nie zmusza dłoni do jakiegokolwiek wysiłku.

– Teraz – podpowiedział Kim – proszę wznieść miecz nad głowę, ale nie za wysoko, wystarczy, że zobaczy pan przeciwnika pod lewym łokciem. A teraz proszę po prostu pozwolić mu opaść, nie usztywniając ramion i wykorzystując pełny zasięg sztychu. Widzi pan, jakie to proste? Teraz potrzeba panu tylko dziesięciu lat codziennego treningu i tysiąca *suburi* dziennie i będzie pan mistrzem. No i jeszcze kogoś, kto będzie poprawiał pana błędy.

– Jakie to proste – Harold powiedział coś przeciwnego, niż zamierzał, oddając z żalem miecz i uśmiechając się do człowieka, którego raczej powinien zadenuncjować albo przynajmniej spróbować zabić. W ciągu godziny, którą spędzili razem, wiele się zmieniło i w oczach Azjaty zobaczył potwierdzenie tych zmian. To nie było proste i łatwe. Ale było fascynujące.

– Więc uważa pan, że opór nie zda się na nic? – upewniał się, a spojrzenie Kima stało się ciepłe i autentycznie przyjazne.

– Uważam, że niejaki Hisayasu, który spisał niegdyś rzeczy, z których kilka tu panu pokazałem, miał wiele racji, twierdząc, że „ideałem sztuki wojennej jest nie walczyć". Cóż. Wam, ludziom Zachodu, wydaje się, że przeznaczenie i świadomy wybór człowieka to rzeczy, które się wzajemnie wykluczają. A one, mój panie, znakomicie się uzupełniają.

Harold pokiwał głową w zadumie i powiedział wolno:

– Jest róg, ale nie ma rogu.

Lotnisko Izmaiłowo
pod Moskwą.
Koniec czerwca 1945 roku

Wydawało mu się, że to trwa wieczność. Stali tu od trzydziestu minut, osłaniając smagane drobnym, złośliwym deszczykiem twarze kołnierzami płaszczy. Deszczyk był natrętny i tak drobny, jak para z niewyłączonego w porę czajnika, osiadająca na kafelkach kuchni. Każedub, wystrojony w nowy skórzany płaszcz, klął cichutko i bez złości, co chwila spoglądając w ołowiane niebo, wiszące, zda się, tuż nad ich głowami. Znów

267

bolała go dłoń, której nie miał, a nastrój ostatecznie zepsuła mu przedpołudniowa odprawa u Stalina. Tumiłow stał cierpliwie jak w kolejce po śledzie, ale i on w tych momentach, w których Każedub zaczynał niecierpliwie mierzyć mokrą betonkę bocianimi krokami i oddalał się na kilkanaście metrów, odsuwał z przegubu lewej ręki płaszcz i sprawdzał czas, odruchowo przeliczając go na litry paliwa, spalane przez cztery cyklony. Pogoda, choć lato w pełni, nie była najstosowniejsza do latania, a samolot miał do pokonania spory etap ze Swierdłowska. Pułap ciężkich chmur wynosił ledwie 500 metrów i podejście nie będzie łatwe. Temperatura powietrza spadała, a na zakurzonym od minionych upałów pasie tworzyła się delikatna warstewka błota. Na oko widać było, że jest ślisko. Dla pewności Tumiłow zrobił kilka kroków i spróbował betonu podeszwą trzewika. Wrażenie było takie, jakby przesuwał nogę po lodowisku. Cóż, trzeba zdać się na umiejętności załogi i poziom amerykańskiej techniki. Andriej był bardzo ciekaw tego samolotu. Ciekaw był, jak wygląda maszyna, która spełnia wszystkie te założenia, których jemu nie udało się osiągnąć. Przecież już w czterdziestym trzecim kazano mu opracować wstępny projekt i makietę ciężkiego bombowca, operującego na dużym pułapie, osiągającego pięćset kilometrów na godzinę z ładunkiem dziesięciu ton bomb, które miał ponieść na pięć tysięcy kilometrów! To były parametry odpowiadające niemal dokładnie osiągom amerykańskiej konstrukcji. Projekt miał rozwijać się dwutorowo: jako bombowiec strategiczny i wersja transportowa, którą po (zwycięskiej oczywiście) wojnie łatwo będzie przerobić na samolot cywilny. Bardzo szybko okazało się, że maszyna o gabarytach bliskich konstrukcji „czterdziestego drugiego" będzie ważyć ze dwa razy więcej, niż trzeba. To oczywiście oznaczało, że samolot nie osiągnie zakładanych parametrów użytkowych. Przyczyny takiego stanu rzeczy były oczywiste. Technologie, które złożyły się na sukces amerykańskich inżynierów, Rosjanie mogli sobie pooglądać w specjalistycznych zachodnich pismach. A i to tylko na obrazkach. To nie była jedynie kwestia konstrukcji podzespołów, mechanizmów i agregatów, ale przede wszystkim poziomu metalurgii i towarzyszących jej technologii. Andriej oceniał, że opóźnienie wynosi ni mniej, ni więcej tylko dziesięć lat. W 1943 roku nikt nie myślał o tym, by siły i środki, tak dramatycznie zużywane w wojnie z Niemcami, kierować na obszar badań i doświadczeń. A musiałyby to być środki potężne. Jednak wstępny projekt gotowy był w sierpniu 1944. Można powiedzieć, że „sześćdziesiąty czwarty" zawierał w sobie to wszystko, czego wywiad zdołał dowiedzieć się o analogicznych konstrukcjach zagranicznych. Na papierze i w postaci modelu samolot był czteromotorowym zgrabnym bombowcem o charakterystycznym podwójnym stateczniku, zdolnym wykonywać za dnia strategiczne uderzenia na głębokich tyłach wroga. Wyglądało na to, że maszyna będzie w stanie wynieść nawet osiemnaście ton bomb (przy czym największe ważyłyby aż pięć ton). Załoga ulokowana w hermetycznych kabinach nie musiałaby korzystać nawet na dziesięciu tysiącach metrów z uciążliwych instalacji tlenowych. Do tego ciężkie uzbrojenie obronne – cztery zdalnie kierowane wieże z podwójnymi działkami kalibru 23 milimetrów. Żyć nie umierać. Na papierze wszystko wyglądało znakomicie. Model też był piękny. Żeby choć hipotetycznie odciążyć samolot, zaprojektowano w miejsce niemal wszystkich systemów hydraulicznych lżejsze siłowniki elektryczne, choć znaczna część z nich istniała także tylko na papierze. Tumiłow zastanawiał się nawet nad możliwością wykorzystania silników wysokoprężnych, ciężkich jak diabli, ale umożliwiających zwiększenie zasięgu dzięki mniejszemu zużyciu paliwa. Silniki były jak zwykle największym problemem, bo już na papierze widać było, że dostępne moce są zbyt małe, by maszyna o takiej masie latała jak należy. Kolejnym problemem, który mógłby zostać rozwiązany jedynie za pomocą cudu, był nieodzowny dla takiego samolotu panoramiczny celownik radiolokacyjny. Inaczej bombardowanie z wysokiego pułapu, w dodatku przez chmury, przypominałoby skutecznością celowanie pestkami z wiśni w przelatującą muchę. Tu sowiecka myśl konstrukcyjna była – jak to się mówi – w lesie. Wojskowi z Moskwy, nie bacząc na to, że bombowiec istnieje w sposób wysoce mityczny, snuli już dalekosiężne plany, rozwijając radosną twórczość, którą Tumiłow jadowicie nazywał „założeniową". Marzył się im bombowiec o maksymalnej szybkości 630 kilometrów na godzinę, pułapie jedenastu kilometrów i zasięgu strategicznym. W dodatku to „założeniowe" cudo miało startować z zaledwie ośmiusetmetrowego pasa!

Ponieważ tak mu kazano, mnożył papierowe byty, raportując skrzętnie, a efekty jego teoretycznych obliczeń przekazywane były wciąż wyżej i wyżej, owocując deszczem pochwał i odznaczeń dla kolejnych ogniw owego łańcucha mitomanów. Jednym słowem – kiszka. Oczywiście niejako po drodze rozbierało się na kawałki najnowocześniejsze maszyny z amerykańskiej pomocy i skrupulatnie badało szczątki niemieckich samolotów. Ale były to poczynania najzupełniej doraźne i często Andriej odnosił nieodparte wrażenie, że całość owych nastawionych przecież na przyszłość poczynań jest nader chaotyczna i przypadkowa.

To, że miał za chwilę zobaczyć superfortecę, było jednocześnie i podniecające, i przykre. Podobnie zapewne czują się dzieci w przedszkolu, którym kazano wykonać jakieś prace ręczne w rodzaju malowanek czy wycinanek, a gdy całe w rumieńcach emocji prezentują swoje kalekie, nieudolne wyczyny, wyciągając je w niepewnych, ale i dumnych z dokonań rączynach w stronę nauczycielki, ta, niepomna okrucieństwa porównania, prezentuje im rzecz wykonaną przez zawodowego rzemieślnika.

Spotkanie ze Stalinem, wbrew temu co sobie po tym spotkaniu obiecywał, wcale nie było krzepiące. To nie był człowiek, w którym można było szukać oparcia albo motywacji. Poza tym Tumiłow wciąż był człowiekiem o nieokreślonym statusie. Trochę był, a trochę go nie było. Na początku czterdziestego pierwszego, wbrew obietnicom Każeduba, Sąd Najwyższy wlepił mu piętnaście lat poprawczaka (wyrok ostateczny i niepodlegający apelacji). Ale już w czerwcu był niby na wolności. Ten sam Sąd Najwyższy ułaskawił jego i dwudziestu innych ludzi z branży, choć owego ułaskawienia (ułaskawienia, dodajmy, a nie zmiany wyroku wyssanego z palca) Tumiłow nigdy na oczy nie widział. Wówczas nie miał czasu, żeby oddawać się rozważaniu tej zawiłej, ale jakże istotnej kwestii, bo trzeba było czym prędzej wynieść się z Moskwy do bezpieczniejszego Omska. W Omsku, który był w ocenie Andrieja całkiem ładnym miastem, choć nie miał czasu, by mu się lepiej przyjrzeć, pospiesznie rekonstruowano CKB-29, nie zapominając o dodaniu czterech przynależnych literek NKWD. Zespół urządził się tu całkiem wygodnie w niedokończonym kompleksie fabryki ciężarówek, a wytwórnię i maszyny szybko przestawiono na produkcję lotniczą. Cztery literki czepiały się, jak mogły, przeszkadzając w pracach nad bombowcem nurkującym, który teraz, ku satysfakcji Andrieja, nazywał się Tu-2. Wreszcie ktoś rozsądniejszy uwolnił ich od głupoty i tępej wszechpodejrzliwości oficerów i jesienią czterdziestego drugiego mieli już zaszczyt pracować w „Wytwórni lotniczej numer 156". Na wszelki wypadek po korytarzach i halach montażowych pętało się kilku czujnych aktywistów, poprzebieranych za robotników i sprzątaczy, ale Andriej mógł swobodniej decydować w kwestiach blisko związanych z produkcją i planowaniem. Tę względną swobodę Andriej zawdzięczał, jak mu się wydawało, sukcesom w uruchomieniu seryjnej produkcji maszyny z silnikami ASZ-82. Seryjny bombowiec miał dobre osiągi, pułap praktyczny dziewięciu kilometrów i świetny zasięg, bliski dwóm tysiącom kilometrów. Znów jednak, nim zdążyli wypuścić dwadzieścia sztuk, ktoś mądry na górze uznał, że omską fabrykę czym prędzej należy przestawić na wielkoseryjną produkcję nie tak znowu udanego myśliwca Jakowlewa. Ściślej: udane były tylko prototypy, a egzemplarze, które weszły do linii, nie osiągały ani założonej prędkości, ani prędkości wznoszenia.

Dla jeszcze większej ścisłości dodajmy, że prototyp latał znakomicie, dopóki w kolejnym locie nie spadł, zabijając pilota. A „drugi", szczególnie gdy dostał nowe wspaniałe silniki ASZ-82FN dysponujące niebagatelną mocą 1850 koni, śmigał po niebie z zachwyconymi załogami, płosząc nawet najnowsze niemieckie myśliwce! Potem można było pożegnać kolejne miejsce, do którego Andriej zdążył się już przyzwyczaić (lubił jasne, pełne światła i przestrzeni hale montażowe omskiej wytwórni), i wrócić na stare śmiecie, od których faszyści odegnani zostali na przyzwoitą odległość. Powstawały kolejne, coraz doskonalsze warianty „drugiego". Można było prowadzić w miarę normalne życie zawodowe i rodzinne, ale Tumiłowa nie opuszczał lęk i poczucie tymczasowości. Na ulicy i przed wyjściem z klatki schodowej obserwował otoczenie, w każdej chwili spodziewając się widoku czarnej limuzyny. Owe piętnaście lat „poprawczaka" śniło mu się w najróżnorodniejszych wariantach niemal co noc. O dziwo, stan ustawicznego napięcia i zwierzęcej czujności bardzo dobrze wpływał na jego sprawność intelektualną. Można by mniemać, że taka nieustanna, okrutna tresura jego jaźni była znakomitym ćwiczeniem dla umysłu. A braki materiałowe i technologiczne, związane z wojną i wyjątkowo nieudolnym zarządzaniem wojenną gospodarką, zmuszały go do wymyślania coraz to nowych modyfikacji konstrukcyjnych, co także było świetną gimnastyką. Zastanawiał się niejednokrotnie, ślęcząc nad rysownicą, nad stanem swojego ducha. To nie były wesołe refleksje. Był niemal pewny, że go duchowo okaleczono, ale z drugiej strony, gdyby nie ów fakt, nigdy by się zapewne nad swoim stanem nie zastanawiał. Była więc z tej całej sytuacji jakaś korzyść. Ale żeby ocenić sytuację, a może lepiej: rzeczywistość, w której przyszło mu żyć, potrzebne były rzeczy, których mu nie dano. Podejrzewał, choć tylko podejrzewał, że uczestniczy w totalnym, zabłoconym szwindlu, na który jego naród dawał przyzwolenie. Nie był też pewien sam siebie, tym bardziej że skala jego podejrzliwości miała wiele stopni, a wskazówka, zależnie od dnia i sytuacji, wychylała się niejednokrotnie w położenia najzupełniej krańcowe.

Na jednym końcu tej skali widniało przekonanie, że wszystko jest tak, jak powinno być, i nie ma na świecie lepszej rzeczywistości. To kwestia częstotliwości bodźca i ludzkiej wrażliwości. Kiedy wszystkie elementy rzeczywistości skonstruowane są w ten sposób, że informują cię o samych pozytywach, po pewnym czasie przestajesz buntować się przeciwko ciemnym stronom, a zaczynasz zauważać owe pozytywy we wszystkim, co cię otacza. Mądrzy psychologowie nazywają to algebrą emocji. Z grubsza chodzi o to, że w każdym człowieku natura, sprzymierzona z kulturą, zamontowała swoisty bezpiecznik. Taki, który w warunkach ciągłego stresu i zagrożenia każe umysłowi uśmiechnąć się i odprężyć, choć na chwilę. Dlatego więźniowie w obozie koncentracyjnym potrafią dowcipkować i zaśmiewać do łez w przededniu eksterminacji. Nazwijmy to, jak chcemy, ale mechanizm wisielczego humoru jest zaiste dobroczynny. Ludzki duch oparty jest na współdziałaniu emocji i intelektu. Nawet wtedy, gdy intelekt ostrzega o wpadnięciu w totalne bagno, emocjonalna część ducha każe się zaśmiewać choćby z tego, że przy okazji ubłociliśmy ukochane kamaszki. Ale ów bezpiecznik, choć genialnie zaprojektowany, kiedy funkcjonuje zbyt długo w ekstremalnych warunkach, może się rozregulować. Dlatego ci sami mieszkańcy łagru, którzy jakimś cudem uszli śmierci, po wyjściu na wolność nie potrafią się już śmiać. A przecież potrafili to robić za drutami, z pętlą na szyi!? Co takiego się stało? Nic szczególnego. Czujnik się przestawił i nie potrafi działać w warunkach, do jakich go zaprojektowano. W metalurgii rzecz taką zwykło się nazywać zmęczeniem materiału, któremu kazano pracować w ekstremalnych temperaturach lub w sytuacji ekstremalnych obciążeń. Tumiłow uciekał się i do takich inżynierskich porównań, ale nie na wiele się to zdało i nie przybliżało go ani na krok do prawdy o samym sobie. Wiedział jedno – praca była najlepszym rozwiązaniem. Była lepsza niż wódka, bo przynosząc podobne efekty zatracenia, nie zamulała umysłu. Tyle tylko, że sens pracy był teraz zupełnie inny. Nim go wsadzono, był dumny z faktu, że tworzy na użytek społeczeństwa, które go wyniosło na wyżyny konstruktorskiego powodzenia. Był także przekonany, że spłaca w ten sposób dług zaciągnięty w młodości. Roił sobie wreszcie, że realizuje ideę, i to go autentycznie uszczęśliwiało. Nie wierzcie w dyrdymały o geniuszach tworzących dla siebie i o sztuce dla sztuki. Każdy potrzebuje publiczności, nawet ten, kto nie tworzy, a niszczy. Dawniej pławił się w oklaskach, a klapy ciążyły mu od orderów. Teraz chwalono go rzadko, a w zasadzie w ogóle go nie chwalono, a jedynie rozliczano albo podsumowywano. Ale żył i mógł pracować. Musiał także stworzyć sobie nowe motywy dla owego nowego życia. To było proste: przetrwał dzięki intelektowi i zdolnościom twórczym. Innym do przetrwania potrzebne były pazury, siła lub przewrotność. Jeszcze innym bezkompromisowość i brak zasad. Byli i tacy, którzy przetrwali dzięki zdolności unicestwiania innych. To też była metoda. Każda metoda była dobra i Andriej nie miał pretensji do tych, którzy byli ich wyznawcami. Starał się tylko rozumieć mechanizmy, bez ich oceniania. Podchodził do rzeczywistości jak do konstrukcji. Coś albo działało, albo nie działało, i to nie było ani dobre, ani złe. Dzięki temu wypracował na swój własny użytek teorię społeczną, nazwijmy ją „funkcjonalistyczną", bo nie wiemy, jak on ją nazywał. Była bardzo prosta i wygodna, ale zjeżyłaby włosy na głowach aksjologów. Jeśli coś działało, było przydatne i pożądane w konstrukcji, jeśli nie chciało działać, można to było wyeliminować lub zastąpić czymś działającym. Można było także poprzez przeróbki i udoskonalenia sprawić, że to, co nie chciało działać, w efekcie działało i było pożyteczne. To rozumowanie pozwalało Andriejowi kwalifikować z równą oczywistością zarówno ludzi, jak mechanizmy. Drzemiący w nim wciąż Tarbagan usiłował wprawdzie przeciwko temu protestować, ale Andriej słuchał jego głosu tylko w tych sprawach, które dotyczyły maskowania intencji, udawania pokory i entuzjazmu. W innych nawet nie usiłował z nim dyskutować. Dzięki takim spekulacjom – a właściwiej rzecz nazywając: dzięki oszukiwaniu własnego sumienia – udało się Tumiłowowi odbudować w sobie coś w rodzaju dumy. Bywały chwile, kiedy śmiał się serdecznie, jak dawniej, i potrafił czerpać radość z przyjacielskich posiedzeń przy kielichu, choć ci, którzy znali go od dawna, dostrzegali bez trudu w jego zmęczonych, przykrytych grubymi szkłami oczach nadzwyczajną i nieustającą czujność. Czujność ta nie uszła oczywiście uwagi Stalina, który umiał patrzeć (gdy chciał) w oczy i wyciągać z tego właściwe wnioski.

– A wy co, towarzyszu konstruktorze? Patrzycie tak, jak zając spod miedzy, kiedy usłyszy psy. Boicie się czegoś? – I nie czekając na odpowiedź, głównodowodzący rzucił jeden ze swoich słynnych żarcików, które tylko dla niego były zabawne:

– Pewno Każedub zanadto zalazł wam za skórę? Co? Mam rację? – dopytywał się, zacierając ręce. – Nie zwracajcie na pułkownika uwagi. Zazdrości wszystkim, którzy potrafią zrobić coś konkretnego. Każedub umie tylko złościć moich przyjaciół, a zrobić coś pożytecznego – ani w ząb – dopiekał bez złości Iwanowi, który znosił niewybredne docinki w pełnym dostojeństwa i uprzejmym milczeniu. Stalin perorował dalej: – Mówi się o takich, że mają dwie lewe ręce. Ale powiedzcie mi, Andrieju Nikołajewiczu – częstował konstruktora herbatą, podsuwając spodeczek z konfiturami – co powiedzieć o pułkowniku? Przecież on ma tylko jedną rękę i to lewą. Ha, ha – krztusił się dobrodusznie pod wąsem, a Tumiłow zazdrościł mu zupełnie irracjonalnie tego, że może najzupełniej bez konsekwencji żartować z tak niebezpiecznego osobnika jak pułkownik. Wiedział, że Stalin nie oczekuje odpowiedzi na swoje zaczepki, więc siedział najskromniej, jak tylko potrafił, i mieszał herbatę, uważając, by nie dzwonić zanadto o ścianki szklanki z rzniętego w zimowe kwiaty kryształu. – Nie bójcie się – dobrodusznie burczał Stalin. – Teraz, jak wasz „drugi" tak pięknie spisuje się na froncie, nawet Każedub nie waży się was denerwować. Nie mówiąc o mnie. Wykonaliście naprawdę kawał dobrej roboty, bo lotnicy nie mogą się was nachwalić. Pewno już tęsknicie za pochwałami i orderami przed frontem? – Głównodowodzący rzucił życzliwe i pełne zrozumienia spojrzenie na Andrieja, a ten omal nie uwierzył bezgranicznie w ową życzliwość. – No to przyjmijcie to ode mnie. – Stalin z szuflady biurka wyjął aksamitne pudełko i położył przed zmieszanym Tumiłowem, który nie wiedział, co wypada mu dalej robić. – Stalina najwyraźniej bawiła ta bezradność. – Ależ otwórzcie. To dla was. I wybaczcie, że tak skromnie. Ale macie w aktach wyrok i nie mogę wam dać Lenina ani Bohatera. – Andriej ostrożnie podniósł wieczko i zobaczył pod nim pięknie odlany i emaliowany Order Czerwonego Sztandaru Pierwszej Klasy. – Wybaczcie, że wręczam go wam bez całej pompy i oklasków, ale doceńcie, proszę, to, że zawieszę go wam własnoręcznie. – Stalin, wysunąwszy zabawnie koniuszek białego od nalotu języka, manipulował pięknymi smukłymi palcami przy klapie konstruktorskiej marynarki. Te palce tworzyły dziwny kontrast z topornym cielskiem i grubymi, jakby niechlujnym dłutem dłubanymi rysami twarzy. Przypiąwszy wreszcie order, głównodowodzący odsunął konstruktora na odległość wyciągniętych ramion i napawał się widokiem nie tyle odznaczonego, co odznaczenia. – No, a jak tam „sześćdziesiąty czwarty"? Będzie co z tego, czy szkoda zachodu? – I znów nie czekając na odpowiedź, perorował dalej jak w natchnieniu. Widoczną przyjemność sprawiało mu krytykowanie zaufanych ludzi: – Moi specjaliści wciąż przynoszą mi coraz lepsze wykresy i wyliczenia, ale z tego, co wiem, bombowiec jest na etapie latawca ze sznurkiem? Mówcie jak na spowiedzi. Nie musicie mi mydlić oczu cyferkami.

Andriej pomacał się po klapie, sprawdzając, czy order trzyma się wystarczająco solidnie, i podniósł jasne spojrzenie na wodza:

– Czy mogę być szczery, towarzyszu Stalin?

– Mówcie! – krótko zachęcił Gruzin i podkręcił mocno siwiejącego wąsa, którego koniuszki zażółcił tytoń, a Andriej nabrał powietrza i wraz z nim nieco pewności siebie:

– Wszystko rozbija się o nasze zacofanie technologiczne. Co z tego, że mamy wspaniałych konstruktorów, jeśli brak nam materiałów, technologii, badań i zaplecza. Gdybyście mnie, towarzyszu Stalin, spytali o przyczyny, to jest ich wiele, a najważniejsze tkwią w historii. U nas nigdy nic nie rozwijało się harmonijnie. Samo z siebie. Tylko skokami. To tak jak z tymi brodami bojarów. Trzeba je dopiero obciąć, żeby wszyscy pojęli, że można też bez brody. Ot, popatrzcie. Kiedyś nie mieliśmy floty, tylko jakieś nędzne łupiny. Potem przyszedł oświecony car, wyuczony innego myślenia i nagle... bach. Rosja stała się morską potęgą i zaczęła zwyciężać. Podobnie z innymi branżami. Weźcie pod uwagę broń pancerną. Zaczęliśmy jako ostatni w Europie, kopiowaliśmy, naśladowaliśmy, a teraz... popatrzcie, gdzie jesteśmy. Na czele... Te zrywy. Te konwulsje, towarzyszu Stalin – rozkręcał się konstruktor – biorą się stąd, że za dużo u nas durniów i zawistników... – przerwał nagle, zdając sobie sprawę z tego, że posunął się za daleko, ale wódz łaskawie zachęcał:

– Mówcie, mówcie, co macie na języku. Ja się nie obrażę, a Każedub będzie udawał, że nie słyszy... Dobrze mówię, Iwan? – zagadnął zamyślonego pułkownika, który podniósł głowę i uśmiechnął się, uprzejmie replikując:

– Myślę dokładnie tak samo, jak Tumiłow, a jeszcze dołożę od siebie. Jeśli oczywiście pozwolicie? – Stalin kiwnął przyzwalająco głową, a Każedub wyprostował się, poprawiając ułożenie na stole swojej czarnej ręki, i powiedział: – Nie trzeba tu specjalnej filozofii, żeby zdać sobie sprawę z przyczyn. Zachodnia technologia pędzona jest pieniędzmi. Dla nich to normalne i choć my tego nie pochwalamy, to na pierwszy rzut oka widać, że to bardzo dobry – jak to się mówi – akcelerator. I w czasie pokoju, i w czasie wojny. U nas, owszem, nagradza się ludzi zdolnych, ale jeszcze częściej trzeba ich karać, bo pochłonięci rywalizacją o przywileje zapominają, co mają robić. Proszę spojrzeć, choćby na Tumiłowa – kurtuazyjnie zwrócił się ku przejętemu tym wystąpieniem konstruktorowi. – Ciągle ktoś stoi nad nim z batem i wszyscy pokrzykują. A gdyby dać mu zupełną swobodę i decyzyjność, z pewnością „sześćdziesiąty czwarty" już by latał nad nami. Choćby i dziś. Nieprawda, Tumiłow?

To było stąpanie po kruchym lodzie, ale Andriej, czując wsparcie Każeduba, pokiwał poważnie głową i potwierdził:

– Towarzysz pułkownik ma rację. Cały szkopuł w tym, że u nas argumenty polityczne traktuje się na równi z technologicznymi. Dam przykład – rozkręcał się, zapominając o ostrożności. – Ktoś zdecydował o przerwaniu w Omsku produkcji mojego Tu-2 i przestawieniu wszystkiego na myśliwiec Jakowlewa. Podobno rozstrzygnęły priorytety strategiczne. Ale ja myślę, że nie ma takich priorytetów, które każą marnotrawić ludzką pracę i doświadczenie. Tego jakowlewa można było robić w dwudziestu innych, równie dobrych miejscach, a ja musiałem zwijać coś, co właśnie zaczynało bardzo dobrze działać…

Stalin podrapał się w zamyśleniu po niedogolonych policzkach i skrył pod ciężkimi powiekami chytre oczy. Postanowił, że nie musi tym ludziom wyznawać, jaki był jego wkład w ową decyzję. Ale jak zwykle namówili go najbliżsi doradcy. Pewnie jeden z nich miał krewniaka, którego chciał zrobić dyrektorem w Omsku. Zwykle tak bywa, a potem trzeba oczami świecić… On, który miał pełnię władzy, zupełnie nie rozumiał pędu do niej w wykonaniu innych, którzy w dodatku musieli zdawać sobie sprawę, że z dyrektorskiego stołka równie blisko na defiladę, jak i pod murek…

– Taaak… Może i macie rację, ale musicie zrozumieć, że jak dom się pali, to gospodarz lata od ściany do ściany i nie bardzo wie, co ma najpierw robić. Dlatego nie dziwcie się, że podejmowano takie decyzje. Najważniejsze, że wyszliśmy na swoje. Teraz powiedzcie już tak zupełnie szczerze, co z tym bombowcem?

– Potrzebujemy czterech, pięciu lat, żeby naprawdę zaczął latać – otwarcie przyznał Andriej. – A i to pod warunkiem, że równolegle rzuci się duże środki na metalurgię i podzespoły.

– Co przez to rozumiecie? – zafrasował się Stalin, a Andriej parł bez zastanowienia do przodu, czując, że w parę minut może załatwić to, co kosztowałoby go w normalnych warunkach miesiące starań i podchodów.

– Cały szkopuł, towarzyszu Stalin, w poszyciu…

– W czym? – Stalin, gdy nie znał znaczenia jakiegoś specjalistycznego terminu, udawał, że akurat nie dosłyszy.

Tumiłow wziął to za dobrą monetę i zaczął wyjaśniać:

– W pokryciu. Dziś zewnętrzna skorupa kadłuba i skrzydeł to nie tylko skóra samolotu, jego osłona. To także element konstrukcji. Równie silnie obciążony pracą, jak to, co jest w środku, czyli dźwigary, podłużnice, wręgi i cały ten konstrukcyjny szkielet. Poszycie musi być sztywne i lekkie. My potrafimy robić sztywne i ciężkie. Bo nasze durale są za grube.

– A myśliwce? – nie wytrzymał wódz.

– Myśliwce kryje się duraluminium tylko na skrzydłach i tam, gdzie konstrukcja kadłuba przechodzi w łoże silnika. Reszta to sklejka i płótno.

– A bombowce taktyczne… – nie ustępował Stalin.

– Owszem. Takie samoloty mogą mieć w całości poszycie metalowe, ale przy ich gabarytach i dostępnych silnikach można to zgrać.

– O ile dobrze was zrozumiałem, do pewnej wielkości maszyny poszycie może być grube. Tak?

Andriej pokiwał głową z uznaniem dla inteligencji rozmówcy.

– Właśnie, towarzyszu Stalin. Ale potem powierzchnie robią się już tak duże, że ciężar wzrasta ponad możliwości silnika. To tak, jakby skleić latawiec z tektury, a nie z bibuły. Poza tym, im większa maszyna, tym więcej ma różnych rzeczy w środku. – Głównodowodzący podniósł nasępione brwi, a jego małe oczka wyrażały niepokój, że znów czegoś nie rozumie. Tumiłow spieszył z wyjaśnieniami: – No, uzbrojenia, agregatów, pomp, siłowników, hydrauliki, rur, kabli i tak dalej. Tu działa ta sama zasada. To, co jest do uniesienia w mniejszej maszynie, pomnożone w dużej znacząco wpływa na osiągi. Stosunkowo najmniej problemów mamy z działkami i karabinami, bo w wielu przypadkach nasze konstrukcje są lżejsze od zachodnich przy lepszych parametrach. Ale jaki pożytek z lekkich działek, kiedy osprzęt wieży i w ogóle cała wieża z siłownikami jest za ciężka?* I tak, jak by się nie kręcić, dupa z tyłu... – zaryzykował żarcik, ale wódz nie oburzył się wcale, tylko zachichotał w swoje tytoniowe wąsy i powtórzył:

– Właśnie... z tyłu, a o ile lat, według was, jesteśmy z tyłu?

Tumiłow odpowiedział od razu, bo często, a właściwie stale, rozważał te kwestie:

– Potrzeba nam czte... pięciu lat. Pod warunkiem, że nie będziemy szli na kompromisy, a badania i doświadczenia pójdą pełną parą. Nie obejdzie się także bez zakupów licencyjnych, bo to, co my dopiero wymyślimy, inni już wdrożyli, więc po co wyważać otwarte drzwi? Zobaczcie, jak harmonijnie rozwija się program silnikowy... – Tumiłow zaczerwienił się, bo przyszło mu podkreślić swoje zasługi, o których obecni doskonale wiedzieli. – Wszystko dlatego...

– Wiemy, że to wasza zasługa – niespodziewanie wtrącił się zniecierpliwiony Każedub i obracając twarz w stronę wodza,

---

* Najbardziej charakterystyczną cechą konstrukcji opracowanych w czasie wojny było dążenie do zmniejszenia ciężaru broni pokładowej przy zachowaniu szybkostrzelności i energii pocisku. Powodem była konieczność zwalczania celów opancerzonych z powietrza przez lotnictwo szturmowe.

zaproponował: – Może wyłożymy Tumiłowowi, w czym rzecz. Za dwie godziny powinniśmy być na lotnisku.

– No to wyjaśniajcie – sapnął najwyższy, rad, że nie musi mierzyć się z obcą mu terminologią.

Każedub zaś jak zwykle był solidnie przygotowany do zadania. Wstał i zrobił kilka kroków po gabinecie, a Stalin i konstruktor solidarnie śledzili trasę jego przemarszu po ciężkim, tłumiącym kroki orientalnym dywanie, pełnym arabesek i stylizowanych sylwetek wielbłądów. Wreszcie piękny pułkownik siadł naprzeciw Tumiłowa i miękko spojrzawszy mu w oczy, zapytał:

– Wiecie, że za dwie godziny będziecie mogli sobie obejrzeć superfortecę? – Andriej przytaknął, wstrzymując oddech.

– A wiecie, po co wam, jako pierwszemu w Moskwie, chcemy ją pokazać? – spytał Każedub.

– To chyba oczywiste? – Konstruktor nie miał wątpliwości, ale Każedub lubił rozbierać kwestie pozornie jasne na mniejsze elementy:

– Co jest dla was oczywiste?

– To, że powinienem ją dokładnie obejrzeć. Zrobić rysunki, fotografie, pomiary. Byłoby znakomicie, gdybyśmy przed oddaniem samolotu mogli zrobić choć część cyklu badań w locie. To by nas posunęło o całe lata…

– A kto wam powiedział, że oddamy samolot? – spytał Każedub, ironicznie mrużąc lewe oko, co nadawało jego przystojnej, książęcej twarzy wyraz iście sataniczny.

– No, a jak inaczej, przecież to nasi alianci…

– O to się nie musicie martwić – łaskawie wyjawił pułkownik, a oczy konstruktora rozjarzyła radość:

– To znaczy, że będę mógł pracować na tej maszynie do woli?

– Na tej i na kilku innych, takich samych. No, mniej więcej takich samych, bo są z różnych wytwórni i różnie wyposażone.

– To wspaniale! – niemal krzyknął Andriej. – Całą masę rzeczy będzie można skopiować i wykorzystać w „sześćdziesiątym czwartym"...

– O sześćdziesiątym czwartym na razie zapomnijcie – niespodziewanie wtrącił się Stalin. – To znaczy: nie zamykajcie zupełnie programu. Są tam przecież różne rzeczy, które mogą się wam przydać, ale zabierzcie stamtąd najlepszych ludzi i specjalnie tego projektu nie forsujcie.

– A projekt Miasiszczewa? – dopytywał się konstruktor.

– Będziemy go powoli zwijać – wyjaśnił za Stalina Każedub. – Nie stać nas na finansowanie dwóch programów rozwojowych, a poza tym oba samoloty zapowiadają się mniej więcej podobnie. Wy skoncentrujecie się na B-29. I to nie po to, żeby skopiować n i e k t ó r e, jak byliście łaskawi to sformułować, podzespoły. Skopiujecie cały samolot. Tak, żebyśmy jak najszybciej mogli produkować go seryjnie.

Tumiłow wypuścił z dłoni szklankę z herbatą. Z trzaskiem spadła na spodeczek, ale nie rozbiła się. To było nieoczekiwane. Nie potrafiłby powiedzieć, czy to dobra wiadomość, czy zła. Był konstruktorem, a więc posiadał w sobie dumę i godność wynikającą z tworzenia. Niejednokrotnie się nad tym zastanawiał, współczując ludziom, którym nie dane były zdolności, których on miał aż w nadmiarze. Nie wyobrażał sobie, jak można wieść życie, nie dokładając codziennie nowej cegiełki do budowanego domu. Zastanawiał się, jak radzą sobie ludzie skazani tylko na odtwarzanie albo na powielanie gotowych schematów. Zastanawiał się, jakie radości przysługują robotnikom przy taśmie, wkręcającym miliony identycznych nakrętek na miliony identycznych śrubek. On, gdy kończył pracę nad kolejnym modelem i dumny jak samica wędrownego sokoła, która nauczyła młode atakować gołębia, patrzył na niebo, po którym krążył kolejny przedprodukcyjny egzemplarz, zaczynał jednocześnie obok dumy odczuwać niepokój. Skończywszy jedno, odczuwał potrzebę, a może raczej głód, kolejnej kreacji. Było to odczucie tak silne, iż momentami wydawało się, że doznaje swędzenia umysłu. Podobnie jak artyści rzemieślnicy, wykończywszy i wypieściwszy zamówione arcydzieło, doznają swędzenia dłoni. Swędzenia, które ukoić może tylko rozpoczęcie pracy nad kolejnym zadaniem. Brak celu, dni intelektualnego przestoju dezorganizowały mu plan zajęć. Powodowały zakłócenia snu i stres. Tumiłow był uzależniony od tworzenia jak morfinista od morfiny. A teraz kazano mu kopiować!

– Ależ oryginał trzeba będzie rozebrać do ostatniej śrubki. Pobrać i zanalizować próbki materiałów. Poddać je badaniom. Niektóre mogą ulec zniszczeniu. Po takim czymś samolot nie będzie się nadawał do oddania Amerykanom… – Tumiłow żałośnie i niemal błagalnie popatrzył na swoich mocodawców.

Stalin ciężko wstał zza stołu, podszedł do konstruktora i oparł mu dłoń na ramieniu, zmuszając, by pozostał na miejscu. Z kieszeni munduru wyciągnął podniszczoną fajeczkę i wystukując jej wypaloną zawartość do kryształowej popielniczki, uspokoił:

– O to niech was głowa nie boli. Waszym zadaniem jest jak najszybciej zrobić taki sam i wdrożyć produkcję seryjną*…

– Seryjną? – Tumiłow był wcielonym zdumieniem. Nie mieściło mu się w głowie to, że tak bezpardonowo można wykorzystywać czyjąś pracę.

– Właśnie tak – wrócił do rozmowy Każedub i ocieplając spojrzenie, które moment przedtem wymienił ze Stalinem, pocieszał: – Rozumiemy, że możecie być zdziwieni tym poleceniem, ale zrozumcie także nasze argumenty. Jak by tu wam

* W rzeczywistości pierwszą wzmiankę o możliwości skopiowania B-29 znajdujemy w dokumentach NKAP (Państwowego Komisariatu do spraw Przemysłu Lotniczego). Jest to list Miasiszczewa do kierującego resortem komisarza Szachurina, datowany na 25 maja 1945 roku. W liście tym Miasiszczew sugeruje, że całą pracę nad kopią bombowca może wykonać OKB (Konstruktorsko-Doświadczalne Biuro) prowadzone przez Josifa Niezwała.

rzec... – Każedub znów wstał i zaczął maszerować po dywanie. – Za chwilę skończą się działania wojenne w Europie. Siadamy z aliantami do stołu i układamy się o strefy wpływów... Chyba musicie sobie z tego zdawać sprawę? Nie jesteście przecież jakimś głuptakiem. Jesteście człowiekiem o wyjątkowej inteligencji i wyjątkowych zdolnościach umysłowych. Moglibyśmy wam tego wszystkiego nie tłumaczyć, tylko po prostu wydać polecenie i rozliczyć was z efektów, ale... – tu Każedub znów porozumiał się wzrokiem ze Stalinem, a widząc w jego oczach akceptację i zrozumienie, ciągnął dalej swoją lekcję: – Uważamy, że lepiej wywiążecie się z zadania, kiedy będziecie dobrze zorientowani w sytuacji. Tylko jeden warunek. O tym, co tu usłyszycie, nie wolno wam z nikim rozmawiać. Sprawa ma najwyższą wagę państwową. Czy dobrze się rozumiemy?

Tumiłow przełknął ślinę i kiwnął potakująco głową.

– No więc tak. Po kolei. Japończycy dostają dobrze w skórę. Ich upadek to tylko kwestia czasu i środków. Pewnie nie wiecie, bo i skąd, że proszą nas o pośrednictwo w rokowaniach z Amerykanami? To znaczy, że już mocno pali im się pod tyłkiem. Wiecie też, że nasz kraj nie prowadzi wojny z Japonią? Ale to też tylko kwestia miesięcy, jeśli nie tygodni. Czekamy po prostu, aż się dostatecznie wykrwawią, tak żebyśmy mogli sięgnąć po swoje przy jak najmniejszych stratach. To chyba zrozumiałe? I co robicie taką świętą minę? Pewno chcielibyście powiedzieć, że to nie po rycersku? To wam odpowiem, jeśli towarzysz Stalin pozwoli – znów skonsultował się wzrokiem z głównodowodzącym, a ten przyzwalająco opuścił powieki, zajęty nabijaniem fajki – dosyć już bohaterstwa i zrywów. To dobre na plakaty i jako temat do filmów. Teraz trzeba utargować jak najwięcej za jak najmniejsze pieniądze. A do tego, towarzyszu konstruktorze, potrzebna jest dobra pozycja przetargowa. Rozumiecie?

Tumiłow tylko kiwał głową, zagryzając wargi. Dużo było w tej rozmowie nowin stawiających na głowie jego wyobrażenie o sytuacji i o tym, co można, a co wolno.

– Teraz najważniejsze. – Każedub przeciągnął rękawem po czole zroszonym drobniutkimi kropelkami potu, choć dzień był, jak powiedzieliśmy, wyjątkowo chłodny. – Pamiętacie, że przy okazji określania wymogów dla „sześćdziesiątego czwartego" kazano wam projektować komory bombowe tak, żeby wlazła tam bomba pięciotonowa?

– Oczywiście – potwierdził Tumiłow i dodał: – To samo kazano zrobić zespołowi Miasiszczewa, ale przecież to nic nadzwyczajnego*. Trzytonową bombę może zabrać nawet mój Tu-2N... – nie omieszkał się pochwalić, ale Każedub schłodził go, przerywając:

– Trzy tony to nie pięć, a poza tym my musimy taką bombę ponieść na pięć tysięcy kilometrów, a nie na dwa i pół!

Tumiłow był o krok od zapytania: „Po co tak daleko?" Ponieważ odpowiedź była aż nadto oczywista, nie zapytał. Przymknął na chwilę powieki, a po głowie przelatywały mu różne rzeczy i obrazy i miał wrażenie, że rozmowa, w której uczestniczy, odbyła się już wcześniej albo – być może – mu się przyśniła. Stalin nie pozwolił mu długo wsłuchiwać się we własne myśli. Nabił wreszcie fajeczkę, zapalił i nie wyjmując jej z ust, zapytał:

– Ile wam trzeba czasu?

– Trudno to teraz powiedzieć, towarzyszu Stalin. Najpierw muszę dokładnie przyjrzeć się maszynie. Zaplanować harmonogram. Wybrać ludzi. Wyznaczyć budżet i wytypować współpracujące zespoły i wytwórnie. Samo to zajmie ze trzy tygo-

---

* Dla Tumiłowa rzecz była oczywista, bo najwyższy wagomiar sowieckich bomb burzących z tego okresu wynosił 5080 kilogramów. Nie mógł wiedzieć, że w tym przypadku kierowano się danymi wywiadu, który miał dobre informacje o amerykańskich postępach prac nad bombą termojądrową. Dwie pierwsze amerykańskie bomby, zrzucone na Japonię, ważyły, odpowiednio, 4,5 i 5 tysięcy kilogramów. Pierwsza sowiecka bomba termojądrowa zrzucona z Tu-4 ważyła zaledwie 1200 kg, ale miało to miejsce w pięć lat później.

dnie. Niedobrze, że mamy tylko jeden egzemplarz, gdyby było więcej, zespoły mogłyby pracować równolegle, a to znacznie przyspieszyłoby sprawę.

Każedub i Stalin po raz kolejny porozumieli się wzrokiem i Tumiłow dostrzegł to, choć udawał, że nie widzi. Każedub wyprostował się w krześle.

– W najbliższym czasie, razem z tym, który leci, będziecie mieli w Żukowskim cztery takie maszyny. Ściślej trzy w całości i jeden w kilku kawałkach*. Co wy na to?

Tumiłow przez dłuższą chwilę rozważał tę kolejną rewelacyjną wiadomość. Wreszcie oświadczył:

– To zmienia postać rzeczy. Myślę, że roboczo można by przyjąć cykl trzydziestu miesięcy, ale chciałbym... – Przez chwilę szukał stosownego sformułowania, bo nie chciał, by jego warunki zabrzmiały zbyt ultymatywnie. – Chciałbym... jeśli ta praca ma pójść sprawnie... żeby mi nie przeszkadzano... – Podniósł wzrok i zaczerwienił się jak nieśmiały zalotnik zbyt szybko zmierzający do celu.

Z odpowiedzią pospieszył Każedub:

– Oczywiście, zagwarantujemy wam wszystko, co uznacie za niezbędne...

Tumiłow wreszcie się zdecydował:

* W opisywanym czasie na terenie ZSRR znajdowały się już cztery superfortece. 20 sierpnia 1944 granicę na Amurze przekroczył uszkodzony przez Japończyków nad zakładami w Iawacie B-29-A1-BN. Tuż po przekroczeniu granicy załoga szczęśliwie ewakuowała się na spadochronach, a maszyna wrąbała się w sopkę w rejonie Chabarowska. Kolejny B-29-15 BW zabłądził 11 listopada 1944 w nawałnicy i na resztkach paliwa lądował we Władywostoku. Niedługo potem, 21 listopada, uszkodzony nad Omurą przez japońskie myśliwce bombowiec na trzech silnikach zmuszony był do lądowania we Władywostoku. Znacznie później, bo dopiero w sierpniu 1945, pojawił się w rejonie bazy Kanko piąty B-29, a dwie pary myśliwców Jak-9 uszkodziły mu lewy skrajny silnik. Samolot szczęśliwie wylądował i po wyremontowaniu został zwrócony USAAF. Było to po wypowiedzeniu wojny Japonii i nie obowiązywało już porozumienie o neutralności.

– Nie chodzi tylko o to. Nie chciałbym, żeby nachodzili mnie jacyś... kontrolerzy i zmieniali moje decyzje. W ogóle, chciałbym mieć pełną odpowiedzialność za ten projekt i móc decydować samodzielnie – wypalił.

Głównodowodzący wypuścił chmurkę dymu spod wąsa i zimno przytaknął:

– Daję wam pełną odpowiedzialność. To znaczy, że macie moje pełne zaufanie, ale pamiętajcie... w razie klapy też ponosicie p e ł n ą odpowiedzialność. Chyba wyraziłem się jasno? – Stalin zmarszczył czoło, co czyniło go dziwnie podobnym do wyleniałego, starzejącego się lwa, i gładko przeszedł do następnej kwestii: – Towarzysz pułkownik zapewni wam absolutny komfort działania, żebyście nie musieli się o nic martwić. Gdyby ktoś wam wchodził w drogę, natychmiast mu to zgłaszajcie. Gdybyście potrzebowali jakichś nadzwyczajnych interwencji, też mówcie śmiało. Wiecie, że nie ma dla mnie rzeczy niemożliwych? A właśnie... Iwan. Kto leci do nas tym pierwszym samolotem? Ten twój Smoliarow?

– Tak, towarzyszu Stalin. Major jest na pokładzie. Dowodzi pułkownik Reidel. Załogę zebrali razem ze Smoliarowem. Same asy.

– Reidel? – ośmielił się wtrącić Tumiłow. – Ten oblatywacz z Sewastopola?

– Ten sam – potwierdził Każedub i spojrzał na Andrieja. – A co, znacie go?

– Kiedyś pracowaliśmy razem. To znakomity ujeżdżacz!

– Kto? – z niedowierzaniem wtrącił Stalin.

– Tak go nazywaliśmy, towarzyszu. Bo potrafił dosiąść każdej maszyny i nigdy nie wyleciał z siodła. Jeśli tam jest Reidel, to jestem spokojny, że dziś obejrzymy to amerykańskie cudo.

Stalin rozkaszlał się. Teraz dla odmiany przypominał chorego na płuca smoka, któremu nawala agregat do zionięcia ogniem, więc z paszczy wydobywa się tylko wątły dymek. Wreszcie wykrztusił z siebie pytanie, czerwony i spocony, a Każedub i Tumiłow jednocześnie zdali sobie sprawę z tego, że pierwsza osoba w państwie to człowiek starzejący się, schorowany i wyniszczony trybem życia, o którym opowiadano sobie po kątach.

– A ten... khy... Amerykanin. Jak mu tam?

– Darrell – podpowiedział Każedub.

– Właśnie – potaknął głównodowodzący. – Też leci?

– Tak – potwierdził Każedub. – Kapitan Darrell jest na pokładzie...

– Nie? – zdumiał się Stalin. – Namówiliście go czy zmusiliście?

Każedub przygładził swojego srebrnego jeżyka i uśmiechnął się smutno.

– Postawiłem mu ultimatum... Jeszcze w zeszłym roku... Postawiłem ultimatum i coś obiecałem, ale nie wiem, czy nie będziecie źli na mnie, towarzyszu Stalin...

Głównodowodzący uśmiechał się w dalszym ciągu, więc Każedub wyznał wreszcie:

– Przesiedział prawie pół roku w obozie. Wiecie, tam, gdzie ci wszyscy Amerykanie, piloci i marynarze, więc powiedziałem mu, że jak zgodzi się nadzorować oblatywanie samolotów i polecieć do Moskwy, bez żadnych zobowiązań... ot, w charakterze obserwatora, to zwolnimy do domu jego załogę...

– No to zwolnijcie – przytaknął Stalin – ale nie teraz... mam nadzieję, że jeszcze żeście tego nie zrobili?

Każedub wciągnął powietrze, jakby nagle zrobiło mu się duszno.

– Zwolniłem, towarzyszu Stalin, daliście mi przecież takie uprawnienia. Mogłem decydować i uznałem, że tak będzie najlepiej. Choćby z tego względu, że załogi, które wrócą do Ameryki, nie będą nic wiedziały o naszych pracach.

– Załogi? – zdziwił się Stalin, przymykając ciężkie powieki, a Każedub brnął dalej:

– Czterdziestu trzech. Z czterech samolotów.

Stalin westchnął. Miał inne plany, lecz pomyślał, że nie warto żałować rozlanego mleka. Ułaskawił pułkownika nieszczerym uśmiechem, od którego temu ostatniemu ciarki przeszły po krzyżu, i rzucił:

– I tak nam w tej chwili już wszystko jedno... Jak to zrobiliście. Mam nadzieję, że inteligentnie. – I nie czekając na odpowiedź, zadał następne pytanie: – Naprawdę uważacie, że ten Darrell jest tak cenny?

Każedub odpowiadał po kolei:

– Kazałem im oddać dokumenty i rzeczy osobiste i przerzucić prawie pod samo graniczne przejście z Iranem, a potem eskorta znikła dyskretnie na kilka minut. Gdy wrócili do ciężarówek, nie było w nich żywego ducha. Zawsze będziemy mogli oficjalnie podać, że Amerykanie uciekli, i dodać, co nam będzie wygodne.

– Co macie na myśli? – Stalin pogodził się całkowicie z faktami i rodziło się w nim po raz kolejny uznanie dla pułkownika.

– Na przykład, że zaangażowali się w działalność wywiadowczą albo coś takiego... Co do tego Darrella, uważam, że możemy mieć z niego pożytek. Ściągnąłem go z powrotem do Władywostoku, jak tylko major Smoliarow powiadomił mnie, jakie sztuki wyczyniają z superfortecą Reidel i jego chłopcy. Kilka razy o mały figiel nie doszło do katastrofy, a przecież próbowali tylko kołować po lotnisku. Raz nawet wjechali w kukurydzę. Potem Darrell poleciał do WWS Oceanu Spokojnego, do 35 eskadry*, i tam kilka razy ocalił Muranowa i Czernowa przed wbiciem się w środek pasa. Ci durnie nie znają angielskiego i próbowali latać na superfortecy ze słow-

* WWS (Siły Powietrzne). Wydzielona eskadra lotnictwa bombowego dalekiego zasięgu – w jej skład wchodziły między innymi dwie superfortece B-29 i jeden mitchell B-25. Eskadra stacjonowała na lotnisku Romanowka, którego w przeciwieństwie do lotniska Centralnaja-Ugłowaja nie otaczały wzgórza.

nikiem. Spytajmy zresztą Tumiłowa. To on ma tu decydujący głos.

Andriej nie wiedział, o jakim Darrellu mówią, więc tylko uśmiechał się, czekając, aż zmienią temat. Myślami był przy amerykańskim samolocie, próbując wyobrazić sobie jego wielkość i wnętrze.

– Andrieju Nikołajewiczu – w głosie Każeduba zabrzmiał chyba po raz pierwszy, od czasu ich dziwnej znajomości, ton szacunku. – Andrieju Nikołajewiczu, gdybyście mogli skorzystać z pomocy amerykańskiego specjalisty... Był oblatywaczem u Boeinga. Jest dyplomowanym inżynierem i lata na B-29 w zasadzie od początku, to co byście powiedzieli?

Andriej nie zastanawiał się długo. Korzyści były przecież oczywiste.

– To byłaby bezcenna pomoc. Moglibyśmy przyspieszyć pracę o całe miesiące i z pewnością narobilibyśmy mniej szkód, rozbierając maszynę – oświadczył z przekonaniem.

– Słyszysz, Każedub? – wtrącił Stalin. – Nie mógłbyś namówić tego imperialisty do współpracy? Obiecaj mu złote góry albo zaszantażuj. Wiesz, jak to się robi. Uczyłeś się w końcu u mnie.

Każedub poważnie spojrzał w twarz zwierzchnika i równie poważnym jak spojrzenie tonem odpowiedział:

– Nie martwcie się, towarzyszu Stalin. Nakłonię go do współpracy. Obiecuję.

Stalin zachichotał niespodziewanie. Najwidoczniej wyobraził sobie coś zabawnego.

– Tylko przy okazji nie zatłucz go argumentami. Potrzebny nam żywy i chętny. Namów go, żeby został w Rosji. Obiecaj, że ściągniemy mu tu rodzinę. Obiecaj mu wreszcie wszystko, co można. Pieniądze. Stanowisko. Władzę. Wdzięczność radzieckiego rządu. Daczę i co mu się tam zamarzy, byleby nie zechciał wejść do Politbiura...

– Nie martwcie się, towarzyszu głównodowodzący. Przekonamy go. Mam swoje sposoby. Myślę, że Andriej Nikołajewicz też mi pomoże. Trzeba Amerykańca przyjąć ciepło i pokazać mu, że znamy się na samolotach. Kto jak kto, ale wy, Tumiłow, to potraficie...

„Pewnie, że potrafię być miły. Nauczyłem się tego w więzieniu – myślał Tumiłow, nasłuchując silników superfortecy. – Ale tu chodzi raczej o to, żeby zdobyć zaufanie. Wtedy będzie można go pociągnąć za język..." Konstruktor spodziewał się usłyszeć masywny, basowy pomruk potężnych cyklonów, ale najpierw przez niskie chmury przebiło się cieńsze, tenorowe brzęczenie i dosłownie nad ich głowami wypadły z chmur dwie pary „królewskich kobr" i w idealnych odstępach, dwójkami, jakby piloci specjalnie ćwiczyli takie manewry, siadły leciutko na betonce, a Tumiłow nawet nie usłyszał charakterystycznego piśnięcia pneumatyków. Upłynęło jeszcze kilkadziesiąt pełnych napięcia sekund i Andriej posłyszał coś, co brzmiało jak powolne, oscylujące wokół jednej częstotliwości brzęczenie monstrualnego trzmiela. Rosyjskie silniki nie miały takiego gangu, przywodzącego na myśl nieodparte skojarzenie z mocą i pewnością siebie. Superforteca wychynęła spod chmur godnie i dostojnie, jak smok nadlatujący nad krainę, którą zamierza spustoszyć ogniem. Obraz był widmowy, bo kontury olbrzyma, zrazu zamazane, materializowały się w opalizującej mgiełce deszczu, a para wodna i drobne kropelki kapuśniaczku, dostawszy się w zasięg zawirowań od śmigieł, tworzyły fantastyczne, kapryśne i zmienne kompozycje. Samolot był srebrny i jak domyślił się od razu konstruktor, polerowanego duraluminium niczym nie pomalowano. Wyjątkowo też wolno (tak się Tumiłowowi wydawało) przebierał śmigłami. Ponieważ niebo było ciemnoszare, a chmury tylko o ton jaśniejsze, maszyna tajemniczo zlewała się z otoczeniem. Podwozie było wypuszczone, a przednia goleń zwisała zaczepnie, jakby wyprzedzając nos samolotu o kształcie monstrualnego, przeszklonego ogórka. Boeing, mijając ich stanowisko, ciężko, z piskiem opon

i łomotem amortyzatorów dotknął ziemi i od razu, bez pod-
skakiwania i kaprysów, potoczył się po pasie, znikając wkrótce
we mgle. Silniki ucichły na moment, ale już po chwili było
je znów słychać, coraz wyraźniej, gdyż bombowiec zawrócił
na końcu pasa i teraz kołował w ich kierunku. Dostrzegli go
wkrótce naprzeciw siebie, bo zjechał z betonki w przecznicę
i wolno zbliżał się, prowadzony chorągiewkami człowieka,
który śmiało wyszedł naprzeciw groźnej machiny. Superforteca
zatrzymała się dokładnie przy nich, bujnąwszy się w miejscu na
amortyzatorach. Cyklony ryknęły raz jeszcze i ucichły z ulgą,
po wyłączeniu zapłonu, ale cztery śmigła kręciły się jeszcze
przez długi czas, rozpylając opalizującą mgiełkę. Aż wreszcie
wszelkie odgłosy ucichły i w tej ciszy donośnie rozległo się
cmoknięcie otwieranego przedniego włazu. Tumiłow był pod
wielkim wrażeniem widowiska i w pierwszym odruchu chciał
ruszyć ku samolotowi. Każedub przytrzymał go jednak delikatnie za ramię i polecił:
— Zaczekamy tu na niego.

**Doświadczalny Instytut
Lotniczy w miejscowości
Żukowski pod Moskwą.
5 sierpnia 1945**

Wolno mu było swobodnie poruszać się po olbrzymim terenie
instytutu połączonego z kompleksem lotnisk. Trzeba im było
przyznać jedno: mieli rozmach. Jak się do czegoś zabierali,
robili to od początku z dużym zadęciem. Podobnego wrażenia
doznał, gdy wieziono go ulicami Moskwy. Arterie komunika-
cyjne zaprojektowane były tak, że odnosiło się nieodparte wrażenie braku tłoku. To prawda, że aut było niewiele – najwięcej
dostawczych ciężarówek, autobusów komunikacji miejskiej
i pojazdów wojskowych. Ale nawet gdyby ruch miał tysiąc razy
większe natężenie, nie zdołałby zapewne zapełnić monstrualnie

szerokich ulic. DIL też był imponujący i przypominał rozmachem macierzyste zakłady Boeinga w Seattle. Nawet kształty hal były podobne i przypominały mu doskonale znaną bryłę Plant 1*, skąd w sierpniu czterdziestego drugiego z duszą na ramieniu wytaczali częściowo zmontowany prototyp XB-29-1, by przetransportować go przez Duwamish River do hali Plant 2. Kadłub, mimo że bez statecznika i poprzedzającej go płetwy grzbietowej, miał zaledwie pięć centymetrów luzu u góry, i to pomimo ustawienia najmniejszego skoku amortyzatorów podwozia. Już miesiąc później Harold znalazł się w załodze Eddiego Allena i mógł na prawym fotelu uczestniczyć w pierwszych lotach „superbomera", jak go wówczas nazywali. To już niemal trzy lata, a B-29 jest wciąż najnowocześniejszym bombowcem na świecie. Rozmyślania przerwał mu wartownik, który zastąpił Darrellowi drogę. Harold pokazał mu oprawioną w celuloidową ramkę przepustkę z czerwonym, wskazującym na wysoki stopień dostępu, paskiem, a wartownik zasalutował z szacunkiem i odsunął się w zasięg zbawczego cienia, z którego przed sekundą wychynął niespodziewanie jak pająk zaalarmowany drganiem sieci. Harold wszedł do przestronnej hali, w której jedna ze ścian, ta wychodząca na południowy zachód, składała się głównie z okien. Hala była olbrzymia i prawdopodobnie Rosjanie budowali ją z myślą o maszynach podobnych gabarytów, co B-29. Podparte przemyślnymi koziołkami stały tu dwie superfortece. Pracowały nad nimi dwie oddzielne ekipy. Jeden z samolotów (ten, którym Darrell przyleciał do Moskwy z Władywostoku) metodycznie rozbierano na kawałki. Był już pozbawiony sekcji dziobowej, niemal całego poszycia skrzydeł, podwozia i stateczników. Pracownicy CAGI, którzy obleźli tę maszynę jak szukające zdobyczy drapieżne mrówki, zdołali już także zdemontować wiele płyt poszycia nad komorą bombową i samolot przypominał trochę zdewastowaną szklarnię,

* Wytwórnia nr 1.

w której wichura powybijała część szyb. Maszyna opanowana była przez ekipę, która metodycznie znakowała kolejne zdjęte elementy i układając je na wózkach, odwoziła gdzieś w głąb. Harold domyślał się, że części będą mierzone i ważone. Być może będą także robić ich rysunki lub fotografie. Drugi samolot wyglądał lepiej, bo ten egzemplarz służył prawdopodobnie do badań agregatów i wyposażenia, które nie mniej metodycznie wymontowywano i wydobywano ze środka. Konstrukcja była zdemontowana tylko w tych miejscach, w których wymagały tego prace. Darrell przyzwyczajony był do widoku niekompletnych superfortec, ale tylko w fazie ich powstawania. Tu było na odwrót i gdy patrzył na to, czuł się nieswojo. Na szczęście żaden z nich nie był Rampem Trampem, bo jego maszynę zabrali z Centralnoj-Ugłowoj na inne lotnisko dwaj sowieccy piloci, których uczył latać we Władywostoku. Ramp Tramp przybył do CAGI dopiero kilka dni temu i stał daleko, w drugim końcu hali. Jak na razie „mrówki" nie łaziły po nim i Darrell ruszył w jego kierunku. Gdy mijał rozbebeszone maszyny, ludzie pracujący nad nimi rzucali na niego, nie przerywając pracy, ukradkowe spojrzenia. Wciąż wzbudzał zainteresowanie amerykańskim mundurem i chyba samą swą obecnością w takim miejscu. W hali mimo otwartych wrót i okien było nieznośnie gorąco, bo blaszany dach rozgrzał się niemiłosiernie i działał jak górny radiator w elektrycznym piekarniku. W cieniu rzucanym przez rozłożysty płat B-29 dostrzegł dwie sylwetki i rozpoznając obydwie, ruszył raźniej w ich kierunku. Tumiłow, którego poznał zaraz po lądowaniu w Izmaiłowie, od razu poczęstował go papierosem, a Smoliarow uśmiechnął się szeroko jak na widok przyjaciela. Wygląd sowieckiego konstruktora nie był już dla niego szokiem, jak przy pierwszym spotkaniu. Nim wylazł z superfortecy, wyobrażał sobie najpotężniejszego spośród gigantów sowieckiej myśli projektowej zupełnie inaczej. Zdecydowanie na kształt Allena, który gdyby nie był genialnym inżynierem, z pewnością zrobiłby karierę w filmie, ze swoimi

294

nasępionymi brwiami, wysportowanym, opalonym ciałem i nieskazitelnym rysunkiem męskiej, mocnej szczęki i zabójczym wąsikiem, precyzyjnie dostrzyżonym do górnej wargi. Tumiłow był antytezą konstrukcyjnego demiurga. Wyglądał raczej jak dobroduszny nauczyciel geografii, biologii czy jakiegoś mniej eksponowanego przedmiotu w podrzędnym liceum. Nie rzucał zabójczych spojrzeń, nie poruszał się wystudiowanymi, zdecydowanymi ruchami. Darrell w myślach nazywał go tatuśkiem.

– Wciąż uważa się pan za więźnia? – Tumiłow zmieszał się lekko, gdy Harold odsunął delikatnie paczkę z papierosami, wyciągniętą w jego stronę.

Za to Smoliarow, choć nie palił, przyjął papierosa i zakrztusił się od razu, wybałuszając piękne oczy w paroksyzmie kaszlu. Harold wyjął mu papierosa z obezwładnionych atakiem palców. Przydeptał i pokazał palcem napis na kadłubie „superbombera", ostrzegający przed paleniem w odległości mniejszej niż sto stóp. Poradził majorowi, którego lubił:

– Niech pan nawet nie próbuje. Za dwadzieścia lat, gdy wypali pan już setki tysięcy tych tutek i ktoś pana skutecznie przestraszy, zechce pan wrócić do dzisiejszego dnia i nie zaczynać tego koszmarnego nałogu. Niech pan nawet nie próbuje – powtórzył. – Nie ma na świecie gorszego świństwa.

Tumiłow nie przejmował się naukami Amerykanina i przypaliwszy od trzeciej z kolei zapałki, zaciągał się śmierdzącym dymem rosyjskiego papierosa. Spojrzał przychylnie na amerykańskiego pilota i ponowił pytanie:

– Wciąż uważa się pan za więźnia?

– Chodzi panu o to, że mogę chodzić, gdzie chcę i wszyscy mi salutują? – replikował Darrell. – A gdybym tak chciał udać się do ambasady amerykańskiej albo na pocztę? Też by mi salutowali?

Tumiłow zdusił papierosa, który zupełnie mu nie smakował, i nie wiedząc, jak skontrować Amerykanina, przeszedł gładko do następnych kwestii. Mówił dziwną angielszczyzną, robiąc śmieszne błędy leksykalne, ale Darrell rozumiał go:

– Ale tu, w CAGI, może pan chodzić, gdzie chce, i chyba nikt panu nie robi trudności?

– Jasne – gorzko skwitował Harold. – Jeszcze by tego brakowało. – Oczy błysnęły mu ironicznie. – Jak wam idzie rozbieranie? – zapytał, a Tumiłow postanowił zaryzykować żart:

– Pośpiech jest niewskazany. To nie noc poślubna.

Harold uśmiechnął się z przymusem:

– Wolałbym, żebyście tego nie robili. Poza tym, jaką ma pan pewność, panie Tumiłow, że to się da wykorzystać w pańskich projektach? Przecież nawet system miar, gwinty i tak dalej... To wszystko jest inne...

– Zdążyliśmy zauważyć – wtrącił Tumiłow. – No cóż. Trzeba będzie nad tym popracować, a gdyby coś nie wychodziło... liczę na pana, Darrell.

Harold wzruszył ramionami i wyjaśnił po raz kolejny coś, o czym zarówno konstruktor, jak i major doskonale wiedzieli:

– Zgodziłem się tu przylecieć jedynie dlatego, żeby do domu mogła wrócić moja załoga i inne załogi. Nigdy nie obiecywałem, że będę wam pomagał w kradzieży amerykańskich technologii. Przecież w domu postawiliby mnie za to pod mur – wypalił i nagle zdał sobie sprawę, że to rzeczywiście możliwe.

Ale co miał do cholery zrobić? Położyć się przed samolotem i rozedrzeć szaty? Mógł się w końcu nie zgodzić. Wtedy wszyscy chłopcy i załogi innych samolotów tkwiłyby w tym nieszczęsnym obozie, w którym jedyną rozrywką były karty, mecze koszykówki i sowieckie filmy, które wyświetlano im co wieczór, tłumacząc je na żywo sprzed ekranu. Filmy były całkiem zabawne. Szczególnie komedie, ale zarówno Harold, jak i Legenda nie mogli się pogodzić z sowieckim ideałem kobiecej urody. Jednogłośnie stwierdzali – a zdanie ich podzielała większa część obozu – że aktorki są za tłuste, mają za duże zady i za krótkie nogi. „Niech diabli wezmą tego cholernego Kore-

296

ańca. To on mnie na to namówił". We Władywostoku Harold jeszcze kilkanaście razy miał okazję ćwiczyć i rozmawiać z dziwnym kierownikiem pralni. Kolejne spotkania owocowały zauważalnymi przemianami w myśleniu. Harold czuł się coraz spokojniejszy i było mu coraz bardziej wszystko jedno. Mógłby tkwić w tym Władywostoku jeszcze długo tylko po to, by ćwiczyć i gadać z Kimem. Szczególnie po tym, jak Koreańczyk powiedział mu: „Niech pan nie marnuje energii na rozstrzyganie wagi swoich postępków. Niech pan nie docieka, czy są ładne, czy brzydkie. Niech się pan nie zastanawia, jak ocenią je inni. Niech pan uważnie obserwuje swoje zachowania i postawy. To powinno wystarczyć". I rzeczywiście. Zdawało się wystarczać, a nawet niosło za sobą ten rodzaj spokoju, którego Darrell nigdy przedtem nie zaznał. Niepotrzebnie jednak winił Kima. O tym, że zgodził się czuwać nad sowiecką szkółką lotniczą i polecieć do Moskwy, ostatecznie zdecydowała rozmowa z Legendą. Fisher, czego można się było spodziewać, chciał lecieć z Darrellem, ale Harold nie chciał nawet o tym słyszeć:

– Wystarczy tam jednego głupca. Dwóch to za wiele.

– Bój się Boga, Harold. Ten Stalin to podobno potwór i żydożerca – dowcipkował Fisher, ale raczej dla zasady, bo konieczność rozstania z przyjacielem napawała go lękiem i smutkiem.

– Nie jestem Żydem, więc nic mi nie grozi. – Darrell podjął rękawicę.

– Tym gorzej – nie rezygnował Legenda. – Jeśli nie będzie mógł cię pożreć i pozna się na twoich zaletach, jeszcze mianuje cię marszałkiem polnym.

– Słuchaj Forrest… – Darrellowi nie było do śmiechu. Złapał drugiego pilota za guzik bluzy i szturchał go muskularnymi palcami w pierś. – Liczę na ciebie. Myślisz, że nie chciałbym, żebyśmy razem polecieli do Moskwy? Bardzo bym chciał…

– Jasne – Legenda nie mógł powstrzymać wiecznej ochoty do żartów. – Jasne. Wzięlibyśmy Myszkina, a ten wyprawiłby nam na Kremlu bal, jeszcze lepszy niż w Wersalu. Dziewczyny też tam z pewnością są o klasę lepsze niż we Władywostoku. Rany! Co ja bym dał, żeby mieć tu tę szprychę w białych skarpetkach. Pamiętasz?

Harold kiwnął lirycznie głową, bo kilka miesięcy bez Jagody Persen i generalnie bez widoku kobiety nabiło go pożądaniem. Chwilę smakowali wspomnienia, ale Darrell nie puszczał guzika.

– Liczę na ciebie. Jak rzeczywiście was puszczą i będziesz w domu, leć do kogo trzeba. Jak możesz, najwyżej. Nie zaczynaj od alkoholu i dziwek, tylko zrób larum. Nie odpuszczaj. Znasz tych gównojadów ze sztabu i dekowników? Będą marudzić, żądać dowodów. Sprawdzać wszystko po tysiąc razy. Bagatelizować. W końcu stwierdzą, że jesteś pomylony. Nie odpuszczaj. Uświadom komu trzeba, że Ruscy mają trzy albo cztery maszyny i coś knują. Zrozumiałeś? Powiedz, że uczą się latać na B-29. Powiedz, że jadę do Moskwy, żeby trzymać rękę na pulsie. Powiedz, żeby się o mnie upomnieli. Zapamiętasz? I żeby nie dawali wiary temu, co Ruscy będą wygadywać. Przecież, do cholery, nie jestem szpiegiem i chyba lepiej, żeby jeden został, a czterdziestu trzech wróciło do domu? To wszystko im powiedz i złóż najlepiej na piśmie albo stań do raportu. Nie odpuszczaj. Obiecujesz?

– Spokojna głowa, Harold. – Legenda delikatnie wyswobodził swój guzik z palców przyjaciela. – Zrobi się wszystko, co będzie trzeba.

– Chyba zależy panu na tym, żebyśmy nie zrobili krzywdy waszym samolotom? – Głos Tumiłowa przerwał wspomnienia i przywrócił Harolda rzeczywistości. Tumiłow skończył kopcić papierosa i upychał kolejnego w koszmarnie zabarwionej nikotyną szklanej fifce. Patrzył na Darrella życzliwie spomad silnych szkieł. Najwidoczniej służyły mu do „bliży", jak mówią okuliści. Darrell, który nigdy nie pretendował do miana znawcy mody ani tym bardziej urody męskiej, niespodziewanie znalazł

298

się blisko konstruktora i ujął go pod ramię. Było to tak szybkie, niespodziewane i płynne, że Smoliarow przestraszył się i odruchowo sięgnął do kabury, której akurat nie miał.

– Wie pan co, panie Tumiłow, te oprawki źle panu robią.

– Nie rozumiem – konstruktor był zaskoczony. Okulary obstalował u najlepszego moskiewskiego specjalisty. Kosztowały majątek. – Nie rozumiem – powtórzył.

Harold był uosobieniem życzliwości:

– Chodzi o oprawki. Powinien pan nosić mniejsze i bardziej okrągłe. Ma pan kwadratową twarz i takie oprawki jeszcze to podkreślają. W mojej opinii bardziej by panu pasowały mniejsze i bardziej okrągłe.

Tumiłow zdjął okulary i przyglądał się im tak, jakby widział je po raz pierwszy.

– Tak pan sądzi? – upewniał się.

– Na sto procent. To pana postarza. Takie niby szczegóły, a ważne. Nikt tego panu nie mówił? – Darrell zdziwił się, a Tumiłow uśmiechnął się gorzko do swoich wspomnień, myśląc: „Gdybyś wiedział, sympatyczny ludziku z innej planety, że ostatnio zupełnie nie miałem okazji do tego, żeby przeglądać się w oczach wielbicielek, pewnie nie byłbyś taki zdziwiony". To „ostatnio" miało jednak wymiar kilku lat i cień goryczy w kącikach ust Tumiłowa stał się wyraźniejszy. Postanowił nie zapalać upchniętego już w fifce papierosa i zaczął go metodycznie wydłubywać, ale kiepskiej jakości bibuła rozpadła się i konstruktor ze złością cisnął wszystko na podłogę hali. Jak spod ziemi wynurzył się obok gnom w granatowym kombinezonie ze zmiotką. Błyskawicznie zagarnął pogardzoną fifkę i rozprutego papierosa i zniknął równie szybko, jak się pojawił.

– Szkoda szkieł – mruknął Tumiłow, któremu rozmowa o zwykłych rzeczach sprawiła nieoczekiwaną przyjemność i który postanowił posłuchać rady amerykańskiego pilota. Ten zaprzeczył gwałtownie i wyciągnął dłoń po okulary. Gdy je dostał, spojrzał na nie pod światło i zawyrokował:

– Wcale nie. Da się oszlifować do mniejszego wymiaru, choć to cylindry.

– Zna się pan na tym? – Tumiłow nie krył zaskoczenia, a Harold uśmiechnął się z pewną dozą wyższości i potwierdził:

– Moja żona jest z tej branży… Smoliarow… Jak to będzie po rosyjsku?

– *Optik* – podrzucił słówko major, a Tumiłow po raz kolejny zadumał się. „Jak to jest, że na świecie ktoś ożenił się z optyczką czy jak jej tam. I żyją sobie. Nikt nie ma o to do nich pretensji i nie pakuje ich do więzienia. Ciekawe, swoją drogą, ilu optyków siedzi u nas obecnie i czy są wśród nich kobiety?"

– A właśnie, panie Darrell, proszę mi powiedzieć, czy takie przeszklenie kabiny nie zniekształca obrazu? – Tumiłow obrócił się w stronę wzniesionego wysoko nad nimi ryja samolotu.

Charakterystyczne ramy ośmiu okien bombardiera układały się w kształt przedniej części głowy gigantycznego pająka i można było wyobrazić sobie, jak z okienka umieszczonego dokładnie pod celownikiem wysuwają się chwytne szczęki. Ponieważ Darrell nie reagował na pytanie, Tumiłow, lekko zmieszany, postanowił zmienić temat, a właściwie wrócić do poprzednio poruszanego. Chrząknął i rzucił kwestię pomiędzy Smoliarowa i Darrella, nie kierując jej w zasadzie do żadnego z nich:

– Może w ogóle dać sobie spokój z okularami? Mówią, że jak oko musi się wysilać, to mięśnie w gałce zaczynają lepiej pracować i wzrok może się nawet poprawić?

– Niech pan nie wierzy w takie bzdury – podjął Darrell z ulgą. Nie mógł się jeszcze zdecydować, czy rozmawiać z konstruktorem o szczegółach technicznych, czy omijać jego pytania. – Oko niewspomagane właściwą soczewką musi samo próbować ogniskować i mięśnie pracują w trybie awaryjnym. Ale to bardzo niedobrze. Bo akurat te mięśnie od tego twardnieją i z czasem zdolność adaptacji drastycznie się zmniejsza. Potem zamiast zaleconych przez lekarza dwu dioptrii trzeba zakładać cztery albo pięć. Niech pan koniecznie pracuje w okularach.

Tumiłow westchnął i postanowił brnąć dalej mimo oporu. Spytał:

– A te przeszklone powierzchnie nie psują wzroku?

Darrell popatrzył na niego z uśmiechem i zdecydował, że trzeba zniechęcić Rosjanina bezlikiem szczegółów, które uświadomią mu rozmiar technologicznej przepaści. Wziął konstruktora pod rękę i zaproponował:

– Wejdźmy do kokpitu. Pokażę panu wszystko od środka.

W kabinie Harold poczuł się swojsko, jakby po dłuższej nieobecności znalazł się w domu. Za nim ciężko gramolił się nieprzyzwyczajony do ciasnoty lotniczych włazów Tumiłow. Darrell usadził go na prawym fotelu i przypominając sobie szczegóły, zaczął recytować, nie dbając o to, że konstruktor może nie rozumieć specjalistycznej terminologii. Na ostatku do kadłuba wlazł Smoliarow, mimo że nikt go nie zapraszał. Nie widząc dla siebie miejsca, ulokował się skromnie z tyłu, na foteliku, który w czasie startu i lądowania zajmował bombardier. Instrukcje nie zezwalały, by siedział w swojej szklanej bańce na przodzie w czasie wykonywania tych etapów misji.

– Jak pan widzi, mamy w tym segmencie kadłuba osiemnaście okien. Użyto tu dwu rodzajów syntetycznego szkła, zapewne dobrze panu znanego szkła organicznego i silikatu. Cztery okna... te tu i te, są ze szkła organicznego, osiem... te tutaj i tamte mają szyby klejone z trzech warstw silikatu. Są profilowane do kształtu kadłuba, czyli nie są płaskie, tylko sferyczne. Mamy jeszcze dwa tripleksy, ale te, jak pan widzi, są zupełnie płaskie...

Tumiłow zlokalizował tripleksy, usytuowane nad głowami pilotów, i potwierdził kiwnięciem głowy, a Darrell postanowił go przeegzaminować i spytał:

– Wie pan może, do czego służą?

Tumiłow, nie namyślając się, odparł:

– Pewno do obserwacji gwiazd i astronawigacji.

– Właśnie – potwierdził pilot, przychylniej patrząc na rozpartego w fotelu „tatuśka", któremu brzuch obwisał niechlujnie nad nisko opuszczonym paskiem spodni, i ciągnął: – Mamy jeszcze dwa tripleksy w okienkach bocznych dla pilotów. Te można uchylać, a raczej odsuwać. Robi się to tak... – Demonstrował. – Po zamknięciu moduł kabiny jest hermetyczny. Przy montażu, przed nałożeniem uszczelniacza, szczeliny pomiędzy ramą a krawędzią szyby nie mogą przekraczać 0,05 cala.

– Tumiłow szybko przeliczył to w głowie i wyszło mu niecałe pół milimetra. – Po uszczelnieniu cała ta konstrukcja wytrzymuje do stu funtów na cal kwadratowy. – Tumiłow znów uruchomił liczydło w głowie i wyszła mu imponująca wartość dwudziestu kilogramów na centymetr.

– A to? Cóż to takiego? – pytał Rosjanin jak dziecko, pokazując palcem na zamocowane na przegubowych, regulowanych uchwytach płaskie szklane ekraniki, umiejscowione przed pilotami i stanowiskiem bombardiera.

– Niech pan sięgnie do tych pojemników – poradził pilot, pokazując torebki w kształcie zapiętych portfeli.

Tumiłow sięgnął i zdumiony wyjął z jednego z nich trzy kolorowe szybki (zielona, pomarańczowa i w kolorze dymu), idealnie pasujące do płytek na wysięgnikach. Patrzył na nie, wciąż nie rozumiejąc, wreszcie rozwiązanie pojawiło się samo:

– Filtry optyczne – wyszeptał z podziwem, a pilot potwierdził i kontynuując wykład, uzupełnił:

– W słoneczny dzień są nieocenione. Mam taki jeden w swoim aucie i proszę mi wierzyć, to wspaniałe urządzenie. Myśleliśmy też o barwieniu całych okien, ale to okazało się praktyczniejsze. Trzeba panu wiedzieć, że jeśli chodzi o szkło, to wcale nie koniec. Mamy jeszcze szkło pancerne, o widzi pan, tu przed pilotami, nad deską rozdzielczą. To w razie ataku z przodu. Ma cztery centymetry i wytrzymuje nawet uderzenie pocisku z działka 20-milimetrowego. Można je łatwo zdemontować. Wystarczy wyjąć te trzpienie z prowadnic. Na przykład wtedy, kiedy nie przewiduje się aktywności myśliwców wroga[*]. Takie same szyby są w oknach tylnego strzelca.

Tumiłow kręcił się podniecony w fotelu. Miał jeszcze jedną wątpliwość:

– A jak to wszystko zaparuje? Przydałaby się sprzątaczka ze szmatą...

Darrell był dumny, mając gotową odpowiedź i na to:

– Nie zauważył pan, że szyby są ogrzewane. Proszę spojrzeć.

Tumiłow pochylił się do przodu i rzeczywiście dostrzegł przewody i wentylatory. System przypominał trochę nawiewy w luksusowych samochodach, ale dzięki rozmieszczonym co kilka centymetrów dyszom gorącego powietrza, wentylatorom na przegubach i elektrycznej nagrzewnicy, którą także pokazał mu Darrell, potrafił skutecznie zapobiegać parowaniu i oblodzeniu „szklarni". W tej sekcji kadłuba było jeszcze kilka pomysłowych patentów, z którymi Tumiłow spotkał się po raz pierwszy. I tak – boczne i część dolnych powierzchni przeszklonego dziobu, w którym siedział bombardier, można było osłonić przypinaną na zatrzaski brezentową osłoną. Tumiłow znów się domyślił, że w tak osłoniętej bańce bombardier nie będzie oślepiany promieniami reflektorów obrony przeciwlotniczej. Co-pilot miał po lewej stronie w podłodze podnoszoną klapkę, a pod nią pleksiglasowy wizjer, przez który mógł sprawdzić położenie przedniego wózka podwozia. Nawet popielniczki były wspaniałe, z ruchomą blendą na sprężynce, zamykającą otwór, i Tumiłow postanowił, że jego kopia będzie miała takie same popielniczki, choć regulamin Sił Powietrznych zabraniał załogom palenia na pokładzie. Ale palili jak wszyscy diabli i z takimi popielniczkami będzie im na pewno milej. Ogarnął raz jeszcze tablicę przyrządów, czytelną i wcale nie przełado-

[*] Nie we wszystkich modelach.

303

waną wskaźnikami i przełącznikami, jak mu się kiedyś zdawało. A wielkiej ich liczby można się było przecież spodziewać w tak nowoczesnym czetrosilnikowcu. Ale sporą cześć powietrznego „monitoringu", szczególnie w zakresie nadzorowania pracy silników, zasilania i agregatów wspomagających, powierzono inżynierowi pokładowemu, który z kolei na brak zegarów i dźwigienek nie mógł narzekać. Miał ich aż nadto i zapewne nie nudził się podczas długich wypraw. Tumiłow delikatnie położył rękę na wolancie i stwierdził, że leży idealnie, a regulacja fotela w dwóch płaszczyznach pozwala zająć komfortową pozycję. To był wspaniały kokpit i Tumiłow zadumał się nad ciasnotą kabin we własnych konstrukcjach i rozwiązaniami, które często faworyzowały parametry lotu na niekorzyść wygody załogi, a często były, najprościej rzecz ujmując, mało pomysłowe.

– A jak się prowadzi? – spytał Darrella, który w lewym fotelu myślał o własnych sprawach.

Pilot uśmiechnął się i odpowiedział pytaniem:

– Prowadził pan kiedyś duży amerykański samochód?

– Miałem kiedyś chevroleta capitola – odpowiedział Tumiłow i posmutniał, bo pomiędzy wspomnieniem przyjemności z prowadzenia tego wozu a chwilą, w której go wspomniał, było tak dużo ciemnych spraw i przeżyć.

– No to pewne pojęcie o tym, jak się prowadzi ten przerośnięty ogórek pan ma, choć capitol to już muzeum. Szkoda, że nie widział pan nowych chevroletów. Bajka. Przerost formy nad treścią, ale Amerykanie lubią zapas mocy i przestrzeni. Ten samolot też to daje. A przy okazji masę satysfakcji z latania. To nie jakaś podfruwajka. To dama. Silna, stateczna, pewna siebie i odporna na ciosy. Przy okazji potrafi oddać, i to porządnie. Co będę tu pana zanudzał, panie Tumiłow. Jak pan rozbierze wszystkie maszyny na śrubki, sam się pan domyśli, co te samoloty potrafią.

– Dużo pan wie o B-29 – pochlebiał Tumiłow, ale jego przebiegłość nie zdała się na nic, bo Darrell pilnował się, by nie powiedzieć za wiele. Wiedział przecież o B-29 wszystko i potrafiłby z zamkniętymi oczami cal po calu opisywać samolot i jego mechanizmy. Co więcej, niezależnie od tego, kto był słuchaczem, sprawiało mu to wielką przyjemność. Przyjemność porównywalną zapewne do tej, jaką musiał odczuwać szef władywostockiej pralni, mówiąc o mieczu i jego formach. A czyż bombowiec nie jest takim mieczem? A może ściślej: narzędziem wojny? Doskonałym, funkcjonalnym i pięknym? Czyż nie jest najwyższym wykwitem wielkiej kultury, specjalizującej się w wytwarzaniu doskonałych narzędzi?

Kilka godzin później.
Apartament Darrella
na terenie Instytutu
w Żukowskim. Wieczór

Słysząc pukanie do drzwi, niechętnie otworzył oczy i równie niechętnie przypomniał sobie, że miał się do niego zgłosić nowy tłumacz i anioł stróż w jednej osobie. Jeszcze przed południem zapowiadał to Smoliarow, kryjąc podejrzany uśmieszek:

– Sam pan rozumie, kapitanie. Mam coraz więcej obowiązków i z pewnością nie mógłbym służyć panu pomocą czy nawet zwykłym towarzystwem na każde wezwanie. Pułkownik Każedub traktuje mnie jak konia roboczego i jak tak dalej pójdzie, zupełnie mnie zajeździ. Na szczęście towarzyszysz pułkownik znalazł wam w Moskwie odpowiedniego człowieka i twierdzi, że z pewnością będziecie… będzie pan zadowolony. Proszę się do swego nowego asystenta zwracać z wszelkimi kłopotami czy życzeniami. Bo będzie on miał te kompetencje, którymi ja dysponuję. Gdyby mimo wszystko nie był pan zadowolony – tak to sformułował towarzysz pułkownik – to postara się wam… panu o kogoś innego.

Tego pułkownika o dziwnym nazwisku i zupełnie zjawiskowej męskiej urodzie Darrell poznał zaraz po wylądowaniu. Idąc boso w stronę przedpokoju i przekładając szelki przez nagie, barczyste ramiona, Harold dumał filozoficznie: „Ciekawe czy ten nowy asystent będzie potrafił tak dobrze moczyć dzioba jak pan, towarzyszu Smoliarow, i czy da się z nim pójść na dziwki". Wspomnienie władywostockich przyjemności obudziło w nim błyskawicznie sztywną gotowość i musiał poprawić spodnie na biodrach. „Jeszcze tego tylko tego brakowało, żeby pomyśleli, że się tu zabawiam ręką w samotności" – myślał, drepcząc niespiesznie w stronę drzwi. Wyrwany z drzemki, w którą pogrążał się już po wypiciu dwóch butelek bardzo dobrego, ukraińskiego, jak zdołał wyczytać z etykiety, piwa, nie był najlepiej usposobiony do rozmów wstępnych z jakimiś asystentami. Ale umówiwszy się, nie mógł przecież odprawić faceta. Nawet w tak dziwnej sytuacji uznał, że obowiązują go jakieś reguły. Pozwolili mu nawet zamykać drzwi na klucz. Przekręcił zapadkę zasuwki, jednocześnie ziewając i drapiąc owłosione piersi. Zamarł w tym geście ujrzawszy, kogo mu przysłano. Gdyby ktoś zrobił mu w tej chwili zdjęcie i dał do obejrzenia, Darrell musiałby przyznać, że głupszej i bardziej zaskoczonej miny nie udało mu się zrobić nigdy przedtem ani potem. Przedpokój i przedsionek apartamentu były słabo oświetlone. Właściwie tylko w przedsionku palił się słaby ścienny kinkiet w pomarańczowym, szklanym klosiku. Dlatego pewnie bujne i jasne, puszyste i swobodnie skłębione włosy dziewczyny, podświetlonej od tyłu, zdawały się tworzyć świetlistą, postrzępioną aureolę. Stała skromnie, trzymając pod pachą skórzaną aktówkę bez rączki, która najwidoczniej zastępowała jej torebkę. W tym pierwszym momencie nie dostrzegał nawet dokładnie rysów jej twarzy, ale czuł, że dziewczyna jest niepospolita. Skończył swoje ziewnięcie z trzaskiem, od którego zadzwoniły mu zęby, i o mało nie odgryzł sobie końca języka. Patrzyła na niego śmiało spod swojej nieprawdopodobnej grzywy, najwidoczniej czekając, aż ustąpi w głąb przedpokoju, zapraszając ją do środka. Tymczasem Harold, który rzadko tracił rezon, sterczał na progu z lewą dłonią przyłożoną do piersi, jak ktoś, kogo nagle ukłuło coś w sercu. Przełożyła swoją aktówkę pod drugą pachę i powiedziała głosem, który wydał się Darrellowi głosem chłopca, bo był niski i dźwięczny. Zabawnie wymawiała spółgłoski szczelinowe, cofając język, przez co dźwięki te szeleściły troszkę, ale i to się Haroldowi od razu spodobało:

– Jestem Kira… Kira Widmanskaja, ale proszę mówić do mnie Kira. Nie pozwoli mi pan wejść?

Harold odzyskał wreszcie zdolność reagowania i spytał drżącym, ochrypłym głosem:

– Proszę wybaczyć, ale czy nie zaszła tu jakaś pomyłka? – Z niepokojem czekał na wyjaśnienie, pragnąc ze wszystkich sił, żeby nie było mowy o jakichkolwiek pomyłkach.

– Pomyłka? – Wobec braku zapraszających gestów z jego strony, zdecydowała się odsunąć go lekko i przejść w głąb mieszkania.

Ustąpił posłusznie i ruszył za nią, a ona powtórzyła tonem, który był raczej parodią zdziwienia niż zdziwieniem:

– Czyż nie oczekiwał pan wizyty nowego asystenta? – I nie dając mu czasu na odpowiedź, bawiła się dalej: – Rozumiem, wolałby pan pracować z mężczyznami. Cóż. Przykro mi. Trzeba będzie poprosić towarzysza Każeduba, żeby znalazł dla pana kogoś innego.

Słówko „towarzysz" wplotła po rosyjsku i szczelinowe spółgłoski zabrzęczały intrygująco. Rozejrzała się ciekawie po saloniku i nie pytając o pozwolenie, siadła, szeroko rozstawiając stopy, na zarzuconej poduszkami i książkami kanapie. Mogła sobie na to pozwolić, bo ubrana była w brązowe satynowe, zwężające się przy kostkach spodnie z mankietami, o ton jaśniejsze skarpetki i prawie męskie półbuty na płaskim obcasie. Górę stroju stanowiła jasnobeżowa koszulowa bluza z kieszeniami, wypuszczona na spodnie i ściągnięta wąskim, skórzanym paskiem, którego luźny, przeciągnięty przez klamerkę koniec zwisał nisko, prawie do kolan. W Stanach w takim stroju kobiety grywały w palanta. Pilot stanął przed nią bosy, w spodniach i szelkach na ramionach. Wciąż nie widział jej dokładnie, bo tym razem zachodzące słońce podświetliło jej aureolę od tyłu. Robiło się późno i Harold postanowił zaciągnąć story i zapalić lampę. Ciągnąc sznur ciężkich zasłon, zawyrokował:

– Ma pani dość niekonwencjonalny styl.

Dziewczyna jakby tylko czekała na taką zaczepkę:

– Jak rozumiem, chciałby pan, żebym była bardziej uroczysta. Czyżby pan nie wiedział, że ludzie uroczyści są najczęściej matołami? Proszę sobie przypomnieć końcowe przemówienie dyrektora pańskiej szkoły. Wtedy, jak dawali panu dyplom...

Choć nie zabrzmiało to jak polecenie, Darrell posłusznie przywołał w myślach obraz człowieka uroczystego, o najzupełniej konwencjonalnym stylu. Z tym wszakże, że nie był to dyrektor szkoły, ale jego ostatni zwierzchnik. Dowódca grupy bardzo ciężkich bombowców, pułkownik Jak-mu-tam. Wspomnienie było tak zabawne, że Harold uśmiechnął się. I na to dziewczyna także zdawała się czekać.

– No, nareszcie. Niech pan zaciągnie wreszcie te zasłony i zrobi mi coś do picia. Umieram z pragnienia. Nalatałam się dzisiaj jak głupia. – I jakby dla potwierdzenia zrzuciła z nóg swoje butki i zaczęła kręcić w powietrzu palcami zgrabnych, niedużych stóp odzianych w brązowe skarpety. Nim zdążył potwierdzić lub choćby kiwnąć głową, rzuciła kolejną kwestię:

– Czy to prawda, że większość Amerykanek ma wielkie stopy? Słyszałam, że numer 44 to norma. Proszę mi powiedzieć, jak wygląda dziewczyna z takimi pedałami?

– Jak traper w śnieżnych rakietach! – zdołał wreszcie odpowiedzieć Harold i ruszył do małej kuchni po czyste szklanki, kręcąc z podziwu głową nad umysłową energią swego zaskakującego gościa. W kuchence, poza zasięgiem jej wzroku, nalał sobie potężną lampę rosyjskiej wódki i łyknął jak lekarstwo. Zrobiło mu się gorąco i poczuł się nagle żałosny w mundurowych spodniach i szelkach. Takie dziewczyny powinno się obsługiwać w białym smokingu i muszce. Otrząsnął się z przygnębienia i rozglądając po półkach, usiłował odgadnąć gust Kiry. Wybór był niewielki, bo Rosjanie zaopatrywali go w alkohol według własnych wyobrażeń o potrzebach pijącego regularnie mężczyzny. (Każdy kiedyś przestanie pić, niektórym uda się przestać jeszcze za życia.) Miał więc kilka butelek rosyjskiej wódki, jakieś podejrzane koniaki z Armenii i z Gruzji, których jeszcze nie próbował, gruzińskie czerwone wino i masę ukraińskiego piwa. Aha. Było jeszcze coś, co oni nazywali *szampanskoje*. Musujące słodko-kwaskowate białe wino. Któregoś wieczoru spróbował zakończyć nim sesję opartą na wódce i piwie. Smakowało wspaniale, kojąc ostry wódczany rozstrój, ale nazajutrz obudził się późnym popołudniem z głową jak ceber i kwaśnym nalotem na białym, opuchniętym języku. Miał tu nawet przestronną, zabawnie wzorowaną na amerykańskich modelach lodówkę (nazywała się Saratow i był przekonany, że to nazwisko jednego z niezliczonych narodowych bohaterów), obficie zaopatrzoną w kawior, soki owocowe i wodę mineralną. Posiłki, a raczej to, co z nich bezmięsnego udało mu się wyłuskać, jadał w kantynie oficerskiej.

Zdecydował się wreszcie skomponować czystą wódkę z gazowanym „gruszewym napitkom", a duży kielich od *szampanskogo* ozdobił nadzianym na rant plasterkiem świeżo skrojonej limony. Sobie zrobił to samo, jedynie zmieniając drastycznie proporcje. W jego kielichu na dwie części Stolicznej wypadała zaledwie jedna część soku gruszkowego. Dziewczynie zaś przysposobił drinka w łagodnym, zrównoważonym stylu. Wnosząc to wszystko uroczyście na blaszanej tacy, czuł się już zupełnie głupio i ręce zaczęły mu drżeć, co ona zauważyła i kocim ruchem, odbijając się z podwiniętej pod siebie stopy, wypłynęła mu naprzeciw, wyjmując tacę z dłoni. Zrobiła to tak płynnie, że domyślił się od razu, jak bardzo sprawne ma ciało. Podziękował jej uśmiechem i poprosił:

– Niech pani czuje się moim gościem, a ja na minutkę...

Przerwała zaraz po pierwszym łyku, mówiąc:
– Bardzo dobre. Niech się pan nie ubiera. Podoba mi się pan w tym stroju. Odpada wszelkie podciąganie kantów, odpinanie i zapinanie guzików, poprawianie krawata i tym podobne. Jest pan przynajmniej sobą. Wie pan, to co u kobiet wystrojonych jest naturalne, choć wystudiowane, u mężczyzn robi się już zupełnie głupie. Nie zauważył pan ? – I nie czekając na ripostę trąbiła dalej jak pionierska sygnałówka: – To pewnie kwestia jakichś tam atawizmów. Dawniej samice wabiły samców ubarwieniem, upierzeniem, zapachem czy czym tam wreszcie i dziś jest tak samo, a samce...

Tym razem Harold, pociągnąwszy solidnie, postanowił pokonać ją jej własną bronią, więc wtargnął w tok jej wypowiedzi:
– Samce też mają swoje sposoby. Proszę rozważyć goły, fioletowy zadek szympansa albo tańce godowe. Wyobraża pani sobie naturalność dzisiejszego zalotnika z fioletowym zadkiem?

Spojrzała na niego z uznaniem.
– Przeżyłam już gorsze rzeczy... – O mało nie wybuchła śmiechem, ale w porę położyła sobie dłoń na ustach, co pozwoliło Darrellowi kontynuować swój popis:
– Różne są metody i każda zapewne ma swoją przyczynę w ewolucji gatunków. Można na przykład efektownie trykać się głowami, jak barany. Mnie w przyrodzie najbardziej podoba się jeden sposób imponowania samicy i pokonania konkurencji...

Spojrzała na niego zachęcająco i ciekawie znad swojego pucharu. Gdy raz i jej przerwano, uznawała siłę rozmówcy, pozwalając mu się wygadać. On też to zauważył i wyciągnął natychmiast wnioski bojowe. Najlepiej walczyć z nią, stosując jej chwyty. Zanotował sobie to w pamięci i mówił dalej:
– Jest taki ptaszek w Afryce czy Ameryce Południowej. Nie pamiętam, jak się nazywa. Czytałem kiedyś o tym jako chłopiec. Taki ptaszek konstruktor, a może lepiej budowniczy. Samczyki, stając do konkursu o samiczkę, budują domki. To nawet

nie gniazda, bo te konstrukcje są przemyślne i pomysłowe. Mają ściany i dach z liści, więźbę z traw. Naprawdę – upewniał, widząc jej kpiący uśmieszek. – I jak skończą, samiczka wprowadza się do najbardziej okazałej budowli.

– To mi bardziej przypomina wystawę przemysłową, a nie konkury. A poza tym te sprawy są o wiele prostsze. Jeśli chodzi o mnie, mężczyzna nie musi zaraz budować dla mnie pałaców, choć to nie byłoby wcale takie złe. Wystarczy coś ładnego, ujmującego. O! Pan na przykład ma bardzo solidną budowę. Byłby pan zapewne dobrym prokreatorem…

– Kim? – Harold zakrztusił się drinkiem i *gruszewyj napitok* bąbelkami gazu poszedł mu do nosa.

– Takim facetem, którego kobiety wybierają, żeby kontynuować gatunek.

Podała mu papierową serwetkę. Wytarł sobie usta i podbródek i ostrożnie sondując, zasugerował:

– Musiała pani dużo czytać. Jak na tak młodą osobę, pani wiedza i słownictwo są imponujące. A właśnie. Gdzie się pani nauczyła takiego ładnego angielskiego?

Spoważniała.

– Najpierw uczył mnie ojciec, a potem byłam w szkole prowadzonej przez brytyjskie zakonnice.

Usiłował wyobrazić sobie, gdzie była ta szkoła, ale nic nie przychodziło mu do głowy. Zadał więc kolejne pytanie:

– Jak rozumiem, rosyjski to pani pierwszy język?

Nim zdecydowała się odpowiedzieć, wstała i zapaliła stojącą lampę z płóciennym abażurem. Harold dawno powinien to zrobić, ale wciąż sterczał na środku pokoju, z kielichem w dłoni. I sterczał tam jeszcze przez dłuższą chwilę po zapaleniu światła, a wszystkie jego podejrzenia potwierdziły się. Była zjawiskowa. Takie kobiety widuje się tylko na rozkładówkach pism, ale to może nie najszczęśliwsze porównanie, bo Kira Widmanskaja nie za bardzo pasowała do ideału kobiecej urody, który usiłowały narzucić znane mu amerykańskie magazyny, i zapewne niewielu żołnierzy przypięłoby akurat jej zdjęcie nad łóżkiem. Najłatwiej zatem będzie opisać jej urodę poprzez opozycję do ideału lansowanego przez miesięczniki i wojenne produkcje Hollywood; urodę, która kazała Haroldowi siąść z drinkiem w dłoni na dywanie w pozycji strażnika z poziomu *hoki-ryu**. Po pierwsze, nie robiła trwałej ondulacji, a jej nieprawdopodobne włosy, opadające na piersi i głęboko na plecy, falowały w sposób naturalny i rozwichrzony, jak burzowe chmury rozrywane gwałtownym wiatrem. Po drugie, jej jasnobłękitne oczy nie miały typowego łagodnego kształtu, ale świeciły jak dwa podłużne, niemal prostokątne wizjery w rycerskim hełmie. Ich linie podkreślały brwi, równie proste. Oczy były świetliste, a biel gałki nawet w ciepłym świetle płóciennego abażuru zadziwiająca. Spomiędzy prostych poziomych brwi wyrastał prosty, zdecydowany nos, dla którego znakomitym kontrapunktem okazywały się duże, ale regularnie wykrojone i leciutko wypukłe usta. Delikatnemu zagłębieniu nad górną, lekko wysuniętą wargą doskonale przeciwstawiał się mały dołek w podbródku. Należy koniecznie dodać, że usta Kiry były zwykle lekko rozchylone, błyszczące (choć nie używała szminki) i wilgotne. Czytelnik domyśla się zapewne, że zęby były równe i białe. Takim twarzom, które mogą należeć zarówno do aniołów, jak i demonów, nie sposób się oprzeć, ale często bywa tak, iż wieńczą one ciało pełne niedoskonałości i rażących felerów. W tym przypadku było inaczej. Ciało było godne twarzy, a może raczej twarz nie sprawiała zawodu ciału. Kira nie była wysoka, ale miała smukłe, długie kończyny, płaski brzuch i wysokie, pełne piersi, które przy każdym jej ruchu kolebały się ciężko pod luźną bluzą. Najwidoczniej nie nosiła stanika. Zauważyła jego zachwyt i skwitowała to uśmiechem, który potwierdzał jej pewność własnych wdzięków. Można sądzić, że Harold nie był pierwszym mężczyzną, w którego oczach prze-

---

* Pozycja strażnika, z prawą stopą opartą o podłogę zewnętrzną krawędzią i lewą spoczywającą na podbiciu, jest jedyną, która nie pozwalała zdrzemnąć się japońskim ochroniarzom.

glądała się jej próżność. A może nie była to próżność, a jedynie poczucie wartości?

– Mam kilka pierwszych języków, panie kapitanie – nawiązała do jego pytania, a on zauważył w tym momencie w jej twarzy coś znajomego, coś, co musiał już kiedyś widzieć.

– Jak to? – Poprawił się na dywanie w niewygodnej pozycji, choć najchętniej przysunąłby się bliżej do jej drobnych, rozchylonych niefrasobliwie kolan.

– Trzeba panu wiedzieć, że jestem krzyżówką euroazjatycką. Wychowywano mnie po japońsku, po polsku, po rosyjsku i po angielsku. Mówię chyba równie dobrze w czterech językach. No, może najgorzej po angielsku.

– Po polsku? – Harold nie dowierzał. – Ojciec był Polakiem?

– Matka – wyjaśniła Kira i spytała: – Co pana tak dziwi?

– Nic. W takim razie Japończykiem jest ojciec.

Zaśmiała się, zarzucając swoją elektryzującą grzywę na plecy, i podsumowała go:

– Dedukuje pan jak Sherlock Holmes. Zna pan żarcik o metodzie dedukcyjnej Sherlocka Holmesa? Nie? Opowiem panu, ale uprzedzam, że moje żarciki nie śmieszą wszystkich.

Nie dała mu czasu, by poczuł się zażenowany, i z widoczną przyjemnością opowiedziała dowcip. Nie tylko opowiadała, ale także odgrywała go, robiąc stosowne miny i wcielając się kolejno w opisywane postacie:

– Wieczór. Mieszkanie Holmesa na Baker Street. Sherlock siedzi w fotelu i pali. Widać po minie, że zajmuje się intensywną pracą umysłową. Dr Watson porządkuje notatki do swojej książki o metodzie dedukcyjnej Sherlocka. W pewnej chwili Holmes wyjmuje cybuch z ust i prosi: „Watsonie. Mój drogi, bądź tak dobry i wyjrzyj no przez okno na ulicę". Watson podchodzi do okna (tu Kira także podeszła do okna), odsuwa zasłony (odsunęła) i wyglądając, pyta Holmesa: „Wyjrzałem, Sherlocku, i co dalej?" Sherlock pociera czoło i mówi: „Watsonie, czy na rogu nie stoi chłopczyk z czerwoną krową?" Watson wpatruje się w okno i odpowiada: „Nie stoi, Sherlocku". Holmes podnosi znacząco wskazujący palec prawej ręki i triumfalnie oświadcza: „Tak przypuszczałem!"

Kira z miną wynikającą z fabuły, podniesionym palcem i spojrzeniem godnym proroka Mojżesza była tak komiczna, a zarazem tak ładna, że w Darrellu coś oberwało się z głuchym wewnętrznym łoskotem. Westchnął:

– Proszę się ze mnie nie nabijać. Czasami ciężko myślę. Zwykle wtedy, gdy coś mi się bardzo podoba. Wolę kontemplację od dociekania. A żarcik jest przedni. Liryczny i głupi do bólu, choć takich idiotów, mamiących otoczenie m e t o d ą, nie brakuje w żadnych czasach i w żadnym kraju. Ba! Dostają medale i nagrody, a studentki mdleją na ich widok. Ale jak spytać takiego dupka: „Co pan naprawdę potrafi zrobić?", okazuje się, że nic. „Może potrafi pan coś zaśpiewać, wystrugać, naprawić?" – perorował. – Nie. Potrafią tylko przepisywać fragmenty z cudzych książek, zmieniając styl, i podpisywać się pod takim zlepkiem ukradzionych mądrości jako twórcy „metody". No, dramat! Jeszcze całe szczęście, że ja pracuję w branży, w której ludzki los da się obliczyć na suwaku logarytmicznym i wszystko prócz odwagi i honoru jest wymierne. Nie wiem, dlaczego to wszystko pani akurat mówię…

Zawiesił na niej niemal błagalne spojrzenie.

– Też nie wiem – odparła rzeczowo i zażądała: – Proszę mi zrobić szybciutko jeszcze jeden taki koktajl i wracać do mnie. Może jak wypiję drugi, namówię pana, żebyśmy przeszli na ty.

Spieszył się i wszystko leciało mu z rąk, ale nagle wydało mu się, że każda sekunda nieprzebywania w pobliżu dziewczyny to jakaś niepowetowana strata. Nigdy jeszcze nie doznał czegoś podobnego. Gdy wrócił i wręczył jej kielich, klepnęła w siedzisko kanapy, zapraszając, by usiadł. On jednak, bohatersko pokonując chęć znalezienia się blisko niej, wrócił na swój dywan i znów zastygł w pozycji strażnika.

– Tak jest dobrze – powiedział. – Bo mogę swobodnie na panią patrzeć.

– Sprawia to panu jakąś szczególną przyjemność? – spytała.

– Niesamowitą. W ogóle – może to zabrzmi niedojrzale – już bardzo lubię pani towarzystwo. Czuję się przy pani bardzo dobrze. Nigdy się tak nie czułem obok żadnej dziewczyny.

– Jeśli tak – wzniosła swoje naczynie ponad linię oczu i lekko skłoniła głowę – jeśli po dwudziestu minutach znajomości poczuł pan coś takiego, co mi oczywiście pochlebia, to najwyższy czas, żebyśmy wypili bruderszaft. Zwyczaj koszmarny. Nazwa niemiecka, ale czasem to bardzo przydaje się w towarzystwie albo jak koniecznie chcemy coś załatwić na przyjęciu.

– Bruderszaft? – powtórzył niepewnie. – A na czym to polega?

– Zaraz panu pokażę. Nie, nie. Proszę zostać tam. Ja idę do pana.

Sfrunęła lekko z kanapy, tak że nawet nie zdążył zauważyć, jak wyprostowała nogę podwiniętą pod siebie, i po chwili siadła obok niego w takiej jak on pozycji. Zdziwiło go to, że trudny siad nie sprawił jej żadnego problemu i że osiągnęła podłogę bezpośrednio. Tylko opuszczając biodra i podwijając stopy. Widział tylko jednego człowieka, który potrafił to zrobić z taką swobodą. Była bardzo blisko i poczuł delikatny zapach olejku herbacianego i czegoś jeszcze, czego aromat był mu nieznany. Zmusiła go do przeplecenia rąk z drinkami, a on, naśladując jej poczynania, upił trochę ze swego naczynia. Potem delikatnie dotknęła ustami jego policzka, a Harold pełen emocji i czerwony z przejęcia, zrobił to samo. Przełożyła kielich do lewej dłoni i podała mu prawą.

– Jestem Kira – powiedziała. – Dla przyjaciół Ki.

– Harold – wyrecytował uroczyście, patrząc jej w oczy. – Dla przyjaciół Harold.

Patrzył, jak odchylając szczupłe ciało do tyłu, bez pomocy rąk, podstawiwszy stopy pod kształtną dupkę, podrywa się z dywanu, niczym unoszona niewidzialnym lewarkiem. Dotychczas widział tylko jednego człowieka, który potrafił tak wstać.

– Wiesz, że po raz pierwszy piłam z kimś bruderszaft?

– W Polsce nie było okazji? – zainteresował się z obowiązku, bo ciekawiły go zupełnie inne kwestie.

– Nie byłam nigdy w Polsce. Pewne rzeczy znam tylko z opowiadań matki.

– To dlaczego mówisz, że zwyczaj jest koszmarny? Mnie się bardzo podoba.

– Bo podobno w Polsce na każdym przyjęciu, gdy już wszyscy tęgo popiją, pije się bruderszaft z kim popadnie. Potem, jak wytrzeźwieją, to jakiś prezes bywa bardzo zdziwiony, że ktoś z niskiego szczebla klepie go po plecach i wali mu na ty.

– I cóż z tego? – Harold był zdziwiony. – W Stanach przeważnie tak się do siebie zwracamy i nikogo to nie razi. Szacunek okazuje się w inny sposób, a raczej na wiele innych sposobów.

– Mój drogi, są kraje i kultury, w których takie hierarchie odgrywają wielką rolę. W Polsce tego, jak mówią Polacy, „brudzia" pije się też po to, żeby coś szybko załatwić. Rozumiesz? – upewniała się, widząc cień niepewności w jego oczach. – No, po to, żeby wycyganić jakiś kontrakt czy obietnicę od, dajmy na to, Harolda, a nie pana prezesa Harolda...

– Rozumiem. Ale mam nadzieję, że naszego „brudzia" wypiliśmy w intencji szczerej przyjaźni.

– Jasne – kiwnęła głową i uśmiechnęła się ciepło, po czym zadała swoje pytanie: – Czuję, że coś cię nurtuje. Masz jakieś wątpliwości?

– Dwie podstawowe.

– Wal.

– Po pierwsze, dlaczego zupełnie brak ci orientalnych cech. Nie masz ani azjatyckiej fałdy, ani niczego w budowie ciała, kolorze oczu, włosów, w odcieniu cery, co wskazywałoby na to, że urodziłaś się... – zawahał się chwilę i zaryzykował – w Japonii.

– Nie mam pojęcia. Wszyscy o to pytają. Najwidoczniej cechy mamy wzięły górę na cechami ojca, ale ja dokładnie wiem, co mam po kim.

– Po matce zapewne urodę? – wpadł jej w słowo.

– Nie tylko. Mam po niej, jak by ci tu powiedzieć... całą jej stanowczość w dążeniu do celu, a poza tym odziedziczyłam po niej talenty muzyczne i taki talent, który pozwala mi wodzić facetów za nos. – Roześmiała się dźwięcznie, widząc, jak pokazał na czole marsa w reakcji na jej ostatnią kwestię. – O tak. Mam potwierdzenie – chichotała radośnie jak alchemik, któremu po raz kolejny udało się zamienić psie gówienka w złoto. – Żartowałam. Nie nadymaj się tak – zmitygowała się, widząc, że to, co powiedziała, sprawiło mu przykrość. – No już.

Znów znalazła się blisko niego i ciepło, jak matka, pocałowała go w czoło, a on nie odważył się przytrzymać jej koło siebie, zafascynowany dynamiką jej postępków.

– A ta druga wątpliwość? – dopytywała się. – Widzę po minie, że będzie to problem natury politycznej, a ja w tym akurat jestem słaba. Ale pytaj. Odpowiem zgodnie z najlepszą wolą i wiedzą. – Znów ulokowała się na kanapie w rozkosznej pozie i swobodnie zawiesiła dłonie na kolanach. Nawet drinka – pewnie w celu podkreślenia owej najlepszej woli – odstawiła na niski stolik.

Harold spoważniał.

– Nie wygłupiaj się choć przez chwilę i powiedz mi, co robisz w tym pokoju. Jaką rolę wyznaczyli ci w tej sprawie? I kto cię tu przysłał?

Ona dla odmiany nie spoważniała i widać było, że dobrze się bawi:

– Major Smoliarow cię nie uprzedził? – Podniosła swoje proste brwi w wystudiowanym zdziwieniu, a Darrell przestał rozpoznawać granice pomiędzy mistyfikacją, grą pozorów, pozorną szczerością a naturalnością. Gubił się w niej jak w nieznanym terenie, nad którym przyszło latać bez mapy. – Polecono mi pełnić funkcję twojej asystentki i tłumaczki.

Udał, że taka odpowiedź go irytuje, choć nie spodziewał się innej:

– Tę tłumaczkę jeszcze gotów jestem zrozumieć, ale w czym niby masz mi asystować? Spodziewają się, że będę tu prowadził biuro albo agencję wywiadowczą? Jakiś idiotyzm.

– A jak będziesz chciał wybrać się do miasta albo do teatru, albo choćby na spacer? Nie pomyślałeś o tym? Tu, w Instytucie, możesz się poruszać w miarę swobodnie, ale przecież nie możemy ci zabronić wyjazdów do miasta. Ktoś to musi zorganizować, zapewnić ci ochronę, ułatwić sprawunki i tak dalej. A właśnie... – Wyginając się na ekscytującym przegubie chłopięcych, wąskich bioder, sięgnęła po aktówkę. Przysiągłby, że torebka leży poza jej zasięgiem, a jednak chwyciła ją bez trudu. – Tu są pieniądze na drobne wydatki i pamiątki. Pewnie będziesz chciał zabrać do domu matrioszkę i butelkę wódki dla kumpli.

Harold nie uczynił żadnego gestu. Powiedział:

– Nie mogę brać pieniędzy od was. Jeszcze tego by brakowało!

– Nie wariuj. – Trafnym ruchem rzuciła mu kopertę, bezbłędnie trafiając pomiędzy jego uda. – To nie są sumy, za które sprzedaje się strategiczne tajemnice, tylko kieszonkowe. Zresztą, jak chcesz, rząd sowiecki może dać ci potwierdzenie wypłaty i zażądać rozliczenia tych kwot od twojego rządu.

To był dobry moment, żeby spytać, czy możliwy jest jego szybki powrót do Stanów, ale coś go przed tym pytaniem powstrzymywało.

– No, powiedzmy, że pójdziemy do restauracji albo do teatru, a ja będę chciał dać nogę? To co będzie, pani asystentko? – Harold zaczynał być przyjemnie podchmielony, ale była to ta faza alkoholowego procesu, w którym można jeszcze w miarę dokładnie kontrolować akcje i reakcje.

– No chyba nie jesteś aż tak naiwny? – Spojrzała na niego niewinnie i poprawiła się na swoim buddyjskim, kanapowym tronie. – Ja też coś niecoś potrafię, a poza tym na takich wycieczkach nigdy nie będziemy sami. Pamiętasz Wersal we Władywostoku? Pamiętasz? – upewniała się, korzystając z wiedzy zaczerpniętej z raportów. – Dałeś paru gościom po głowie, ale potem zza każdego filaru wyskoczył ochroniarz z automatem. Jesteś szybki, ale pewnych rzeczy nie da się przeskoczyć. Ja też mam broń – poklepała znacząco aktówkę – ale po co mi ona? Jesteśmy w pobliżu Moskwy i gdzie niby miałbyś uciekać i do kogo? Nikogo tu przecież nie znasz, języka też, a naród sowiecki specjalizuje się w donosicielstwie. Donoszą, bo wiedzą, że jak nie doniosą, to mogą za to wyjechać na długie wakacje w surowym klimacie z komarami jako jedyną atrakcją. Tak przedstawia się sprawa mojej u ciebie asystentury. Natomiast cała reszta… – zawiesiła obiecująco głos – jak to będzie, to się dopiero zobaczy.

– Czyli, że mogę cię jutro zabrać do teatru i restauracji? – sondował.

– Do jakiej tylko chcesz. Ale może lepiej, żebyś włożył cywilny garnitur. Nie potrzeba tu sensacji. A i ja lepiej bym się czuła.

Teraz on przejął inicjatywę:

– Ale chyba nie pójdziesz do lokalu w tych spodniach. Jeśli już mam dać się porwać, to bardzo proszę o wieczorową suknię i pantofle na obcasach. Skąd mam wziąć cywilne ubranie?

– O to się nie kłopocz. Rano będzie gotowe. A teraz pijmy i gadajmy…

Nie mógł oderwać od niej wzroku ani myśli. Była wspaniałą dziewczyną, niezależnie od roli, jaką przyszło jej pełnić w tym spektaklu. Nie miał zupełnie pomysłu na to, gdzie ją ulokować na skali przyjaciół i wrogów. Z tego, co o sobie mówiła, wynikało, że niezupełnie była Rosjanką, raczej Polką albo – co gorsza – Japonką. Dłuższą chwilę zastanawiał się nad tym, ale niczego nie mógł wymyślić. Nie miał najmniejszych wątpliwości, że gdyby zrobił coś, co byłoby niezgodne z jej instrukcjami, zastrzeliłaby go bez wahania, niezależnie od sympatii dla jego osoby, którą wyczuwał przez skórę. A może to też było częścią gry? Ale dlaczego, u licha, nasłali na niego tak zjawiskową dziewczynę i skąd w ogóle Smoliarow czy ten jego wampiryczny szef wytrzasnęli takiego kogoś? Rozważał to wszystko, nie spuszczając wzroku z dziewczyny, a ona zdawała się życzliwie zaglądać przez jego oczy do jego umysłu. Takie przynajmniej odnosił wrażenie, ale nie bronił się przed tym.

„Cóż za wspaniały facet!" – dumała Kira, patrząc na pilota siedzącego na dywanie i zastanawiając się, czy Amerykanin ma miłą w dotyku skórę i jak ta skóra pachnie. Przypominał jej trochę ojca. Miał w sobie spokój i harmonię i czuła, że te cechy pociągają ją równie mocno jak to, że ma tak ładnie zaokrąglone mięśnie, smagłą skórę i mały wałek tłuszczu w okolicach pępka. Chociaż był trochę za tęgi w stosunku do wzrostu, w jej oczach proporcje te były doskonałe. Nie przepadała nigdy za żylastą, mięśniakową urodą facetów rozciągających jakieś ekspandery czy machających jak durni ciężarami, żeby kształtować sękate bicepsy. Ojciec, ćwicząc z nią, powtarzał często:

– Prawdziwa siła rodzi się z tej części treningu, w której jesteś już tak zmęczona, że nie możesz ćwiczyć dalej. Ale jeśli to przezwyciężysz, to każdy następny ruch będzie twoją nową siłą, nową możliwością. Podobnie jest w walce. Właśnie wtedy, kiedy gotowa jesteś się poddać, uznajesz, że nie masz szans, i godzisz się na to, żeby umrzeć… wtedy właśnie jest najlepszy moment, żeby przeważyć szalę. – Jej ojciec jest wprawdzie muskularny, ale tą szczupłą, suchą siłą wszystkich, którzy nie mieli kłopotu z utrzymaniem wagi. Ojciec jest taką iskierką, którą trudno zdmuchnąć, bo od dmuchnięcia tylko bardziej się rozpala. Ten półnagi mężczyzna o łagodnych oczach dysponuje innym rodzajem siły. To raczej kawałek rozżarzonego węgla drzewnego. Za każdym razem musi przezwyciężać siebie, bo ciało ma za ciężkie, ale umysł jasny i niezamulony. Ciekawe, co tak naprawdę potrafi i na którym poziomie się porusza. Z raportu niewiele można było wywnioskować, prócz tego, że poturbował ciężko kilku osiłków z floty, i to sam, nim ochroniarze zdążyli się połapać, co się święci. Z raportu tej Persen wynika, że jest bardzo sprawnym kochankiem i dał do wiwatu nawet jej, najbardziej wyćwiczonej i luksusowej dziwce kontrwywiadu wojskowego we Władywostoku. Z materiałów, które dał jej Każedub, wynika, że jest znakomitym lotnikiem i zdolnym inżynierem. „Na szczęście tak się dobrze składa, że wszystkie te umiejętności będę mogła osobiście poddać próbie, bo prócz pilotażu znam się doskonale na wszystkim tym, na czym ty się znasz, niedźwiedziu. Z czasem to i owo będzie mu można powiedzieć, ale na razie niech bierze mnie za tę, którą w jego oczach mam być – za agentkę sowieckiego kontrwywiadu o zagadkowej przeszłości i jeszcze bardziej zagadkowych koneksjach".

Kira istotnie była dobrym partnerem i przeciwnikiem dla Darrella. W kwiecie swoich dwudziestu pięciu lat szczyciła się dyplomem inżynierskim Wydziału Metalurgii i Obróbki Cieplnej Metali renomowanej uczelni Kiusiu-Daigaku. Była zaawansowaną adeptką sztuk walki, trenowaną przez ojca od momentu, w którym ukończyła sześć lat, a także wyrafinowaną i pełną pomysłów modliszką, potrafiącą doprowadzić do erekcji kamienny posąg Buddy. Nauki w tej ostatniej dziedzinie pobierała pod czujnym okiem matki, dobierającej rozważnie jej partnerów i dbającej o to, by Kira nauczyła się opancerzać przeciwko zdradliwym i pozbawiającym woli podmuchom uczuć. Nawet jej seksualny debiut w wieku szesnastu lat nie był dziełem przypadku, ale rozważnego działania, przypominającego wybór partnera w hodowli rzadkiego i bardzo cennego gatunku zwierzęcia. Wie to dziś. Wie, że przystojny chorąży Kaneyasu z cesarskiej marynarki był laufrem podstawionym w kunsztownej grze, którą reżyserowali pospołu jej rodzice.

Wówczas nie miała o tym pojęcia, ale nigdy później nie miała o to pretensji, bo była w młodym marynarzu prawie zakochana. Prawie, bo jej emocje jak dotychczas nigdy nie wzięły góry nad umysłem. Miała ten rzadki dar – być może przekazany w genach rodziców – iż potrafiła przestać pić w momencie, gdy każdy następny kieliszek stawał się niebezpieczny dla zmysłu równowagi i oceny sytuacji. Potrafiła przestać się gniewać i pohamować agresję na tyle w czas, by gniew i agresja nie osłabiły szybkości jej reakcji. Potrafiła, nawet gdy ktoś bardzo jej się podobał, znaleźć zawsze złe strony związku i wytworzyć pomiędzy sobą a partnerem dystans, gwarantujący emocjonalne bezpieczeństwo. Potrafiła jednym słowem kontrolować ciało i duszę, nie do końca zdając sobie sprawę, jak to się dzieje i jakie pociąga za sobą konsekwencje. Wprowadzona przez ojca na pierwsze metry ścieżki zen, była na dobrej drodze do tego, aby – jak określają to praktycy – być szefem wszystkiego. Nikt jednak nie nauczył jej, jak idzie się taką ścieżką dalej. Umiała cieszyć się życiem, nie przejmując się rzeczami materialnymi bardziej, niż należało. Była jednak zbyt uzależniona od misji, którą nałożono na jej barki. Misja krępowała jej umysł. Podobnie człowiek praktykujący zen zmaga się z niezależnymi od niego odruchami. Chcąc się od nich uwolnić, jedynie pogłębia ich znaczenie. Nikt nie powiedział jej, że wątpliwości są rzeczą naturalną i miast je powstrzymywać, powinna raczej uwolnić je i przyjrzeć się ich naturze. Jej agenturalna edukacja była więc – mówiąc jednym słowem – nieukończona. Nie miała też praktycznie szans na to, by dojrzeć, choć posiadała już w bogatym repertuarze doświadczeń zabicie sześciu ludzi. Dwoje z nich zlikwidowała gołymi rękami, bez pomocy przyrządów, ot, choćby takich jak leżące tu na barku, obok naczynia z lodem, *suntetsu*, których znajomy kształt rozpoznała od razu, gdy znalazła się w tym wnętrzu. Jacyż głupi są ci Rosjanie! Równie dobrze mogliby mu zostawić granat. Ciekawe, czy umie się tym dobrze posługiwać? I czy zna także metody obrony przeciwko atakowi tym świństwem, którym w okamgnieniu można zrobić dziurę w czaszce, złamać piszczel, pogruchotać delikatny zespół kości dłoni, wybić oko, zęby, a wreszcie – gdy ktoś jest naprawdę dobry – strzaskać mostek i zatrzymać akcję serca. Ona sama nie przepadała za takimi przyrządami, preferując możliwości wytrenowanego ciała i umysłu. Wolała „miękkie" pomoce, takie choćby jak zwykła chusteczka na głowę czy półtorametrowy kawałek bawełnianego sznurka. Albo kawałek twardego drewna o gabarytach stolarskiego ołówka. Mężczyźni lubują się w żelazie, stali, rewolwerach i naostrzonych jak brzytwa głowniach. Ale drodzy panowie – to nie te czasy! Przy rewizji nikt nie zwróci uwagi na kwiecistą, bawełnianą chusteczkę czy krótki patyk. Zabawne, że jej aktualni mocodawcy nie mają pojęcia, jak naprawdę niebezpiecznym narzędziem w jej osobie się posługują. Wiedzą, że potrafi dobrze strzelać, zręcznie wsypać narkotyk albo truciznę do kieliszka, wiedzą, że zna angielski i polski. Wiedzą, że wykorzystując urodę i znajomość samczej psychiki, może wyprowadzić w pole połowę Politbiura w jakieś trzy tygodnie. I skłonić ich, by zrezygnowali z marksizmu-leninizmu na rzecz gospodarki rynkowej. Ale nie wiedzą nic ponadto. I niech tak zostanie. Postanowiła poddać go próbie. Spytała, pokazując delikatnym, długim palcem o krótko obciętym paznokietku *suntetsu* leżące na dolnej półeczce barku:

– Harold, co to takiego? Mogę to obejrzeć?

Kiwnął głową zachwycony, bo rysowała się okazja pochwalenia się czymś, czego z pewnością nie znała. Owadzim, zręcznym ruchem sięgnęła po niewinne przedmiociki i pilnując, by nie rozpoznał w niej fachowca, przyjrzała się im bacznie. To nie były nędzne kopie, robione na użytek ulicznych gangsterów przez pokątne warsztaty na przedmieściu. To była parka godna Shinto-Tenshin*, ze skutej i przeciętej kilkakrotnie stali, skrom-

---

* Jedna z najbardziej znanych szkół uczących *suntetsujutsu*.

nie, choć pięknie wyprofilowana na kształt zwężających się ku końcom sześciokątnych graniastosłupów. Pierścienie były przymocowane w dwóch trzecich długości trzpienia, tak by broń dawała się łatwo obracać wewnątrz dłoni, a ostrze służące do zadawania *atemi* nie wystawało zbyt widocznie przed serdeczny palec. Gdy przyjrzała się metalowym przedmiocikom bliżej, dostrzegła dyskretną sygnaturę, której dwa znajome znaki określały kowala, zapewne twórcę tej broni, jako tego, który pochodził ze wsi Osafune.

– Co to? Otwieracze do butelek? – spytała, zastanawiając się, które z dwunastu wewnętrznych form mogą mu być znane*.

– Nie – ucieszył się. – To taka śmieszna japońska zabawka. Daj, pokażę ci.

Patrzyła z rozczuleniem, jak dźwignął przyciężki, ale kształtny zadek z dywanu i niedźwiedzim krokiem ruszył w stronę kanapy.

Waszyngton D. C. Siedziba
Zespołu Analityków
Połączonych Sztabów
US Army. Poniedziałek
6 sierpnia 1945

Był zmęczony. To może nie droga przez mękę, ale z pewnością droga przez niekompetencję. I kończył się drugi miesiąc, odkąd na nią wstąpił.

Zaczęło się niewinnie. Tak jak prosił go Harold, następnego dnia po przylocie do bazy wojskowej na Wschodnim Wybrzeżu stanął do raportu, prosząc o powiadomienie wywiadu. Procedury były żmudne i głupie, a on musiał co kilka lub, co gorsza, co kilkanaście dni wyjaśniać kolejnym dupkom, o coraz

---

* Uczono zwykle dwunastu podstawowych technik, kolejnych dwanaście to techniki dla wtajemniczonych, czyli tajne.

324

większej liczbie gwiazdek na patkach, powody, które każą mu zawracać głowę tak ważnym osobistościom w tak ważnych dla ojczyzny i całej światowej demokracji dniach. Było to dla niego tym trudniejsze, że wciąż nie mógł się pozbierać do kupy. Kilkumiesięczny pobyt w obozie wytrącił go z ram, w których zwykł funkcjonować. Prostych i oczywistych. Musiał czuć się potrzebny, a ostatnie dwa miesiące zdawały mu się jakąś koszmarną kontynuacją zbędności wszelkich poczynań, której zaznał w niewoli.

Nie pomagały nawet niezliczone randki z byłymi i świeżo poznanymi sympatiami i nowe wpisy w kalendarzyku. Zupełnie nie ucieszył go awans do stopnia majora i przeniesienie do jednostki szkoleniowej w Teksasie, gdzie miał niewiele obowiązków, masę wolnego czasu i mnóstwo przystojnych kelnerek w oficerskiej kantynie. Nawet to, że mógł często widywać wniebowziętych jego niespodziewanym powrotem rodziców i regularnie w weekendy jeździć konno na farmie przyjaciół rodziny. Teraz dwumiesięczne zabiegi najwyraźniej zmierzały do szczęśliwego finału. Siedział bowiem przed obliczem samego Szefa Zespołu Analityków Połączonych Sztabów Jasona Clarka, a ten, sądząc po wyrazie twarzy i przymilnym zacieraniu pulchnych dłoni, pełen był jak najcieplejszych uczuć.

– A więc sądzi pan, majorze Fisher, że Rosjanie mają w związku z tymi czterema samolotami jakieś specjalne plany? – Twarz Clarka, mimo uprzejmego, prostakowatego uśmiechu wydała się Legendzie odpychająca. Gdy w jakiś czas potem opowiadał kolegom z jednostki o tym spotkaniu, użył dla opisania tej twarzy j jej uśmieszków słów następujących: „Ten spurchlak, do którego w końcu mnie dopuścili, był tłusty jak chiński piesek na zupę, a ryj miał taki, że tylko gwoździe wbijać".

– Nie tylko sądzę, panie generale, ale jestem o tym przekonany – potwierdził Forrest, z trudem odrywając swój umysł od wyobrażania sobie, co by też można było zrobić z prostakowatym generałem, mając go na przykład w ringu albo gdzieś na parkiecie dobrego teksańskiego lokalu, bez gwiazdek i służbowych podległości.

Na szczęście Clark nie miał zdolności telepatycznych i nie odbierał umysłowych komunikatów Legendy. Jego umysł zablokowany był bowiem całkowicie napawaniem się własną znakomitą przenikliwością w ocenie sytuacji. Choć zwracał się do majora tonem miłym i schludnym, gdzieś na dnie jego małych świńskich oczek czaiło się szyderstwo:

– To wprawdzie nie wynika z tekstu pańskiego raportu, który – tu chylę czoła – jest wzorem poprawności w respektowaniu faktów i nie zawiera nieprzemyślanych opinii ani sugestii, ale...

– Clark zawiesił teatralnie głos. – Wspomina pan, że Rosjanie usiłowali nauczyć się latać na internowanych B-29 i nawet jednej maszyny przez pewien czas używali w linii. Czy w związku z opisaniem tych faktów sugeruje pan, że chcą z tych czterech bombowców stworzyć eskadrę dalekiego zasięgu i w przyszłości zaatakować Nowy Jork?

Legenda pochylił głowę jak byk przed atakiem i lekko pociemniało mu w oczach. W wyobraźni do lewego prostego dołączył jeszcze kopniaka w sam koniec kości ogonowej. Czubkiem kowbojskiego buta o grubej podeszwie z wołowej skóry. Potem, gdy złość minęła, wyprostował się godnie na twardym krześle, którego Jason używał najwidoczniej do poskramiania niewygodnych i zbyt pewnych siebie petentów, i odpowiedział, patrząc niewinnie w świńskie ślepka:

– Niczego takiego nie sugeruję, ale już sam fakt zatrzymania maszyn i takich poczynań powinien zostać wnikliwie sprawdzony i przeanalizowany. Takich rzeczy, które powinny zostać zbadane, jest znacznie więcej i o wszystkich szczegółowo informuje mój raport. Najbardziej oburzające jest to, że robili i zapewne robią badania naszych maszyn!

– Ależ drogi panie majorze! To zupełnie zrozumiałe. Szwajcarzy nawet po kapitulacji Niemiec nie wypuścili naszych załóg i do tej pory nie oddali samolotów. A ugrzęzło tam dobrych kilkadziesiąt sztuk. Samych B-17 kilkanaście*. Wszystkie są dokładnie badane, o czym wiemy od pracowników naszego wywiadu, a Szwajcarzy wiedzą, że my wiemy, i nikt się z tego powodu nie oburza. Zresztą, panie majorze, ale to tylko do pańskiej wiadomości – zastrzegł – my także hm... by tak rzec... pozyskaliśmy pewną liczbę najnowszych sowieckich konstrukcji i też dokładnie je oglądamy. Zresztą nie tylko lotniczych. I Rosjanie najprawdopodobniej o tym wiedzą, i też nikt o to nie czyni zbytniego hałasu. W takich czasach, w jakich dziś przyszło nam żyć, to nic nadzwyczajnego. Zwracaliśmy się wszak oficjalnie do ich rządu z prośbą o odesłanie samolotów, ale jak na razie bez rezultatów. Myślę, że w obecnej sytuacji i w momencie, kiedy załogi całe i zdrowe są z nami, należy sprawę odłożyć do akt, a pan nie powinien nią sobie zbytnio zawracać głowy. I tak zachowali się – gdyby sprawę rozpatrywać od strony dyplomatycznej – lepiej niż Szwajcarzy, bo zwolnili załogi, mimo że USA są w stanie wojny z Japonią, a Rosja nie.

– Napisałem w raporcie, że to uwolnienie było dziwne, panie generale. Któregoś dnia oddali nam wszystkie graty i wsadzili do ciężarówek z opuszczonymi plandekami. Jechaliśmy kilka, a może kilkanaście dni. Straciliśmy już rachubę. Postoje były w nocy, a wtedy nie bardzo można się było zorientować, dokąd nas wiozą. W dzień było gorąco, w nocy na postojach cholernie zimno. Ale Ruscy zaopatrzyli nas dobrze w koce i śpiwory. Mieliśmy dosyć konserw i wódki. Potem, któregoś dnia nad ranem, zatrzymaliśmy się i słyszeliśmy tylko oddalające się kroki. Posiedzieliśmy w spokoju jeszcze pół godziny, a że nic się nie działo i słońce zaczęło nieźle przygrzewać – wyleźliśmy. Okazało się, że stoimy ledwie kilkadziesiąt metrów od wiszącego mostu, a po drugiej stronie widać było posterunek irański i bardzo zdziwionych pograniczników. Ruskich nie było, pewno

* W sumie 186 maszyn. Trzeba jednak dodać, że Szwajcarzy z równą sumiennością przetrzymali także awaryjnie lądujące samoloty państw Osi.

pochowali się w pobliskich skałkach. Pojechalibyśmy tam z fasonem tymi ciężarówkami, ale Ruscy byli sprytni i pozabierali palce rozrządu. Poszliśmy więc do tego Iranu na piechotę*. Próbowaliśmy wytłumaczyć pogranicznikom co i jak. Oczywiście po angielsku, czego oni i tak ni w ząb nie rozumieli, ale kiwali głowami, tak jakby rozumieli. Potem zjawił się jakiś ichni generał, który mało, że mówił po angielsku jak Churchill, to jeszcze w ogóle nie był zdziwiony, że pojawiliśmy się tak o świcie w czterdziestu chłopa. Ruscy musieli go uprzedzić, bo nie zadawał żadnych głupich pytań, tylko gratulował nam udanej ucieczki... Ucieczki! Rozumie pan, generale? – rozkręcał się Legenda. – Przecież to Ruscy od nas uciekli i nawet się nie zdążyli pożegnać! Pierwszy raz brałem udział w takiej hecy.

– A widzi pan, majorze! – Prosiaczek w generalskim mundurze był najwyraźniej ukontentowany, a opowieść Legendy, wyartykułowana z najczystszym południowym akcentem, bardzo mu się podobała. – To tylko potwierdza moją teorię. Rosjanie wbrew formalnym przeciwwskazaniom chcieli, byście wrócili do domu – i zrobili to właśnie tak. Myślę, że samoloty też zostaną zwrócone. Ale najpierw musi skończyć się wojna. Niepotrzebnie się pan emocjonuje tą sprawą. Lepiej zostawić ją dyplomatom. Jedno mnie tylko niepokoi... – Clark zawiesił znacząco głos, jakby spodziewał się, że to skonfunduje Fishera. Jednak Legenda był odporny na zagrywki, które poruszały jego emocje dwadzieścia lat temu, w szkole. Clark chwilę wypatrywał reakcji na swoje psychologiczne posunięcie, a nie doczekawszy się, zaczął podchodzić Legendę od innej strony: – Pan, majorze, przyjaźnił się z kapitanem Darrellem, czyż nie tak?

Legenda zamaskował zręcznie pogardę i rzucił generałowi jasne, szczere spojrzenie.

---

* Legenda miał na myśli granicę pomiędzy strefą południową, kontrolowaną przez Brytyjczyków, a zoną neutralną. Północ Iranu kontrolowały wojska radzieckie. Podział ten był wynikiem trójstronnego brytyjsko--sowiecko-irańskiego porozumienia z września 1941 roku.

– Wciąż się przyjaźnię i liczę na to, że przy pana pomocy, panie generale, kapitan Darrell szybko znajdzie się w kraju.

– Wie pan, majorze? – Clark odchylił się do tyłu, szukając najwidoczniej natchnienia na suficie, a Legenda mógł przez dłuższą chwilę podziwiać wnętrze dwóch dziurek prosięcego nosa i niechlujnie niedogolony podbródek. – Sprawa Darrella nie wydaje mi się do końca jasna. Czy mógłby mi pan pomóc zrozumieć zamiary pańskiego przyjaciela?

Fisher skupił się, bo następne minuty rozmowy mogły być decydujące, a nie chciał tego spaprać:

– Opisałem wszystko, jak najlepiej potrafiłem, w raporcie, panie generale – odpowiedział tak, jak można było oczekiwać, ale bardzo chciał, by Clark zadał mu jak najwięcej pytań o Harolda. Tak też się, ku jego uldze, stało.

– Zostawmy na chwilę raport – łaskawie wszedł w rolę Clark. – Chciałbym pewne rzeczy usłyszeć od pana. W zaufaniu. I jak pan widzi, nie każę tego protokołować. – Generał z trudem wysunął się zza swojego rozłożystego biurka ozdobionego licznymi rodzinnymi zdjęciami w ramkach i małą amerykańską flagą w rękach ołowianego piechura w mundurze *marines* z początku stulecia. Przy niewielkim wzroście analityk miał pokaźne brzuszysko, a w zbytnio dopasowanym mundurze wyglądał jak Humpty Dumpty i w innych okolicznościach Legenda z pewnością uśmiechnąłby się z politowaniem, widząc, jak wojskowy pasek dzieli generała dokładnie na pół, wrzynając się w miękkie, rozlazłe cielsko. Clark podszedł do okna i teatralnie wbił wzrok w odległą perspektywę trawników i drzew. Nie odwracając twarzy w stronę skromnie przycupniętego na krześle pilota, indagował życzliwie: – Jak pan ocenia decyzję kolegi? Naprawdę musiał zostać?

Legenda miał już gotową odpowiedź:

– Jestem przekonany, że kapitan Darrell postąpił właściwie. Nasze spotkanie z konsulem, zaraz na początku, niczego właściwie nie przesądziło. Rosjanie byli przy tym i choć w zasadzie

329

mówiliśmy wszystko, co chcieliśmy powiedzieć, a kapitan Darrell wręczył panu konsulowi oficjalny protest, oceniliśmy, że nic z tego spotkania nie wyniknie. Ten konsul w naszej ocenie to... – proszę wybaczyć – człowiek pozbawiony zupełnie inicjatywy i refleksu.

– Nasi przedstawiciele, panie majorze, mają swoje instrukcje i z pewnością konsul postąpił tak, jak powinien, wy natomiast bez oporów daliście się namówić Rosjanom na jakieś orgie w nocnych lokalach? – Clark przymrużył oczy i pomyślał przez chwilę (co zdziwiło jego samego), że z chęcią przeżyłby wraz z internowanymi taką podejrzaną przygodę i doświadczył wszystkich opisanych przez majora rozkoszy, łącznie z mordobiciem i dziwkami, które z pewnością były agentkami wywiadu sowieckiego. Niestety, w przykładnym życiu generała jak dotąd nic takiego nie chciało się wydarzyć, co Clark rekompensował sobie domowymi awanturami, terroryzowaniem żony i teściów, a także nadmiernym zamiłowaniem do alkoholu.

– Nie wypadało im odmawiać. Byli tacy serdeczni i uznaliśmy z kapitanem Darrellem, że to ułatwi wzajemne porozumienie.

– Dobrze. Zostawmy to. Regulamin nie przewiduje służbowych konsekwencji za bratanie się z sojusznikami, nawet wtedy, gdy rzecz cała kończy się w burdelu...

– To był bardzo przyzwoity lokal, panie generale – sprostował służbiście major – od razu widać, że przedwojenny... – dodał niepewnie, widząc, jak drgają serdelkowate paluszki zaplecionych z tyłu rąk analityka.

Ten odwrócił się wreszcie przodem do Legendy.

– Czy oni zmusili go, by został?

– Tak, panie generale. Powiedzieli, że jeśli nie zgodzi się doglądać badań superfortecy, to wszyscy, to znaczy wszystkie załogi, będziemy tam siedzieć do końca działań wojennych. Kapitan Darrell, naradziwszy się ze mną, uznał, że tak będzie korzystniej również ze względów czysto wojskowych.

– Jak pan to rozumie, panie majorze? – Clark zebrał wargi w zabawny ryjek, ozdobiony wąsikiem na kształt cienkiego czarnego sznurowadła. Zupełnie nie kontrolował swych zachowań, choć namiętnie studiował swoją gębę w lustrze. Legenda spuścił wzrok i przygryzł wargi. Wiedział, że nie może sobie pozwolić nawet na cień uśmiechu.

– Chciałem zostać razem z nim, ale zabronił mi. Powiedział... zdecydował, że nawet jeśli nie uda mu się przekazać od razu informacji o tym, co Ruscy wyrabiają z samolotami, to będzie trzymał rękę na pulsie, a jakaś okazja na pewno się przydarzy. Liczył też na to, że armia zdecydowanie upomni się o niego.

– To nawet nie takie głupie – przyznał Clark, pocierając trzeszczący podbródek. – Nie mogą go po cichu zlikwidować, bo zbyt wielu naszych wie o jego decyzji. Zwrócimy się do Rosjan o zwolnienie kapitana... Ale nie byłoby źle, gdyby został tam przez pewien czas... – To ostatnie zdanie Clark wypowiedział jedynie w myślach. – Jednak gdyby spojrzeć na sprawę z drugiej strony, to można by wyczyn pańskiego przyjaciela kwalifikować w kategoriach zdrady... – Słowa Clarka wywołały ognik gniewu i zniecierpliwienia w oczach Legendy. Wstał i zacisnął dłonie na blacie generalskiego biurka, aż zbielały mu kostki palców.

– Niech pan nie żartuje, panie generale. A cóż to za zdrada? Pan by na jego miejscu nie poświęcił się dla innych? Przecież należy raczej dać mu medal za to, że został zakładnikiem. A jak wróci, będzie pan wiedział, co knują Rosjanie. Gdyby nie Harold... gdyby nie kapitan Darrell, wszyscy siedzielibyśmy w obozie, czterdzieści cztery rodziny umierałyby z niepokoju, a pan nie wiedziałby niczego o naszych maszynach.

Clark zrobił minę, która miała zasygnalizować majorowi dobrą wolę i wiarę:

– Może i ma pan rację? Kto wie? W ogólnym bilansie rzeczywiście może się to opłacić. W każdym razie może pan z czystym sumieniem wracać do pracy. Zajmę się tą sprawą i nie zostawimy pańskiego przyjaciela na pastwę Stalina.

Legenda zasalutował sprężyście i wychodząc z gabinetu, delikatnie zamknął drzwi. Czuł zarazem ulgę i niepokój, bo prosiakowaty Clark nie wzbudził ani jego sympatii, ani – tym bardziej – zaufania.

Clark po wyjściu Teksańczyka, który zirytował go wzrostem, opanowaniem, niezaprzeczalną męskością i urodą twardziela, zastanawiał się chwilę, po czym odłożył teczkę z raportem majora na najwyższą półkę wielkiej szafy pancernej. Aby tego dokonać, musiał wspiąć się na palce. Postanowił na razie nie robić nic. Sytuacja była zagmatwana. Rosjanie wciąż nie rozpoczynali działań przeciwko Japonii, choć wciąż deklarowali gotowość do nich, gromadząc wojska w Mandżurii. Z jednej strony, gdyby wystąpili wreszcie w Mandżurii, tak jak od dłuższego czasu zapowiadali, związaliby tam spore siły przeciwnika, co niewątpliwie ułatwiłoby inwazję na japońskie wyspy macierzyste. Taka była przynajmniej oficjalna wersja sztabu. Truman zachowywał się wobec Stalina jak księgowy podupadającej firmy wobec apodyktycznego prezesa. Clark tego nie rozumiał. Prezydent nie miał najmniejszych powodów, żeby tak podkładać się sowieckiemu przywódcy. Mógł po wielekroć ostro mu się postawić, ale – o dziwo – nie robił tego. Podobnie ulegli, z zupełnie nie wiadomo jakiego powodu, byli Brytyjczycy. Zupełnie bez sensu wydali Rosjanom kilkanaście tysięcy ich rodaków uratowanych z morza i wyzwolonych z niemieckich obozów, a ci podobno rozstrzeliwali ich już pod ściankami portowych doków, tuż po wyokrętowaniu z brytyjskich statków. Horrendum! Truman musiał mieć coś na sumieniu. Coś, co decydowało o uległej wobec Sowietów postawie.

„To chyba nie były sprawy związane z przejęciem archiwum von Brauna. Tu w misia zostali zrobieni nie tylko Sowieci, ale także Angole. Przecież Ruscy, o czym my nie musimy w szczegółach wiedzieć, mają równie sprawny wywiad i też przywłaszczyli sobie parę wynalazków, nie mówiąc nam co i dlaczego. Takie jest prawo wojny. Kiedyś zwycięzcy pozwalali swoim oddziałom grabić, gwałcić i palić. Teraz grabi się technologie, które mogą zdecydować o wieloletnim handicapie. Może bomba?" Clark spojrzał na wiszące nad mapą świata w rzucie Merkatora zegary, pokazujące czas w różnych strefach. Z położenia ich wskazówek wynikało, że t o jeszcze się nie dokonało. Jeszcze kilka godzin, a świat zmieni się na dobre. Właśnie. Truman chodził z tą bombą koło Stalina jak kot koło miski ze zbyt gorącym mlekiem. Zupełnie jakby się bał, że sowiecki przywódca obrazi się o to, że Amerykanie opracowali broń nad bronie. I nic o tym sojusznikom nie powiedzieli. Z lekceważącego stosunku Stalina do amerykańskich rewelacji wnioskować można, że Ruscy pracują dokładnie nad taką samą zabawką, więc muszą udawać, że nie wiedzą, o co chodzi. Truman jest albo zbyt ostrożny, albo zbyt naiwny. Prezydentowi wydaje się, że Stalin nie docenia możliwości bomby. „Stalin, panie prezydencie, doskonale wie, co może ta broń, ale ponieważ Ruscy są w tyle, musi rżnąć głupa. Nie ma innego wyjścia. Jeśli tak – dumał Clark – to na dobrą sprawę Ruscy nie muszą już atakować w Mandżurii. Bomba powinna złamać Japończyków i poradzimy sobie bez ofiarochłonnej inwazji i bez ruskiego drugiego frontu. Wiadomo, że jak raz tam wlezą, to już nie wylezą i będzie to strefa ich wpływów. Potrzebne to nam? – Clark ziewnął i z trudem założył nogi na biurko. – W każdym razie ze sprawą tego Darrella i tych zatrzymanych superfortec trzeba się na razie przyczaić. Nikt nie ma interesu w tym, żeby to rozdmuchiwać".

Doszedłszy do takich wniosków, Clark założył ręce za głowę i oddał się marzeniom o swojej karierze, która jak dotąd zapowiadała się wielce obiecująco.

W łódce na stawie
w Czistych Prudach.
5 sierpnia 1945, późne
popołudnie

Po całym dniu w mieście łódka na rozległym stawie w Czistych Prudach okazała się dobrym pomysłem. To, żeby znaleźć się na wodzie, było nagłą zachcianką Harolda, ale Kira nie była zaskoczona. Darrell nie znosił tak zwanego zwiedzania i zakomunikował to dziewczynie rano, gdy tylko pojawiła się w jego apartamencie. Chęć poznawania miejsc powszechnie uważanych za godne poznawania była mu zupełnie obca. Znacznie większą przyjemność od kontemplowania zabytkowej architektury czy podziwiania muzealnych zbiorów sprawiało mu niezobowiązujące łażenie po miejscach, w których nie było ludzi, lub bezmyślne z pozoru leniuchowanie na ławkach i trawnikach. Nie rozumiał, co takiego szczególnego widzą ludzie w podziwianiu zabytków i dlaczego wszyscy chcą oglądać koniecznie to, co zalecane jest do oglądania w turystycznych bedekerach. Nałogiem zwiedzania zarażona była nieuleczalnie jego żona. Przed wybuchem wojny w Europie byli kilka razy na turystycznych wojażach. Z każdego z nich wracał o dziesięć kilogramów szczuplejszy i zażenowany tym, że dał się przegonić po muzeach, wzgórzach świątynnych i tym podobnie bezsensownych miejscach jak osioł, pędzony uderzeniami kija przez bezwzględnego poganiacza. Lucy już na miesiące przed kolejną turystyczną wyprawą gromadziła mapy i przewodniki i studiując je zachłannie, opracowywała niezawodny od strony logistycznej plan wyjazdu. W jej wizji „zwiedzania" nie było miejsca na rzeczy przypadkowe. Ze swymi talentami przewidywania i organizowania byłaby bezcennym nabytkiem dla każdego sztabu, w którym planuje się inwazję zajętego przez nieprzyjaciela terytorium. Plany jego żony były zdecydowanie przeładowane, bowiem wolała ona rezygnować z jakiegoś punktu programu, niż stanąć nagle wobec groźby niezaplanowanego przestoju w zwiedzaniu. Jego wizja turystyki polegała raczej na tym, by po przyjeździe napić się porządnie w miłej knajpce, a następnego dnia, tak gdzieś koło południa, pójść do innej knajpki na piwo albo przedobiadowy koktajl. Lubił dłużej pozostawać w jednym miejscu. Co najmniej kilka dni. Lubił przyzwyczajać się do hotelowych pokoi, basenów, trawników i obsługi. Lubił powoli i niespiesznie poznawać okolice (najlepiej najbliższe) tych miejsc. W jego pojęciu idealna turystyka powinna polegać na siedzeniu nad basenem w wygodnym leżaku. Świetnym uzupełnieniem tak pojmowanego aktywnego wypoczynku było zimne piwo i dziewczyny, opalające się w odległości umożliwiającej zaglądanie im w odchylające się miseczki staników. Ale nie powinny być zbyt blisko, bo hałas turystycznego, dziewczęcego gdakania irytował go zdecydowanie. Uważał, że tak powinno się spędzać kilka pierwszych dni, czekając, aż pojawi się apetyt na jakąś dalszą wyprawę. Na przykład do sąsiedniej miejscowości, słynącej ze znakomitych knajp lub czegoś w tym stylu. Taką wyprawę podejmował z ochotą tym większą, że można było z niej w chwale powrócić nad basen i kontemplować postępy w opaleniźnie nieobserwowanych przez dzień lub dwa nadbasenowych piękności. Jednak taki model turystyki musiał sobie wywalczyć podczas kolejnych wyjazdów, Lucy bowiem musiała zwiedzać i stale być w ruchu. Tę krańcową rozbieżność urlopowych upodobań wieńczyły początkowo jadowite awantury, gdy nieśmiało protestował przeciwko zaplanowanej przez nią aktywności lub w odruchu buntu zbaczał z obowiązkowego szlaku, by choć na chwilę zalegnąć w foteliku pobliskiej restauracyjki i popatrzeć na strumień zwiedzających, pędzony tajemniczą siłą chęci poznania nowych miejsc. Jednak konsekwentny i stale wzmacniany opór przeciwko jej turystycznej tyranii zaowocował z czasem układem w pełni go satysfakcjonującym. Udało mu się doprowadzić do tego, że jadąc razem, spędzali urlop w zasadzie oddzielnie.

On wylegiwał się całymi dniami nad kolejnym basenem lub, gdy mu się to znudziło, dreptał niespiesznie po okolicy, kupując śmieszne drobiazgi, pił dziwne miejscowe trunki lub wdawał się w leniwe pogawędki z kelnerami. Lucy tymczasem, pędzona turystycznym imperatywem, zapisywała się na wszelkie proponowane przez hotel wyprawy i wycieczki, opuszczając rozkoszne lokum bladym świtem, gdy on jeszcze spał, i wracała zmordowana, ale szczęśliwa późnym wieczorem, idąc prosto pod prysznic. Jemu bardzo to odpowiadało. Owszem, zdarzyło mu się kilka razy zarazić się turystyczną gorączką, która każe skądinąd zupełnie zdrowym na umyśle ludziom drapać się na sam szczyt. Spędzali wówczas urlop we francuskich Pirenejach. Tym razem on studiował już poprzedniego wieczoru mapę i wyznaczał trasę wycieczki, na którą wyruszyli jeszcze przed świtem, każąc sobie podać wczesne śniadanie do pokoju. Przez następnych kilka godzin w nieprawdopodobnym, dusznym i wilgotnym upale drapali się pod górę zarośniętymi parowami, atakowani przez roje muszek i gzów. Gdy wreszcie piekielnie zmordowani, nie mając nawet siły, by sobie nawymyślać, stanęli na szczycie, okazał się tak zarośnięty wysokimi drzewami i krzewami, że nie dało się nawet dobrze spojrzeć w dół. Potem równie mozolnie, przy jeszcze aktywniejszym udziale miejscowej owadziej społeczności, złazili w dół kolejnymi zielonymi, parnymi tunelami, wykorzystując najmniej zarośnięte miejsca, to znaczy koryta prawie wyschniętych, za to błotnistych strumieni. Gdy wreszcie bliscy szaleństwa wydostali się na otwartą przestrzeń, owadzie lotnictwo przestało ich natychmiast nękać. Spotkali też autochtona, który patrzył na nich długo, zdziwiony, że wychynęli z lasu w tym właśnie miejscu. Kilkadziesiąt metrów dalej zaczynał się bowiem wygodny dukt, którymi zwykle prowadzono wycieczki. Uznał jednak, że zagraniczni turyści mają prawo do różnych dziwactw, i machnąwszy ręką, poszedł swoją drogą. Okazało się, że Darrell, pilot i nawigator potrafiący odnaleźć drogę wśród gwiazd albo podczas ciemnej

nocy, nie potrafił trafić na szlak oznaczony jako „łatwy", bo ciąg-
nęły nim wycieczki francuskich przedszkolaków. Innym razem
nauczkę dostała Lucy. Gdy kolej linowa dowiozła ich prawie na
sam szczyt, okazało się, że na własnych nogach można wleźć
jeszcze wyżej, a widoki z owego „jeszcze wyżej" są już najzupełniej oszałamiające. Jemu wystarczały w zupełności widoki
z tarasu przemiłej restauracyjki, zachęcającej reklamami piwa,
plecionymi fotelikami i stojakami z prasą. Lucy, spojrzawszy na
niego z pogardą, ruszyła dalej. Nie mogła widać znieść tego, że
wywieziona tak wysoko, nie wylezie jeszcze wyżej. On rozwalił
się rozkosznie w wygodnym, choć nieco trzeszczącym fotelu
i pociągając drobnymi łyczkami hiszpańskie piwo, spoglądał
życzliwie na niebo zaciągnięte burzowymi chmurami. Nie miał
ochoty dyskutować z żoną, ale byłby rad, gdyby przyroda zabrała głos w jego sprawie.

Zabrała. Najwidoczniej ktoś w tych nawisłych burzą chmurach czytał w jego myślach, bo w jednej chwili na ziemię lunęły
tony wody, zamieniając kamieniste ścieżki w strumienie żółte-
go, radośnie walącego z góry błota. Nie musiał czekać długo,
by świeżo powstały żółty strumień wychlusnął także z góry
jego żonę. Określenie „ubłocona" nie oddawało w istocie całej
żałosności jej wyglądu, ale on był wspaniałomyślny na tyle, by
oddać jej własną wiatrówkę i zamówić dla niej wielką szklankę grzanego wina. Popijając, podziwiali ekshibicjonistyczne
popisy pirenejskiej przyrody i zdawało się im wówczas, że
zrozumieli się nawzajem doskonale. W każdym razie nigdy
już nie mieli do siebie pretensji o tak krańcowo różne modele
uprawiania turystki.

Dlatego Harold lojalnie uprzedził Kirę, która zgodnie
z umową zajechała o ósmej rano skromnym, szarym sedanem
marki Opel, ubrana w lniany żakiecik, takąż długą, poniżej
kolan, zapinaną na wielkie guziki spódnicę i białe tenisówki.
Bardzo ciemne okulary przeciwsłoneczne w grubej, plastikowej
oprawce nadawały jej wygląd nieco owadzi, a nieprawdopodob-

na uroda wydała się Haroldowi bardziej surowa, ale może przez to także bardziej wyrazista.

– Żadnych muzeów. Żadnego zwiedzania. Żadnych przewodników. Pokaż mi po prostu to miasto. Jak będę miał ochotę czemuś się przyjrzeć albo gdzieś wleźć, powiem ci o tym. Zgoda?

Kiwnęła w zadumie głową, patrząc, jak dobrze mu w cywilnych, płóciennych spodniach i białej, tołstojowskiej koszuli bez kołnierzyka. Ubranie dostarczono mu zaraz z rana. Razem z białą płócienną cyklistówką, którą – nie chcąc jej wkładać – trzymał niepewnie w ręce. Poradziła mu:

– Zostaw tę koszmarną czapkę. Albo daj. Włożymy do bagażnika.

Pomyślała sobie, że gdyby włożył tę czapkę, wyglądałby głupio i zupełnie nie na miejscu, jak przebieraniec. Rosjanie kochali się w takich nakryciach głowy. Nosiło się tu także wojskowego kroju furażerki, tiubietiejki, krymki i chyba jeszcze bardziej idiotyczne słomkowe albo lniane kapelusze. Jemu w żadnym z tych nakryć głowy nie byłoby do twarzy, no, może prócz furażerki. Oceniała w duchu, że ten typ urody najlepiej prezentowałby się w samurajskim hełmie ozdobionym rogami jelenia, takim, jaki wieńczył czerwono lakowaną zbroję w pokoju przyjęć taty. Gdy była jeszcze całkiem małą dziewczynką, lubiła przebywać w tym przestronnym pomieszczeniu, którego jedynymi ozdobami były zbroja, usadowiona na specjalnym stojaku, poduszki na podłodze dla gości i mały stoliczek „pod łokieć" dla gospodarza. Gdy była mała i jej drobna lniana główka ledwie sięgała do plecionych karwaszy, zakończonych parą bojowych rękawic opartych na nadbiodrzach, zbroja wydawała się jej bardzo zabawna. Zapewne dzięki lakowanej na czerwono masce z rozwartymi w bolesnym grymasie ustami, ozdobionej najzupełniej już przesadnym wiechciem sztywnych wąsów, wykonanych z sierści borsuka. Maska o pustych oczach i pustej gębie, w którą chętnie by zajrzała (gdyby pozwalał jej na to wzrost), z brodą podwiązaną jak szczęka umarłego grubym bawełnianym sznurem, zdawała się naśmiewać ze swej sztywnej zbędności w tym wnętrzu. Gdy dorosła i zdolna już była pojmować znaczenia ukryte w przedmiotach, czerwony pustak nie wydawał się jej tak śmieszny. Zrozumiała, że skomplikowana, czerwona wspaniałość tysięcy drobnych elementów, kunsztownie powiązanych specjalnymi węzłami, wspaniale koresponduje z surowością pomieszczenia wyłożonego prostą boazerią z czerwonego dębu i zawsze czystymi matami na podłodze. Gdy pokój gościnny w ciepłych porach roku otwierał się na maleńki ogród z bulgotliwym, miniaturowym strumyczkiem – którego wody spiętrzała maleńka, pomysłowa tama z kamieni, tak by kolorowe karpie mogły znaleźć dość wody w powstałym w ten sposób zalewie – uczyła się na zewnątrz znajdować dobre i wyraziste kontrapunkty do lakowanego wojownika. Ot, choćby takie, jak spatynowana przez czas statuetka Buddy ze zwietrzałego piaskowca, manifestująca pogodny spokój wobec dramatycznego, zamarłego krzyku pozbawionego wojennych uciech samuraja. Ogrodowy Budda znad strumienia zdawał się wiedzieć wszystko i dlatego jawił się małej Ki jako uosobienie harmonii. Pozbawiona wojownika zbroja zdawała się rozpaczliwie pożądać kolejnej bitwy, w której jej rozdziawiona czerwona gęba i wiechciowate wąsiska odnalazłyby morderczy sens, przerażając jakiegoś mniej wyćwiczonego w lekceważeniu takich zewnętrznych potworności adwersarza. Jako nastolatka zastanawiała się często, jak ma się samopoczucie wojownika opancerzonego taką skomplikowaną konstrukcją, której włożenie wprawnemu człowiekowi zajmowało około czterdziestu minut, do samopoczucia kogoś ubranego w cienkie *keikogi*. Na jej usilne prośby ojciec urządził raz seans przywdziewania zbroi. To dopiero było widowisko. Ceremonia miała swoje rytmy i znaczenia, podobnie jak wszystkie pozostałe ceremonie. Zaczął więc od skrępowania nogawek luźnych bawełnianych spodni tak, by bez przeszkód włożyć nagolenniki i bojowe sandały. Ulokował spodni ochraniacz ud i bioder, włożył właściwą zbroję i przewiązał ją trzykrotnie białym pasem. Przyszedł wreszcie czas na hełm *kobuto* i miecz *tachi*. Na koniec zewnętrzna narzutka bez rękawów z wizerunkiem wodnego smoka polatującego nad falami. W umocowaniu proporczyków na giętkich bambusowych drzewcach pomogła, zaśmiewając się, mama. Ojciec także chichotał, uświadamiając sobie zapewne cienką granicę, dzielącą szacunek dla rodowego klejnotu od skomplikowanej i dawno zapomnianej procedury. Wreszcie w życzliwych spojrzeniach ukochanych kobiet i przybranego syna, chrzęszcząc i zgrzytając, wziął do ręki włócznię i spróbował swobodnie usiąść na składanym stołeczku, takim, jakie rozstawia się dla wyższych oficerów sztabu przed bitwą. Od zbroi coś odleciało z delikatnym trzaskiem i w sekundę cała rodzina tarzała się ze śmiechu, patrząc, jak ozdobiony rogami samuraj usiłuje obrócić się, by sięgnąć po zagubiony detal.

– Tato – kwiliła wówczas jak łaskotany prosiak, bo widok był przezabawny. – Tato, a co oni robili, jak nagle, tuż przed bitwą, jak już ubrali się w to wszystko, nagle im się zachciało. No wiesz?

Ojciec krztusił się także pod czerwoną maską i musiał ją zdjąć, by swobodnie się wykaszleć.

– No wiesz. Trzeba się było wysikać zawczasu. Zresztą, jak już się stało w tym wszystkim na polu, naprzeciw wrogiej armii, to pewno myślało się o wszystkim, tylko nie o sikaniu. No, a jeśli już... – macał zafrasowany wszystkie warstwy elastycznego pancerza w okolicach kroku i zadka... – to pewno trzeba było sikać po nodze. Nie widzę innego wyjścia.

– Zdejmuj to, bo jak tak dalej pójdzie, i tobie się coś przydarzy – gderała bez złości matka, najwidoczniej uradowana niecodziennym spektaklem, który pozwolił jej spojrzeć na męża z zupełnie innej strony.

Jednak przedstawienie nie skończyło się szybko, bo przyrodni brat także chciał przymierzyć rynsztunek. Gdy ojciec ubierał chłopca, Ki skakała wokół jak zaczadzony konik polny i zadawała dziesiątki pytań:

– Tato, czy taka zbroja zapewniała całkowite bezpieczeństwo? Można było nie bać się miecza ani włóczni?

– Nie wiem, córeczko – odpowiadał zawstydzony, że nie potrafi rozwiać także swoich wątpliwości. – Musiałbym się w to ubrać i poprosić kilku przyjaciół, żeby spróbowali mnie dosięgnąć. Ale pewno nie. Zawsze istnieje jakiś sposób, żeby przebić pancerz albo znaleźć takie miejsce, w którym ciało chronione jest najsłabiej. Pamiętaj, co mówił Lao-tsy: „Najskuteczniejsze bronie są narzędziami nieszczęścia". – I nim zdążyła to sobie poukładać w głowie, ciągnął: – Każdy pancerz, każdy sposób obrony jest wyzwaniem dla tych, którzy chcą skutecznie zaatakować. Zobacz. – Ustawił przyrodniego brata przed sobą i polecił mu złapać się za gardło. Ten, nauczony na treningach *bunkai** bezwzględnego posłuszeństwa, zacisnął urękawiczone dłonie na ojcowskiej krtani, a ojciec demonstrował sposoby obrony, wyjaśniając: – Widzisz. Obaj skruszyliśmy miecze i idziemy do zwarcia. Złapał mnie za gardło. Tak jak w dżiu--dżitsu przełamuję chwyt, idąc pod jego pachy. Dlaczego? Taaak. Dobrze myślisz, córeczko… Bo tylko tam możemy go chwycić za zbroję. Teraz… – sapnął z wysiłkiem – podcięcie i rzut.

Ojciec delikatnie ulokował przyrodniego brata na matach, a ten, choć pierwszy raz w zbroi, instynktownie zamortyzował rzut prawym przedramieniem.

– Rozumiesz? – upewniał się. – Teraz, jak go mamy tu na ziemi, to ten jego straszny hełm posłuży nam do tego, żeby złamać mu kark. O tak. – Ojciec zademonstrował, jak to się może stać, dbając o to, by nie narazić chłopca na kontuzję. – Widzisz. Gdyby nie miał tej zbroi, o wiele trudniej byłoby go zabić. Zbroja jest dobra wtedy, gdy przyjmuje ciosy

* Pozorowana walka.

341

broni. Potrafi zatrzymać miecz i włócznię. Ale gdy stoimy naprzeciw zdeterminowanego faceta bez rynsztunku, który wie, o co idzie, i ma szybkie ręce, raczej przeszkadza, jak kamień w pływaniu. Potrafisz wyciągnąć z tego jakieś wnioski, córeczko?

Pierwszym, który jej się nasuwał, było stwierdzenie, że walka przy takiej dysproporcji środków nie ma sensu, i zaraz to powiedziała, a ojciec pochwalił ją:

– Masz wiele racji, córeczko, ale pamiętaj, że w zbroi szło się do bitwy w polu obok setek takich pancernych, a naprzeciwko także zasadzali się wojownicy w zbrojach. Łucznicy. Piechota z czterometrowymi *jari**. Robił się ścisk i wszyscy szli do zwarcia, żeby zmiażdżyć wroga ciężarem zbroi i koni. Wtedy takie wyposażenie ma wielki sens i rzeczywiście może zabezpieczyć przed strzałą czy mieczem. Ale teraz postaw takiego ciężkiego żuka w *dojo*, daj mu wielgaśne mieczysko, a naprzeciw kogoś w jedwabnym *keikogi,* nawet z gołymi rękami. Ten jedwabny, jeśli dużo umie i wykaże się sprytem, nie musi się wcale bać pancernego. Weźmy drewniane miecze, synu, pokażemy małej Ki, jak to się robi. Atakuj z prawego *jodan*!†

Ojciec wsadził sobie drewniany miecz za szarfę spodni, a przyrodni brat w całym tym czerwonym rynsztunku nawet z drewnianym mieczem wyglądał zaiste bojowo. Gdy zaczęło się szybkie cięcie znad głowy, ojciec przytulił swój miecz do ciała, by go nie uszkodzić, błyskawicznie padł na prawy bok i nożycową dźwignią stóp powalił przeciwnika na matę. Teraz wystarczyło tylko przejść do przyklęku (co ojciec wykonał płynnie wraz z dobyciem miecza) i prowadząc ostrze otwartą, odwróconą ku górze lewą dłonią, wykonać krótkie pchnięcie z góry, dokładnie w to miejsce, gdzie na wysokości tchawicy zbiegają się kości obojczykowe.

* Długa włócznia do walki z konnicą.
† Jedna z pięciu podstawowych pozycji w szermierce japońskim mieczem – wysoka, z mieczem uniesionym nad głową.

– Widzisz, córeczko. To jedno z miejsc, których nic nie chroni. Zbroją może być trening, doświadczenie, siła charakteru i woli, honor albo podłość. Zapamiętaj sobie, Ki. Wszystko może być zbroją, pod warunkiem, że umiesz się tym posłużyć, tak jak wszystko może być mieczem, którym tę zbroję pokonasz. Pod warunkiem, że umiesz się tym posłużyć. A tu... – ojciec z uśmiechem wskazał palcem – ...wystarczy, że ostrze wejdzie na dwa centymetry. No wstawaj! – Pomógł się podnieść przyrodniemu bratu, nazywanemu przez ojca Iwanami.

Jej przyrodni brat, starszy od niej o dwadzieścia lat, miał prawie takie same jak ona blond włosy i z pewnością nie mógł być synem jej matki, bo ta była od niego starsza zaledwie o osiem lat. Nie miał też japońskich rysów ani sylwetki, uzbrojony w spokojną, chłopięcą urodę Europejczyka i potężne, muskularne ciało, pozwalające mu patrzeć na większość japońskich rówieśników z dwudziestocentymetrowego „przewyższenia". W rodzinie nazywano go „przyrodnim" bratem, ale w rzeczywistości był sierotą, adoptowaną przez rodziców i przywiezioną do kraju z podróży po Syberii.

„Ciekawe, gdzie ty masz te swoje nieopancerzone miejsca, w które mogłabym wsadzić sztych? – myślała, obserwując z ławeczki na rufie Amerykanina, który przesuwał łódkę skąpymi ruchami wioseł, zanurzając ich pióra ledwie do połowy. – Ciekawe, gdzieś się nauczył tak ładnie wiosłować? Czy jest w ogóle coś, czego nie umiesz?"

– Czy jest w ogóle coś, czego nie umiesz? – spytała głośno, a on odłożył wiosła na niskie burty i sięgnął po jedno z czterech austriackich piw, które pomogła mu kupić w Torgsinie*.

Zdjął kapsel, wypił od razu połowę półlitrowej butelki jasnego, zmrużył oczy z rozkoszy i odpowiedział, odstawiając butelkę na dno łódki i sięgając znów po wiosła:

---

* Sieć dewizowych sklepów dla cudzoziemców, odpowiednik polskiego Peweksu.

343

– Nie umiem sobie na przykład wyobrazić powodów, dla których za walutę można kupić takie dobre piwo i w ogóle mnóstwo innych dobrych rzeczy i że potrzeba do tego aż specjalnego sklepu, a za te wasze ruble w innym sklepie nie można. To godzi w rynek. Przynajmniej tak powiedziałby wykładowca ekonomii na mojej uczelni.

Uśmiechnęła się z politowaniem, przypominając sobie, z jaką nonszalancją rzucił na ladę pięciodolarówkę, aż wystrojony w krochmalony kaftan sprzedawca zaczerwienił się, urażony widać takim traktowaniem amerykańskiego pieniądza. Tu taką monetę rzadko kto widział, a jeśli już miał ją w rękach, niósł z nabożeństwem, jak akolita ofiarny trójnóg przed ołtarz. Pięć dolarów w Torgsinie oznaczało taką ilość alkoholu, którą mogło się raczyć przez cały wieczór pięciu wytrawnych pijaków, i dobrą zakąskę. Harold kupił te pięć piw i litrową butelkę irlandzkiej whisky, a jeszcze chcieli wydać mu resztę, więc zmusił Kirę, by przyjęła od niego w prezencie butelkę jakiegoś egzotycznego likieru.

– Tu obowiązuje inna ekonomia, panie kapitanie – droczyła się bez emocji, bo zasady gospodarki tego kraju interesowały ją w ograniczonym stopniu, niezbędnym do dobrego wykonania zawodowych zadań.

– Jak to inna ekonomia? – Zatrzymał wiosła nad wodą, a ona zafascynowana śledziła, jak ściekające z nich strumyczki znaczą świetlisty szlaczek na gładkiej powierzchni, na której delikatnie trwały rozłożyste liście nenufarów. – Ekonomia jest wszędzie taka sama, inaczej nie byłaby ekonomią, tylko jakimś oszustwem. To tak, jakbyś powiedziała „inna termodynamika" albo „inna fizyka". Inna fizyka albo inna matematyka, taka, w której plus jest minusem, może się zdarzyć w innych galaktykach, ale na razie możemy je sobie tylko wyobrażać. Gdyby było inaczej, już dawno u Boeinga opanowaliby grawitację i mógłbym teraz latać nad tym stawem.

Sięgnęła po odstawioną przez niego butelkę, szukając przyzwolenia w jego oczach, i także wypiła spory łyk, choć nigdy nie przepadała za piwem. To jednak smakowało jej dzięki wyrazistej goryczce i delikatnemu bukietowi.

– Tu jest właśnie inna galaktyka i musiałbyś pewnie pomieszkać kilka lat na prawach przeciętnego obywatela, żeby pojąć zasady.

– Czy to znaczy, że prócz przeciętnych są tu jeszcze inni, nieprzeciętni? – dziwił się jadowicie, jakby absurdy sowieckiej organizacji społecznej były jej pomysłem.

Wzruszyła wysokimi ramionami i rozpięła kilka guzików spódnicy, by wygodniej się ulokować. Pod spódnicą miała krótkie szorty z tego samego materiału i bardzo ładne, szczupłe, a jednocześnie pełne i silne uda. Odparła:

– A u ciebie nie ma? A oficerskie kantyny na lotniskach, specjalne przydziały papierosów i alkoholu?

– To nie to samo, wybacz – obruszył się. – To tylko w polowych warunkach mamy jakieś przywileje, ale w kraju o tym, czy możesz sobie coś kupić, czy nie możesz, decyduje tylko to, czy masz na to pieniądze, czy nie.

– Aleś ty zasadniczy. Gdyby tu decydowały tylko pieniądze, to w sekundę w sklepach nie byłoby niczego. Tu po prostu wszystkiego brakuje. Nie wiedziałeś o tym? – kpiła.

– Jak to wszystkiego? Na przykład czego?

– Na przykład papieru toaletowego, masła, chleba, warzyw, owoców, mydła, pasty do zębów, waty, ołówków, butów, zapałek, papierosów i generalnie rozumu tym, którzy tym wszystkim rządzą.

– No, no... – Kręcił się na swojej ławeczce, aż łódka zakołysała się, a spod piór pozostawionych w wodzie wioseł prysnęła w panicznej, ale zorganizowanej ucieczce ławica miniaturowych kiełbików. – Nie boisz się, że twoi przełożeni nie będą zachwyceni takim przedstawieniem spraw cudzoziemcowi?

– Nie boję się – odparła wyzywająco i sięgnąwszy za plecy, skręciła w węzeł swoją niesforną, złotą grzywę. – Kto im doniesie? Ty? – kpiła z zaciśniętymi na spince do włosów zębami. I zmieniając temat, wróciła do swojego pytania: – Lepiej mi jednak powiedz, skąd masz takie marynarskie zdolności? Wiosłujesz, jakbyś się urodził w łódce.

– Zawsze pociągały mnie oceany... i ten z wody, i ten z powietrza...

Podniósł wzrok na sierpniowe moskiewskie niebo, które teraz, ku wieczorowi, urządziło imponującą wystawę świateł i kolorów, a podświetlone na złoto krawędzie wysokich, precyzyjnie wypiętrzonych chmur przyciągały wzrok i umysł zagadkowością kształtów. Niebo było zupełnie takie samo, jak tamto sprzed roku, kiedy lecieli do Władywostoku znad tej nieszczęsnej stalowni. Tyle że wtedy patrzył na chmury z ich poziomu, a teraz one patrzą na niego, malutkiego w dole, pływającego po stawie w małej łódce z najpiękniejszą i najbardziej godną pożądania dziewczyną w jego życiu. W dodatku – czego był absolutnie pewien – brzegi owego akwenu obstawione były dokładnie przez jej kolegów, a może i koleżanki. Pierwszym argumentem na rzecz tej tezy było to, że ich łódeczka była jedyną na wodzie, a przecież na koniec tak upalnego dnia wielu moskwian chciałoby skorzystać z przejażdżki. Oderwał rozmarzony wzrok od chmur i postanowił opowiedzieć Kirze o wodzie:

– Wiesz przecież, że woda oczyszcza umysł i duszę. I ja w to wierzę. Chciałbym kiedyś zamieszkać w takim miejscu, żeby mieć widok na dużo wody. To nie musi być ocean. Wystarczy jezioro. Ale raczej nie nad rzeką. Nie lubię przepływania, przemijania i generalnie tego, co kojarzy mi się z jakąś nieodwracalnością biegu rzeczy. A rzeki takie właśnie są. Wiesz...

Miał wielką ochotę wziąć ją za ręce, ale w ostatniej chwili spanikował, czując takie podniecenie, jakie było jego udziałem, kiedy miał bodaj dwanaście lat. Wtedy dziewczynka, jego rówieśniczka, zaprosiła go po raz pierwszy do swego mieszkania. Adorował ją nieśmiało od kilku miesięcy i choć bardzo dobrze się im rozmawiało, nigdy nie zdobył się na przekroczenie magicznej w tym wieku granicy dotyku. Był w niej wówczas z pewnością bezgranicznie zakochany. Jego pamięć po dwudziestu latach potwierdzała to. Pamiętał bowiem najlepiej jej sandałki, złożone z cieniutkich paseczków, i niepokojąco długie palce stóp. Gdy znaleźli się sami w jej pokoju, zapragnął zrobić to, o czym marzył od tygodni – wziąć ją za ręce i popatrzyć jej w oczy, trzymając jej dłonie w swoich. Zrobił nawet początek gestu, który miał zrealizować to niewyobrażalne pragnienie, ale nie dokończył go i stał naprzeciw niej, patrząc jej w oczy tak, jak chciał, ale zrealizował tylko pragnienie spojrzenia. Zresztą umknęła zaraz swoim spojrzeniem gdzieś w bok, gdzieś pod śmiesznie, na aniołka przyciętą grzywkę, i już nigdy potem tego nie próbował. To wspólne przecież niepowodzenie było końcem ich uczucia (bo z pewnością i ona kochała jego, czego najlepszym dowodem, jak mu się wówczas wydawało, było to zaproszenie). Spotykali się coraz rzadziej i wkrótce obydwoje mieli inne sympatie. Spotkał ją kilkanaście lat później, równie ładną, choć z wielkimi, zwisającymi pod sukienką piersiami, i nawet pocałowali się po pijanemu, wykorzystując chwilową nieobecność jej męża. Ale ona zupełnie nie pamiętała tej idealnej chwili jego wahania, tak przecież ważnej i decydującej o życiu ich obojga. Takie niepamiętanie ważnych i decydujących chwil było chyba jedną z podstawowych cech kobiet, które spotykał w życiu i na których mu zależało. Gdy spotykał je po latach, pełen nadziei, że hołubią w swoich wspomnieniach dokładnie te same wspólne chwile i uniesienia, okazywało się, że nie wiedzą, o czym on mówi. Albo udawały, że nie wiedzą. Może wstydziły się tego, że pamiętają? A może istotnie miały to w nosie. Wyciągnął na podstawie tych naukowych obserwacji wnioski godne prozy Conrada; uznając, że wrażliwość kobiet na delikatne drgnienia, sfalowania i muśnięcia emocji jest o wiele gorzej wykształcona od jego własnej.

Spojrzał na dłonie Kiry, zaplecione w tej chwili na kolanie. Były opalone, delikatne, o drobnych, choć mocnych kostkach, i wyglądały na silne. Paznokcie przycinała zupełnie krótko, jak pielęgniarka, skrzypaczka albo ktoś, kto trenuje sztuki walki. Nie miała na palcach żadnych ozdób, ale nie miała także niczego na szyi ani w uszach. Tylko kilka spinek w niesfornych, dominujących nad całym otoczeniem włosach. Przypomniało mu się nagle łacińskie porzekadło i zacytował je:

– Kto nic nie umie, niech zajmie się wiosłowaniem*. Może to właśnie było moim powołaniem? Ale poważnie: przepadam za wodą, o, taką właśnie, spokojną i bezpieczną jak ten staw. Mówiłaś, że jak się nazywa to miejsce?

– Czistyje Prudy – wyjaśniła chętnie i zaraz przetłumaczyła na angielski.

– Czyste stawy – zadumał się. – Ciekawe, kto je tak nazwał. Bo rzeczywiście są czyste.

– To akurat mogę ci opowiedzieć – ożywiła się. – Bo chyba wiem. A historia jest bardzo typowa dla tego kraju. Pod koniec siedemnastego wieku to była dzielnica rzeźników, więc możesz sobie wyobrazić, jak wyglądały te stawy. Przecież nie było wtedy kanalizacji i wszystko wyrzucali, gdzie popadło. Potem wielki car, musiałeś o nim słyszeć, taki kontrowersyjny reformator Piotr, podarował to wszystko swojemu kumplowi, niejakiemu Mienszykowowi. Widzisz, ta wieża, o tam, to inwestycja zlecona przez Mienszykowa. W ogóle obaj byli niegłupi. Stawiali na młodych i wykształconych. Dawali im zlecenia. Możliwość zarobków. Ten Mienszykow, nim się tu wprowadził, kazał gruntownie oczyścić stawy i przyległe grunty, i okazało się, że to bardzo ładne miejsce. Potem, po śmierci Piotra, Mienszykow, jak tu się mówi, „popadł w niełaskę" i wylądował na Syberii.

– „Popadł w niełaskę" – całkiem poprawnie i z wielkim namaszczeniem powtórzył Harold.

* *Remum dukat, qui nihil didicit.*

348

– To takie uniwersalne określenie. Każdy system ma takie określenia. Tu działa ono wyjątkowo dobrze. Ci, którzy są na wyższych szczeblach i mają coś do powiedzenia, a w związku z tym także coś do zyskania i stracenia, mają prawo należeć do dwóch kategorii: albo są w łaskach, albo...

– „Popadł w niełaskę!" – dokończył za nią Harold z miną odkrywcy.

Pokręciła głową i roześmiała się niskim, dźwięcznym głosem.

– Jeszcze trochę, a będziesz mówił po rosyjsku jak prawdziwy zawodowy szpieg.

Puścił niewygodny żarcik mimo uszu i podjął poprzedni temat:

– Więc mówisz, że albo to, albo Syberia? Bardzo sprytne – orzekł i postanowił jednak się obrazić, a zrobił to z miną skrzywdzonego chłopczyka, choć ona od razu dostrzegła w tym fałsz. – Dlaczego robisz takie aluzje? Doskonale wiesz, że kto jak kto, ale ja zupełnie nie nadaję się na szpiega. A poza tym, gdybym nim był, wylądowałbym na odludnej plaży, podrzucony przez okręt podwodny, w cyklistówce, prochowcu i z walizeczką pełną rewolwerów, trucizn i radiostacji, a nie walił się tu jak głupi z nieba na trzech silnikach z załogą złożoną z debili, dziwkarzy i alkoholików.

Znów się roześmiała i podsumowała go:

– No, w tych dwóch ostatnich dziedzinach byłeś bez wątpienia ich dowódcą. Szczególnie po wylądowaniu...

– Widzę, że masz komplet relacji w aktach. Ciekaw jestem, co tam jeszcze wyczytałaś. – Był wyraźnie urażony.

– Wszystko, co tylko mógł zdobyć wywiad, a ich interesują różne rzeczy, nie tylko dyplomy i numery jednostek. – Uśmiechnęła się tak sardonicznie i z takim wyraźnym błyskiem aprobaty, że nie pozostało mu nic innego, jak też się uśmiechnąć.

Patrzyła na niego uważnie i pomyślała: „Oczywiście, że nie jesteś szpiegiem, a przynajmniej nie myślisz tak o sobie, ale nikt z nas nie wie do końca, czy jest szpiegiem, czy nie jest. To wszystko zależy od tych, którzy chcą, żebyś nim był. Możesz być szpiegiem, nawet o tym nie wiedząc". Uruchomiła swoją fenomenalną pamięć, umożliwiającą jej odtwarzanie tego wszystkiego, co raz przeczytała albo usłyszała. Ten dziwny dar odziedziczyła po ojcu, który potrafił godzinami cytować przeczytane niegdyś fragmenty, i zapewne po matce, która dawała przecież z pamięci dwugodzinne recitale z programem naładowanym barokową polifonią*. Sięgnęła do jednej z ulubionych lektur ojca, małej książeczki *Sŭn Zĭ bīnga*, i powoli przewijała przez pamięć rolki pokryte chińskimi znakami, aż odnalazła właściwy ustęp: „Nie ma takiej rzeczy, w której nie dałoby się użyć na dobre szpiegostwa..." – Pewnie, że nie ma, choć mistrz Sun miał rację, twierdząc, że „delikatna to sprawa". „Ważne jest wykrywanie, kogo wróg do nas przysłał jako szpiegów. Trzeba ich przekupić, aby przeszli na naszą służbę... Ze wszystkich ludzi bliskich dowództwu, żaden nie jest z nim w bardziej poufnych stosunkach niżeli szpieg. Ze wszystkich nagród najbardziej hojne są te, które wypłaca się szpiegom. Pośród wszystkich spraw, nie ma bardziej tajnych niż te, które dotyczą szpiegostwa".†

„Zrobimy z ciebie szpiega – pomyślała – szybciej, niż myślisz, i to podwójnego albo potrójnego. Wkrótce przestaniesz się orientować, komu służysz i kto odnosi z tego korzyści. Pozostaje jeszcze sprawa «hojnej nagrody». Ciekawe, jaka jest twoja cena i czy takiej właśnie zapłaty pragniesz. Wiem już coś o walucie, w której mogłyby być wypłacane twoje honoraria. Gdy tylko otworzyłeś mi drzwi, zauważyłam, że rozpychasz przestrzeń przed sobą, jak lodołamacz kry wzmocnioną dziobnicą. No cóż. Trzeba się przekonać".

* Utwory muzyki polifonicznej w związku z koniecznością zapamiętywania poszczególnych równorzędnych linii melodycznych są wyjątkowo trudne w uczeniu się na pamięć.
† Sun Zi: *Sztuka wojenna*. Tłum. Robert Stiller, Kraków 2003.

– Harold, bądź tak dobry i popłyń dokładnie na środek – powiedziała i zmieszana uciekła wzrokiem przed jego pytającym spojrzeniem. Uwielbiała ten moment, kiedy rozpoczynał się rodzaj konspiracyjnej gry. Zaraz zresztą znalazła dobry argument: – Jesteśmy za blisko brzegu i zaraz zlecą się komary.

Pilot posłusznie skierował łódkę, a gdy znaleźli się tam, gdzie mu poleciła, spojrzał na czerwieniejące już na zachodzie niebo, a potem na zegarek. Była już prawie siódma.

– Czy nie powinniśmy już wracać? Słońce zaraz zajdzie – powiedział tak tylko dlatego, że spieszno mu było wzmocnić pozostałe dwa piwa solidną szklanką whisky.

Kira rozejrzała się uważnie po brzegach stawu. Wszystko było w porządku. Jeśli mają lornetki, a na pewno mają, będą mieli niezłą zabawę, choć dość wysokie burty łodzi nie pozwolą im obserwować szczegółów. Zsunęła się ze swojego miejsca na rufie i siadła na korkowym kole ratunkowym, które troskliwy przystaniowy wrzucił im do łodzi. Znów, jak poprzedniego wieczoru, jej ruch był płynny i celowy, ale on tym razem nie przestraszył się i nie cofnął.

– Zostaw te wiosła – powiedziała i opierając mu dłonie na kolanach, spojrzała śmiało, a zarazem bezczelnie w oczy. – Widziałam wczoraj wieczorem, że masz problem. Chyba się nie mylę? – Nie spuszczała z niego wzroku.

– Jaki? – poruszył się niespokojnie, ale zaraz znieruchomiał w obawie, że Kira zabierze chłodne, jak mu się zdawało, dłonie z jego kolan.

– Taki, jak wszyscy chłopcy, którzy dawno nie widzieli dziewczynek… – przeciągnęła ostatni wyraz, a jemu przeleciało po plecach, jak smagnięcie batem, bolesne i rozkoszne przeczucie. To przeczucie musiało zawadzić w przelocie o ten obszar jego świadomości, który sterował gotowością. – Ano właśnie! – stwierdziła z satysfakcją jak ogrodnik, który zaszedłszy rano do ogrodu, upewnił się, że intensywne podlewanie odniosło skutek na grządkach. – Miałam rację. – Przesuwała powoli dłonie po jego udach. – Twój problem jest naprawdę poważny i wymaga natychmiastowej interwencji.

Ciągle patrzyła mu w oczy i stopniowo przesuwała dłonie coraz wyżej, a on, pokonany naciskiem tego spojrzenia, powoli zamknął powieki i oparłszy ciało na łokciach, pozwolił, by głowa opadła mu do tyłu. Był od tego momentu w całkowitej władzy jej dłoni. Dawno nikt tak się z nim nie obchodził, ale od pierwszego momentu, w którym zrozumiał i podjął jej grę, ciało przypomniało sobie wszystko, co w takich chwilach należy sobie przypomnieć. Palce Kiry, wbrew temu, czego można by oczekiwać, trochę nieporadnie pokonywały obszyte płótnem i przez to stawiające opór guziki. Dłonie niektórych ludzi mają zdolność koncentrowania i wysyłania strumieni energii. Muzycy w orkiestrze odczuwają, kiedy charyzmatyczny dyrygent delikatnymi osadzeniami dłoni w przestrzeni wysyła im sprawczy sygnał, silniejszy niż zamaszyste machnięcie batuty, zagarniające metry powietrza. Mistrzowie snookera zda się bez pomocy kija potrafią dłońmi nakazać bilom, by wyczyniały zadziwiające sztuczki, na kształt stada tresowanych pudli. Takie dłonie mają też zapewne wykształcone na najwyższym poziomie kurtyzany. Kira umiała bawić się energią zgodnie z doświadczeniami w swoim treningu sztuk walki. Teraz zupełnie nie zdawała sobie sprawy, że tak właśnie robi, ponieważ wbrew temu, czego od niej wymagali ci, którzy ją szkolili, przeżywała stany, jakie nigdy dotąd nie były jej udziałem. Podobne przeżycia musiały być zapewne udziałem Dukasowego ucznia czarnoksiężnika, gdy niewinne zaklęcie wywołało nieprzewidzianą feerię skutków. Uczono ją obchodzić się z mężczyznami i ich pożądaniem. Ba! Uczono ją manipulowania stanami i fazami tego pożądania, ale temu treningowi towarzyszył nieodmiennie trening wyciszania własnych emocji. Tym razem potrafiła skorzystać tylko z części nabytych nauk, odczuwając podniecenie tak przygniatające, że palce zaczęły jej drżeć i przez chwilę bała się, że poobrywa guziki. Gdy okazało się w dodatku, że w bieliźnie Harolda, zaprojektowanej widać na zupełnie inne okazje, nie ma stosownej przesieki, wpadła w chwilową panikę. Ochrypłym szeptem poprosiła, a brzmiało to niemal jak błaganie:

– Podnieś się na chwilę.

Tylko na to czekał, a gdy uniósł biodra znad ławeczki, udało się jej bez zbytniej szarpaniny oczyścić pole operacyjne. Była teraz dokładnie naprzeciw i zebrała się w sobie, jak chirurg, któremu asystenci przygotowali wszystkie rzeczy potrzebne do operacji. Jej oddech zwolnił i patrząc mu ciągle w twarz, choć spod przymkniętych powiek najprawdopodobniej jej nie widział, rozpoczęła realizację skomplikowanego programu.

Oddawała się temu, co robiła, z dziecinną powagą osoby, która zaangażowana na okres próbny, za wszelką cenę chce wykazać przydatność. Przycupnięta na korkowym kole ratunkowym, skupiona i uważna, nasuwała łódeczkę wprawnej co prawda, ale spontanicznej dłoni na wysunięty buńczucznie w stronę jej twarzy wolant Harolda. Co pewien czas patrzyła uważnie i z oddaniem w oczy Darrella, sprawdzając, w której fazie znajduje się jego spełnienie. Kontrolowała to widać bardzo skrupulatnie, bo gdy wyczuła, że jego ciało chciałoby jednostronnie zakończyć rokowania, zwolniła tempo i osłabiła dotyk. Wreszcie, gdy wyczuła opuszkami palców i intuicją, daną tylko najlepszym kochankom, że wspiął się prawie na szczyt i brakuje mu ostatniego podciągnięcia ciała, by spojrzeć na to, co osiągnął dzięki niej, zostawiła go delikatnie z jego niespełnionym marzeniem, aż skurczył się boleśnie – i oddało to jego spojrzenie.

– Au! – syknął. – Tak mnie zostawisz?

Dźwignęła się na swoją rufową ławeczkę i chowając dłonie pod pachami, tak jakby chciała je wytrzeć z czegoś, czego przecież na nich nie było, odpowiedziała:

– Musimy wracać. Zapnij się – Harold przełknął gorzką, pełną podniecenia i nadziei ślinę.

– Musimy wracać? Spotkamy się jeszcze dziś? W Żukowskim?

– Tak. Musimy wracać – odpowiedziała spokojnie i rozejrzała się po ledwie już widocznych brzegach jeziorka. – Ale przyjdę do ciebie jeszcze dziś. Tylko późno. Po północy. Muszę być na pewnym przyjęciu. Nie może mnie tam nie być – upewniała bardziej siebie niż jego. – Wytrzymasz. Nie zaśniesz. Nie upijesz się. Obiecaj.

Ponieważ schował już swoją gotowość, potarła ją przez płótno spodni, a on przyrzekł jej bez słów.

Przyszła, jak zapowiedziała. Grubo po północy, bo prawie o pierwszej. Pachnąca dobrym koniakiem, w wieczorowej, długiej, ale skromnej sukni, która pozwalała obejrzeć prawie całe jej gołe plecy. Tak ubrana wydała mu się starsza i dojrzalsza. Jedwabista czerń wspaniale eksponowała najlepsze partie jej sylwetki; ciężkie, szeroko rozstawione piersi i delikatną wąską talię, której mogłyby jej pozazdrościć wszystkie piękności z połowy ubiegłego stulecia, katujące swoje młode żebra gorsetami. Wydawało mu się, że gdyby chwycił ją w talii, mógłby zetknąć palce obu dłoni. Z włosami rozpuszczonymi w złotą nawałnicę, sięgającymi połowy pleców, i ze złotymi teraz od koniaku oczami, w pantoflach na wysokim obcasie z paseczkiem obejmującym szczupłą kostkę wyglądała zabójczo i Harold musiał przyznać sam przed sobą, że była najpiękniejszą kobietą, jaką los postawił na jego drodze. Zrzuciła zaraz eleganckie pantofelki i ulokowała się na kanapie, masując palce stóp.

– Nie cierpię takiego obuwia – zaczęła, strzygąc oczami spod swej grzywy. – To wbrew naturze.

– Ale pięknie w nich wyglądasz – powiedział Harold, który tak jak poprzedniego dnia ulokował się na dywanie.

– Te kilkadziesiąt milionów Chinek, którym złamano kości śródstopia, też wyglądało pięknie w oczach ówczesnych znawców kobiecej urody. Czy wiesz, że w stopach jest bodaj połowa z ogólnej liczby wszystkich kości w człowieku? To wspaniały sprzęt. Można nawet chodzić po rozżarzonych węglach.

– Próbowałaś? – zaciekawił się, nie wyobrażając sobie, że coś tak ładnego i delikatnego jak stopa Kiry mogłoby się zetknąć z czerwonym żarem ośmiuset stopni. W tej temperaturze stal zaczyna świecić wiśniowo, a w dwa razy niższej duraluminiowa powłoka jego samolotu paliłaby się radośnie jak magnezja na tacce małomiasteczkowego fotografa.

– Też powinieneś – zawyrokowała. – To najlepsza próba wiary, jaką znam.

– Wiary w co?

– We własne możliwości.

– I jak było? – dopytywał się ironicznie, bo nie był skłonny wierzyć w takie rzeczy. – Co czułaś? Nie masz blizn po oparzeniach. Pokaż! – zażądał, czując, że gdy będzie tej nocy wystarczająco stanowczy, zawładnie jej duszą.

Nie odpowiedziała nic, tylko patrząc mu w oczy, podniosła się z kanapy i sięgnęła pod suknię. Odpiąwszy zameczki podwiązek, powoli zrolowała czarne pończochy i podała mu koniuszki stóp, a on, pociągając za czubki pończoch, czuł się jak kolekcjoner, ściągający z dopiero co kupionej za olbrzymie pieniądze marmurowej rzeźby pokrowce zabezpieczające przed uszkodzeniem. Ona także znała podniecającą siłę tej gry i wyprostowała drobne paluszki z misternie opiłowanymi paznokietkami – i gazowe czarne mgiełki spłynęły delikatnie na dywan. Oglądał teraz brzoskwiniowe podeszwy jej stóp, na których nie widać było nieodwracalnych śladów działania wysokich temperatur.

– Naprawdę chodziłaś. Długo? – Chciał wiedzieć.

– Kilkanaście metrów.

– I jak było? – powtórzył pytanie sprzed kilkudziesięciu sekund. – Jakie to uczucie?

– Powinieneś je doskonale znać. – Z żalem uwolniła stopy i podkuliła je pod siebie.

– Ja przecież nie chodzę po rozżarzonych węglach – odpowiedział zaciekawiony, co ma na myśli.

– Czyżby? – podniosła brwi.

Zadumał się i spytał tak, jak ktoś, kto zasięga porady zaufanego przyjaciela:

– Myślisz?

Nie odpowiedziała, tylko pokiwała poważnie głową, jak doświadczony leśniczy, któremu praktykant pokazuje ślady szkodników. A potem ożywiła się i zajaśniała:

– Będziemy coś pili? Kapitanie Darrell? Noc jest jeszcze młoda.

– Jasne! – Sprężyście, bo wstąpiły w niego nowe nadzieje, zerwał się z podłogi. – Na co masz ochotę?

– Zdam się na ciebie. Byle szybko zakręciło mi się w głowie.

Poszedł więc do kuchni i wrócił z dwoma szklankami whisky złagodzonej gorzką i pachnącą siarką wodą mineralną, która wbrew lekko odpychającemu zapachowi okazała się bardzo smaczna. Wodę przechowywał na wysokiej półce lodówki, więc mimo braku lodu drink trzymał parametry.

– Mmmm! – skinęła z uznaniem głową po pierwszym łyku.

– Robi wrażenie. Czy wiesz, że przeciętnego Japończyka taka lampa powaliłaby na ziemię na kilka godzin?

– Niemożliwe. Nie umieją pić? – dziwił się.

– Pić umieją i uwielbiają to – zapewniła go w imieniu mieszkańców kraju, w którym przyszła na świat. – Tylko ich organizmy tego nie wytrzymują. Podobno nie mają jakichś enzymów, czy czegoś takiego, neutralizujących alkohol. Ale wyobraź sobie – rozgrzewała się – jak przejdą odpowiedni trening, na przykład w Europie, to chlają jeszcze lepiej niż ludzie na Zachodzie. Na przykład mój tata. Pamiętam, jak mieliśmy w gościach pewnego pisarza z Polski. Przywiózł tacie w prezencie wielką butlę polskiej wódki, chyba z wytwórni Baczewskiego. Tata tę butlę otworzył, bo mama miała ochotę przypomnieć sobie smak polskiego alkoholu. Zapijali to jasnym piwem, bo sake zupełnie nie pasuje do mocnych alkoholi. Temu pisarzowi, który był ze dwa razy większy i dwa razy grubszy od taty, pewno wydawało się, że to będzie zabawne, jak tata wpadnie do stawu z karpiami przed domem albo przewali się przez papierową ścianę. Wiesz, że o to u nas nietrudno. Ale ten pisarz nie wiedział, że tata ma dobre przygotowanie i zna europejskie normy. No, może nie tyle europejskie, co rosyjskie. Bo trzeba ci wiedzieć, że jak Japończyk zacznie już regularnie przyzwyczajać swój organizm do mocnych alkoholi, to ten enzym wydziela się po pewnym czasie chyba w nadmiarze. Skończyło się tym, że sąsiedzi, poruszeni koncertem na dwa głosy, który mój tata dał razem z tym pisarzem nad stawem z karpiami, wezwali policję i tata jeszcze przez tydzień składał kurtuazyjne wizyty w całym sąsiedztwie, z prośbą o wybaczenie swojego zachowania, ale nikt nie miał pretensji, że ryczeli jak niedźwiedzie, tylko raczej o to, że o przyzwoitej porze nie przestali. Lubię Japończyków, bo wiele rozumieją i z wieloma rzeczami potrafią się pogodzić.

– Czujesz się Japonką? – spytał Darrell i choć nie miał takiej intencji, zabrzmiało to jak wyrzut.

– Zupełnie nie – pokręciła głową – choć przecież tam się urodziłam, ale równie dobrze mogłabym czuć się Polką, chociaż nigdy nie byłam w Polsce. Nie czuję się związana z żadną narodowością na świecie. Powinieneś tego spróbować, to wspaniałe uczucie, choć czasami bywa trochę smutno. Patriotyzm jest zdecydowanie praktyczniejszy, ale taki głupi… – Znów zajrzała mu w oczy, upewniając się, czy nie zrobi mu przykrości. – Pewno nie jesteś w stanie tego zrozumieć?

– Nie, chyba nie jestem – odpowiedział niepewnie, ale w głębi duszy był pewien, że rozumie.

– Zostawmy to – zaproponowała. – Opowiedz mi lepiej o swojej żonie albo o swojej największej miłości. Nie chcesz?

Posmutniała, gdy zrobił minę pełną dezaprobaty dla tych pomysłów. Czuł się jak kocioł parowy, w którym dawno już zepsuł się zawór bezpieczeństwa. Gdyby nie to, że potrafiła trzymać go na dystans złotymi oczami – tak jak obsługujący reflektory przeciwlotnicy trzymają bombowiec w wiązce świateł, z której mimo zwrotów i gwałtownych zmian wysokości nie udaje mu się wyrwać – dawno już rzuciłby się na nią jak dziki, zerwał z niej czarne jedwabne szmatki i w końcu zaznał złudnego ukojenia.

– Dobrze – postanowiła. – W takim razie ja ci coś opowiem. Tylko chodź tu do mnie, bo jesteś za daleko.

Posłuchał, a gdy nie wstając z dywanu, przesuwał się w jej stronę, miał wrażenie, że polatuje nad podłogą, a ruch jego leciutkiego, musującego ciała spowodowany jest magnetycznym przyciąganiem jej ciała.

– Właśnie! – Dotknęła go od razu, ale delikatnie, przez materiał spodni. – Przypomniałam sobie, że nie skończyliśmy dziś pewnej sprawy, a widzę, że wszyscy w domu gotowi na przyjęcie gości.

Otworzyła sobie bez pukania i nie czekając na zgodę gospodarza, przywitała się poufale, jak ze starym znajomym.

– Wiesz – pokiwała ze znawstwem głową. – On jest bardzo ładny.

– Podobnie, jak większość jego kolegów – sapnął Harold, którego serce potrzebowało ledwie kilka sekund, by wejść na najwyższe obroty i teraz dudniło głucho wraz z pulsem w skroniach.

– O, co to, to nie! Nie masz racji – niemal się oburzyła. – Znałam kilku o wiele mniej przystojnych, wręcz brzydkich.

– Czy to ma jakieś znaczenie? – Obsunął się trochę niżej i wygodniej, a Kira trafnym ruchem poluzowała na nim to wszystko, co przeszkadzało swobodnej konwersacji.

– Kardynalne – potwierdziła. – Nie wiem, jak ty, ale ja przede wszystkim patrzę i dlatego nigdy nie gaszę światła. Dla ciebie nie ma znaczenia, jak coś wygląda? Latałbyś swoim bombowcem, gdyby był pokraczny?

– Pewnie tak, tyle że z mniejszą przyjemnością.

– A widzisz! – Była usatysfakcjonowana i z bezpardonowością, która w jej wydaniu była urocza i jak gdyby dziecięca, mimo że stały za nią bardzo dojrzałe decyzje, spytała: – Chciałbyś, żebym go wzięła do buzi? Prawda, miałam ci coś opowiedzieć... Decyduj, najpierw do buzi czy najpierw opowiadanie?

To była próba i Harold zdecydował heroicznie:

– Najpierw opowiedz.

Złote oczy Kiry rozjarzyły się najwyższym uznaniem. Nie zabrała dłoni i delikatnymi ni to trąceniami, ni to muśnięciami i przesunięciami dawała im obu do zrozumienia, że trzyma rękę na pulsie:

– Opowiem ci o Obon... – zaczęła tonem takim, jakiego używają lektorzy w radiowych słuchowiskach dla dzieci.

– O czym? – mruknął cichuteńko, bo to wszystko, co w nim odbierało bodźce, nastroiło się na najwyższą czułość, tak by rejestrować nawet najdrobniejsze, niezauważalne dla oka drgnienia.

– Obon. To takie japońskie święto dusz. W Ameryce macie Halloween, w Polsce obchodzi się Święto Zmarłych, ale to w listopadzie. Obon jest w sierpniu i ma trochę inny wymiar. Na Zachodzie takie dni są po to, żeby zapomnieć o śmierci i przypomnieć sobie o nieobecności zmarłych. Na Wschodzie po to, żeby przypomnieć sobie o śmierci i zapomnieć o nieobecności tych, którzy odeszli. Czy to jasne? – upewniła się, a ponieważ jej dłoń użyła równocześnie trochę większej siły, wciągnął z sykiem powietrze i wyszeptał:

– Nie...

– Nie szkodzi – odpowiedziała z uśmiechem. – Zaraz zrozumiesz. Najlepiej być świadkiem takiego święta na Cuszimie. Wiesz, gdzie to jest?

– Ychy – potwierdził. – Między wyspami a kontynentem.

– Właśnie. To zupełnie niesamowita wyspa. Płynie się tam z Kiusiu ledwie kilka godzin, ale przez ten czas można przeżyć tyle, co Sindbad w dziesięć lat.

– Czemu?

– To widocznie za każdym razem magiczna podróż – odpowiedziała, zamieniając muśnięcia na okrężne pocieranie, tak jakby chciała zagrać na rancie szklanki.

– Rozumiem – domyślił się. – Morskie potwory, syreny i piraci.

– Sam jesteś potwór. – Kontentowała się tym, że potężne mięśnie jego trochę otłuszczonego brzucha zaczęły naśladować jej ruchy. – Płynie się zaledwie kilka godzin, a pogoda zmienia się tam co chwila.

Nie odpowiadał, bo zamknął ślepia, ocienione długimi jak u dziecka rzęsami, i chłonął to, co robiła. Była jednak pewna, że słucha. Więc i ona oddała się przyjemności jednoczesnego opowiadania i dotykania słuchacza.

– Wypływa się przy pięknej pogodzie, bo sierpień jest zwykle ładnym miesiącem. Reda dworca morskiego w Fukuoce roi się od promów, stateczków i poważnych kabotażowców. Na pokładach promów gromady rozgadanych i roześmianych ludzi. Ci, którzy płyną odwiedzić swoje rodziny na Cuszimie, też gadają i śmieją się, korzystając z otwartych pokładów i bufetów serwujących dania, których nie tknęliby na lądzie. Tu jednak wszystko im smakuje. Ludzie machają do siebie chusteczkami i kapeluszami, wykrzykują pozdrowienia i życzenia szczęśliwej podróży. Morze ma wesoły jasnozielony odcień i choć trochę wieje i fale ozdobione są malowniczymi grzywkami z piany, prom nawet tego nie odczuwa swoją masą prawie dwóch tysięcy ton, a kołysanie jest zupełnie nieszkodliwe. Przyjemnie jest siąść na tylnym, otwartym pokładzie, gdzie zupełnie nie czuć wiatru, za to silnie grzeje sierpniowe słońce, i patrzeć, jak najpierw nadbrzeża, potem budynki i wzgórza znikają za linią horyzontu. Potem na morzu robi się niemal pusto, choć gdy się ma trochę szczęścia, można zobaczyć nawet szarą sylwetę pancernika w asyście kilku niszczycieli. „To «Kirishima»" – powiedział ojciec, patrząc spod stulonej łódki dłoni na ciężką żelazną masę, najzupełniej obcą i niepotrzebną w sielskim krajobrazie. Jednak samotność promu nie trwa długo, bo ze wszystkich stron otaczają go stadka szybkich kutrów do połowu tuńczyków i bonito, przemykających, zda się, przed samą dziobnicą dostojnego morskiego autobusu i nic sobie nierobiących z jego dudniących pohukiwań. Potem zupełnie niespodziewanie robi się o wiele chłodniej, a morze traci swą optymistyczną szmaragdowość na rzecz groźnej stalowej szarości. Wiatr jest coraz silniejszy i widać przepędził tuńczykowce, bo nikt nie wchodzi promowi w drogę. Trzeba przenieść się pod pokład, bo na domiar złego zaczyna zacinać złośliwie drobny deszczyk. Fala rośnie do tego stopnia, że wiatr zaczyna zdejmować z szarych, szybko się toczących grzbietów strzępki piany i roznosić je w powietrzu. Parowcem teraz porządnie buja i robi się on dziwnie mały. Pasażerowie cichną i poważnieją. Część bladnie i zieleniej na twarzy. Tylko dzieci, których nic nie jest w stanie powstrzymać przed hałaśliwą i natarczywą radością, grasują po wszystkich pokładach. Groźby morza nie trwają jednak długo i do wyspy Iki, ulubionego morskiego kurortu bogatych Japończyków, przybijamy już przy pięknej, słonecznej pogodzie. Na redzie jest zupełnie spokojnie, a letniskowe *ryokan* kryją się wśród gęstej zieleni, sięgającej od morza do nieba. Tu wysiada duża część pasażerów i w dalszej podróży na parowcu jest zupełnie spokojnie. Teraz dla odmiany można rozłożyć się na ławkach, ustawionych pod sterówką na pokładzie dziobowym, i znów patrzeć na gorącą kulę słońca i nowe ławice białych i żółtych tuńczykowców, które pojawiły się, jakby wyjechały wprost spod szmaragdowej tafli. Morze uspokaja się zupełnie, a na słońce zaczyna powoli nasuwać się mglista i delikatna blenda. Znów robi się trochę chłodniej, ale powietrze wciąż jest przyjemnie ciepłe i nieruchome. Do portu w Izuharze wpływamy już w oparach gęstej mgły, w której zalesione wzgórza z wierzchołkami zanurzonymi w niskich chmurach robią wrażenie perfekcyjnej scenografii niesamowitego filmu. W takiej kolorystyce las na zboczach najpewniej roi się od upiorów i demonów z pustymi, czarnymi oczodołami. Dobijamy, a na ląd schodzi ledwie kilkanaście osób, głównie rodzin, które tak jak my przyjechały tu na Obon.

– Dlaczego opowiadasz mi o zmarłych i ich święcie?

Harold zacisnął swoją dłoń na dłoni Kiry, chwilę przytrzymując ją w miejscu, bo czuł, że za chwilę agregat zasilający jego podniecenie eksploduje z hukiem i trzeba będzie iść do łazienki po ręcznik. Dłoń Kiry zrozumiała sugestię i jej palce wycofały się w okolice ukrytego w Haroldowym tłuszczyku pępka. Natychmiast zaczął żałować, że ją zatrzymał, postanowił jednak dać swojemu podnieceniu chwilę oddechu i starając się nie unosić korpusu, sięgnął z wysiłkiem po szklankę. Whisky była już ciepła, ale nie przeszkadzało mu to w niczym. Kira wyjęła mu szklankę z rąk i sama wypiła spory łyk:

– To może niezupełnie święto zmarłych a... może dlatego, że czuję dużo śmierci. Wyjątkowo dużo. Tak dużo, że przestaję odróżniać poszczególne śmierci, a zaczynam czuć coś jednolitego i przerażającego, chociaż zupełnie nie potrafię ci powiedzieć, co to jest.

– Tu?

– Nie wiem. Chyba i tu, i w ogóle. Może mi się tylko tak wydaje. A może i nie. Nie będę się wygłupiać i udawać Pytii. Może to cała śmierć tej wojny i wszystkich poprzednich. – Wypiła w zadumie resztę ze szklanki Harolda i wręczyła mu swoją, jeszcze pełną. – Na szczęście, gdy budzisz się następnego dnia, po mgle ani śladu. Jest czwartkowy poranek i piękne słońce, a lasy Cuszimy śpiewają jak oszalałe milionami cykad i ptaków.

– Wiem, jak brzmią cykady – wtrącił.

– Ale nigdy nie byłeś w cuszimskiej filharmonii. Tam każdy muzyk chce być lepszy od sąsiada i piłuje z całych sił. Wiesz?

Ktoś o moim wyglądzie na Cuszimie musi być podejrzany. Miałam dopiero piętnaście lat i byłam ubrana tak, jak ubiera się Japonki w tym wieku, czyli w szkolny mundurek. Marynarski kołnierz, białe podkolanówki. Berecik i oczywiście warkocze ze wstążkami. Oszalałbyś, gdybyś mnie w tym zobaczył. Twój mały roztrzaskałby ci czaszkę. Rodzice załatwiali jakieś formalności w porcie, a ja poszłam wzdłuż pirsu, żeby sobie pooglądać łodzie i statki. Wyobraź sobie – jak spod ziemi zjawił się tajniak. Taki mały, wyelegantowany typ w krawaciku cienkim jak sznurowadło i ze spojrzeniem szczura. Złapał mnie za ramię i zażądał paszportu. Ode mnie! Osoby urodzonej w Fukuoce i to w rodzinie kogoś odznaczonego przez samego cesarza! Przez chwilkę zastanawiałam się, czy mu tej rączki nie wyjąć ze stawu, ale na szczęście nadciągnął tata. Trzeba ci było widzieć, jak tata zabrał się do dzieła. Najpierw pokazał temu tajniakowi swoje papiery, potem bardzo ściszonym głosem klarował mu coś przez dobrą minutę, ale choć stałam ledwie o kilka metrów, nie zdołałam usłyszeć, co tata mu powiedział i co tamten, także cichym głosem, mu odpowiadał. A potem tata zrobił coś wspaniałego: otwartą dłonią, o tak… – tu Kira wykonała szybką demonstrację, a powietrze zaświszczało – dał mu w ucho, aż tego tajniaka obróciło w miejscu twarzą do tyłu. Myślałam, że mu głowa odpadnie. Nawet tak się trochę bujnęła na karku. Tata jest niewysoki, ale niewiarygodnie silny i szybki. No i obróciło go, jak ci mówiłam, do tyłu, tak że spojrzał sobie w kierunku, z którego przyszedł, żeby się do mnie przyczepić. Wtedy tata, jakby tylko na to czekał, kopnął go jeszcze czubkiem buta prosto w kość ogonową. – Kira zademonstrowała także to, godząc bosą stopą w powietrze. – Potem tata jak gdyby nigdy nic (choć ten tajniak kręcił się z bólu jak bąk na betonie, trzymając się za skopany zadek) wziął mnie pod rękę i poszliśmy na spotkanie mamy, która też właśnie wyszła z budynku kapitanatu. A wiesz, co mu powiedział ten tajniak? Że mu donieśli, iż w porcie kręci się szpieg. A przecież od chwili, gdy zeszliśmy z parowca, upłynęło może z dziesięć minut. Wyobrażasz sobie? Tata powiedział nam potem, że na takiej małej wyspie wszyscy donoszą na wszystkich, i to bardzo sprawnie. Mnie się jednak wydaje, że wielkość wyspy nie ma tu nic do rzeczy. I jeszcze zauważyłam coś ciekawego. Zanim ten tajniak się do mnie przychrzanił, wokół było pełno ludzi, którzy mi się życzliwie przyglądali, pozdrawiali mnie i uśmiechali się do mnie. Ale kiedy on mnie złapał, nagle wszyscy znikli. Nawet rybacy z pokładów kalmarowców. W jednej chwili nie było nikogo.

– Miałaś mówić o zmarłych, a nie o tajniakach – przypomniał Darrell, który już po minucie zatęsknił do dotyku jej dłoni.

– Zaraz. – Wyczuła widać jego chęci, bo nie patrząc, z perfekcją skrzypka, który trafia we właściwe miejsce gryfu, dotknęła drążka sterowego, którym tak znakomicie kierowało się jego pożądaniem. – Muszę ci najpierw opowiedzieć o Cuszimie. Wyobraź sobie las wyrastający wprost z morza. Na tej wyspie nie ma prawie otwartych przestrzeni. No, z wyjątkiem kilku plaż, ale poza tym las z pionowych urwisk schodzi prosto do morza.

– Nie ma dróg?

– Są. Kręte jak cholera i strome, a po obu stronach las tak gęsty, że jakbyś skoczył z takiej drogi na brzuch, to zawisłbyś jak mucha w pajęczynie. Nie wyobrażałam sobie, że można tam w ogóle wejść. Ojciec bardzo lubił Cuszimę i gdy tylko mógł, jeździł tam o każdej porze roku. Powiedział, że mógłby spędzić na niej resztę życia. Tata miał tam dobrego znajomego, takiego prowincjonalnego fotografa, któremu wydawało się, że jest wielkim artystą. Bardzo sympatyczny i śmieszny człowieczek. Nazywał się Ogura. Miał starego, zdezelowanego forda i woził nas tym gruchotem po wyspie. Ten samochód ledwie dawał radę podjechać pod górę, a Ogura był najgorszym kierowcą, jakiego zdarzyło mi się spotkać. Kierownicę trzymał o tak...

pod samą brodą. A jak zmieniał bieg, to w tym fordzie wszystko grzechotało. Najgorzej było na ciasnych zakrętach nad przepaścią. Ten Ogura był naprawdę sympatyczny. Wiedział wszystko o wyspie, na której spędził całe życie, a miał już koło sześćdziesiątki. Pokazywał nam maleńkie stare świątynie w miejscach tak zarośniętych, że sami nie domyślilibyśmy się ich istnienia. Pokazywał plażę, na której usiłowali wylądować Mongołowie, i kamienną groblę, zza której Japończycy razili ich z łuków. Zawiózł nas na samą górę Cuszimy i pokazał wioski tak zabite dechami i brudne, że gówienko wylewające się z prymitywnych wychodków płynęło sobie środkiem ulicy. W tych wioskach, do których trudno było nawet dostać się na piechotę, pokazał nam chłopców, no wiesz, wieśniaków, tańczących obrzędowy taniec. Byli poprzebierani za samurajów i mieli drewniane miecze oklejone srebrnym papierem. Naprawdę. Gdy mnie spostrzegli, chwyciła ich taka trema, że myliły im się kroki, a jeden się przewrócił. Najwidoczniej się im podobałam albo nigdy nie widzieli jasnowłosej dziewczyny, i to w mundurku z marynarskim kołnierzem. Ten Ogura miał oczywiście aparat fotograficzny i w każdym miejscu, do którego nas zawiózł, musieliśmy się wszyscy fotografować. Sto pociech. Żebyś ty widział, jak on nas ustawiał i jak to się mówi... kadrował. No, wypisz, wymaluj, wielki reżyser. Wieczorami pili z tatą sake, a ja i mama włóczyłyśmy się po Izuharze. Wyobrażasz sobie, dwie blondynki na wyspie, na której nigdy nie stanęła stopa nikogo o blond włosach. Czekaj... – skarciła go, widząc, że się niecierpliwi, i prawie boleśnie, bo aż syknął, ścisnęła drążek żelaznymi palcami. – Przecież ci obiecałam. A ja zawsze dotrzymuję słowa. Dopiero za dwadzieścia druga. Najpierw musisz posłuchać o zmarłych, a potem będziesz miał swoje pół godziny. Lepiej nam nalej, bo teraz będzie najważniejsze.

Gdy wrócił z drinkami, pocałowała go w rękę, tam gdzie na grzbiecie dłoni miał gęste, miękkie włoski, i pokiwała z uznaniem głową, widząc, że nalał podwójne porcje.

– No więc w czwartkowe południe przed każdym domem rozpala się taki mały ogieniek ze szczapek. To po to, żeby zaprosić dusze zmarłych bliskich w odwiedziny. Takie małe ogniska palą się od południa aż do późnej nocy i całe powietrze w Izuharze pachnie żywicznym dymem. Bo te drewienka są z miejscowych lasów, a pełno tam modrzewi i sosen. Trzeba ten ogień podtrzymywać, żeby dusze bliskich, którzy odeszli, były pewne intencji żyjących. Takie ogniki pali się też w Polsce, ale tam ludzie już zapomnieli, że ogień to zaproszenie i sygnał dla zmarłych, żeby dołączyli do żywych. Na Cuszimie wszyscy o tym wiedzą i takie ognisko rozpala się tak, jak ogień w latarni morskiej – by pokazać żeglarzom drogę. Bo przecież zmarli żeglują gdzieś w zaświatach. No i właśnie w takim zapachu płonących smolaków, w cichym, ciepłym, nasączonym dźwiękiem cykad powietrzu, idzie się na *okonomijaki* w Izuharze. Te *okonomijaki* robią na naszych oczach w każdej takiej rodzinnej knajpce. Trudno to nawet nazwać knajpką – jest blacha, pod którą pali się ogień. Właściciel albo właścicielka, kiedy już się weszło, odchylając sięgające kolan zasłonki, i zasiadło przed tą blachą, upewnia się, z czym mają być te *okonomijaki*, a potem... potem Haroldzie – rozmarzyła się – następuje symfonia zapachu i uczta dla oczu.

– Co to są te *okonomijaki*? – przerwał, bo choć był ciekaw, marzył o spełnieniu obietnicy.

Zamknęła oczy i podniósłszy nosek o delikatnych nozdrzach ku sufitowi, wciągnęła powietrze pachnące teraz tylko whisky i seksem:

– Wyobraź sobie bardzo drobno, w paseczki, krojone świeże warzywa. Różne. Kapusta. Marchewka. Pory. Trochę pomidorów. Papryka. Grzyby i co tam ci się zamarzy. Może być nawet boczek, choć ja wolę *okonomijaki* warzywne albo z owocami morza. Rozgrzewasz tę blachę i smarujesz olejem ryżowym. Masz już przygotowane ciasto. Prawie takie jak na naleśniki, z delikatnej mąki i wody. W miseczce mieszasz to płynne ciasto z farszem i chochelką przenosisz tę lejącą się masę na płytę. I to się pięknie razem smaży. Oczywiście grubość i to, czy pod koniec zawiniesz to sobie jak naleśnik, czy będzie to placek, jest twoją sprawą. Czekaj! To nie koniec! – wystawiała na próbę jego cierpliwość. – Do tego robisz sosik. Najlepiej w miseczce zmieszać trochę zielonego chrzanu z delikatnym majonezem. No i oczywiście rzecz, która pewno najbardziej cię zainteresuje. *Okonomijaki* najlepiej smakują z zimnym piwem. Ostatecznie może być sake, którą w Japonii nazywa się *namazake**. W ogóle piwo nigdzie nie smakuje tak dobrze jak w Japonii. Powinieneś tego spróbować.

– O mały włos do tego by doszło, ale jak na razie jestem tranzytem w Rosji i nie wiem, czy uda mi się złapać samolot do Tokio.

To zabrzmiało gorzko i miało nutę pretensji, tak jakby bosa dziewczyna w czarnej wieczorowej sukni, siedząca obok niego i dotykająca go, była współwinna sytuacji, w jakiej się znalazł. Nie zignorowała tej nutki, ale nic nie powiedziała, tylko króciutko i delikatnie, samym muśnięciem pełnych, wypukłych warg pocałowała go w policzek.

– Nie narzekaj. Nie jest chyba tak źle – powiedziała poważnie, ale zaraz poweselała i opowiadała dalej o święcie Obon: – No więc, gdy dusze naszych bliskich poczują się zaproszone, zjawiają się i przez trzy dni można sobie z nimi poobcować.

– Poobcować? – to wydało mu się mętne, a ona zorientowała się, że musi rzecz wyjaśnić tak, by zrozumiał ją ktoś o umyśle właściwym Zachodowi.

– Na Wschodzie większość rzeczy rozumie się poprzez opozycję tych rzeczy, a w konsekwencji poprzez harmonię tej rzeczy, czy pojęcia, i jej opozycji. „Szybko" oznacza dla Japoń-

---

* Niepasteryzowana sake z aktywnymi drożdżami. Pije się ją mocno schłodzoną.

czyka „szybko" w opozycji do „wolno" albo „dlatego teraz szybko, że przedtem wolno". – Podniósł brwi, a Kira niezrażona ironią tego grymasu brnęła dalej w swój wywód, z każdym argumentem nabierając pewności siebie. – Czytałeś pewnie masę książek, słuchałeś kazań, zwykłych rozmów czy dyskusji, w których mówi się o zmartwychwstaniu.

– Chrystusa? – upewnił się.

– Jeśli pomoże ci takie uściślenie, to niech ci będzie Chrystusa. No więc, jeśli się nie mylę – a jeśli jest inaczej, to mi zaraz powiedz – w większości przypadków to zachodnie zmartwychwstanie rozumiane jest i interpretowane literalnie. No nie rób takiej miny – poprosiła, widząc, że marszczy śmiesznie nos.

– Ktoś, kogo zabito albo kto umarł, zginął, pojawia się zwykle w świetlistej aureoli albo lekko przymglony, z okolicznościowym uśmiechem na ustach…

Harold, słuchając jej, przypomniał sobie w tym momencie obraz zdobiący główny ołtarz katolickiej świątyni w jego rodzinnym mieście. Malowidło przedstawiało właśnie zmartwychwstanie Chrystusa i rzeczywiście syn Boży, zstępujący z jakiegoś wcale udatnie odmalowanego obłoku między zachwyconych, ale i lekko stremowanych rozwojem wydarzeń śmiertelników, rozkładał życzliwie ręce (oczywiście jeszcze z dziurami po ćwiekach z krzyża) i uśmiechał się serdecznie, ale nie bez pewnej dozy triumfu. Zupełnie tak, jak zapewne uśmiechał się Fileas Fogg, stanąwszy po osiemdziesięciu dniach podróży dookoła świata w progu głównej sali klubu „Reforma" i wypowiadając historyczne słowa: „Panowie! Oto jestem!"

– …z uśmiechem na ustach – wykładała pełnym zapału tonem swoją teorię. – Pewno jednak ci, którym się takie rzeczy opowiada, rzadko zdają sobie sprawę z tego, że poprzez akt zmartwychwstania, sam w sobie przecież niedorzeczny, rozumieć należy raczej zwycięstwo idei, jej powrót, jej triumf czy nazwij to sobie, jak chcesz. A niekoniecznie to, że ktoś odwalił wieko i wylazł z trumny całkiem świeżutki. Ale całe rzesze wiernych tak właśnie obrazują sobie to, o czym mówię. I tak święto zmarłych na Zachodzie, chociaż z tego, co wiem, poczęło się z przywoływania duchów zmarłych, jest w tej chwili raczej okazją do wspominków, obcowania z pamięcią o zmarłych, a nie obcowaniem z nimi samymi. Wszyscy, którzy biorą w tym udział, manifestują wielki smutek i zadumę. No bo tak wypada. I na dobrą sprawę nikt nie wie, czym jest, bo wszystko się wam już poplątało. Wystarczy wam ten uśmiechnięty, przymglony zmartwychwstaniec i jesteście zadowoleni. Mam rację? – Trąciła go w bok, bo zadumał się nad tym, co mówiła.

Odchylił głowę daleko na oparcie kanapy i przywołując dawno przeżyte sprawy, powiedział:

– Nie wiem, czy masz, czy nie. Ja też te rzeczy rozumiem trochę inaczej i tylko jako dziecko rozumiałem je tak dosłownie. Pamiętam, że rysowałem nawet kredkami jakieś biblijne cuda, rozmnożenie chlebów i gorejące krzaki, i że nauczyciele mnie za to chwalili. Ale rysowałem bardziej dlatego, że bardzo lubiłem rysować, a Biblia jest prawdziwą skarbnicą dobrych tematów dla rysownika, niż dlatego, że byłem religijny. Wyobraź sobie, że na dobrą sprawę nigdy nie byłem religijny i dość wcześnie, zupełnie samodzielnie, wypadłem z łona Kościoła. Tak, tak. Był nawet czas, że byłem wojującym ateistą, tak mi się to wszystko wydawało głupie i szkodliwe. Miałem trzynaście czy czternaście lat i nikt mnie nie namawiał do rezygnacji z wiary. Potem też jakoś tak sam z siebie doszedłem do wniosku, że mam to wszystko głęboko w nosie. To, czy ktoś wierzy, czy nie wierzy i w co. Ale mów dalej. To bardzo interesujące. Od czasu, kiedy wyleciałem z domu na wojnę, jesteś drugim człowiekiem, który usiłuje mi wmówić, że rzeczy są jednocześnie tym, czym są, i czymś zupełnie innym. Mów.

– No więc na Cuszimie przywołuje się zmarłych i jak dadzą się zaprosić, to przez trzy dni je się z nimi i pije. No i oczywiście rozmawia. Jest bardzo fajnie i to w ogóle jest wesołe święto. Ludzie w domach zachowują się tak, jakby zmarli rzeczywiście z nimi byli, siedzieli przy stole. To jest czas dany zmarłym na to, żeby znów mogli choć przelotnie nacieszyć się obecnością wśród żywych. Ale nikt tak naprawdę niczego nie udaje – ani tej radości ucztowania ze zmarłym dziaduniem czy ojcem, ani smutku, bo to nie miałoby najmniejszego sensu. I jakbyś spytał tych ludzi z Cuszimy, czy rzeczywiście ci zmarli są wśród nich, to każdy odpowiedziałby pewno, że oczywiście są, chociaż każdy też doskonale zdaje sobie sprawę z tego, że ich nie ma. Ale dopiero takie postawienie sprawy i takie jej pojmowanie pozwala naprawdę „poobcować" ze zmarłymi, niczego nie udając. I dlatego Święto Lampionów*...

– Zaraz – przerwał jej pilot. – Mówiłaś, że to Obon.

– Na Cuszimie Obon, ale w innych rejonach kraju tak je właśnie nazywa, choć Obon może najbardziej na tę nazwę zasługuje, bo – wyobraź sobie – na trzeci dzień, kiedy ci zmarli muszą się zbierać, jest najfajniej. Wszystko dzieje się po zapadnięciu zmroku w porcie. Cuszima słynie z połowu kalmarów i są tam dziesiątki, a może i setki kutrów. Widziałeś kiedyś taki kuter? Nie? To w zasadzie pływająca latarnia. Nie wiadomo dlaczego tak jest, ale światło to najlepsza przynęta na kalmary, oczywiście w nocy. Więc te kutry, całkiem nieduże, mają potężne agregaty i dwa maszty, na których wiszą dwie największe żarówki, jakie można dostać w sklepie. Nie znam się na tym, ale to światło jest rzeczywiście przeraźliwie jasne. Jak taki kuter wypłynie nocą w morze i zapali te swoje lampy, to już wystarczy tylko spuścić do wody setki linek, z których każda zakończona jest specjalną kotwiczką. Kalmar się wokół niej owija i trzeba go tylko wyciągnąć na pokład.

* W ponadregionalnym wymiarze japoński, a w zasadzie buddyjski, Dzień Zmarłych (nazywany także Świętem Lampionów) nosi nazwę *bon-matsuri*.

370

– Dlaczego się owija? – chciał wiedzieć Harold, któremu nagle zaczęło się wydawać, że Kira jest taką kotwiczką, a on małym naiwnym kalmarem, oślepionym tysiącświecową żarówką jej urody.

– Nie wiem dlaczego, ale tata tłumaczył mi, że kalmarom wydaje się, że taka kotwiczka to partner seksualny i w połączeniu z tym światłem dają się jakoś na to nabierać. No więc na trzeci dzień wieczorem wszyscy, dosłownie cała Izuhara, idą do portu, a każda rodzina niesie taki stateczek pełen smakołyków i kwiatów. Większość tych stateczków jest bardzo prosta i skromna, ale bogate rodziny kupują sobie albo robią prawdziwe cuda. Widziałam nawet takie, które miały ze dwa metry długości i musiało je nieść czterech mężczyzn. W środku – jak ci powiedziałam – pełno jedzenia. Ryżowych ciasteczek, owoców, nawet mała buteleczka sake. Aha, no i w środku każdego stateczku jest oczywiście lampion z papieru z kagankiem w środku, żeby oświetlać drogę.

– A po co to wszystko? – zapytał Harold, który domyślał się odpowiedzi, ale chciał zrobić dziewczynie, zaangażowanej w opowiadanie, przyjemność. – Nie wystarczyłaby sama sake, tyle że w większej butli?

– Jak to po co? Głuptaku… – dziwiła się, że nie pojmuje idei obdarowywania. – Droga do krainy zmarłych jest długa i zaopatrzenie musi być przyzwoite, żeby dusze nie głodowały i żeby niczego im nie brakowało…

– Wiesz co? – Miał straszną ochotę wziąć jej dłoń i znów ulokować na sobie, ale nie pokazał tego. – To ja już zupełnie nie rozumiem, czym niby ma różnić się ten rytuał od pokazywania dosłownego zmartwychwstania. Przecież doskonale wiesz, że tak jak niemożliwa jest rezurekcja kogoś, kto na dobre umarł, tak samo niemożliwy jest powracający na trzy dni zmarły, a w dodatku jeszcze taki, który potrzebuje dobrej sake i klusek.

– Tym – odparła spokojnie – że to zachodnie zmartwychwstanie jest jedyną rzeczą podaną do zrozumienia i przeżycia,
a wyście już naprawdę dawno zapomnieli, co to rzeczywiście
znaczy, bo wygodniej wam wyobrazić sobie takie cudowne
zdarzenie, niż zastanowić się szczerze i porządnie nad jego
głębszym znaczeniem. Japończyk podchodzi do tego inaczej.
Spełnia rytuał z całą powagą i radością, bo sprawia mu to niekłamaną przyjemność. Ale Japończyk doskonale wie, czemu ten
rytuał służy i co oznacza. Dlatego nie udaje smutku na pokaz,
ale autentycznie się cieszy i głównie w ten sposób okazuje szacunek zmarłym. Im zresztą też musi być przyjemnie zaznawać
zupełnie ziemskich uciech, choćby i przez trzy dni... Teraz
rozumiesz?

– Nie do końca. – Potarł wygolony kilka godzin temu podbródek, który już zaczynał trzeszczeć pod palcami. Zarost odra-
stał mu bardzo szybko. – Może żeby to zrozumieć do końca,
trzeba choć raz porządnie umrzeć? – to miał być żarcik, ale
żadne z nich się nie uśmiechnęło i dłuższą chwilę oboje milczeli, myśląc o własnych sprawach.

– No, więc daj mi dokończyć. To niby święto buddyjskie,
ale pełno jest także kapłanów shinto i ich inkantacje przeplatają
się ze sobą. Podobnie jak dźwięki dzwoneczków i gongów.
U kapłanów można sobie zamówić modlitwy za odpływających
zmarłych i nie kosztuje to wiele, czasami wystarczy ich czymś
poczęstować i też się pomodlą, widać sprawia im to przyjemność. Tłok na nadbrzeżu jest taki, że ludzie depczą sobie po
nogach, ale nikt nie ma o to pretensji. I teraz następuje naj-
fajniejszy moment tego święta. Kalmarowce, które stały sobie
na redzie, zapalają te swoje słońca i podpływają do nadbrzeża. Cumują i ludzie mogą dawać załogom swoje stateczki ze
zmarłymi, ich zaopatrzeniem na drogę i lampionem. Musiałbyś
to przeżyć. Granatowa, pełna gwiazd i cykad noc. Dudnienie
kutrowych silników pracujących na wolnych obrotach, gongi
i dzwonki mnichów i ich modlitewne mamrotanie. Ludzie już

zamilkli, bo moment jest podniosły i załogi zacumowanych kutrów także przyjmują statki zmarłych w skupionym, pełnym szacunku milczeniu. Ustawiają je na pokładach, na nadbudówkach, gdzie się da. Światło jest zupełnie upiorne, bo bardzo białe, i olbrzymi księżyc, zawieszony nisko nad horyzontem, nie może konkurować z nim jasnością. Kiedy na to patrzyłam, pomyślałam sobie, że gdyby księżycowi rybacy spuścili z niego do morza linki z kotwiczkami, złowiliby największego krakena, który czule i zaborczo owinąłby się wokół księżycowej przynęty. Kiedy wszyscy już przekażą swoich zmarłych na pokłady kalmarowców, zapada milczenie i słychać tylko dudnienie okrętowych diesli. Zwyczajowo czeka się jeszcze kilka minut na spóźnialskich. Tych, którym trudno było wstać od świątecznego stołu. I oto są. Tłum, usłużnie się rozstępując, robi im drogę, a oni przekazują swoje okręciki w cierpliwe ręce rybaków. Potem tłum zamiera zupełnie, a mnisi przestają się modlić. Kalmarowce oddają cumy i kierują dzioby w stronę otwartego morza. Nad czarną, gładką powierzchnią rozkłada się tłusty, choć delikatny jak przędza dymek silników. Kalmarowce, jeden za drugim, niby zjawiskowe flary opuszczają redę. Popłyną do miejsca nieosłoniętego już przez wzgórza okalające Izuharę, gdzie załogi czują na twarzy i na rękach wiatr wiejący od lądu w stronę otwartego morza. Wtedy zatrzymują się, a marynarze, zapalając kaganki wewnątrz lampionów, spuszczają zmarłych w ich stateczkach na spokojną, lekko tylko sfalowaną i oleistą powierzchnię wody. Po kwadransie setki statków ze zmarłymi, oświetlając sobie drogę lampionami, podążają na wschód, w stronę krainy cieni.

– Zawsze wydawało mi się, że kraina cieni jest na zachodzie? – szepnął Harold.

– Nie bądź nieznośny – odpowiedziała również szeptem. – Może i na zachodzie. Może te stateczki potem, za horyzontem, zawracają i opływając wyspę, kierują się na zachód, w stronę Korei. To zupełnie nieistotne. Podobało ci się?

– Tak – odpowiedział. – Chciałbym tam być. Mogłabyś mnie tam zabrać? Któregoś roku*.

– Kto wie… – rzuciła już głośniej i bardzo konkretnie upewniła się co do rzeczy, na którą sama miała wielką ochotę: – To co? Chciałbyś, żebym go wzięła do buzi? – I nie czekając na potwierdzenie, którego była przecież pewna, zadysponowała: – To idź, opłucz się i przy okazji nalej.

Wręczyła mu puste szklanki. Gdy wrócił, owinięty w biały ręcznik, siedziała na dywanie, ale pozbyła się swojej dystyngowanej jedwabnej powłoki i miał ją przed sobą tylko w czarnym staniczku, którego jedynie dolna połowa miseczek zachowywała przyzwoitość. Górna była całkiem przezroczysta. I w małych, czarnych, koronkowych majteczkach. Gdy on skrupulatnie, tak by nic nie uszło jego uwadze, w strumieniu ciepłej wody mył swój drążek sterowy, a potem długo wpatrywał się w zaczerwienione szczyty policzków i rozpływające się już od mocnego alkoholu oczy, ona pozbyła się sukni i konwenansów. Osunął się tuż koło niej do pozycji *seiza*†.

– Czy nie moglibyśmy po prostu… – zaproponował w nadziei, że odzyska inicjatywę w tej dziwnej rozgrywce.

– Nie. Nie moglibyśmy. Nie dzisiaj – odparowała gwałtownie, a on zdziwił się:

– Czy to coś złego, żebyśmy tak normalnie… no wiesz?

– Nie teraz, Harold, zrozum. Niezależnie od ról, jakie tu odgrywamy, i celów, do których dążymy…

Przerwał jej brutalnie:

– Albo za które nam płacą.

– Albo za które nam płacą… – podjęła pokornie, pokonana jego bezpośredniością. – Niezależnie od tego… Zrozum. Gdy-

---

* Opisuję Obon tak, jak go widziałem w 1998 roku. Przed wojną wodowano arki zmarłych. Dziś wywozi się je w morze na pokładach kalmarowców, ale nie spuszcza na wodę ze względów ekologicznych. Wracają na ląd i są utylizowane.
† W treningu sztuk walki – pozycja siedząca.

bym teraz ci się oddała, nie potrafiłabym już nigdy ci się oprzeć. Nie utrudniaj. – W dwóch krokach smukłych, szczudłowatych nóg znalazła się tuż koło niego. Zadysponowała: – Połóż się, Harold!

Posłusznie opuścił się na plecy i instynktownie rozluźnił mięśnie, a ona jednym trafnym ruchem odwinęła go z białego wykrochmalonego ręcznika.

– Kapitanie Darrell?

– Taaak? – Był gotów reagować na najdrobniejsze drgnienia jej duszy.

– Czy może pan delikatnie, ale tak, jakby pan dotykał rozsypującego się pod najlżejszym oddechem kształtu, ulepionego z wulkanicznego popiołu, dotknąć mojej twarzy?

Była tuż przy nim. Nie zdążył nawet tego zarejestrować cielesnymi receptorami, nawykłymi wszak do rejestrowania jej zbliżenia. Była szybka i bezbłędnie wytrenowana. Każdy jej ruch zaczynał się leniwie i niespiesznie, a kończył błyskawicznie i niespodziewanie. Była stworzona do walki. We wszystkich jej niezliczonych aspektach. Również w tym. Posłusznie obrócił się na plecy, a gdy pochyliła się nad nim, pełna znaczeń i tajemnic, wyciągnął dłoń ku jej twarzy i najdelikatniej jak umiał, tak jakby odgarniał piasek wokół zapalnika wyjątkowo czułej miny, wysunął opuszki palców na spotkanie jej skóry. Poddawała się temu przez dłuższy czas, nie pozwalając dłoniom pilota dotknąć innych miejsc na ciele i wyobrażając sobie, że jest kolorową delikatną rybką, droczącą się z parzydełkami ukwiału zakotwiczonego na łagodnie opadającym, podmorskim stoku ciepłych, spokojnych wód, oblewających Cuszimę. Pływała tam przecież w mglisty, ale przyjemnie ciepły dzień, unoszona jak szczęśliwy obłoczek nad dnem, które można było obserwować, dopóki starczyło powietrza. Potem cicho i spokojnie obsunęła się niżej, lokując się wygodnie między udami mężczyzny i przez chwilę oglądała w tej pozycji swą ofiarę – a była w jej wzroku pożądliwa zieleń spojrzenia tygrysa pewnego zdobyczy. Chciał na nią patrzeć, ale trudno mu było utrzymać w tej pozycji głowę, a ona najwidoczniej nie chciała być podglądana. Zamknął więc oczy, ułożył skołataną głowę na dywanie i kolejne fazy operacji odbierał tylko dotykiem. Może to i lepiej, bo ten rodzaj miłości uwalnia wyobraźnię i nic nie powinno jej przeszkadzać. Jest w tym ponadto coś muzycznego, bo cała napięta oczekiwaniem świadomość mężczyzny przenosi się z głowy w to właśnie miejsce, a potem, dzięki kojącemu i ciepłemu dotknięciu, zostaje nagle wyzwolona i buja nad stymulowanym ciałem na kształt ledwie trzymającego się na cieniutkiej niteczce balonika, który za wszelką cenę próbuje wyrwać się ku górze. Balonik wypełniony jest marzeniami i cieniem dawnych podobnych przeżyć – i przez chwile odnosi się wrażenie, iż ten boski moment był, jest i będzie zawsze taki sam. To oczyszczający drenaż psychiki, czas absolutnego odprężenia i czystego doznawania. Kira wyglądała, jakby grała na klarnecie czy raczej usiłowała wydobyć z tego niełatwego przecież instrumentu artykułowane dźwięki, nie znając technik zadęcia i aplikacji. Odniósł wrażenie, że po raz pierwszy, odkąd się poznali, ta dziwna dziewczyna jest naprawdę sobą i żaden dystans nie oddziela jej od tego, co akurat robi. Oczy miała zamknięte, a mięśnie pięknej twarzy i język pochłonięte były całkowicie jakimś wyjątkowo skomplikowanym pasażem. Najwyraźniej jej starania i wynikające z nich przyjemności były szczere.

– Jesteś pewna, że tak? – upewnił się zduszonym głosem.

Otworzyła oczy i ujrzał w nich irytację wirtuoza, któremu kaszląca publika zakłóca perfekcyjną interpretację. Kiwnęła głową, choć ruch ten ograniczony był amplitudą sztywnego i obrzmiałego klarnetu. Potem oboje, jak na komendę, zamknęli oczy i rozpoczęli powolną wspinaczkę, chcąc osiągnąć zamierzony pułap.

Dokładnie o sześć godzin na wschód inny zespół, równie dobrze ze sobą współpracujący, także rozpoczął mozolne wspinanie się w górę. Dokładnie godzinę temu, w momencie gdy Kira wychylała pierwszego drinka, jeden z członków tego zespołu ostatni już raz wcisnął się przez wąską śluzę do komory bombowej po to, by zamienić wtyczki w kolorze zielonym na identyczne w kształcie, lecz w kolorze strażackiej, wściekłej czerwieni. Jeszcze wcześniej ten sam człowiek przy pomocy innego załoganta szesnastoma obrotami klucza nasadowego uwolnił pancerną płytę i włożył kolejno cztery kawałki kordytu do zamka, pamiętając o tym, że czerwone końce muszą być skierowane we właściwą stronę. Potem przeszedł do sekcji, w której znajdowało się stanowisko inżyniera pokładowego, i na osobnej, zamontowanej przed lotem tablicy sprawdził obwody kontrolne. Po wymianie wtyczek należało jeszcze włączyć wewnętrzne zasilanie. Teraz to coś, co zajmowało poczesne miejsce w komorze bombowej, zaczęło wieść zupełnie niezależny żywot, jak noworodek odcięty od pępowiny łączącej go z matczynym łożyskiem.

O ósmej czterdzieści samolot, niemal dokładnie taki sam jak samolot Harolda, był już wysoko nad ziemią; wysoko-ściomierz wskazywał dziewięć i pół kilometra. Trzeba było doładować ciśnienie w hermetycznych sekcjach maszyny i podkręcić ogrzewanie. Zewnętrzny termometr wskazywał minus dwadzieścia trzy stopnie. Jeszcze tylko dziesięć minut i absurdalnie wyrazista z tej wysokości linia, oddzielająca wodę od ziemi, zasygnalizuje, że nadlecieli nad Sikoku. Choć obrona myśliwska dawno już nie istniała, wszyscy prócz pilotów, wzdychając, włożyli hełmy i kamizelki przeciwodłamkowe, a dowódca kazał załodze włożyć okulary ochronne ze szkłami filtrującymi i eliminującymi w znacznym stopniu szkodliwe dla oczu promieniowanie. Już na trzydzieści dwa kilometry od celu rozpoznali go dzięki charakterystycznemu położeniu w delcie przedzielonej siedmioma odnogami. Bombardier rzucił krótkie „widzę" i włączył celownik, przejmując prowadzenie maszyny.

Operator radaru śledzącego ziemię na bieżąco podrzucał mu poprawki kursowe. Bombardier, posłuszny celownikowi i radarzyście, delikatnie kręcił karbowanymi gałkami, przekazując automatycznemu pilotowi poprawki. Byli już nad Morzem Wewnętrznym, ale lecąc na pełnym gazie, z szybkością prawie pięciuset trzydziestu kilometrów na godzinę, nie ustrzegli się pięciostopniowej odchyłki na zachód. Zdążyli jeszcze zauważyć, że na redzie portu stoi osiem dużych jednostek, ale z tej wysokości nie można było rozpoznać, czy są to transportowce, czy okręty wojenne.

Harold był na wysokim pułapie, na który wspinał się gwałtownie po migających pod zamkniętymi powiekami szczeblach fascynującego procesu. Nie można było przestać, bo każde zwolnienie, każde zawahanie się lub zatrzymanie mogło, niczym gwałtowna turbulencja, rzucić go o setki metrów poniżej osiągniętej już wysokości. Kira wyłączyła sprężarkę i operowała teraz delikatnie gładkim i śliskim czubeczkiem języka, a zetknięcie dwóch śliskości, jednej szklistej i perłowej, drugiej ciepłej i obejmującej, wprawiło ciało i duszę pilota w dygot, jaki jest udziałem agregatu z rozpadającym się łożyskiem na granicy zatarcia.

W przecięcie skrzyżowanych nitek nordena z wolna wpływał most spinający brzegi rzeki i wyspę okoloną przez dwa dopływy. To był dobry punkt odniesienia. O wiele lepszy niż zakłady zbrojeniowe w otoczeniu tulących się do nich osiedli robotniczych. Bombardier, orientując się, że zniosło ich na zachód, czułymi ruchami pokręteł wprowadził ostateczną poprawkę i polecił radiooperatorowi nadać sygnał informujący dwa pozostałe samoloty, że zostały już tylko dwie minuty. Po kilkudziesięciu sekundach sprawdził wszystko jeszcze raz i polecił nadać ciągły sygnał dla akolitów w postaci dwóch asystujących samolotów. Zostało tylko piętnaście długich sekund. Pomiędzy znacznikami doskonałego celownika Norden płynęło powoli i majestatycznie ze wchodu na zachód miasto. Jakby ktoś przesuwał mapę po podłodze hangaru. Młodziutki bombardier z kilkudziesięcioma lotami bojowymi na koncie, z których ponad sześćdziesiąt odbył w piekle Europy, nie musiał już nic robić. Norden działał sam. Gdy urwał się ciągły sygnał, ważąca cztery tony bomba wypadła z komory i poszybowała w dół. Przetyczki bezpieczników wysunęły się ze swoich gniazd, uruchamiając mechanizmy zegarowe, a samolot, uwolniony od znacznego ciężaru, podskoczył jak chłopiec, który nie musi już taszczyć ciężkiego plecaka. Dowódca szybko wyłączył autopilota i przejął stery, wprowadzając maszynę w nurkowanie, by jak najszybciej znaleźć się jak najdalej od bujającego na spadochronie ładunku.

Harold mógł już wyłączyć świadomość pomagającą dziewczynie w naprowadzaniu jego fizjologii i psychiki na ostateczny cel. Kira zaś odłączyła działanie dłoni, umieszczając je u podstawy i zdając się na instynkt dany każdemu ssakowi; wyczuwała ostateczność swoich działań delikatną tkanką dziąseł i czujnikami języka. To były już tylko lekkie, wprowadzające partnera na granice ekstazy korekty szybkości i zakresu.

Choć byli już w odległości dwudziestu kilometrów od epicentrum, tylny strzelec zobaczył zachwycony, że cała przezroczysta sfera atmosfery drgnęła, jakby ktoś potrząsnął silnie gigantycznym akwarium. Nigdy dotychczas nie widział, żeby ktoś albo coś zdołało potrząsnąć powietrzem. Wewnątrz samolotu błysnęło, jakby użyto tu gigantycznego flesza. Bombowiec zawrócił i wtedy mogli zobaczyć, co uczynili. Całe miasto okryło się bulwiastą chmurą gotującego się dymu. Poczuli w ustach smak ołowiu, a może tylko tak im się wydawało.

Mignęły mu pod zamkniętymi powiekami zwały skłębionych ni to chmur, ni to strzępów świetlistego dymu. Później doznał gwałtownego olśnienia i musiał mocniej zacisnąć powieki, a potem zaczęła się konwulsyjna ulga i wydawało mu się, że gdzieś dołem ucieka z niego sprężona do ostateczności dusza, a może świadomość. Ale nie. Z pewnością nie. Zachwyconej eksplozją... świadomości miał aż nadto.

Po pierwszej, bezpośredniej fali uderzeniowej nastąpiła druga, odbita od powierzchni ziemi, a samolot, pchnięty miękką niewidzialną pięścią, zaczął podskakiwać, dygotać i trzeszczeć niczym stara stodoła, którą wiejskie urwisy obrzucają kamieniami. Gdy to się uspokoiło, po raz drugi spojrzeli na miasto. Czarne, oleiste kotłowisko pyłu i dymu wciąż wrzało, a płomienie zaczęły mozolną wspinaczkę na stoki otaczających wzgórz. Ze środka dymiącego, kolistego tygla wyrastał trzon monstrualnego grzyba, którego kapelusz, pozornie nieruchomy i statyczny, zbudowany był z kotłującej się masy. Grzyb opiekuńczo pochylał się nad gigantycznym koliskiem kilkusetmetrowej warstwy dymu, szczątków i popiołu. Doznali ulgi danej chyba tylko bogom rządzącym zagładą.

Ulga, której doznał, dana była chyba tylko bogom rządzącym ludzką rozkoszą. Pomyślał sobie, że po czymś takim mógłby już do końca życia nie zbliżać się do żadnej kobiety. Tak bardzo było to warte zapamiętania.

Pomyśleli sobie, że w momencie posadzenia tego grzyba wojna się skończyła, bo nie można zrobić już niczego bardziej imponującego i potwornego.

3 sierpnia 1947, lotnisko Tuszyno w Moskwie

„Trzeba poprawić i to szybko!" – to były najczęściej wypowiadane przez niego słowa w ciągu ostatnich dwu lat. Wbrew temu, co sugerował, kazano mu zdążyć z pierwszymi egzemplarzami na ten właśnie dzień – Święto Lotnictwa*.

Ta cholerna i zupełnie niezrozumiała mania zdążania z różnymi rzeczami na różne rocznice i święta! Ponieważ było ich bez liku, ciągle trzeba było się spieszyć, co nie wychodziło projektom na dobre. Czasami, gdy miał lepszy humor, zastanawiał się nad przyczynami tej wszechogarniającej rocznicowości. Czy inne narody też jej ulegają? Spytał nawet przy okazji Darrella, a ten, nim odpowiedział, namyślał się dobrą minutę, drapiąc opaloną głowę ze szczecinką krótkiego jeżyka:

– Wie pan, nigdy się nad tym nie zastanawiałem. Oczywiście obchodzimy różne święta i jest wtedy wielka feta, a ludzie chyba to lubią. Parady, defilady, orkiestry… ale coś, co u was odbywa się w związku z tym, wykracza znacznie poza moje rozumienie. Owszem, nawet u Boeinga obchodziliśmy rocznice założenia wytwórni. Potańcówki, premie, szampan, jakieś przemówienie prezesa, ale na tym koniec. Nikt przy zdrowych zmysłach nie zakłada przecież, że coś musi być gotowe na taki właśnie dzień. Od tego są harmonogramy projektów, które zakładają możliwość obsuwy…

– Czego? – przerwał, nie rozumiejąc Tumiłow, a Amerykanin cierpliwie tłumaczył, wtrącając rosyjskie słowa i wyrażenia:

– Tak się u nas mówi. To znaczy, że coś niespodziewanie się obsunęło i trzeba wprowadzić poprawki do harmonogramu. Owszem, mamy też tak zwane dead line'y…

* Dokładnie *Dień Wozdusznowo Flota* obchodzony tradycyjnie w sierpniu.

– Czyli? – znów chciał wiedzieć konstruktor.

– W dosłownym tłumaczeniu, to linia dzieląca życie od śmierci i w tym sensie mamy nawet pewne analogie. Bo tu za przekroczenie tej linii można chyba dostać kulkę w łeb?

– Tumiłow nie rzekł nic, tylko pokiwał głową, rozglądając się jednocześnie i sprawdzając, czy nikt nie słucha ich rozmowy, a Amerykanin ironizował dalej, korzystając ze swej uprzywilejowanej pozycji: – Oczywiście, podczas wojny maksymalnie przyspiesza się projekt i wtedy bardzo serio traktuje się terminy, bo od tego może zależeć życie i śmierć, ale przecież nie konstruktora. A tu? Przecież to jakaś choroba. Po to, żeby zdążyć na jakiś tam dzień, który niczym nie różni się od następnego albo tego, który będzie za tydzień, gnacie jak wariaci. Partolicie. Jak coś się nie trzyma, to zwiążecie drutem, zaszpachlujecie i też jest dobrze. Nieważne, że w minutę po defiladzie wszystko się rozwali w drzazgi. Przecież to obłęd.

– Pewnie, że tak – cierpliwie kiwał głową Tumiłow – ale nie należy o tym zbyt głośno mówić. A w tym, co wydaje się panu takie absurdalne, mamy spore doświadczenie. Historyczne. Słyszał pan może kiedyś o „wsiach potiomkinowskich"? Nie? To dopiero była *dead line*. W osiemnastym wieku ten Potiomkin, gubernator Nowej Rosji, zorganizował dla carycy inspekcyjną trasę z biegiem Dniepru. Chciał pokazać, jak świetnie zagospodarował prowincję tylko co wydartą Turkom. To był pomysłowy facet. Zmontował kilka przenośnych „wiosek" i poustawiał w najlepiej widocznych punktach wzdłuż rzeki. „Ludność" wytresował tak, że gdy tylko cesarska łódź pojawiała się w polu widzenia, przebrani za czyściutkich i wesołych wieśniaków najemnicy tego oszusta zaczynali wznosić radosne okrzyki na cześć carycy i oczywista towarzyszących jej zagranicznych oficjeli. Dał im fujarki, wianki i ufryzowane owieczki. Gdy tylko łódź znikała za zakrętem, sprawnie demontowali dekoracje i przez noc ustawiali je na nowo, nieco dalej w dół rzeki. Ale nie sądzę, żeby ta potężna baba o tym nie wiedziała, bo przecież spała z tym cwaniakiem. Myślę, że przedstawienie było skierowane przede wszystkim do zagranicznych obserwatorów, a scenariusz ułożyli wspólnie właśnie w jej łóżku. Te nasze rocznice, które pana tak bawią, to chyba stąd. Liczy się pozór, a nie to, co istotne...

Przerwał i znów rozejrzał się wokoło, myśląc, że chyba jednak za dużo sobie pozwala.

„Trzeba poprawić i to szybko" – znów zaklekotało mu w głowie. Za kilka minut okaże się, co przyniosła ta polityka. Wiele by dał, żeby ten dzień już się skończył i żeby wszystko się udało. Przecież sierpniowy dzień jest taki piękny. Na przekór wszystkim niepokojom Andriej czuł się wspaniale w białym, letnim mundurze. Na szerokich, sztywnych pagonach kurtki pyszniły się dwie gwiazdki i złoty galon. Nad lewą kieszenią skromny, bo tylko potrójny rząd orderowych baretek, ale dwu odznaczeń, z których był najbardziej dumny – Orderu Lenina i Sztandaru Pracy – nie zastąpił baretkami, lecz przypiął je symetrycznie poniżej obojczyków. Biała czapka z granatowym otokiem także była wspaniała, a złoty bączek z gwiazdą niemal tak ładny, jak kiedyś carski. Okulary też były znakomite. Idąc za radą Darrella, sprawił sobie lekkie i delikatne. Poza wszystkim schudł od ciężkiej pracy i opalił się, często asystując przy próbach bombowca. Obok niego siedziała bardzo atrakcyjna trzydziestopięciolatka Walentyna Siergiejewna Grizobierioznaja, bo Tumiłow, namówiony przez amerykańskiego pilota, wreszcie postanowił zafundować sobie kochankę. Był niemal pewien, że wykształcona i świetnie się ubierająca Wala o pełnych wargach i figlarnie zadartym nosku jest agentką podstawioną przez Każeduba, który lubił wiedzieć, co dzieje się w łóżkach jego pupili.

Tezę tę mógł potwierdzać tryb najzupełniej dziwnego i niespodziewanego pojawienia się Wali w życiu Andrieja. Ale Andriejowi to bynajmniej nie przeszkadzało. Starał się w jej obecności ostrożnie i umiarkowanie narzekać na stosunki (bo całkowite milczenie w tej sprawie uznałaby zapewne za podejrzane) i korzystał z wszelkich dobrodziejstw takiego układu, na ile pozwalały mu wciąż szwankujące zdrowie i kondycja. Przyjemnie było pokazywać się z piękną, seksowną kobietą, i to najzupełniej bezkarnie, bo przecież nikt nie powie mu złego słowa, krytykującego związek, jeśli jest narzucony niejako „z urzędu". Wala także wydawała się zadowolona z układu. Poza tym miał w jej osobie osobistego lekarza, była bowiem laryngologiem. Gdy któregoś dnia Tumiłow poskarżył się majorowi Smoliarowowi, który jak cień towarzyszył wszystkim fazom projektu, na przewlekłe kłopoty z zatokami, ten już na drugi dzień zaofiarował się zawieźć konstruktora do laryngologa. Pierwsza wizyta w czyściutkim i przytulnym gabinecie na Stromynce, nieopodal Sokolników, była w jego męskim życiu wielkim i w pewnym sensie przełomowym wydarzeniem. Zapamiętał ją na długo.

Smoliarow kurtuazyjnie zaproponował, że zaczeka w samochodzie, a Tumiłow, który generalnie nie znosił lekarzy i leczenia, z mieszanymi uczuciami wgramolił się po stromych schodach czystej i starannie odmalowanej klatki. Drzwi otworzyła mu piękna, postawna dziewczyna o orzechowych oczach i wspaniałych prostych włosach, upiętych w ciężki kok. Myślał, że to pielęgniarka, spodziewając się zastać w gabinecie kogoś w typie Łomonosowa, w złotych binoklach na nosie. Tymczasem laryngologiem, i to wziętym (bo z jej porad korzystała lotnicza generalicja), okazała się właśnie Grizobierioznaja. Ulokowała go w fotelu i obserwując go życzliwymi, ale i ciekawskimi oczami, spytała:

– W czym możemy pomóc, towarzyszu konstruktorze?
– A był w jej tonie i w składni tego zdania delikatny ton ironii i dystansu do rzeczywistości. Wtedy zwierzył się jej, że od roku jest we władzy jakiegoś demona, który ulokował mu się w nosie i w okolicy czoła, i że najskuteczniejszą metodą byłaby taka, którą stosują syberyjscy szamani. Powiedziała wtedy, delikatnie dotykając ciepłą dłonią jego istotnie rozgorączkowanego czoła:

– Niech pan oprze wygodnie głowę, o tu. Obejrzymy sobie tego demona.

Gdy skończyła, a on ocierał załzawione oczy, siadła naprzeciw, krzyżując świetne nogi o smukłych kostkach i wsadzając drobne piąstki głęboko w kieszenie białego, zawiązywanego na plecach kitla. (Pomyślał wówczas, że chętnie rozwiązywałby powoli tasiemki tego kitla.)

– Pan byłby bardzo dobrym diagnostą... – Przeciągnęła spojrzeniem po jego krępej, oklapłej od siedzącego trybu życia sylwetce, a gdy milczał, wyjaśniła: – To rzeczywiście demon i to nieźle zadomowiony. Podejrzewam, że w pańskich zatokach pasą się wszelkie znane laryngologii szczepy paciorkowców, gronkowców i czego tam jeszcze. Zrobimy wymaz i dowiemy się, ilu diabłów w sobie pan nosi i jakie mają imiona. A potem odczynimy uroki i wykurzymy je raz na zawsze. Jak pan sypia?

– Źle – poskarżył się. – Nos mi się stale zatyka i muszę spać prawie na siedząco. No i to obsuszenie śluzówki. Czasami wydaje mi się, że się duszę.

– Nic dziwnego – potwierdziła i spytała: – Nikt nie usiłował panu pomóc?

Podobało mu się to, że nie używała wobec niego formy „wy" i że nie wyśmiała jego demonicznej teorii.

– Widzi pan – wyjaśniała łagodnym, pełnym szacunku tonem, zupełnie odartym z typowej dla specjalistów buty i arogancji. – Było raz lepiej, raz gorzej, ale nikt pana porządnie nie przeczyścił i te rozliczne infekcje po okresach uśpienia znów się uaktywniają. Sam pan powiedział, że to trwa od roku? – Pokiwał głową rad, że ktoś wreszcie mu uwierzył. – Czy może pan pojechać na miesiąc nad Morze Czarne albo Kaspijskie i kąpać się co najmniej dwa razy dziennie? – Uśmiechnął się, jakby usłyszał dobry żart, a ona nie potrzebowała dalszych wyjaśnień. – W takim razie musi pan sobie urządzić uzdrowisko w wannie.

Wstała sprężyście i na tych swoich świetnych nogach, które kojarzyły mu się z delikatnym podwoziem sportowego, wyczynowego samolotu, pomaszerowała do sąsiedniego pokoju, który najwidoczniej służył jej za salon i sypialnię jednocześnie. Wróciła i wręczyła mu słoik szarawej, grubo skrystalizowanej soli:

– To z Morza Martwego. Rano i wieczorem, gdy pan będzie się kąpał w wannie, proszę zrobić w kubku roztwór z jednej łyżeczki (woda musi być lekko ciepła) i wciągać mocno do nosa, a potem zaraz wydmuchiwać, o tak. – Składając dłoń w łódeczkę, zademonstrowała nieskomplikowaną technologię kuracji.

– Przecież się utopię w ten sposób – zaprotestował, a ona poklepała go uspokajająco po kolanie.

– Bez obaw. Tylko z początku to jest nieprzyjemne, potem się pan przyzwyczai, a po tygodniu zatoki będą czyste jak ta nereczka. – Wskazała białe porcelitowe naczynko, w którym poukładano laryngologiczne wzierniki i tym podobne okropieństwa.

Zrobił, jak kazała, i rzeczywiście już po kilku dniach zaczął lepiej sypiać, a dwa ciężkie kamienie, które, jak mu się zdawało, nosił po obu stronach czoła, robiły się coraz lżejsze. Na kolejną wizytę wybrał się już bez asysty majora, za to z bukietem róż. Bukiet nie zdziwił jej ani nie zaskoczył. Tak jakby właśnie tego się po nim spodziewała. Miała już wyniki, które potwierdzały jej diagnozę. Zakola nosowych zatok Tumiłowa gościły rozliczne kultury i szczepy. Niektóre – jak twierdziła Wala – bardzo rzadkie. Po miesiącu kuracji i kilkunastu dość przykrych zabiegach, które, co trzeba podkreślić, w jej wykonaniu miały dla niego masochistyczny urok, jego górne drogi oddechowe zaczęły funkcjonować jak należy i oddychanie zaczęło mu znów sprawiać radość. Przy okazji namówiła go, by rzucił palenie, co potraktował jak rozkaz i bez żalu rozstał się z trującym nałogiem. Zaczęli się spotykać, z początku w jej gabinecie, jak chciał, pod pretekstem leczenia przewlekłego schorzenia górnych dróg oddechowych. Ale po dwóch miesiącach namówiła go, by pokazywać się oficjalnie, bo przy jego stanowisku i pozycji romans musi wcześniej czy później wyjść na jaw. Musiała być widać pewna tego, co mówi, i własnej silnej pozycji, bo istotnie nikt nie czynił mu z jej powodu najmniejszych wyrzutów czy choćby uwag. Była dla niego, na tym etapie życia i kariery, kochanką i partnerką idealną. Przy czym nie wkraczała nigdy na tereny zarezerwowane dla jego, szczątkowego już co prawda, życia małżeńskiego i rodzinnego.

Tumiłow nie miał wielkich wymagań i nie męczył jej w łóżku, a jego towarzystwo zapewniało jej obracanie się w pobliżu najważniejszych wydarzeń na orbitach władzy. W białym, wymodelowanym na wzór męskiego kapeluszu, którego rondo ocieniało opaloną buzię, w białym, idealnie skrojonym kostiumie z lekko podwatowanymi (najmodniejszymi w tym sezonie) ramionami, w drogich pantoflach, skropiona paryskimi perfumami czuła się wspaniale i z nadzieją patrzyła w tuszyńskie niebo. Prowizoryczna trybuna aż uginała się od ważnych osobistości, a konstruktorska para miała całkiem dobre, choć nie pierwszoplanowe miejsca na lewym skrzydle. W sektorze rządowym byli wszyscy, co trzeba, łącznie z najważniejszym, a dyskretnej obstawy niemal nie było widać. Zaproszono też zagranicznych obserwatorów. Nie zapomniano również o dziennikarzach. Najwidoczniej Stalinowi zależało na tym, by świat ich oczami dokładnie obejrzał sobie postępy radzieckiej myśli technicznej. Andriej był dziwnie spokojny, choć zdawał sobie sprawę z konsekwencji, które nastąpią, w razie gdyby coś nie wypaliło. Jak to mówił Harold? „Obsuwa". Dajmy na to, że jeden z czwórki, przelatując tuż nad ziemią, nagle eksploduje albo wyrżnie w trybunę pełną gości i ważniaków. Albo coś odpadnie i wirując w powietrzu, wyrżnie w murawę. Nie takie rzeczy zdarzały się na rocznicowych paradach. Pamiętał, jak przed wojną, na pokazie akrobacji myśliwskich I-16, dwa samoloty przy pełnej szybkości miały minąć się w półbeczce, którą jeden kręcił w prawo, drugi w lewo – i to wszystko ledwie pięćdziesiąt metrów nad ziemią! Na treningach wszystko szło idealnie i zapierający dech manewr udawał się za każdym razem. Podczas parady było jeszcze efektowniej, bo myśliwce za późno rozpoczęły manewr i palnęły się czołowo z zsumowaną prędkością sześciuset kilometrów na godzinę akurat naprzeciw rządowej trybuny. Huk był najzupełniej potworny, jakby wybuchło całe niebo nad lotniskiem. Powietrzna eksplozja była tak imponująca, że na ziemię niewiele co spadło. Ledwie kilka żałosnych kawałków i jakieś palące się szmaty. Albo choćby ten dziwny przypadek, który miał miejsce przed rokiem, w lipcu, podczas pokazu techniki odrzutowej dla tuzów z armii i przemysłu. Najpierw Gieorgij Szyjanow przeleciał zdobytym w ostatnich dniach przed kapitulacją III Rzeszy heinklem162[*]. Potem inny oblatywacz, niejaki Iwanow, z hukiem przeleciał im nad głową na najnowszym odrzutowcu Jakowlewa – jaku 15. Na koniec pilot i inżynier w jednej osobie, Aleksiej Grinczik, demonstrował zebranym najnowszy prototyp zespołu Mikojana i Guriewicza, I-300, o którym było już głośno z okazji rekordowego wyczynu[†]. Gdy nowy odrzutowiec na wysokości zaledwie dwustu metrów przelatywał nad trybuną, od lewego skrzydła odpadła lotka, a płatowiec błyskawicznie odwrócił się na plecy, wywinął orła i walnął efektownie w ziemię, podmuch eksplozji zerwał zaś cywilom kapelusze z głów. Ponoć wcześniej maszynę trapiły zagadkowe wibracje, ale cóż – zapewne zdecydował rozkaz z góry i niedopracowana maszyna zabiła kolejnego bohatera. Rocznicowa mania omal nie zamordowała samego Mikojana, bowiem na Kremlu zdecydowano, że na defiladę 7 listopada, z okazji rocznicy rewolucji, każdy z „odrzutowych"

[*] Heinkel He-162 Salamander. Konstrukcja realizująca ideę „myśliwca ludowego", taniego, prostego w budowie i obsłudze odrzutowca, który miał być produkowany w liczbie 4000 sztuk miesięcznie. Przed kapitulacją powstało 800 egzemplarzy, których użycie nie zdołało odwlec klęski.
[†] I-300 w czerwcu 1946 jako pierwszy samolot w Sowietach uzyskał prędkość 911 km/h na wysokości 4,5 tysięcy metrów.

konstruktorów, w osobach Mikojana, Jakowlewa i Ławoczkina z jego pokraczną, beczkowatą „150"*, przygotuje eskadrę dziesięciu – piętnastu samolotów. Rzucili się do roboty jak wariaci, bo wszystkie te konstrukcje latały na słowo honoru i nikt do końca nie mógł przewidzieć, jaki numer wykręcą w kolejnym locie. Mikojan wyrwał się z pracy na trzy dni i odwiózł żonę i córkę na Krym. Wlazł do morza i dostał w wodzie rozległego zawału serca. Ledwo go odratowano. W czasie gorączkowych treningów przed defiladą odrzutowce zabiły jeszcze kilku pilotów, a gdy udało się wreszcie przygotować trzydziestu dwu śmiałków, 7 listopada wstał tak chmurny, mroczny i śnieżny, że całą zabawę trzeba było odwołać.

Gdyby coś takiego przydarzyło się którejś z jego konstrukcji, byłby to zapewne kres kariery. Wróciłby znów do więzienia, a może by go nawet rozstrzelali. A może nic by się nie stało? Przecież na tym etapie zaawansowania projektu nie poradziliby sobie już bez niego za diabła. Cóż, dumał wesoło, bo nawet perspektywa rozstrzelania jakoś go nie przerażała. „Mogłem przecież zostać księgowym albo ekspedientem w sklepie. Bycie najlepszym konstruktorem w tych czasach okazywało się zawodem wysokiego ryzyka".

– O czym tak dumasz? – Wala wzięła go pod ramię i z przyjemnością spojrzał w jej duże orzechowe, leciutko zezujące (co tylko dodawało jej wiedźmowatego uroku) oczy.

– Zastanawiam się, kiedy się wreszcie zacznie. Rozumiesz, że czuję się trochę jak dyrektor cyrku, który po raz pierwszy wpisał na afisz numer z nowym, dopiero co wytresowanym słoniem. A co będzie, jak bydlę nie będzie chciało stanąć na beczce na jednej nodze, tylko zacznie latać naokoło areny, trąbiąc albo zrobi na środku wielką kupę?

– Przesadzasz. – Czule uścisnęła jego dłoń i poprosiła: – Daj mi lepiej lornetkę. Pooglądam sobie znajomych, a może z ruchu

---

* Ła-150 F. Myśliwiec odrzutowy Ławoczkina. Konstrukcja nieudana. Samolot nie zrealizował zakładanych osiągów.

warg uda mi się odczytać, czy o nas plotkują. – Roześmiała się z własnego żartu, który nie do końca był żartem.

– Tylko nie rób tego zbyt ostentacyjnie. Mam dość plotkowania i zainteresowania moją osobą. Najchętniej wyjechałbym stąd w diabły na jakąś bezludną wyspę z garstką wiernych towarzyszy, jak kapitan Nemo, i tam w tajemnicy przed światem zbudował taką machinę latającą, jakiej nikt jeszcze nie widział. Mogłaby... mogłaby... – ciągnął zabawnym tonem, widząc, że autentycznie ją to rozbawiło – latać, pływać pod wodą i na wodzie, strzelać i znikać. Jakby było trzeba. Potem terroryzowałbym cały świat. Wszystkich po równo, aż oddaliby mi swoje najpiękniejsze dziewice. Szkoda, że nie ma tu mojego dobrego znajomego z więzienia...

– Niby kogo? – zainteresowała się.

– Taki stary Mongoł. Premier w dodatku – odpowiedział Andriej i nagle zaczął się zastanawiać, jak wiele przez te wszystkie lata udało mu się ocalić z Tarbagana. – Opowiadał mi historyjki o Tarbaganie.

– O kim? – Wierciła się na twardej, zbitej byle jak z ledwo oheblowanych desek ławce.

– O kim? – powtórzył jak echo. – Ach! – Uśmiechnął się. – Taki stepowy spryciarz. Świstak. Wszystkich kołuje, ale uczciwie. Jeśli to w ogóle możliwe. Wszystkich – powtórzył i pomyślał: „Jaką część z tego Tarbagana udało mi się przechować? Ocalić? Oszukuję wszystkich. Od lat. Łącznie z tą sympatyczną dziewczyną, której kazali mnie szpiegować. Siebie też oszukuję. Ale czy siebie można oszukać? Ej... Tarbagan, Tarbagan. Czy jest ktoś taki, kogo nie oszukujesz? Nie czarujesz po to tylko, by albo ochronić siebie, albo zamydlić oczy?" Nagle zdał sobie sprawę, że jest taki człowiek i może jego właśnie należałoby spytać... Nie. Nie spytać. Poprosić o radę? Też nie to, i jest generalnie za późno. Może porozmawiać i przekonać się, co sądzi o takim pozbywaniu się samego siebie. Właśnie tak! – postanowił zadowolony i już chciał poszukać wzrokiem tego człowieka (którego nie mogło tam przecież być), ale nisko w górze odezwał się gwałtownie wizg silników i Tumiłow oderwał się od gorzkich rozważań. Paradę otwierały trzy klucze najnowszych ławoczkinów. Dziewięć myśliwców dalekiego zasięgu na pełnych obrotach śmignęło nisko nad murawą i wystrzeliło w efektownych świecach w czyste, sierpniowe niebo. „Tak – dumał Tumiłow – Ła-11 to chyba wszystko, co da się wycisnąć z silnika tłokowego. Osiągi w tej klasie rzeczywiście rewelacyjne. Moc świetnego szwiecowa: 1850 koni na poziomie morza i niewiele mniejsza na dużych wysokościach. Szybkość prawie siedemset kilometrów na godzinę. Maszyna może unieść dwie tony paliwa i uzbrojenia i dzięki temu operować w promieniu ponad dwu i pół tysiąca kilometrów. No i trzy działa – bo 23 milimetry to już nie działka, tylko armaty. Idealny dalekodystansowiec. Gdybyśmy mieli lotniskowce, byłby jak znalazł”. Gdy maszyny Ławoczkina zeszły ze sceny, pojawiły się ulepszone „szturmowiki” Iljuszyna. To także był doskonały samolot, na którego skopiowanie, jak donosił wywiad, mieli chrapkę Amerykanie. Po latach obserwowania sukcesów radzieckiego lotnictwa szturmowego dostrzegli korzyści płynące z posiadania wyspecjalizowanego samolotu pola walki. Zmodernizowana „czarna śmierć” z mocniejszym (wreszcie) silnikiem. Trochę mniejsza i zwrotniejsza, zachowała jednak generalne złowrogie podobieństwo do swojej poprzedniczki. Potem Tumiłowowi serce zabiło trochę mocniej, bo zza horyzontu wystrzeliła dwójka jego pupili. A może lepiej rzecz ujmując – kundli albo dzieci z nieprawego łoża. I jego biuro nie uniknęło odrzutowej gorączki. Jak na razie poprzestał na doczepieniu do trochę tylko poprawionego płatowca Tu-2 dwóch odrzutowych rolls--royce'ów w miejsce szwiecowów. Chociaż ta dziwna całość latała zupełnie przyzwoicie i statecznie, osiągając dobre prędkości maksymalne, przyzwoity udźwig i świetną prędkość przelotową, zdawał sobie sprawę, że pomysł jest kaleki, a jego ukochany „58” pełni tylko rolę stelaża dla nowomodnego napędu.

Ale cóż. Postępu nie da rady ignorować. Trzeba będzie przestawić szybko całe myślenie z tłokowego na odrzutowe. Tak naprawdę silnik odrzutowy ma wiele zalet. Mniej ruchomych części. Wielkie moce, przy niewielkiej masie. Znakomite przyspieszenie i gdy dopracujemy szczegóły, pewno równie znakomita bezawaryjność. Ale silniki, choć sprawne, były paliwożerne i myśliwiec musiał lądować już po kilkudziesięciu minutach lotu. Resursy silników sięgały ledwie kilku godzin*. Opony wytrzymywały tylko dwadzieścia startów i lądowań, po czym można je było wyrzucić na śmietnik, bo podczas długiego dobiegu myśliwca trzeba było mocno hamować, żeby nie wyjechać poza lotnisko†. Wymyślano więc niestworzone rzeczy, żeby jakoś temu zaradzić. Instrukcje tworzone przez lotniczych biurokratów zakazywały pilotom odrzutowców kołowania przed startem o własnych siłach i jeśli maszyna miała dwa silniki, wyłączania jednego przed lądowaniem. W efekcie, gdy tylko odrzutowcowi udało się zatrzymać, podczepiano go do holownika i ciągano po płycie lotniska jak krowę na postronku, ustawiając do tankowania lub do kolejnego startu. To było pogwałcenie zasady gotowości, której myśliwiec miał być efektem, i godziło w zdrowy rozsądek. Po serii wypadków i katastrof doszło w końcu do tego, że wydano zakaz wykonywania na odrzutowcach figur wyższego pilotażu. Trzeba dla porządku dodać, że Tumiłow, którego młodość upłynęła w cieniu wirujących śmigieł, miał do tradycyjnego napędu wielki sentyment. Poza wszystkim w pewnych, jakże istotnych przypadkach tradycyjny napęd jak na razie był niezastąpiony. Odrzutowa rewolucja, choć nieunikniona, niosła wiele problemów. Trzeba było przestawić zda się niepodważalne myślenie o aerodynamice. No bo przecież nie tworzyli przedtem płatowców w kształcie rury kanalizacyjnej,

* Resurs silnika – dozwolony czas pracy między przeglądami.
† Dopiero w rok później rozwiązano problem, zbrojąc gumowe opony syntetycznym perlonem, co pozwoliło na zwiększenie żywotności opon do 300 startów i lądowań.

przez którą powietrze wchodziło przodem, a sprężone i zmieszane z naftą wylatywało tyłem w postaci huczącego, ognistego bąka. Siły na sterach i klapach wzrosły tak potwornie, że trzeba było przestawić swoje myślenie o napędzie lotek, sterów i klap, żeby sterowanie samolotem w ogóle stało się możliwe, a pilot czuł, co dzieje się z maszyną. Trzeba było przestawić swoje wyobrażenie o broni pokładowej, bo nagle okazywało się, że strzelające koło wlotu do silnika działka jest dławione i zatrzymywane przez silniki, zmieniające termodynamiczne własności powietrza.* Trzeba było wreszcie pomyśleć o tym, jak przy tak wielkich szybkościach umożliwić pilotowi ewakuację z uszkodzonej maszyny, by nie skończyło się rozsmarowaniem na stateczniku lub poobrywaniem wszystkich kończyn i głowy. Tak. Odrzutowce to rewolucja na niespotykaną dotąd skalę.

Kolejnym punktem programu była dęta inscenizacja, której koncept (gdy mu o tym powiedziano) zniesmaczył Andrieja, choć nie dał tego oczywiście po sobie poznać. Gdy był czemuś zdecydowanie przeciwny albo coś wydawało mu się ewidentnie głupie i absurdalne, nim wypowiadał w takiej sprawie swoją opinię, zawsze przypominał sobie uderzenie martwą, czarną ręką pułkownika podczas pamiętnej rozmowy i słony smak krwi. Na dostojnie lecącą grupę dziewięciu jego „58" spadły z góry jak jastrzębie trzy pary odrzutowych migów. Dziewiątek. Najwidoczniej ktoś, kto układał program święta, liczył na to, że zmusi do myślenia leśnych dziadów ze sztabu i dowództwa. Tam, mimo wojennych doświadczeń, wciąż nie brakowało apostołów kawaleryjskich zagonów i wojny pozycyjnej. Przeciwników dobrano tak, by wyższość myśliwskiego odrzutowca nad tłokowym bombowcem (nawet tak cudownym i kochanym jak „58") unaoczniła się z całą jaskrawością. Odrzutowiec atakuje z przewagi wysokości i ucieka znów w górę, korzystając

* Zjawisko tzw. pompażu silników.

393

z fantastycznej dynamiki wznoszenia, i znów atak na wielkiej szybkości i pionowy manewr uniku. Bombowce zbite w niepewne stadko, jak żurawie broniące się przed wędrownym sokołem, nie miały tu nic do powiedzenia, wyciągając tylko w stronę nieuchwytnych przeciwników żądła działek. To było pokazowe starcie dwóch epok. Starej i nowej.

– Ciekawe, moja droga, jakby śpiewałyby te beczkowate pokraki, gdyby przyszło im walczyć, ot, choćby z tymi ławoczkinami, które leciały na początku. – Dbając o to, by jego dziewczyna nie poczuła się znudzona, postanowił wciągnąć Walę w temat. Czasami łapał się na tym, iż chciałby, żeby bliscy mu ludzie rozumieli tyle samo z lotniczych spraw, co on.

– A jaka to niby różnica? – Dla Wali samolot był samolotem i wszystkie wydawały się jej podobne. No, może z wyjątkiem liczby silników. Ona, która pod mikroskopem na pierwszy rzut oka potrafiła odróżnić jednego paciorkowca od innego, prawie identycznego, generalnie otwarta i liberalnie myśląca, nie rozumiała pasji mężczyzn do podejmowania tego typu rozważań.

– Zasadnicza – perorował zadowolony, że dała mu pretekst. – Widzisz, odrzutowiec ma latać szybko i mieć dużą prędkość wznoszenia. Taka latająca rura, gdy chce zakręcić przy pełnej szybkości, potrzebuje do tego kilometra nieba. Dlatego te migi wykorzystują manewr pionowy. Spadnij na wroga. Zestrzel. Przeleć przez stado i uciekaj w górę, nim się zbiorą do kupy. Mój „58", jak na samolot wielozadaniowy – jest bardzo zwrotny, ale jednak nie na tyle, żeby uciec tym piratom spod luf. Ławoczkiny, które widziałaś, to zupełnie co innego. Potrafią zakręcić w miejscu. Nim ci z migów nacisnęliby spusty, w tym miejscu, w które celowali, nie byłoby już nic, a za chwilę ławoczkiny siedziałyby im na ogonach, starając się oczywiście wciągnąć odrzutowych w walkę w zakrętach, czego tamte zupełnie nie potrafią.

– To dlaczego tak to ułożono?

– Dlatego, że ktoś chciał pokazać, że przyszłość to odrzutowce. Całkiem zresztą słusznie. Ja też tak uważam.

Wala nie odpowiedziała, pochłonięta studiowaniem przez lornetkę trybuny zagranicznych gości i akredytowanych dziennikarzy. Ekshibicjonistyczny występ odrzutowców wywołał tam spore poruszenie, ale dopiero basowy dźwięk wielkich silników naprawdę ich zelektryzował i zafalowali różnobarwnie, jak publiczność na meczu Spartaka.

„Trzeba poprawić i to szybko!" Za chwilę nadciągną wraz z czterema samolotami najdłuższe dwie minuty w życiu. Myśli przelatywały przez świadomość Andrieja jak przyspieszony film i było mu coraz bardziej wszystko jedno. Bezwiednie ściskał dłoń Wali tak silnie, że syknęła z bólu i chciała zabrać rękę, ale chwyt był zbyt mocny. Jak historia życia topielcowi przed jego oczami przewinęły się kolejne etapy projektu. Zaczął od zorganizowania „mózgu" całego przedsięwzięcia, złożonego z szefów poszczególnych brygad. Każdy z członków „mózgu" odpowiadał za określony wycinek projektu. Pierwszym wśród innych mianował Markowa, który musiał ogarnąć całość problemów logistycznych, związanych z uruchomieniem serii informacyjnej i rozwinięciem produkcji w trzech zakładach jednocześnie. A potem, oczywiście, z wprowadzeniem klonów do służby liniowej w pułkach Lotnictwa Dalekiego Zasięgu i w WMF*. Zaraz latem czterdziestego piątego udało mu się zorganizować tymczasowy zespół, rodzaj grupy operacyjnej, która sporządziła album ze szkicami najważniejszych elementów konstrukcji samolotu. Ten album stał się jak Pismo Święte kanonicznym tekstem, wyznaczającym reguły i etapy wielkiego plagiatu. Na pierwszą, zda się nieprzekraczalną barierę Tumiłow nadział się już na wstępie. Po analizie umocnił się w przekonaniu, które kiełkowało w nim od zarania. Nie da się skopiować samolotu, nie postawiwszy na głowie całego przemysłu

---

* Lotnictwo morskie (Wozdusznyj Morskij Fłot).

metalurgicznego. Dobitnie pokazał to pomiar grubości i parametrów duraluminiowych powłok i elementów nośnych. Gdyby skazać projekt B-4 (bombowiec o czterech silnikach) na blachy duraluminiowe produkowane już przez przemysł, samolot najprawdopodobniej nie oderwałby się od ziemi, podobnie jak nie poleci ptak z przemoczonymi skrzydłami. Rodzime blachy duralowe były za grube na pierwszy rzut oka, a poza tym starzały się w przerażającym tempie, skracając żywot płatowców. Powłoki aluminiowe użyte na poszycie amerykańskiego płatowca miały różne grubości: od trzech setnych cala aż do siedmiu dziesiątych cala (czyli od niecałego milimetra do prawie dwóch centymetrów). Tymczasem przemysł oferował w zasadzie tylko jednej grubości blachę – półtoramilimetrową. Jak wiadomo, duraluminium, czyli twarde aluminium, uzyskuje się ze stopów z magnezem, miedzią i cynkiem, bo samo aluminium jest z natury zbyt miękkie, by służyć jako odporna na ciosy i wytrzymała skóra samolotu. Proporcje składników stopu i technologia pozwalają stworzyć dural wytrzymały na temperatury, korozję lub mechaniczne ciosy. Konstruktorzy samolotów potrzebowali generalnie duralu niepodatnego na odkształcanie i odpornego na działanie czasu. Bo źle skomponowany stop może zacząć się starzeć i korodować nawet w ciągu dwu godzin od swych narodzin w hutniczym piecu. To zresztą była jedna z głównych bolączek przedwojennej produkcji. Powłoki bojowych samolotów wytrzymywały ledwie kilkanaście miesięcy, po czym metal korodował i kruszył się. Na szczęście przeciętny żywot bojowej maszyny w czasie wojny trwał znacznie krócej i nim zdążyła się zestarzeć, ginęła w ogniu lub roztrzaskana o ziemię czy wodę. Dla uzyskania założonych i tak różnych grubości należało przygotować nowe walcownie, które byłyby zdolne utrzymać ścisły technologiczny reżim. Stopy duralu podczas walcowania nie tolerują bowiem nawet kilkustopniowych odchyłek temperatury. Magnez, tak szczodrze dodawany przed wojną i w czasie wojny, zwiększał wprawdzie wytrzymałość duralu i pozwalał zmniejszyć wagę metra kwadratowego poszycia, ale uszlachetnione nim powłoki po trafieniu pociskiem zapalającym płonęły radośnie oślepiającym płomieniem niczym magnezja. Trzeba więc było, wykorzystując złowrogą wszechwładzę Każeduba, zmusić dyrektorów zakładów metalurgicznych do wariackich eksperymentów na podstawie próbek wyciętych z amerykańskich maszyn. Niczym miecz Damoklesa wisiał im wszystkim nad głowami bardzo kategorycznie sformułowany rozkaz Stalina, nakazujący – jak to sformułowano – „niedopuszczenie do jakichkolwiek, najdrobniejszych nawet różnic we wszelkich parametrach materiałów, detalach i urządzeniach". Wszystko musiało być takie samo. Na domiar złego Najwyższy był święcie przekonany, że tak doskonały plagiat jest możliwy. Bowiem dla jego konstruktorów nie ma przecież rzeczy niemożliwych. „Może to i racja – dumał Tumiłow. – Jeśli nawet ja, tak potraktowany, pracuję dla sprawy z przyjemnością i entuzjazmem?" Allen, główny konstruktor B-29, był z pewnością człowiekiem dalekowzrocznym i zawczasu zmusił podwykonawców do tego, by unowocześniali technologie produkcji podzespołów i materiałów do poziomu wyprzedzającego epokę bombowca. Ale Edmund Allen z pewnością nie przystawiał żadnemu z podległych sobie dyrektorów rewolweru do głowy. A pułkownik Każedub przystawiał. Tumiłow był świadkiem następującej sceny w Kazaniu:

– Ależ to niemożliwe w takim terminie, towarzyszu – wołał blady i oburzony dyrektor. – Pewnych rzeczy nie da się przeskoczyć. Chyba – ironizował mimo oburzenia i gniewu na wyelegantowanego dyletanta o pięknym kaukaskim profilu – że jesteście, towarzyszu pułkowniku, cudotwórcą!

– Tak się świetnie składa, że akurat jestem cudotwórcą i za chwilę pozwolę wam uczestniczyć w cudownym wydarzeniu.

– Podczas gdy oczy i ciało kazańskiego kacyka spektakularnie demonstrowały niezrozumienie żartu człowieka z Kremla, Każedub wydobył lewą ręką swego ulubionego colta i odwiódłszy z trzaskiem kurek, przystawił pistolet do czoła rozmówcy. I oświadczył spokojnie: – Cud ma dwa oblicza, towarzyszu. Pierwsze, bardziej spektakularne, będzie polegać na szybkiej kompresji dyrektorskiego etatu w waszym zakładzie. W drugim wariancie, mniej efektownym, ale jakże zadziwiającym, dam wam szansę zmienić swoje poglądy na kwestie możliwości i niemożliwości. Co wybieracie?

Takimi to często metodami reorganizowano produkcję, technologię i postawy ludzi odpowiedzialnych za to wszystko. To było do pewnego stopnia skuteczne, choć rzeczy w ten sposób wymuszone wymagały natychmiastowych poprawek i kolejnych „reorganizacji" w wykonaniu Każeduba i jego oficerów, równie bezwzględnych, choć nie tak przystojnych.

Kolejną poważną barierą okazała się różnica systemów miar. Choćby sama instalacja elektryczna. Jeśli przyjąć radzieckie normy dla średnic przewodów elektrycznych, to czy nie zmieni to ciężaru i właściwości przewodzących? Albo poszycie – tu najmniejsze różnice w grubości mogą przesądzić o zmianie parametrów lotu, choć w tym przypadku konsekwencje łatwiej było przewidzieć i obliczyć na suwaku. Nie mówiąc już o skoku gwintów śrub, nitowaniu i takich tam drobiazgach. Tumiłow nie mógł podjąć zasadniczej przecież dla projektu decyzji. Postanowił więc wezwać amerykańskiego „konsultanta" w osobie Darrella. Ten, od czasu, gdy często widywano go w towarzystwie tej nieprawdopodobnie pięknej Kiry Widmanskiej, o wiele chętniej udzielał Tumiłowowi swojej wiedzy o samolocie.

– Harold. Proszę zdecydować za mnie. Ja nie potrafię – narzekał Andriej, trzymając Amerykanina za łokieć.

Ten nie próbował uwolnić ręki i dał się prowadzić w stronę stołu zarzuconego szkicami i obliczeniami.

– A co podpowiada panu intuicja, Andrieju Nikołajewiczu? – pytał całkiem poważnie pilot.

– Intuicja podpowiada mi, że jeśli się szybko nie zdecyduję, to będzie po projekcie i po mnie też.

Amerykanin chichotał i było to zupełnie nie na miejscu, choć sympatyczne, i o dziwo poprawiało nastrój Tumiłowa. A pilot ciągnął żart:

– Jak pana rozstrzelają, głównym konstruktorem mianują Każeduba, a to z pewnością będzie kres tego plagiatu, co mnie w każdym razie nie zmartwi.

– Proszę dać spokój. Ja naprawdę nie wiem, co robić. A od tego, co zdecyduję, zależeć będą wszystkie kolejne etapy.

– No cóż – spoważniał Amerykanin. – Skoro nie chce się pan zdać na intuicję, a tak byłoby najlepiej dla pana, muszę panu coś poradzić. Ale uprzedzam, że w moim przekonaniu ludzie nie powinni pytać innych o radę. To nie ma żadnej wartości.

– Mimo to – nastawał konstruktor – proszę o pańską opinię.

– Boi się pan, że jak zacznie pan przestawiać cale na system metryczny, który tu macie, to pozmieniają się panu wszystkie parametry?

– Właśnie tego się boję. Już nawet trochę liczyłem, ale to diablo skomplikowane. Same przeliczenia zajmą ze dwa miesiące… Spojrzał na pilota, szukając potwierdzenia.

– Jak nie dwa lata… W mojej opinii, jeśli już musi pan kopiować nie swój samolot, to niech pan to zrobi od razu w nie swoim systemie i przyjmie brytyjski. Szereg problemów od razu będzie miał pan z głowy, a im wcześniej narzuci pan tę decyzję podwykonawcom, tym lepiej.

– Sądzi pan? – upewniał się Tumiłow, a Darrell poważnie kiwał głową, myśląc, że odpowiedział jak *advocatus diaboli*.

Najbliższe miesiące pokazały jednak, że rada była dobra. Stała się rzecz zupełnie niesłychana. Tumiłow zdołał narzucić całemu zespołowi wykonawców i podwykonawców myślenie i działanie w innej rzeczywistości wymiarowej, a po kilku tygodniach wszyscy zaczęli myśleć calami, stopami i funtami, i wyobrażać sobie wielkości w nich wyrażane bez odwoływania się do centymetrów i kilogramów*.

Osobną grupę problemów stanowiły przyrządy. Część udało się skopiować, niektóre, tak jak system identyfikacji „swój--obcy", można było zastąpić zupełnie dobrymi, produkowanymi przez rodzimy przemysł. W pewnych jednak przypadkach Tumiłow mógł choć na krótko zatriumfować i obwieścić Amerykaninowi wyższość sowieckiej myśli technicznej. Tak było z urządzeniami łączności, pracującymi na falach krótkich. Amerykańskie były całkiem niezłe, może nawet lepsze od krajowych, ale ich konstrukcja, w porównaniu z tym, co robiło się w kraju, była przestarzała i Tumiłow zdecydował się tych akurat elementów nie kopiować. Urządzenia radiowe z B-25 Mitchell, pozyskanego w ramach wojennej pożyczki, byłyby optymalne. Były nowocześniejsze niż w B-29 i miały lepsze parametry niż te produkowane przez radziecki przemysł. Może więc należy skopiować te elementy z mitchella? Zastanawiał się, ale cóż znaczyły jego wątpliwości wobec czujności donosicieli, których nie brakło we wszystkich zespołach biura projektowego. W efekcie Siły Powietrzne przyznały, że rozwiązanie proponowane przez Tumiłowa byłoby najlepsze, ale poleciło skopiować urządzenia superfortecy. Tak zresztą było ze wszystkim.

Darrell nie potrafił tego pojąć.

– Panie Tumiłow – zżymał się – jak można mieszać argumenty polityczne z mechanicznymi, elektrycznymi, chemicznymi i fizycznymi? Czy tym waszym szefom wydaje się, że partia swoimi, jak im tam, uchwałami może zmienić oporność kondensatora albo wytrzymałość przewodu hydraulicznego? Przecież to horrendalne.

– Proszę się nie unosić – mitygował go konstruktor. – Pożyje pan tu dłużej, to się pan przyzwyczai.

* Co ciekawe, jeszcze dwadzieścia lat później wiele radzieckich zakładów przemysłu lotniczego używało w codziennej produkcji i pracach projektowych systemu brytyjskiego.

– Wątpię – drwił Darrell. – Prędzej wyląduję w domu wariatów.

„Już jesteś w domu wariatów – szeptał sobie w duchu konstruktor. – Tyle że na oddziale łagodnych paranoików, i jeszcze nie zdajesz sobie sprawy, że dyrektor szpitala jest najgorzej trącony". A głośno dodawał:

– Trzeba kiwać głową i robić swoje. Powiem panu w zaufaniu, bo wiem, że pan akurat nie poleci z jęzorem do Każeduba, że już kazałem ludziom od łączności wziąć trochę stąd, trochę stamtąd, trochę skądinąd i…

– I co? – życzliwie zainteresował się Darrell.

– I w efekcie… – z nutką łobuzerskiego triumfu oznajmił Andriej – będziemy mieli łączność lepszą niż na mitchellu, w superfortecy i w naszych samolotach razem wziętych. Jak pan widzi, nawet idiotyczne posunięcia mają swoje dobre strony.

– Po raz pierwszy spotykam się z tego typu argumentacją.

– Powiem panu więcej. Oczywiście w największym zaufaniu. Mamy znakomitych konstruktorów i, o dziwo, zostały im jeszcze resztki samodzielności i chęć do inicjatyw…

– Inicjatyw? Dziwne słowo – wtrącił pilot. – Cóż to znaczy?

– O, to cały epos – rozpogodził się Tumiłow, rad, że może sobie pogadać i choć na chwilę oderwać się od śrubek, gwintów, wykresów i harmonogramów. Inicjatywa. To – jak panu zapewne wiadomo – od łacińskiego rozpoczynać, czyli inicjować…

– Jasne. Inicjacja seksualna i tak dalej… – wtrącił złośliwie Darrell, który lubił serdecznie przycinać „tatuśkowi", jak nazywano Tumiłowa w hangarach i halach.

– No, może niezupełnie – mitygował konstruktor. – Generalnie inicjatywa to rzecz pożądana i akceptowana na najwyższych szczeblach. Czyli, że jak ja albo któryś z moich kolegów wystąpi z jakąś inicjatywą, to tam na górze się cieszą i nas chwalą.

– I cóż to niby za inicjatywy? – powątpiewał sceptycznie nastawiony do sowieckiej rzeczywistości pilot.

– No, dajmy na ten przykład, że wystąpię z inicjatywą skró-
cenia terminu oddania prototypu do prób państwowych – wyrecytował Tumiłow, bawiąc się równie dobrze jak Amerykanin.

– Niech pan da spokój! A cały *timing* czy, jak to się mówi,
harmonogram? Przecież to są rzeczy ściśle wymierne. Jak to
skrócić? To się może stać tylko ze szkodą dla projektu...

– Otóż myli się pan – Tumiłow wyprowadzał rozmówcę
z błędu, wiodąc go dalej w świat absurdu. – Tam, na górze,
bardzo się ucieszą z takiej inicjatywy i będą mnie chwalić.
Podobnie, na przykład, gdyby udało mi się zmniejszyć zużycie
materiału i zamiast toną aluminium pokryłbym samolot ośmiuset kilogramami.

– No, tego to już nie jestem w stanie pojąć. Ja na ich miejscu
uznałbym pana za dywersanta. Przecież od takich oszczędności
cała rzecz może się rozlecieć i zginą ludzie.

– Wobec inicjatywy – odpowiedział konstruktor pogodnie, jak nauczyciel kończący wyjaśnianie skomplikowanego
równania – takie sprawy nie mają najmniejszego znaczenia.
Najważniejsze, żeby wykazywać inicjatywę i żeby można się
tym było pochwalić w gazetach. Ale bywają także niewłaściwe
inicjatywy. Dam panu przykład.

Amerykanin podniósł brwi, zdumiony nowym aspektem
zagadnienia.

– Otóż jest w Leningradzie taki radiotechniczny oddział
OKB i do niedawna zarządzał nim taki jeden dyrektor. Nawet
niegłupi, a przy okazji świetny organizator. No i pełen inicjatyw.
Zaproponował, że rozwinie dla B-4 seryjną produkcję radiostacji, którą zaprojektowały jego zespoły. Między nami mówiąc
– rewelacyjnej.

– I to ma być ta „niewłaściwa" inicjatywa? – Dla Darrella
absurdów było zbyt wiele.

– Świetnie się z panem rozmawia. – Tumiłow zmienił nagle
ton i ściszył głos, zauważywszy, że ktoś idzie w ich kierunku.
Darrell także ściszył głos, ale musiał wiedzieć, jak rzecz się

zakończyła. Spytał więc konfidencjonalnie, łapiąc się na tym, że automatycznie powiela konspiracyjne zachowania Rosjan:

– I co z tym dyrektorem?

– Jak to co? A co mogło być? Już nie jest dyrektorem. Ale czemu się dziwić? Nasze kierownictwo, a więc domyśla się pan kto, kazało nawet skopiować popielniczki, choć załogom nie wolno palić w czasie lotu. Dobrze, że nie kazali skopiować znaków taktycznych i amerykańskich kokard albo napisu USAAF!

Roześmieli się obaj, ale nie za głośno, z umiarem i stosowną dla takich żarcików czujnością. Tumiłow miał w osobie Amerykanina nieocenionego pomocnika i zwykle w przypadku problemów „nie do rozwiązania" pilot potrafił podpowiedzieć właściwe wyjście. Z początku konstruktor przyjmował rady pilota nieufnie, ale w krótkim czasie przekonał się, że wiedzy i dobrej woli Amerykanina można zaufać. Zauważył też, że Darrell podlegał dziwnej transformacji. Chodził jak w gorączce i widać było na pierwszy rzut oka, że coś go spala. Swoje zobowiązania wypełniał precyzyjnie i dokładnie, ale Tumiłow czuł, że myśli i emocje pilota są gdzieś na zewnątrz i że Darrell funkcjonuje jak we śnie, poruszając się delikatnie i unikając wstrząsów po to, by nic z tego sennego marzenia, które, sądząc po jego nieobecnym spojrzeniu, musiało być naprawdę rozkoszne, nie uleciało.

Tumiłow domyślał się, że przyczyną somnambulicznych zachowań Harolda jest ta zjawiskowa dziewczyna o długich nogach, wąskich biodrach, ciężkich piersiach i lwiej grzywie złotych włosów. Szeptano w Żukowskim, że jest to agentka Każeduba, ale jej uroda i niewinna buzia tak do tych pogłosek nie pasowały, że Tumiłow nie chciał dać im wiary. Gdy Kira była w pobliżu, ciało Darrella przechodził dreszcz o naturze iście elektromagnetycznej. Musiał najwidoczniej mieć rodzaj „linii bocznej", wykrywacza pożądanego życia, takiego, jakim dysponują rekiny. Z tą wszakże różnicą, że rekiny wykrywały po to, by pożreć, a Darrell sprawiał wrażenie kogoś, kto prędzej sam sobie odgryzie kawałek ciała, niż da zrobić krzywdę dziewczynie. Któregoś dnia, gdy ślęczeli nad wykresami, a ich głowy zdawały się ciężkie od obliczeń, Tumiłow odważył się spytać. Zrobił to chyba tylko dlatego, że sam był pod wrażeniem pierwszej wizyty u Wali:

– Pan wybaczy, Haroldzie, że wtykam nos w nie swoje sprawy, ale sprawia pan takie wrażenie, jakby był pan zakochany w tej dziewczynie...

– Panie Tumiłow – Darrell ciężko przysiadł na stercie podłużnic – powiada pan „zakochany". Ja nie jestem zakochany. Ja, szanowny Andrieju Nikołajewiczu, jestem szalony... Tak... Niech pan tak nie patrzy. Oszalałem. Zwariowałem. Sfiksowałem. Gdybym mógł, to schowałbym tę dziewczynę do pudełeczka i nosił na łańcuszku. Kiedy jej nie ma w pobliżu, ledwie oddycham. Nie żyję, tylko się tlę. Jak kadzidło. Pojmuje pan stopień tego wariactwa? Jeszcze tego mi trzeba. Mało, że zdradzam swój kraj, to jeszcze ceną za tę zdradę musi być możliwość posiadania kogoś, kto zupełnie zawładnął moimi sterami. Nie potrafię już latać samodzielnie, a co dopiero podejmować jakichkolwiek decyzji.

– Czy to rozsądne? – Tumiłow zaniepokoił się nie na żarty, ale bardziej o konsultacje i rady Darrella niż o niego samego. Gdy sobie to uświadomił, zawstydził się, ale i ucieszył, że potrafi się jeszcze wstydzić swoich niedobrych, nieludzkich myśli.

– A co tu ma do rzeczy rozsądek? – Darrell wykonał rękami gest, który zupełnie do niego nie pasował. – To tak jak z tą waszą inicjatywą. I tak źle, i tak niedobrze.

– No więc, czy to bezpieczne? – poprawił się Tumiłow.

– W pańskiej... hm – skomplikowanej sytuacji?

Darrell podparł głowę w geście desperacji.

– A co niby miałem zrobić? Wiem, że jest podstawiona... Ale, proszę sobie wyobrazić, to mi zupełnie nie przeszkadza. Nawet pomaga. Działa na mnie jak gra wstępna. Wie pan co to jest? – rzucił pytanie i stropił się tym, że mimowolnie, choć

wcale nie miał takiego zamiaru, zrobił konstruktorowi przykrość.

– Kiedyś wiedziałem – szepnął Tumiłow – ale znów mam
ochotę sobie przypomnieć. Chyba to, na co pan zapadł, jest
zaraźliwe.

– Pan też? – zachichotał nagle Darrell. – Nie mogę!

– Niech pan da spokój. Poznałem kogoś, ale nie mogę się
jakoś zebrać na odwagę. Wie pan, w moim wieku...

– A co tu ma do rzeczy wiek? Ma pan żonę? Wychował pan
dzieci? Tak? No, to jeśli coś pana jeszcze poruszyło, niech pan
odłoży na stronę wszelkie wątpliwości i obawy i rusza do boju.
Przecież w takie rzeczy trzeba dmuchać jak w węgielek, żeby
się rozpaliły, żeby czasami nie zgasły...

Teraz przerwał Tumiłow, któremu słowa pilota nagle dodały
odwagi, a oczy konstruktora rozjarzyły się przeczuciem rozkoszy, jakby ujrzały otwierające się powoli bramy raju:

– Boję się konsekwencji – szepnął, przysiadając obok pilota,
aż niedbale ułożone podłużnice zachwiały się i musieli ratować
utraconą na chwilę równowagę sterty.

– Niby jakich?

– Wydaje mi się... Nie. Jestem niemal pewien, że nasze
pierwsze spotkanie nie było przypadkowe. Zawiózł mnie do
niej Smoliarow, bo to lekarka, w dodatku znakomita.

– Sądzi pan, że ją podstawiono? – domyślił się Amerykanin,
znów ściszając głos i czując z zadowoleniem, że jego i Tumiłowa łączy jednak coś więcej niż tylko dwuznaczna sytuacja
kopiowania własności amerykańskiego rządu.

Tumiłow tylko kiwnął głową, a minę miał zupełnie zbolałą.
Najwidoczniej podświadomie podjął już decyzję, przed którą
broniła się tylko zewnętrzna, skażona rzeczywistością część
jego świadomości. Pilot z serdecznością, która zaskoczyła
nawet jego samego, objął szerokie ramiona „tatuśka”:

– A nawet gdyby tak było, to co z tego? Pociąga pana?
Wszystko w panu krzyczy, że trzeba to z nią zrobić. Tak?

Widzę, że tak. To niech pan wypuści tego zwierzaka, a gdy już pan wyląduje w jej łóżku – przepraszam, że tak upraszczam, ale to przecież tak jest – to niech pan po prostu mniej gada i tylko o rzeczach, które są z tym łóżkiem związane. Zresztą kto wie – rozmarzył się, myśląc akurat o sobie – może z czasem uda się panu ją przekabacić i nawet w łóżku będzie pracowała dla pana.

– Ale... – wciąż bronił się przed ostateczną decyzją konstruktor, choć robił to bardziej z poczucia absurdalnego obowiązku niż z przekonania. Może wydało mu się, że wątpliwości usprawiedliwiają go przed własnym sumieniem?

– Ale co? – pomagał Harold.

– Jaką to ma przyszłość? Romansowanie i tak dalej. Przecież nie sposób się ukrywać po hotelach. Zresztą u nas nie można się nigdzie ukryć, bo nawet babcia klozetowa na pana doniesie. Mówię panu, przerobili ten naród na stado zawodowych donosicieli... – podniósł głos, aż Darrell musiał go uciszyć, a potem poradził konstruktorowi:

– Niech pan da spokój przyszłości. Niczego o niej nie wiemy, i dobrze. Już pan się dosyć martwił o przyszłość. Niech pan zrobi coś dla siebie. A tym, że jest podstawiona, niech pan się zupełnie nie przejmuje. Zobaczy pan, jakie to ekscytujące. Właśnie. Ekscytujące. To może dodać skrzydeł w każdym wieku. Zresztą pan nie jest wcale taki stary. – Spojrzał na Tumiłowa okiem znawcy. – Wiele rzeczy może się w panu podobać kobietom.

– Myśli pan, że nie będzie musiała się zmuszać, bo jej kazali? Że nie będzie to dla niej przykre? – wątpił Tumiłow, ale odruchowo wyprostował się i wypiął pierś pod bluzą.

– Coś panu powiem – Harold poważnie spojrzał w oczy konstruktorowi. – I przepraszam, że mówię takim tonem, bo w końcu pan jest starszy o dwadzieścia lat. Zawsze jest coś za coś. Nie ma kobiet bezinteresownych, podobnie jak nie ma bezinteresownych mężczyzn. Za wszystko trzeba zapłacić. Pana obowiązkiem, a może lepiej rolą, jest tylko rozważenie ceny i opłacalności takiej transakcji. Ale z tego, jak pan reaguje na samą myśl o tej dziewczynie, widzę, że warta jest wiele.

– Jest wspaniała – szepnął zawstydzony Tumiłow.

– To niech pan wepnie kwiat do klapy i rusza do boju. A teraz wróćmy do poszycia.

Wrócili więc do poszycia. Sowieccy metalurgowie potrafili naprawdę wiele, a szybkość, z jaką wpadali na właściwe rozwiązania, graniczyła z cudem. Rzecz tym bardziej zadziwiająca, iż stopy o pożądanych parametrach musiały być poddawane wielokrotnym zabiegom „zmiękczania" , „utwardzania" „przyspieszonego starzenia"[*] i „przesycania", tak by w odpowiedni sposób wzmocnić twardość powierzchni stopu i zapewnić mu dostateczną długowieczność. Im lepsze miały być parametry materiału, tym bardziej komplikował się jego wzór chemiczny. Wystarczy powiedzieć, że aby zapisać skład jednego ze stopów, trzeba użyć piętnastu symboli![†]

Wielką wagę Tumiłow przykładał do kwestii wytrzymałości materiałów. Specjaliści tej dziedziny, zwani „wytrzymałościowcami"[‡], poddawali próbom detal po detalu, część po części. Potem omawiano wszystko z metalurgami na specjalnych sesjach poświęconych wytrzymałości. A i tak najczęstszym efektem prac było sakramentalne: „Trzeba poprawić i to szybko".

Praca nad rysunkami technicznymi, pozwalającymi uruchomić seryjną produkcję części w fabryce nr 22 w Kazaniu, trwała

---

[*] Zabieg przeprowadzany po to, by przyspieszyć proces osiągania przez stop ostatecznych parametrów użytkowych.

[†] O metodach sowieckiej metalurgii stopów lekkich zaświadczyć może następujące wydarzenie: Pod koniec lat czterdziestych Mikulin – główny konstruktor OKB-300 – wezwał głównego metalurga zakładów produkujących silniki lotnicze i pokazał mu sztabkę odpornego na wysokie temperatury i bardzo wytrzymałego stopu, z którego w Anglii wytwarzało się w tym czasie łopatki turbin silnikowych. Na skutek „najwyższych ponagleń" metalurdzy po serii wariackich eksperymentów uzyskali pierwszą partię żarowytrzymałego materiału na bazie niklu już po 30 dniach!

[‡] Ros. *pročnisty*.

od pierwszych dni rozbiórki oryginałów. Do każdego praktycznie agregatu i urządzenia Tumiłów organizował oddzielny zespół, złożony z konstruktorów i technologów. Specjalistów zdolnych podołać zadaniu nie było znów tak wielu, więc trzeba było przesuwać ludzi jak sprzęty. Gdy uporano się z jednym detalem, natychmiast zatykano mniej zajętymi specjalistami najbardziej newralgiczne miejsca. Potem wyniki pomiarów wytrzymałości i rysunki składano w kompletną już dokumentację, którą przesyłano do Kazania. Równolegle – przynajmniej takie było zamierzenie – monitorowano postępy technologiczne metalurgów. Osobny problem stanowiły oczywiście silniki. „Dziewiętnaste" OKB Szwiecowa dzięki Tumiłowowi już w latach trzydziestych opracowało licencyjną wersję konstrukcji Wrighta. Pod koniec lat trzydziestych przygotowano tam do seryjnej produkcji znakomity M-71 i jego mocniejszy wariant M-72. Te silniki miały osiągi zbliżone do R-3359-23A, montowanych na superfortecach. Tumiłow zdecydował więc na własną rękę, że nie będzie się kopiować silników, ale sowiecki bombowiec otrzyma najnowszą wersję opracowaną przez zespół Szwiecowa – znakomite ASZ73-TK, o mocy startowej sięgającej dwóch tysięcy czterystu koni mechanicznych, a więc nawet silniejszych od cyklonów Wrighta. Z niezawodnością bywało jednak różnie i z pewnością nie była ona porównywalna z cyklonami. Silniki silnikami, ale potrzebna była jeszcze sprężarka. Tu już Tumiłow wolał nie ryzykować. Turbo z osprzętem, magneto i wysokoobrotowe łożyska wytrzymujące wielkie różnice temperatur skopiowano nie bez problemów z oryginału*.

Potem przyszło rozprawić się z takimi drobiazgami jak różne rodzaje gumy, mas plastycznych i materiałów syntetycznych, których produkcję trzeba było organizować od podstaw. Wiele

---

* Skopiowana z B-29 sprężarka oznaczona w ZSRR jako Turbokompresor-19, była pierwszą od piętnastu lat, czyli od czasu, kiedy rozpoczęto stosowanie i produkcję tego typu urządzeń, udaną i naprawdę niezawodną konstrukcją.

nieprzespanych nocy, telefonicznych i bezpośrednich awantur, gróźb i szczucia Każedubem wymagało skopiowanie wyjątkowo skomplikowanego systemu antyoblodzeniowego firmy Goodridge.

Miał się tym niby zajmować specjalny zespół, ale po tygodniu ciężkich wysiłków intelektualnych, od których dostali worów pod oczami, przylecieli do niego ze stertą rysunków i kupą części. Sprawa była o tyle poważna, że agregat, raz rozebrany, nie dawał się na powrót złożyć w sensowną całość. Poza tym zamontowany był tylko na Rampie Trampie. Pozostałe samoloty nie miały tej skomplikowanej zabawki, tylko starszego typu, mniej skomplikowaną instalację. Gdy zobaczył, co nabroili, Tumiłow złapał się za głowę i polecił wezwać Darrella.

Pilot, ujrzawszy rozbebeszony agregat, przypominający teraz nadepniętego karalucha, uśmiechnął się i powiedział:

– Nie dziwię się, że tak się stało. Ja jak to pierwszy raz zobaczyłem, pomyślałem sobie, że śnię. Mój drugi pilot twierdził, że tę rzecz zaprojektował jakiś szaleniec, któremu udało się uciec z zakładu zamkniętego. Miał pomysły na kolejne, ale na szczęście, jako groźnego dla otoczenia, odizolowano go znów od zdrowej części amerykańskiego społeczeństwa. Właściwie przez to świństwo tu jestem, bo musieliśmy odłożyć start i rozbierać to gówno na kawałki, a potem gonić eskadrę. Instalacje przeciwoblodzeniowe nigdy nie były naszą mocną stroną, podobnie jak ogrzewanie. Ma pan szczęście, że nie kazano panu opanować obsługi ogrzewacza na DC-2. To dopiero zabawa, ale… – Podrapał się w głowę – dobrze to świństwo znam i pomogę pańskim ludziom, tylko proszę im powiedzieć, żeby uważnie słuchali, co mówię. Pamiętam nawet większość parametrów, bo w wolnych chwilach chciałem oswoić to cudo. To będzie taka moja mała zemsta nad tym urządzeniem. – Mrugnął łobuzersko okiem, ale w duszy zakiełkował mu całkiem inny pomysł.

Znana doskonale wszystkim zainteresowanym dyrektywa NKTP* brzmiała:

„Wszystkie zamówienia dotyczące samolotu B-4 należy bezwzględnie traktować jako priorytetowe i zapewnić ich realizację poza wszelką kolejnością..."

Pomimo tak kategorycznej dyrektywy nie wszystko szło zgodnie z planem. Choć Tumiłow zastrzegł sobie samodzielność w podejmowaniu decyzji, a szefowie poszczególnych zespołów i instytutów respektowali to bezwyjątkowo, nie obeszło się bez nieodzownych w takich przypadkach odgórnych interwencji, sprzecznych poleceń i generalnego zamieszania. Miast pozwolić projektowi rozwijać się swobodnie i obrastać kolejnymi koniecznościami i sukcesami, interwencje i odgórne wtręty zakłócały funkcjonowanie homeostatu tak znakomicie pomyślanego przez jego twórcę. Tumiłow uważał, że braki i bariery winny być likwidowane siłami samego projektu, a wtedy całość skomponuje się naturalnie i harmonijnie. Traktował zaprojektowaną przez siebie strukturę jak swoisty ekosystem z elementami, które doskonale znał i których mocom samonaprawczym ufał. Szefowie zaangażowanych w projekt biur, jednostek i instytutów to byli ludzie, których znał od dawna, wraz z ich słabościami i geniuszem. Tumanow, szef Wszechzwiązkowego Instytutu Materiałów Lotniczych, Polikowskij, szef Centralnego Instytutu Silników Lotniczych, Szyszkin, naczelnik Centralnego Instytutu Aerohydrodynamicznego, wreszcie Pietrow, naczelnik Naukowego Instytutu Osprzętu Lotniczego to byli ludzie, którzy znali własne możliwości i wiedzieli, co jest możliwe, a co graniczy z cudem. Ale gdy trzeba, byli także cudotwórcami. Pod warunkiem wszakże, że nikt im nie przeszkadzał i nie mieszał w głowach sprzecznymi poleceniami. Niestety, tak nie było. Projekt o takiej wadze jak zwykle ściągał do siebie partyjne ścierwniki, upatrujące w nim

* Narodowy Komisariat Przemysłu Ciężkiego.

możliwość wykazania się i zabłyśnięcia, a także, co nie bez znaczenia, utrącenia co zdolniejszych w intrygowaniu konkurentów. W takim świetle zwyczajowe, sezonowe, środowiskowe czystki, przeprowadzane przez Głównodowodzącego, miały też upiornie pozytywny aspekt. Działały odświeżająco, a przy okazji zagłady dziesiątków niewinnych, czyściły także partyjne akwarium z najbardziej krwiożerczych osobników i osobliwy ekosystem władzy i jej podgryzających się satelitów działał dalej w najlepsze. W pewnym momencie, gdy projekt wchodził w krytyczną fazę, ktoś podrzucił Najwyższemu pomysł, by korzystając z podstawionych firm, kupić newralgiczne podzespoły w USA. Miały to być rozruszniki, stacje radiolokacyjne AN/APQ-13, system służący do lądowania bez widoczności WS-733, podwozia, śmigła Hamilton-Standard, wreszcie drobiazgi w postaci łożysk, świec silnikowych i tym podobnych.

Tumiłow, mając świadomość postępów prac, był tym podchodom zdecydowanie przeciwny. Po pierwsze, jasne było, że Amerykanie, choć dali już tyle dowodów ślepoty i zadufania, wobec tak masowych zamówień domyślą się w końcu, o co idzie, i zaczną energicznie protestować. Po drugie, rozkręciwszy machinę badań i produkcji, Tumiłow był przekonany o celowości zrobienia wszystkiego, nawet najdrobniejszych detali, w kraju. Przecież takie bezcenne doświadczenia posuną cały przemysł lotniczy o kilka lat do przodu. Zdołał w końcu, przy niejakiej pomocy Smoliarowa, przekonać Każeduba, żeby odwołano ścierwniki z ich idiotycznymi pomysłami. Tak się też stało, ale niejako z rozpędu agendy wywiadu sowieckiego w USA przez podstawione firmy rozpoczęły starania o zakup zespołów podwozia.

Czas płynął. W połowie czterdziestego szóstego zdołali w Żukowskim zmontować w całość pełnowymiarową makietę B-4 i trzeba było pomyśleć o uzbrojeniu obronnym. Na dobrą sprawę powinien, respektując dyrektywę Stalina, skopiować półcalowe* karabiny maszynowe M-2 lub dwudziestomilimetrowe działka M-3. Oba modele były w jego ocenie bardzo dobre i świetnie sprawowały się na innych amerykańskich maszynach. Ale nie widział powodu, żeby dokładać swoim zespołom i przemysłowi niepotrzebnego wysiłku. Postanowił więc dostosować system zdalnie sterowanych wież strzeleckich z B-29 do rosyjskiej broni, która miała parametry porównywalne, a w wielu przypadkach lepsze od konstrukcji amerykańskich. Życie nauczyło go myśleć perspektywicznie, więc doskonale zdawał sobie sprawę z tego, że w przyszłych dalekodystansowych wyprawach bombowych (jeśli do nich dojdzie) jego bombowcom przyjdzie zmierzyć się z piekielnie szybkimi odrzutowcami atakującymi z dalekich dystansów, uzbrojonymi w działka i pociski rakietowe. Tu z pewnością nie wystarczą karabiny maszynowe, nawet tak dużego kalibru jak 13 milimetrów. Pomyślał, że w pierwszej partii seryjnej zastosuje sprawdzone w boju działka B-20 konstrukcji Bieriezina. Broń była lekka (tylko 25 kilogramów), miała niezawodną mechanikę, wywiedzioną od wcześniej powstałego karabinu UBS, była szybkostrzelna prawie jak ów karabin, wypluwając praktycznie 600 pocisków na minutę z piekielną szybkością początkową, sięgającą 800 m/sek. Specjalnie na potrzeby projektu opracowano wersję B-20E. W zasadzie byłaby to broń idealna, gdyby nie to, iż lufy przegrzewały się już po wystrzeleniu 280 pocisków. Ale przecież nigdzie nie jest powiedziane, że trzeba za jednym zamachem wypróżnić cały czterystunabojowy zapas. Pomyślał, że jeśli uda mu się pogodzić amerykańskie wieże z tymi działkami, z czasem będzie mógł je zastąpić jeszcze skuteczniejszymi NR-23. To była już prawdziwa artyleria, choć broń była także zadziwiająco lekka (tylko 37 kilo) i miała podobną do bieriezina szybkostrzelność. Ważący 20 dekagramów przeciwpancerny pocisk tej broni, wystrzelony z odległości dwustu metrów,

* W nomenklaturze USA kaliber .50 in.

przelatywał bez problemu przez dwuipółcentymetrowy pancerz ze stali chromoniklowej. Jeszcze większe spustoszenie można było zrobić, strzelając pociskami odłamkowo-zapalającymi, wypełnionymi 15 gramami materiału wybuchowego. Wprawdzie działo miało wejść do produkcji seryjnej dopiero w czterdziestym ósmym, ale Tumiłow dysponował kilkoma egzemplarzami serii informacyjnej. O swojej artyleryjskiej dywersji nie poinformował nawet Każeduba i z duszą na ramieniu zabrał się do montażu. Z kopiowaniem systemu sterowania wieżami nie poszło wcale łatwo i nikt się tego nie spodziewał. Po pierwsze, wszystkie załogi zmuszone do lądowania na terenie ZSRR, wypełniając rygorystyczne instrukcje, pozbyły się dokumentacji. Wszystkim także udało się wyrzucić za burtę moduł elektronicznego bloku sterującego, bez którego rozgryzienie systemu zdalnego sterowania przypominało otwieranie skomplikowanego zamka w sytuacji, gdy zgubiło się klucze*. Tak zresztą rzecz została zaprojektowana i choć raz Amerykanie wykazali daleko posuniętą przezorność. Potem dały im w kość skomplikowane przekaźniki i generator częstotliwości; Tumiłow był bliski załamania. Nie wspomnijmy już o problemach z optyką i zasilaniem. Terminy goniły go tak wściekle, iż ryzykując życie, postanowił ostateczną weryfikację sprawności urządzeń przeprowadzać podczas próbnych lotów. To oczywiście sprzeczne było z jakąkolwiek, nawet partyjno-ścierwnikową logiką, a Każedub, gdy się o tym dowiedział, prosił podobno swoich ludzi, by nie pozwolili mu zastrzelić kierownika projektu; zamknął się na godzinę w gabinecie i słyszano tylko przez grube drzwi, jak przeklina po rosyjsku i po polsku.

Tumiłow, doprowadzony do ostateczności, zwierzył się któregoś poranka Darrellowi, że w jego opinii chyba jednak sensowniej było zaprojektować samolot od nowa, niż kopiować superfortecę. Amerykanin pokiwał wyrozumiale głową:

---

* System CFC, czyli Central Fire Control firmy General Electric.

– Mówiłem, żebyście się za to nie brali. Kradzione nie tuczy, czy jak to się u was mówi. – I dodał spokojnie: – Ten goodridge jest gotowy. Powinien chodzić jak należy. Sprawdzałem wszystko po kilka razy, ale to tak kapryśna konstrukcja, że sam diabeł się w tym nie rozezna. Powiedziałbym, że to urządzenie ma duszę i to najpewniej jakiegoś złośliwego, arabskiego dżina.

– Zrobiliście rysunki i obliczenia? – Tumiłow był wyraźnie zmęczony.

– Zrobili to wasi ludzie, a ja tylko sprawdziłem, czy wszystko gra.

– No i gra? – Konstruktor, wstając z kreślarskiego stołka, ciężko oparł się na ramieniu Amerykanina i pomyślał, że chętnie napiłby się wódki, i nawet nie pytał Darrella o to, jak wypadły próby obciążeniowe.

Wiosną czterdziestego siódmego, bez naruszania najwyższych harmonogramów, pierwszy seryjny B-4 majestatycznie wzniósł się w powietrze. Z tej okazji cały sztab biura Tumiłowa poleciał do Kazania. Wkrótce złożono także do kupy drugi i trzeci egzemplarz. Na sierpień kazano przygotować kolejną trójkę, tak by mieć w razie awarii czy katastrof rezerwowe maszyny na świąteczną defiladę. Do końca roku planowano oddać serię dwudziestu maszyn. Kiedy biuro konstrukcyjne zakończyło prace projektowe i uruchomiono serię, Tumiłow, który nagle poczuł się wytrącony z rytmu wytężonej, morderczej gonitwy, niejako z rozpędu, razem z równie „uwolnionym" Markowem, zaprojektował na bazie bombowca… samolot pasażerski i transportowy z hermetyzowaną kabiną. Była to maszyna, którą bez kompleksów można było postawić obok najnowszych liniowców zachodnich, choćby koło spowinowaconego z nią przez superfortecę Boeinga C-97 czy Douglasa C-118. Wiele roboty z tym nie było. Wystarczyło wyciąć okna w poszyciu i przeprojektować wnętrze przestronnego kadłuba tak, by zmieścić tam fotele, przedział bagażowy i pomieszczenia służbowe. By samolot miał bardziej rasową cywilną sylwetkę, Andriej postanowił zrezygnować z ogórkowatej szklarni na rzecz klasycznego dwubryłowego dziobu z oszklonym stanowiskiem nawigatora w nosie maszyny. Oczywiście nikt nie pozwoliłby mu na takie niby-cywilne ekstrawagancje, gdyby szybko nie powbijał tępym wojskowym do ich tępych pancernych łbów, że taka maszyna przy wszelkich niewinnych w oczach światowej opinii cechach pasażerskich łatwo da się przerobić na transportowiec, samolot desantowy, dalekomorski patrolowiec do zwalczania żeglugi nawodnej i podwodnej, samolot zwiadu radiolokacyjnego lub wreszcie powietrzny tankowiec. To były argumenty dla niego oczywiste, dla nich zaś odkrywcze i wywołujące burzliwy entuzjazm. Podczas gdy ścierwniki na kolejnych nasiadówkach snuły plany godne Juliusza Verne'a, związane z kolejnymi wcieleniami T-70, on siedział w środku tych marzycielsko-militarnych burz spokojny, czując się jak uczeń starszego rocznika przeniesiony do niższej klasy. Doskonale wiedział, w co można rozwijać takie konstrukcje i jak wspaniałe to niesie możliwości. Bawił się tymi rzeczami już od 1925 roku, projektując swojego „trzeciego", który w ciągu piętnastu lat stał się uniwersalnym koniem roboczym, potrafiącym wszystko – od holowania transportowych szybowców, poprzez wożenie i desantowanie skoczków i lekkich pojazdów pancernych aż po prozaiczne bombardowanie.

W dwudziestym piątym oni z nagantami na sznurkach ganiali po bazarach spekulantów lub wysiadywali stołki prowincjonalnych komitetów. Teraz marzyła się im władza nad światem, i to przy pomocy jego – Tumiłowa – czarodziejskich, ognistych rydwanów. T-70 latał wspaniale, najprawdopodobniej z tego powodu, że konstruktor postanowił wykorzystać wszystkie części, które pozostały mu z dwóch rozbebeszonych i niepotrzebnych już fortec (trzecią przezornie pozostawił nietkniętą, na wypadek gdyby jego kopie nie chciały latać). Urodzony na wsi konstruktor uważał, że nic nie powinno się marnować. Miał więc gotowe dźwigary płatów, silniki z gondo-

lami, klapy, tylne usterzenie, *chassis* podwozia z kompletnymi mechanizmami chowania, większość systemów pokładowych, agregaty i osprzęt. Postanowił jednak, że w odróżnieniu od oryginału, który był średniopłatem, nowy-nienowy samolot będzie dolnopłatem, należało więc zaprojektować od początku cały centropłat. Chciał także po raz pierwszy przymierzyć się do zrobienia całkowicie hermetyzowanej kabiny o imponującej średnicy 360 centymetrów, tak by można tam było wygodnie pomieścić fotele pasażerów. W zachodnich pismach lotniczych Tumiłow obejrzał sobie dokładnie koncepcję transportowo-
-pasażerskiego Boeinga, także bezpośrednio wywiedzionego od B-29. Mimo imponujących osiągów amerykański stratocruiser zniesmaczył go dwubryłowym rozdętym kadłubem, który, choć zapewne komfortowy, wyglądał jak nadmuchana przez słomkę ropucha. Jego „siedemdziesiąty" był natomiast samolotem naprawdę pięknym. Salon pasażerski dla czterdziestu ośmiu podróżnych zaprojektowali z iście „powojennym" zadęciem i szykiem – z komfortowym ogrzewaniem, wentylacją, kuchnią wyposażoną w lodówki i z toaletami. Gdy projekt zobaczyły zaproszone do zwiedzania ścierwniki, na głowy swawolnych konstruktorów spadła istna burza zarzutów, wśród których „burżuazyjna rozpusta" i „imperialistyczny burdel" były określeniami stosunkowo łagodnymi. Przyszło więc ścieśnić przyszłych pasażerów, tak by zmieściło się ich aż siedemdziesięciu dwóch. Kazano też zmniejszyć liczbę pokładowych stewardów z czterech do dwóch. Zrobili, co kazano, ale w poufnie przekazanym przez Smoliarowa poleceniu zachowali dokumentację „burżuazyjnej" wersji, która w przyszłości pełnić miała rolę podniebnej salonki dla co ważniejszych ścierwników. Mieli też do tej przyszłościowej, tajnej wersji wprowadzić kolejne udogodnienia, w postaci intymnego saloniku z wygodnymi miejscami do leżenia i pomieszczenia sztabowego z terminalami łączności. Osiągi były także nie do pogardzenia i aż trudno było uwierzyć, że „cywilna" maszyna może latać tak szybko i tak daleko,

bowiem T-70 z oryginalnymi cyklonami rozpędzał się do 563 kilometrów na godzinę i na pułapie roboczym pięciu–sześciu kilometrów miał zasięg prawie pięciu tysięcy kilometrów. Z Moskwy do Władywostoku nowy pasażer mógł dolecieć ledwie w dwadzieścia godzin, z dwoma raptem międzylądowaniami. Samoloty Li-2, latające na tej trasie z rejsową szybkością ledwie 350 kilometrów na godzinę, musiały siadać po drodze aż dziewięć razy i trwało to aż trzydzieści dwie godziny, przy czym te licencyjne dakoty woziły ledwie osiemnastu pasażerów. Takie technologiczne skoki to chyba jedyny pozytywny aspekt wojny. Wtedy jeszcze nie zdawał sobie sprawy, że plagiat superfortecy zaciąży na kolejnych konstrukcjach jego biura na wiele lat. Ba! Gdyby wiedział, że nawet w konstrukcjach powstałych po jego śmierci odczytać będzie można algorytm Boeinga, pewnie nie byłby z tego dumny.

Pułkownik Ernest Hemmings czuł się wśród wojskowych z wielu krajów jak ryba w wodzie. Sam był po cywilnemu, bo udawał tu korespondenta brytyjskiej „Herald Tribune", a jego akredytacja opiewała na fikcyjne nazwisko. Minęły już czasy, gdy jako cywil wśród mundurów czuł się gorszy i mniej zauważalny. Teraz, w jesieni żywota, dojrzałość i mądra wyrozumiałość wobec samego siebie kazały mu nie zwracać uwagi na takie szczegóły. W lekkim, jasnoseledynowym, popelinowym blezerze ze ściągaczami przy mankietach i w talii, w sportowych spodniach i zamszowych butach, z imponującą profesjonalizmem leicą na piersiach, uzbrojony w teleobiektyw i notatnik w skórzanej oprawie, czuł się jak rasowy reporter i bawiło go to, podobnie jak srocze zainteresowanie jego osobą uroczej i roztrzepanej reporterki z „Le Monde", która zachwycona Rosją i Rosjanami chciała podzielić ten zachwyt z kim się tylko dało. Swoją trzepotliwością i migotliwością przypominała mu jego asystentkę, Nataszę Davies. Równie ładna i pełna jasnego, pszenicznego seksu, była jednak od tamtej znacznie młodsza.

Pewnie to oraz możliwość napawania się gładkością jej skóry na odsłoniętych kolanach (nie dbała bowiem o obciąganie spódnicy, wiedząc, jak ładne ma nogi) sprawiło, że nie przesiadł się na inne miejsce prasowej i zarazem wojskowej trybuny. Gospodarze nie odseparowali dziennikarzy od stada wojskowych *attachés* i obserwatorów, wśród których zauważył nawet kogoś w indyjskim turbanie. Jednak wojskowi trzymali się razem, patrząc z odcieniem wyższości na rozgadany sektor prasowy.

– Nie wie pan, czy długo będziemy jeszcze musieli czekać?

Jej francuski był słodki i cierpki zarazem. Spółgłoski artykułowała tak, jakby trzymała w buzi kwaśnego cukierka. Zagadnięty, w jednej chwili przypomniał sobie paryskie czasy i odpowiedział francuszczyzną, która zarówno w wymowie, jak i stylu stała znacznie wyżej od jej niedbałego trzepania:

– Proszę zachować cierpliwość. Organizatorzy zwykle podgrzewają atmosferę oczekiwania w ten sposób. Jak już impreza się zacznie, wszystko nam zrekompensują. Pod warunkiem oczywiście, że żaden z ich najnowszych latających wynalazków nie spadnie nam na głowę.

– Sądzi pan? – pytała, nie patrząc na niego, ale wypatrując najwidoczniej swoich znajomych w sąsiednich rzędach.

Gdy nie dostrzegła nikogo, komu warto by się przypomnieć, nieco uważniej spojrzała na swego świeżo poznanego sąsiada. Spodobał się jej natychmiast mimo różnicy wieku (dzieliło ich co najmniej trzydzieści pięć lat). Miał styl, który przypominał jej ojca, i był wypielęgnowany, co niezwykle sobie ceniła u mężczyzn w każdym wieku. Postanowiła skrócić sobie oczekiwanie spróbowaniem pazurków na starszym panu i rzuciła, patrząc z przyjemnością na jego miły i wciąż ostry, mimo lat, profil:

– Ale mnie koszmarnie chce się pić. Nie wiem, czy w ogóle tu wytrzymam.

– Jeśli pani nie pogardzi... – Sięgnął do wewnętrznej kieszeni blezera po płaską metalową flaszkę i podał jej grzecznym gestem.

– Co pan tam ma? – spytała nieufnie, odkręcając metalowy korek. – Pewno whisky?

– Ależ droga pani, jak mógłbym o tej porze proponować damie whisky. To koniak, i to znakomity. Niestety – dodał poważnym tonem – mój kamerdyner gdzieś się zapodział i jeśli nie pogardzi pani poczęstunkiem, będziemy musieli pić z butelki.

Zachęcał ją wzrokiem, a gdy się wahała, rozglądając dookoła, dodał jej odwagi w swoim stylu:

– Boi się pani opinii publicznej? Ręczę, że tylko będą zazdrościć pani odwagi w łamaniu konwenansów. Sami z przyjemnością by się napili, ale nie pomyśleli pewno o tym, żeby wziąć coś na pokrzepienie. Cóż. Jeśli nie ma pani ochoty, ja wypiję zdrowie francuskiej prasy, a pani pozostanie oczekiwanie, aż jakiś roznosiciel napojów albo lodziarz raczy się tu zjawić. Ale w ich obecności radzę za dużo nie mówić, bo na takich imprezach to zwykle agenci, doskonale znający języki.

– Nie?

Była zachwycona tak sensacyjnymi informacjami. Do tego stopnia, że z wrażenia wyjęła mu piersiówkę z dłoni i z miną taką, jakby miała wypić lekarstwo, wyciągnęła dobrą pięćdziesiątkę. Widać nie marnowała czasu podczas okupacji, ćwicząc popijanie na konspiracyjnych paryskich prywatkach, na których dużo mówiło się o wolnej Francji, a jeszcze więcej piło i korzystało z cielesnych uciech, które w tych warunkach smakowały zupełnie wyjątkowo. Zaspokoiwszy pragnienie, zaczęła chciwie obserwować otoczenie, wypatrując wzmiankowanych agentów. Gdy wreszcie w ich rzędzie pojawił się jeden z nich, przebrany za lodziarza, z zawieszoną na brzuchu skrzynką z napisem „maraskino", zaczęła wpatrywać się w niego podejrzliwie, jak gdyby spodziewała się, iż zamiast kolejnego zawiniętego w staniol oszronionego loda wyjmie ze swojej skrzynki granat albo składany miotacz ognia. Nic takiego się jednak nie stało, a Hemmings, skinąwszy na chłopaka, zafundował im po lodzie. Maraskino mimo pretensjonalnej nazwy okazały się pyszne, a ich smak oferował całą gamę przyjemności aromatycznego bukietu dojrzałych gruszek i melonów.

– Lody robią znakomite – pochwalił szczerze Hemmings.

– Jeśli ich samoloty są równie dobre, będzie na co popatrzeć.

– Zna się pan na samolotach? – dopytywała się, mając nadzieję, że tak właśnie jest. Taki ekspert z pewnością pomógłby jej uniknąć technicznych gaf w korespondencji, bowiem na Święcie Lotnictwa znalazła się zupełnie przypadkowo, specjalizując się w zupełnie innych tematach. Pech chciał, że jej kolega z redakcji rozchorował się prozaicznie na ciężką świnkę, a ona była w zasadzie przydzieloną mu asystentką, powodem zaś przydziału było to, że znała język. Jak zresztą miała go nie znać, skoro jej ojciec był rosyjskim emigrantem, a matka także Rosjanką, z rodziny osiadłej we Francji jeszcze w czasach wojen napoleońskich.

– O tyle o ile – odparł ostrożnie, a ona była najwyraźniej rozczarowana.

– Miałam… Sądziłam – poprawiła się – że jest pan ekspertem.

– Cóż…

Jej rozczarowanie rozbawiło go, bo od razu rozszyfrował jego motywy. Młodzi są tak czytelni w swojej interesowności i tak łatwo dostrzec ich prozaiczne, głupie motywy. Czy ja też taki byłem w jej wieku?

Przez chwilę usiłował sobie przypomnieć tamte odległe czasy i ludzi, wobec których jako młodzieniec obnażał swoją głupotę, ale żadne konkretne wspomnienie nie przychodziło mu do głowy.

– Jeżeli fakt, że w bodaj 1919 czy 1920 roku, już dobrze nie pamiętam, przeleciałem prawie cały ten kraj z północy na południe w dwumiejscowej konstrukcji z dykty, listewek i drutu i nie zabiłem się, zechce pani uznać za początek mojej eksperckiej kariery, to wolno pani uważać mnie za specjalistę od spraw międzynarodowej awiacji.

Skłonił lekko głowę w jej stronę, a ona życzliwie i z rosnącym szacunkiem spojrzała na człowieka, który gładko potrafił składać tak skomplikowane zdania. On zaś, dostrzegając wyczulonymi na takie sygnały zmysłami jej rosnącą akceptację, pomyślał, że wyprawa do Moskwy może mieć także bardzo miłe i pożądane aspekty, i postanowił po defiladzie zaoferować jej swoje towarzystwo przy obiedzie i pomoc w fachowej redakcji komunikatów. O swoje kompetencje w tej materii był spokojny. Od chwili, gdy zjawił się u niego Redke, systematycznie zbierał w oznakowanych teczkach raporty swego konsultanta, dane uzyskane drogami oficjalnymi i informacje wywiadu. Składała się z tego powoli całkiem interesująca całość, szczególnie odkąd Redke uruchomił najbardziej wartościowe ze swoich kontaktów, w osobach niemieckich naukowców zatrzymanych lub z własnej woli pracujących dla Sowietów. Doszły do tego raporty z kraju, gdzie z różnych miejsc donoszono o wzmożonym zainteresowaniu firm handlowych, mających powiązania z obozem komunistycznym, częściami i zespołami złomowanych superfortec. Zdymisjonowanego kretyna Clarka zastąpił istny (w porównaniu do poprzednika na analitycznym stołku) geniusz analizy, komandor Steven D. Pace. Jak przystało na szefa wojskowych analityków, łączył on w sobie harmonijnie odpowiednie dozy zarówno podejrzliwości, jak i stosownej, i potrzebnej na tym stanowisku, twórczej wyobraźni. Powoli elementy układanki wsuwały się na swoje miejsca, a gdy wysłuchano na koniec rewelacji jednego z internowanych we Władywostoku co-pilotów, niejakiego Forresta Fishera, tym, którzy orientowali się w dynamicznych zmianach powojennej polityki międzynarodowej i w postępach Sowietów w badaniach jądrowych, włosy albo ich resztki stawały z przerażenia na głowie. Gorączkowo montowano siatki wywiadowcze na terenie Rosji i w innych krajach obozu, starając się jak najszybciej połapać wątki sprawy. Po raz kolejny Stalin okazał się lepszym graczem, a oni po raz kolejny dali się wykiwać. Politycy i wojskowi są czasami naiwni jak dzieci. To, że Stalin przez dłuższy czas nie okazywał entuzjazmu, a nawet specjalnego zainteresowania nową bronią, wzięto za dobrą monetę, nie widząc, że to tylko kolejna finta. Jak zresztą miał się entuzjazmować lub choćby okazywać zainteresowanie, jeśli jego naukowcy, startujący z dalszych pozycji, gorączkowo pracowali nad tym, by nadrobić kilkuletnie opóźnienie. Zrobił, co mógł w tej sytuacji zrobić najrozsądniejszego – zachował zimną krew i twarz pokerzysty. Jego doskonale zorganizowany wywiad od dawna i w szczegółach relacjonował mu postępy projektu Manhattan – i można rzec, że Stalin był na bieżąco. Wiedział więc, że musi się spieszyć i udawać durnia. Teraz zaprosił niedawnych sojuszników na defiladę, podczas której najprawdopodobniej wyciągnie z rękawa przynajmniej część atutowych kart, bo inaczej by ich nie zapraszał. To nie był polityk, który chwali się swoją siłą z czystej próżności i poczucia tej siły. Musiał w tym mieć jakiś cel. Oczywiście w grupie amerykańskich wojskowych byli zawodowi, wyspecjalizowani obserwatorzy, ale dzwoniący do niego, również w imieniu Pace'a, Vandenberg chciał, żeby on – pułkownik Hemmings – także się tu znalazł. To, co mówił, było przekonujące:

– Wiem, że taka wycieczka może być męcząca. Tak… Oczywiście, będą tam nasi obserwatorzy, ale chciałbym pana serdecznie prosić, żeby pana także tam nie zabrakło… Co? Nie. Najlepiej po cywilnemu. Tak, jako dziennikarz. Dajmy na to brytyjski. Załatwimy panu akredytację i stosowne dokumenty. Dlaczego pan? To oczywiste. Pace też tak uważa. Od początku śledzi pan tę sprawę i z pewnością potrafi pan wyciągnąć własne wnioski. Wojskowi specjaliści za bardzo wchodzą w rolę super-. szpiegów. Wie pan, spiskowa teoria dziejów i te sprawy. A to mąci im w głowach i nie zauważają rzeczy naprawdę ważnych albo dla odmiany rozdmuchają sprawę do rangi kosmicznej. Tu trzeba kogoś o pańskiej rozwadze i umiarkowaniu. Bardzo proszę. Oczywiście to będzie misja specjalnie gratyfikowana. Przypomni pan sobie dawne czasy.

Może najlepszy był ten ostatni argument i Hemmings podjął się zadania z przyjemnością i podnieceniem, jakie od dawna nie było jego udziałem. Gdybyż można było jeszcze mieć u boku dawną przyjaciółkę, najlepiej w wieku, w którym była wówczas, w „dawnych czasach". Westchnął w duchu i pomyślał sobie, że francuska reporterka o opalonych kolanach i pięknie zadartym nosku może od biedy zastąpić dawne wspomnienia. Już zamierzał się jej wreszcie przedstawić i spytać o imię, gdy rozległo się narastające brzęczenie silników. Podniecona złapała go silnie za ramię i oblizując patyk po maraskino różowym jak u dziecka językiem, spytała podniesionym głosem, bo wibrujące unisono narastało w szybkim tempie:

– Słyszy pan? Lecą? Jak w ogóle ma pan na imię? Ja jestem Nicole Lusin. Z „Le Monde". – To „Lusin" zabrzmiało oczywiście jako „luzę", ale i tak domyślił się prawdziwego brzmienia nazwiska.

– Westland. Paul Westland. „Herald Tribune" – z wysiłkiem przypomniał sobie nazwisko z paszportu, a potem, jak na komendę, w narastającym huku silników unieśli na kilka centymetrów zadki z szorstkiej ławki i podali sobie dłonie. Po czym równie zgodnie siedli, przesłaniając oczy daszkami z dłoni i spojrzeli w niebo.

Odrzutowce nie były dla Hemmingsa niespodzianką. Wywiad donosił, że Rosjanie z podobną jak Amerykanie przenikliwością skorzystali z własnych i hitlerowskich osiągnięć w konstrukcji odrzutowych płatowców, a zyskawszy życzliwość nowego rządu brytyjskiego szybko doszlusowali do światowego poziomu także w zakresie silników, rozwijając licencyjne odmiany rolls-royce'a. Ale przecież w USA powstawało sporo równie udanych, a nawet lepszych konstrukcji, choćby morskie myśliwce McDonnella, Phanton i Banshee, FJ Fury wytwórni North American, F3D Skyknight Douglasa, czy F6U Pirate

Voughta. O harmonijny, pozbawiony dysproporcji wyścig zbrojeń w tym zakresie Hemmings był spokojny. Fingowany pojedynek między odrzutowcami a Tu-2 zniesmaczył go równie silnie jak Tumiłowa i wyciągnął identyczne wnioski co do tego punktu programu. Nie omieszkał podzielić się nimi z mademoiselle Lusin:

– Jak widać w ruskim sztabie też siedzą leśne dziady, którym poglądowo trzeba uświadamiać wyższość nowych technologii nad starymi.

– Dlaczego mówi pan, że „też"? – zainteresowała się, nie przestając celować nosem w niebo. W tej pozycji wydał się Hemmingsowi mniej zadarty, a w zasadzie zadarty w sam raz.

– Dlatego, że w naszym siedzą. Siedzą pewno we wszystkich sztabach na świecie. Tyle że u nas istnieje prócz dziejowej albo wojennej konieczności instytucja lobbingu. Ludzie wynajęci przez wielkie wytwórnie lotnicze, i w ogóle zbrojeniowe, specjalizują się w przekonywaniu władz cywilnych i wojskowych, że nowe maszyny wojenne często bywają skuteczniejsze od starych. Ale u nas chodzi o zarabianie pieniędzy na wojnie, a o co tu chodzi? Sam diabeł pewnie tego nie wie. W każdym razie, jak pani widzi, lobbują na niebie.

– Myśli pan, że odrzutowce – wymawiała tę nazwę ostrożnie, jakby słowo mogło eksplodować – wyprą te ze śmigłami? – dopytywała się, nie zdając sobie chyba sprawy z tego, że opiera dłoń w cienkiej rękawiczce na jego kolanie. Tak widać było jej wygodniej obserwować bezwzględną rozprawę latających ognistych rur z poczciwymi wielozadaniowcami. Najbardziej podobał się jej widowiskowy moment, w którym od skrzydeł wyrywającego pionowo w niebo odrzutowca odrywały się strugi kondensacji.

– Może nie tak od razu, ale ze śmigłami będzie pewnie tak, jak z kawalerią. Jeszcze w latach dwudziestych powstawały doktryny, które przewidywały wprawdzie stopniową likwidację kawalerii, ale na przestrzeni, proszę sobie wyobrazić, stu lat.

Tak. Trudno się z pewnymi rzeczami pogodzić. Okazuje się, że pani rodak Verne miał więcej fantazji od współczesnych sztabowców. Ale proszę spojrzeć, leci coś większego.

W wibrującym huku wielkich silników na niewielkiej, jak na zwyczaje pokazów lotniczych, wysokości nadlatywały cztery potężne maszyny. Trzy w porządnym kluczu i czwarta samotnie. Kilkaset metrów z tyłu. Hemmings w pierwszym odruchu chciał przetrzeć chusteczką szkła okularów, a trybuny zamarły w zdumieniu. Majestatycznie, z szybkością nie większą niż 280–300 kilometrów na godzinę, nadlatywały nad ich głowy superfortece. Ozdobione czerwonymi gwiazdami! Doskonale znany kształt. Spolerowane aluminium poszycia. Ogórkowaty, oszklony nos, błyskający w słońcu tysiącami refleksów. Wyglądało na to, że Sowieci doprowadzili do stanu defiladowego bombowce, które wcześniej internowali. Nawet liczba by się zgadzała. Kalkulował gorączkowo w głowie. Było pięć. Jeden oddali. Jeden się rozwalił przy lądowaniu. Więc to są trzy nasze samoloty, bezczelnie oznakowane pięcioramienną gwiazdą. Musieli wyszkolić załogi. Opanować procedury. Godne najwyższego podziwu. Ale po co latają nad głowami międzynarodowych ekspertów i dziennikarzy kradzionymi maszynami? Klucz bombowców oddalał się dostojnie, pokazując ogonowe wieże strzelców, a nad główną trybunę Tuszyno wpływał czwarty... Czwarty!? Jaki czwarty? Ten miał trochę inną sylwetkę. Dziób jak w constellations Lockheeda, którym Hemmings przyleciał do Europy, i płat ulokowany niżej niż w B-29. Ale to także był B-29!

Nie mogło być mowy o pomyłce. Hemmings w skupieniu starał się policzyć okienka na burcie pasażerskiego liniowca. Doliczył się jedenastu. Potem przypomniał sobie, że warto by zrobić zdjęcia, ale pasażerska superforteca była już daleko.

Tak więc skopiowali superbombowiec i przerobili go na pasażerskiego linera. Pewno po to, żeby pokazać, że ich przemysł stoi wysoko. Ale po co defilowały tamte trzy?

Rany boskie! Do umysłu Hemmingsa dotarły wreszcie wszystkie informacje i pułkownik błyskawicznie wyciągnął właściwą, ale przerażającą konkluzję: To nie są oryginały! Jeśli umieli skopiować maszynę w postaci cywilnej, to te trzy bombowce też są k o p i a m i! Kopiami superfortecy. I latają. Niech diabli wezmą wszystkich tych zadufanych w amerykańską potęgę i amerykańskie możliwości durniów, którzy daliby się posiekać za tezę o wieloletnim zacofaniu Sowietów. Już nie są zacofani. Potrafią zrobić dokładnie to wszystko, co my. Rewelacje Redkego o uruchomieniu seryjnej produkcji w Kazaniu wydawały się nabierać w świetle defilady zupełnie innej wagi.

Hemmings szybko przekalkulował w głowie to, co wiedział o B-29. Jeśli to, co zrobili na podstawie naszej maszyny, ma podobne osiągi... To by oznaczało, że gdyby decydowali się na samobójczą misję w jedną stronę, bez możliwości odwrotu, mogliby dolecieć z kilkoma tonami bomb nad Chicago, Los Angeles czy Nowy Jork! Dajmy na to, że wykonaliby desant na Islandii i zrobiliby tam bazy dla tych swoich superfortec, to sięgnęliby bez trudu nawet do Nowej Anglii czy Ohio. Gdyby zaś wypracowali sobie pozycje uderzeniowe na Grenlandii... – znów chwilę pomyślał – to stamtąd mogą bombardować nawet Denver i Nowy Orlean! Jeżeli rzeczywiście rozwinęli ten plagiat w serię, to nie jesteśmy już bezpieczni. Poza tym B-29 to jedyny samolot zdolny przenosić bombę atomową. Jeśli zdecydowali się ujawnić, że go skopiowali, to...

Nie było chwili do stracenia. Trzeba było lecieć do ambasady i skontaktować się z Vandenbergiem.

Jednak pułkownik Hemmings nawet w momentach najbardziej krytycznych, wymagających natychmiastowego działania, nigdy nie tracił głowy i okazji, która mogła się szybko nie powtórzyć. Nie chciał, by wyglądało to na panikę, więc spokojnie zdjął dłoń Francuzki ze swego kolana i odchylając brzeg rękawiczki, pocałował delikatnie tę dłoń.

– Nicole. Muszę panią teraz pożegnać. Przypomniałem sobie coś ważnego. Niecierpiącego zwłoki. Mieszkamy w tym samym hotelu. Proszę zejść, jeśli ma pani oczywiście ochotę, do recepcji, powiedzmy o dziewiętnastej. Zapraszam panią na kolację. – A widząc, że trzepocze rzęsami ze zdumienia, uśmiechnął się i dodał: – Wszystko pani wytłumaczę, a może także dostarczę sensacji do artykułu.

Wycofując się między rzędami i starając się nie deptać po nogach, spojrzał przelotnie na trybunę rządową. Wódz, najwyraźniej zadowolony z wrażenia, jakie wywarł na widzach, rozdawał na prawo i lewo władcze, pozornie łaskawe, choć w istocie przerażające uśmiechy, jak wschodni satrapa znudzony wiwatami nazbyt służalczego tłumu i myślący w głębi duszy, jak by ten znienawidzony motłoch unicestwić.

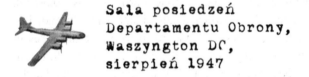

Sala posiedzeń
Departamentu Obrony,
Waszyngton DC,
sierpień 1947

Patrzyli na niego bez sympatii, choć zdarzali się tu nawet starsi od niego. Ale był dla nich kimś z obcego świata. Pisał książki o historii, uczył na znakomitej uczelni filozofii, miał wciąż opinię kobieciarza i nie musiał się martwić o emeryturę. Oni jeśli pisali, to teoretyczne rozprawy z zakresu fizyki lub artykuły do „Bulletin of Atomic Scientists" albo częściej raporty i rozkazy. Najpewniej część z obecnych znała także jego syberyjską przeszłość i ci patrzyli najbardziej podejrzliwie, jakby spodziewali się spostrzec na jego palcach ślady złotego pyłu.

Rozpoczął bez zaproszenia Carl Spaatz, dowódca Strategicznych Sił Powietrznych: widać uznał, że to, co ma do powiedzenia, jest najważniejsze i dobrze nadaje się na otwarcie:

– Na wstępie muszą panowie wiedzieć, że w arsenałach mamy zaledwie trzynaście bomb. Z czego wartość operacyjną zachowuje zapewne połowa. Cały czas oczywiście Teller i jego ludzie pracują nad tym, żeby w tym arsenale znalazła się w końcu bomba, która będzie naprawdę godna szacunku. W tej chwili borykamy się raczej z technologią na skalę przemysłową, bo w teorii wszystko się zgadza. Przynajmniej tak twierdzi pan Teller. – Wzrokiem poprosił wymienionego o pomoc. Edward Teller, szef teoretyków z Los Alamos, elegancko podjął wyzwanie:

– Stworzyliśmy przemysł jak każdy inny. Tyle że o bardzo skomplikowanej technologii. Stosy w Hanford mają ciągle awarie i na dobrą sprawę zakłady osiągają zaledwie połowę założonej wydajności. Doprowadzenie arsenałów do stanu gotowości to już nie sprawa teoretyków, tylko inżynierów.

– Panowie, panowie! – Generał Hoyt Vandenberg pomyślał, że tak daleko nie zajadą, bo już w pierwszych minutach spotkanie ma szanse rozwinąć się w spór specjalistów. – Chciałbym przypomnieć, że nie po to tu jesteśmy. Pułkowniku Hemmings, może zechce pan zrelacjonować wyniki swoich analiz.

Hemmings zdjął okulary, które służyły mu do patrzenia na dalsze odległości, i umiejętnie dozując napięcie dramatyczne, zamienił je w futerale z tymi do czytania, które nasadził na nos. Teraz z kolei nie będzie widział półuśmieszków i porozumiewawczych spojrzeń tego stada pancerników, ale będzie mógł korzystać z notatek. Zaczął od razu od konkretów, opuszczając stosowane w takich przypadkach inwokacje:

– Kilka ostatnich lat to z naszej strony lekkomyślne i wyjątkowo krótkowzroczne lekceważenie dwóch co najmniej problemów. Choć należy wspomnieć także o trzecim, o którym szerzej na koniec. Po pierwsze, założyliśmy, i trudno zaiste pojąć, dlaczego tak się stało, że Rosjanie są zapóźnieni w stosunku do naszych programów atomowych co najmniej o dziesięć lat. Znamy kilka wyraźnych przesłanek, na podstawie których można z dużym prawdopodobieństwem założyć, iż za dwa lata szanse w tej materii się całkowicie wyrównają, a Rosjanie będą dysponować bombą być może jeszcze bardziej godną szacunku od tej, nad którą pracuje w tej chwili pan Teller. Jeszcze z zimy i wiosny czterdziestego piątego roku pochodzą raporty, które potwierdzają, iż Sowieci, mimo demonstracyjnego *désintéressement* Stalina dla broni jądrowej, nakazali swoim dowódcom na świeżo zdobytych, odzyskanych, okupowanych czy jak je zwać terytoriach zabezpieczanie wszelkich niemieckich planów i urządzeń, mogących służyć do doświadczeń lub produkcji broni atomowej. Z tego samego okresu pochodzą doniesienia o uczynieniu z miejscowości Jachymov w Czechach strefy zamkniętej. Jak obecnym zapewne wiadomo, to jedyne miejsce w Europie Środkowej, gdzie wydobywa się rudy uranu na większą skalę. W miejscu tym do dziś roi się od sowieckich specjalistów i techników, co potwierdził wywiad. Drugi zlekceważony problem, to możliwość skopiowania przez sowiecki przemysł lotniczy Boeinga B-29. Znów nie wiadomo dlaczego uznaliśmy, że Rosjanie są niezdolni do tak skomplikowanej operacji. Tymczasem, jeśli sięgną panowie do teczek z materiałami, znajdą tam panowie zdjęcia czterech pierwszych egzemplarzy nowego sowieckiego bombowca Tu-4 i jego transportowej odmiany T-70. Praca nad tym niemożliwym według naszych specjalistów przedsięwzięciem zajęła im raptem dwa i pół roku, a z danych, którymi dysponujemy, wynika, iż do końca bieżącego roku będą już mieli pierwszych kilkadziesiąt sztuk. Jeśli zdolność ich przemysłu będzie się rozwijać w obserwowanym tempie, w ciągu dwóch, trzech lat będą dysponować powietrzną flotą strategiczną w sile tysiąca samolotów. Muszę także poinformować panów, że Tu-4 jako bardzo dobra kopia – chodzą słuchy, że pod pewnymi względami ich samolot jest lepszy od naszego – może być nosicielem broni atomowej. Gdy wezmą panowie pod uwagę wszystkie te liczby i informacje, wniosek jest tylko jeden. Zagrożenie atomowym atakiem naszego kraju to kwestia najbliższych miesięcy. Należy też z najwyższym

429

prawdopodobieństwem założyć, że Stalin nakazał ten plagiat z całą premedytacją. Nie moją rzeczą jest wyciąganie wniosków natury strategicznej, bo jestem tylko analitykiem, ale sądzę, że fakty które tu przytoczyłem, przyczynią się do rozpoczęcia prac nad całkowicie nowymi założeniami w naszej doktrynie obronnej...

– A ta trzecia kwestia? – zapytał ktoś z przeciwnej strony stołu głosem pełnym emocji.

– To po większej części efekt intuicji i wielu lat doświadczeń w wyciąganiu wniosków. Nie mogę bowiem przedstawić konkretnych dowodów, a nawet przesłanek. Mogę tylko powiedzieć panom o moim głębokim przekonaniu. Jestem mianowicie przekonany, że Rosjanie od lat znają dokładnie szczegóły naszych prac nad bronią jądrową*.

– Ale dowodów na to nie mamy? – upewniał się Vandenberg.

– Sądzę, panie generale, że istnienie dowodów na to, czy jesteśmy skutecznie inwigilowani, czy też mniej skutecznie, to sprawa w tej chwili drugoplanowa – przerwał zdecydowanie sekretarz obrony i zamykając z trzaskiem teczkę z fotografiami sowieckich klonów, powiódł zmęczonym wzrokiem po twarzach zebranych. – Z obliczeń wykonanych przez ekspertów Carla wynika, że jeśli zdecydują się na misje samobójcze, znajdziemy się w ich zasięgu. Jeśli opanują technikę tankowania w powietrzu, a zakładam, że jest to jak najbardziej możliwe, to wtedy będą nawet mogli planować powrót. Tak czy inaczej, nie powinniśmy po raz kolejny lekceważyć Rosjan – ani ich możliwości, ani ich nieobliczalności. Musimy się zabezpieczyć. Niech zresztą mówi Carl, bo myślał całą noc.

– Sądzę, że musimy to potraktować jako rzecz w tej chwili najpilniejszą, a o nowych bombach myśleć tylko w kategoriach

* Dopiero w lutym 1950 roku Waszyngton dowiedział się, że Rosjanie, za sprawą Klausa Fuchsa, od 1943 roku mieli dostęp do amerykańskiej „tajemnicy atomowej".

430

broni odwetowej. Chociaż, jak dowiedliśmy w sprawie Iranu i Jugosławii, nawet samo straszenie bombą może być bardzo skuteczne*. A straszyć można wtedy, gdy ma się i kamień, i procę. My mamy i to, i to, a oni właśnie skończyli strugać procę. W najbliższych miesiącach musi powstać system ostrzegania i przechwytywania tych Tu-4 jeszcze w powietrzu, poza obszarami zagrożenia. Zakładając oczywiście, że celami będą największe miasta i ośrodki przemysłowe. Będzie to związane z budową sieci naziemnych instalacji radarowych, pikietami radarowymi w powietrzu i stworzeniem dobrze działającego systemu przechwytywania przez lotnictwo myśliwskie. W miarę postępu prac dołączy się do tego instalację rakiet ziemia-powietrze, ale to najbardziej wątpliwy punkt programu†. Jeśli panowie mają jakieś pomysły albo pytania, to proszę teraz. Jeśli nie, trzeba, żebyśmy natychmiast poszli z tym do prezydenta.

Przez chwilę panowała cisza, a obecni zdawali się smakować nową sytuację. Hemmingsowi wydawało się, że niektórzy z nich miny mieli takie, jakby w powietrzu na sali dawał się już wyczuć kwaśny, ołowiany odór atomowej eksplozji. Postanowił wprowadzić ich w lepszy nastrój i zaproponował:

– Pozostaje nam tylko nazwać rosyjską superfortecę. Tu-4 nie brzmi w moim przekonaniu dość dramatycznie... –

* Spaatz ma na myśli kryzys irański w marcu 1946, kiedy to Truman zaszantażował ówczesnego ambasadora Gromykę atakiem jądrowym w przypadku, gdyby Rosjanie nie wycofali wojsk z Iranu. Wycofali w 24 godziny. W listopadzie tegoż roku sześć B-29 z baz w Niemczech wykonało demonstracyjną defiladę wzdłuż granic Jugosławii – w efekcie zastosowano przypadki zestrzeleń amerykańskich maszyn nad Bałkanami.
† Zmusiło to rząd Stanów Zjednoczonych do rozwinięcia kosztownej zdolności przechwytywania w powietrzu. W skład instalacji wchodziły systemy radarów naziemnych, Siły Obserwacji z Ziemi, samoloty-pikiety radarowe, pociski ziemia-powietrze typu Nike oraz flota myśliwców przechwytujących. Stworzenie przez Sowietów bomby atomowej w 1949 roku wzmogło pilną potrzebę dokończenia programu obrony powietrznej, ponieważ Stany Zjednoczone jako takie były teraz zagrożone atakiem nuklearnym.

Uśmiechnął się, a na jego uśmiech pierwszy odpowiedział uśmiechem sekretarz obrony Forrestal:

– Może „Bull"? – zaproponował i dodał: – Rosjanie się chyba nie obrażą...

Lotnisko Sił Powietrznych Oceanu Spokojnego Centralnaja-Ugłowaja. Władywostok, 27 września 1947

Krąg zdarzeń zamykał się powoli, a Darrell czuł się jak człowiek, którego tłum uwięził w drzwiach obrotowych. Znów był w punkcie wyjścia, na betonce lotniska, na którym wylądował cztery lata temu. Tym razem jednak na płycie nie czekał na niego Ramp Tramp, ale jeden z seryjnych samolotów produkcji zakładów nr 22. Trochę tylko zmodyfikowany do zadań specjalnych, bo pod jego prawym skrzydłem, pomiędzy silnikami, podwieszono rakietowego potworka, rakietoplan, który Sowieci zabrali Niemcom, a który po udoskonaleniu już kilka miesięcy temu, z niemieckim pilotem na pokładzie, przekroczył w locie poziomym prędkość dźwięku. Darrell od początku tkwił w tym projekcie i był z tego akurat zadowolony. Miał przynajmniej przekonanie, że uczestniczy w czymś ważnym i nowatorskim, o czym będzie mógł w przyszłości zdać relację w kraju. Jeśli kiedyś uda mu się wyrwać. Na razie nawet nie myślał o wyrywaniu się, a powód od dwóch lat był ten sam. Niezmienny i wystarczający. Nie wyobrażał sobie funkcjonowania bez niej. Choć sytuacja, w której przyszło mu działać, była więcej niż dwuznaczna, a w jej odcieniach przestali się już rozeznawać uczestnicy tej gry, nie był zaślepiony ani pozbawiony możliwości trzeźwej oceny. Przeciwnie, widział wszystko, co było jego udziałem, w całej dojmującej jaskrawości, i było mu z tym dobrze, bo miał poczucie spełnienia i kompletności. Nie kierował się – jak można by mniemać – rozstrzygnięciami natury moralnej, a jedynym ustępstwem na rzecz oceny sytuacji w kategoriach wartości było pilne obserwowanie własnych uczynków. To, o dziwo, zdawało się wystarczać, by zachować nad owymi uczynkami pełną kontrolę, a także, by nie miał poczucia stagnacji czy zatracenia się w rzeczach i stanach, które dane mu było przeżywać.

Kira, nie wychodząc z narzuconej jej agenturalnej roli, otaczała go aurą wciąż doskonalonego i wciąż nowego spełnienia. Spalał się w tym, ale jednocześnie wyżarzał, wzmacniając swoje oczekiwania, zachcianki i siłę. Miał też poczucie pełnej kompensacji tego, co mu dawała, bowiem udzielał jej siebie w dawkach, które dawniej, w jego zapomnianym i niewyraźnym teraz życiu, powaliłyby go bez siły na kolana. Nie mamy tu wszakże na myśli trywialnie pojmowanej potencji, ale ów odnawialny, delikatny i łatwy do roztrwonienia potencjał tego wszystkiego, co można ofiarować w zamian, by nie mieć poczucia braku partnerstwa i odpowiedzialności. Ponieważ korzyści z jego wiedzy, doświadczenia, umiejętności i wreszcie zapału były wymierne, kruchy układ, który mógł być unicestwiony jednym odwołującym Kirę poleceniem, trwał, zdając się być wszystkim na rękę.

Gdy skończyły się prace związane z uruchomieniem pierwszej serii, a Tumiłow zajął się rozwojowymi pracami projektowymi, zlecono Haroldowi pomoc przy rekonstruowaniu procedur i dostosowaniu ich do sowieckich standardów zarówno logistycznych, jak i – co może zdziwić – mentalnych. Sowieci nie byli tacy głupi i znali wagę psychologicznych aspektów instrukcji, które wobec specyficznej organizacji ich personelu lotniczego nie były bez znaczenia. Darrell, radząc sobie już jako tako z rosyjskim, spędził wraz ze Smoliarowem długie noce na redagowaniu instrukcji i arkuszy procedur. Rosjanie mentalnie wciąż tkwili w czasach, w których na pokładzie bardziej od procedur liczyły się determinacja, zdolność do poświęceń i odporność na przeciwności pogody i kaprysy zawodnych mechanizmów. Ale przy pracy w machinie tak skomplikowanej jak Tu-4, składającej się z kilkuset tysięcy części i wielu cudownie złożonych podzespołów, takie podejście było co najmniej ryzykowne.

Jego nastawienie do procedur zdawało się przynosić rezultaty, i mimo że seryjne maszyny dalekie były od niezawodnej doskonałości oryginału, liczba wypadków nie wzrastała, utrzymując się na przyzwoitym poziomie. Najczęściej zdarzały się awarie mechanizmów wypuszczania podwozia i kilka załóg musiało lądować na brzuchu, co w maszynie ważącej bez paliwa i amunicji grubo ponad trzydzieści ton nie było szczególnie rozrywkowym zajęciem.

Odpadały także najwidoczniej źle wyważone łopaty śmigieł, a przyczyn należało szukać w skomplikowanym, złożonym z mnóstwa małych części mechanizmie przestawiania skoku śmigieł. Stwierdzenie, że odpadały śmigła, brzmi stosunkowo niewinnie, ale gdy wyobrazić sobie wagę i energię dwuipółmetrowej łopaty, wrzuconej przy szybkości obrotowej rzędu dwóch i pół tysiąca obrotów na minutę, trzeba mówić o katastrofie. W najlepszym przypadku silnik na skutek gwałtownej deformacji obciążeń wyrywał się z łoża, niszcząc gondolę i część skrzydła, a sama łopata propellera przy „dobrym" rozkładzie wektorów godziła w niebo lub w sąsiednie śmigło. W najbardziej fatalnym łopata wbijała się w kadłub na wysokości komory bombowej i w konsekwencji wszystko leciało w diabły. Taki wypadek także mieli już za sobą. Do najbardziej niewinnych ułomności wieku dziecięcego zaliczyć należało niedbale wykonane oszklenie „szklarni", które deformowało obraz niczym krzywe zwierciadło w lunaparku, powodując łzawienie oczu i bóle głowy u pilotów.

Lot mógł być emocjonujący z tego chociażby powodu, że po raz pierwszy nosicielem rakietoplanu miał być sowiecki bombowiec. W poprzednich, uwieńczonych sukcesami, eksperymentach używano bowiem zachowanego na wszelki wypadek w całości oryginalnego boeinga. Niemcy, a konkretnie specjaliści od Heinkla i firma DFS, pracowali nad modelem 346 już od 1944 roku, ale nie zdążyli go złożyć do kupy przed kapitulacją, choć wykonali z pozytywnym rezultatem wszystkie etapy prób w tunelu. Obliczyli także, że DFS, wyniesiony na dziesięć kilometrów i po przejściu na własny napęd, po osiągnięciu dwudziestu kilometrów powinien rozpędzić się do dwukrotnej prędkości dźwięku. Wykonali wszystkie plany i obliczenia, zgromadzili materiały do budowy i przygotowali nawet dwa rakietowe silniki Walter o łącznym ciągu prawie 35 kN. Silniki były ulepszoną wersją seryjnie produkowanych walterów R1, napędzających rakietowe „Komety" Messerschmitta*.

Tak ładnie przygotowany projekt, wraz z doświadczalnymi pilotami i większością świetnie wytresowanego personelu, przejęli Sowieci w zakładach Siebel w Halle i ciupasem wyekspediowali całość do miasteczka Podbieriezie. Oczywiście nie chwaląc się sojusznikom swoją zdobyczą. Podobnie postępowali alianci, wywożąc w tajemnicy zakłady, projekty, modele, plany, materiały i ludzi. Dochodziło do tego, ze podkradano sobie najsmakowitsze kąski nawet w ramach partnerskiego przecież układu Amerykanów z Brytyjczykami. Tego wszystkiego dowiedział się Darrell, studiując dokumentację i od Smoliarowa, który traktował ową rywalizację o zdobycz w kategoriach sportowych, pasjonując się historią kolejnych rozgrywek. Rok temu ukończono pierwszy prototyp rakietoplanu i niemieccy piloci dokonali na nim lotów ślizgowych bez silników. Próby miały pomyślny przebieg, więc zdecydowano się pójść na całość. Niejaki Ziese, fabryczny oblatywacz Siebla, który wytrwale trenował na specjalnie przekonstruowanych szybowcach (notabene także niemieckich) pilotowanie w pozycji leżącej (tak bowiem zaplanowano pozycję pilota w rakietoplanie), dał się wynieść

* Me-163 Komet – produkowany seryjnie rakietowy myśliwiec Luftwaffe o prędkości dochodzącej do 1000 kilometrów na godzinę.

na wysokość dziesięciu kilometrów, w kierunku otwartego morza. Wyczepił się, odpalił silniki i w locie wznoszącym przekroczył prędkość dźwięku. Co godne podziwu, rakietoplan nie rozpadł się na kawałki i Niemcowi udało się wylądować bez wypadku, choć lotowi z prędkością ponaddźwiękową towarzyszyły podejrzane drgania usterzenia i płatów. Sukces uskrzydlił Rosjan i zbudowali dwa kolejne, udoskonalone prototypy. Długi na jedenaście metrów, wykonany z polerowanego duraluminium rakietoplan mógłby z powodzeniem zagrać rakietę kosmiczną w filmie science fiction. Był oszklonym na dziobie, smukłym srebrnym cygarem z krótkimi skośnymi skrzydełkami i niewielkim statecznikiem pionowym na końcu, uwieńczonym równie skośnymi co skrzydła statecznikami poziomymi. Pod ogonem umieszczono jedną nad drugą żaroodporne dysze rakietowych walterów. Z dziobu wystawała niczym lanca miecznika trzymetrowa rurka Pitota*. Waltery pędzone były słynną mieszanką T-Stoff† i na szczęście czegoś, co nazwano C-Stoff i co było efektem wytężonych sowiecko-niemieckich eksperymentów w Podbierieziu. Mówimy na szczęście, bo mieszanki używane wcześniej przez Niemców mało, że śmiertelnie toksyczne, były w chwili niezaplanowanego połączenia chemicznymi bombami o wielkiej sile. Mariaż T z C też nie był najbezpieczniejszy, ale gdy zachowywano przy tankowaniu odpowiednie środki bezpieczeństwa, można go było przeżyć‡.

Pomysł na kolejny eksperymentalny lot był następujący. Zatankowany rakietoplan ważył około pięciu i pół tony, więc Tu-4 z połową paliwa w zbiornikach, bez amunicji, powinien wdrapać się z nim na pułap powyżej jedenastu, a przy sprzyja-

* Przyrząd do mierzenia dynamicznego ciśnienia atmosferycznego, przekładający pomiar na skalę szybkościomierza.

† 80-procentowy roztwór wodny nadtlenku wodoru z oksychinoliną jako stabilizatorem.

‡ Używana w Me-163 mieszanka T-Stoff i Z-Stoff – wodnego roztworu nadmanganianu sodu i potasu – była przyczyną wielu wspaniałych eksplozji podczas tankowania i startu myśliwców.

jących warunkach może dwunastu kilometrów. Tu, po wyczepieniu, zmodernizowane waltery i nowe, wydajniejsze paliwo przy wznoszeniu rzędu sześciu kilometrów na minutę powinny pozwolić „346" wdrapać się na granicę stratosfery i przekroczyć zaplanowane przez Niemców dwa machy. Potem rakietoplan, jeśli wcześniej nie eksploduje, zawróci znad oceanu w kierunku lądu, a bombowiec będzie śledził na radarze jego powrót do bazy, relacjonując ziemi przebieg eksperymentu. Na rakietoplanie nie zainstalowano bowiem radia, a tylko prymitywny interkom, pozwalający pilotowi rozmawiać z załogą nosiciela do chwili wyczepienia. Lecieć mieli Darrell jako dowódca, drugi pilot, bombardier w roli obserwatora, inżynier pokładowy, operator radaru i radiowiec jednocześnie oraz samotny, w roli drugiego obserwatora, główny strzelec w przedziale centrali artyleryjskiej. Uznano, że tylny strzelec w tym eksperymentalnym locie jest zbędny*. Lecieć miał także Smoliarow, bo przy takim stopniu komplikacji wciąż niezbędny był tłumacz. Ale Smoliarow się spóźniał i Darrell postanowił, nie czekając na niego, rozpocząć procedury przedstartowe. Rosjanie już od kilku minut karnie czekali w cieniu lewego skrzydła, a niemiecki samobójca, zamknięty na głucho w rakietoplanie, pocił się zapewne i przeklinał dzień, w którym dał się uprowadzić z ojczyzny. Na ziemi leżały porządnie poukładane przeciwodłamkowe kamizelki i stalowe hełmy. Te rzeczy nie będą im dziś potrzebne i Darrell już klecił w myślach odpowiednie polecenie, gdy z ostro hamującego gazika wyskoczyła jeszcze jedna postać w kombinezonie, a Haroldowi serce zabiło mocno. Kira!

Podbiegła i nie witając się, karnie dołączyła do załogi.

– A major Smoliarow? – Harold był zaskoczony i nie mógł uwierzyć, że znów znajdzie się w samolocie z dziewczyną. Jak dotąd leciała z nim tylko raz – z Moskwy, transportową dakotą.

---

* W Tu-4, tak jak w B-29, całą pokładową artylerią, czyli pięcioma wieżami (wyjąwszy wieżę ogonową), można było kierować automatycznie ze stanowiska głównego strzelca w centrali artyleryjskiej.

Teraz będzie mogła go wreszcie zobaczyć, jak sobie radzi za sterami. Złapał się na tym, że czuje zupełnie coś takiego jak wtedy, gdy przed laty po raz pierwszy miał podjechać własnym autem pod dom kolejnej sympatii.

– Major Smoliarow ma ciężki atak wyrostka robaczkowego i jest w szpitalu. Mnie wyznaczono na waszego tłumacza, kapitanie Darrell – zameldowała całkiem przepisowo, choć po angielsku, a jego serce śpiewało.

– Dobrze – tym jednym słówkiem dał jej krótko do zrozumienia, że jest szczęśliwy. – Przetłumacz im to i trzymaj się mnie, bo będziesz tłumaczyła procedury. – I już zwracając się do wszystkich polecił: – Chłopcy! Zaczynamy kontrolę. Znacie towarzyszkę Widmanską? Będzie tłumaczyła. I zróbmy to sprawnie, bo Niemiec nam się zagotuje w rakiecie. Hełmy i kamizelki zostawcie, nie będą wam potrzebne.

Rozsypali się sprawnie, a jemu przypomniał się pompatyczny instruktażowy film, który nakręciła dla nich w Stanach wytwórnia. W czołówce lektor spoza kadru, który ukazywał majestatycznie mielący śmigłami przestwór bombowiec, głosił: „Dajemy wam oto do ręki samolot, na który tak długo czekaliście. Największy, najszybszy i najnowocześniejszy bombowiec świata... Lata lepiej niż cokolwiek, co ma skrzydła... Warto było na niego czekać... Jest tym wszystkim, co wam obiecano..."

Tym chłopcom nikt niczego nie obiecywał, ale przyjęli Tu-4 życzliwie, niemal z entuzjazmem, i w krótkim czasie poradzili sobie z nim całkiem dobrze. I znów jak przelotny obłoczek przemknęła kwestia z instruktażowego filmu: „...pilotowanie go jest taką wspaniałą, ważną i trudną pracą!"

Uświadomił sobie nagle, że gdyby podłożyć pod film rosyjski tekst i wyretuszować amerykańskie kokardy i napisy na tablicach przyrządów, film w całości można by wykorzystać także i tu. Pompatyczność i lalkowata uroda wybranych pewno specjalnie najprzystojniejszych pilotów i załogantów... Wielkie

438

słowa i inwokacje w drugiej osobie byłyby tu jak najbardziej na miejscu. A może tak naprawdę wcale się nie różnimy? Oderwał się od dziwnych myśli i zajął swoimi obowiązkami. Wyjął z kieszeni calówkę i pedantycznie zmierzył skok amortyzatora w lewym *chassis* podwozia głównego. Przy tak obciążonym samolocie odległość pomiędzy punktami pomiaru powinna wynosić przynajmniej dziesięć cali. Czynność była z pozoru prozaiczna i bardziej stosowna dla mechanika z obsługi naziemnej, ale stan amortyzatorów mógł zdecydować o pomyślnym lądowaniu. W tym samym czasie drugi pilot sprawdzał amortyzatory z prawej strony. Wszystko gra. Mechanik z obsługi naziemnej podał mu ciśnieniomierz i pomógł sprawdzić ciśnienie we wszystkich kołach. Powinno mieć od 40 do 50 funtów na cal kwadratowy w kołach przednich i 75 do 80 w głównych. I miało. Sprawdzając ciśnienie pedantycznie, niemal jak lekarz, zbadał także kondycję opon. Najgroźniejsze były mechaniczne uszkodzenia i drobne nawet kamyki wbite pomiędzy kostki protektora. Przy uderzeniu o ziemię mogło to spowodować pęknięcie opony. Gdy zauważał coś, co mu się nie podobało, pokazywał to miejsce człowiekowi z obsługi, a tamten usuwał kamyki lub przecierał gumę miękką mosiężną szczotką. Zgodnie z instrukcją dowódca był odpowiedzialny za staranne oczyszczenie ogumienia. Każdy z wielkich amortyzatorów miał ponadto mechaniczny wskaźnik zużycia, w B-29 nazywano go „shimmy". Wystawał z górnej pokrywy amortyzatora i wycięcie w jego okienku powinno dokładnie pokrywać się z powierzchnią pokrywy. Rosjanie z właściwym sobie wdziękiem nazwali to natychmiast „Siemionem Siemionowiczem". Kolejnym etapem było sprawdzenie stanu żaluzji chłodzenia na gondolach wszystkich silników. Oglądał je z dołu, zadzierając z wysiłkiem głowę. Gdy coś mu się nie podobało, naziemni usłużnie podtaczali mu drabinkę na kółkach, a on wspinał się po stopniach i dotykał żaluzji. W czasie pracy silników panowały tu ekstremalne warunki, gdy gorące, nagrzane opływem cylindrów powietrze spotykało mroźne powietrze zewnętrznej atmosfery, a stopy o podwyższonej żaroodporności były wyjątkowo czułe. Podczas gdy on rzeczowo dotykał żaluzji, drugi pilot metodycznie i bez pośpiechu oglądał przewody i złączki siłowników wszystkich wózków podwozia. Podejrzany był każdy element, a przetarta stalowa koszulka na przewodzie ciśnieniowym lub ruszająca się mufa dyskwalifikowały daną część i trzeba ją było natychmiast wymienić. To nie podobało się Rosjanom, którzy wyznawali inną zasadę: dopóki coś nie odpadnie albo nie wybuchnie, jest dobre. Trzeba było z tym walczyć i Darrell dokładnie powtórzył w redagowanej przez siebie instrukcji łopatologiczne i skierowane zda się do debili akapity oryginalnej wersji. Teraz on po prawej, a drugi pilot po lewej zabrali się za badanie pokryw luków podwozia i podłączeń awaryjnego zasilania elektrycznych mechanizmów wciągania i wysuwania. Zasada generalna była następująca: nic nie może być luźne, nic nie może się ruszać i kolebać. Następnym etapem były przewody hamulcowe. Najmniejszy ślad wycieku płynu i trzeba się brać za dokręcanie lub wymianę. Wreszcie, znów pozornie głupie, ale przecież ważne sprawdzenie blokujących podwozie podstawek pod głównymi *chassis*, jednej z tyłu, drugiej z przodu. Teraz znów musiał wleźć na drabinkę i osobiście dopilnować starannego dokręcenia śrub wpuszczonych w drzwiczki inspekcyjne silników. Zgodnie z procedurami powinien to robić główny strzelec, ale działka dla ulżenia samolotowi były pozbawione amunicji, więc zamiast czterech strzelców leciał tylko jeden i Darrell musiał etapy inspekcyjne głównego strzelca wziąć na siebie. Gdy obejrzał wszystkie klapy i okienka inspekcyjne, musiał zabrać się za mechanikę płata. Dużo tego było. Lotki, klapy, trymery. Każdej ruchomej części trzeba było dotknąć, poruszyć nią, sprawdzić luzy i mechaniczne uszkodzenia. Przy okazji można było przyjrzeć się ewentualnym wyciekom z siłowników. Tu też nie można było za grosz ufać Rosjanom, dla których wyciek był raczej dowodem na to, że w instalacji jest jeszcze dość płynu, a nie sygnałem początku awarii. Oczywiście tam, gdzie jest ciśnienie, nieodmiennie coś cieknie, byle nie wyglądało to groźnie. Zawsze podczas inspekcji miał przy sobie czystą bawełnianą szmatkę. Gdy po przetarciu podejrzanego miejsca wyciek znów się pojawiał, kazał rozbierać i wymieniać. W płatach pomieszczono ponadto rozległy system zbiorników paliwa wraz z instalacją przepompowywania i wypełniania pustych zbiorników neutralną mieszanką gazów. Tu o wyciek było raczej trudno, bo ciśnienia były znacznie mniejsze, poza tym z zewnętrz niewiele dałoby się zauważyć. Spotkali się z drugim pilotem pod kadłubem i flankowani przez najwyraźniej przejętą swoją rolą Kirę ruszyli ku tyłowi, by sprawdzić luki, okna i drzwiczki inspekcyjne. W tym czasie główny strzelec musiał wobec nieobecności kolegów odwalić za nich robotę. Wprawdzie działka były pozbawione amunicji, ale gdyby w czasie lotu coś nawaliło w ich agregatach czy oprzyrządowaniu, mieliby problem z alarmowymi kontrolkami, więc procedury nie dały się ominąć. Trzeba było sprawdzić podłączenie instalacji bieriezinów i kamer pięciu wież, co wymagało zdjęcia pokryw, ustawienia przełączników przeładowania działek i szybkości pracy kamer, którą regulowało się w zależności od pogody, a więc głównie od nasłonecznienia. Dla tak ładnego dnia stosowną prędkością będzie szesnaście klatek na sekundę. Gdy strzelec uporał się wreszcie z blokadą drzwiczek inspekcyjnych, można było zająć się silnikami. Przedtem jednak trzeba było zajrzeć do Niemca, który zakręcony od 40 minut, leżał w swoim piekielnym pocisku. Darrell wraz z technikami obsługującymi projekt sprawdził usterzenie DFS-a, mocowania i zamki pod lewym skrzydłem i polecił przetrzeć Niemcowi szyby. Kiwnął mu też przyjaźnie dłonią, na co tamten odpowiedział krzywym uśmiechem dżina zamkniętego w butelce, pływając najprawdopodobniej w swojej przeciwpotnej bieliźnie. Harold przypomniał technikom o domknięciu luku pocisku przed startem bombowca, choć gdyby tego nie zrobiono, na

tablicy inżyniera pokładowego, który odpowiadał za wyczepie-
nie pocisku, zapaliłaby się alarmowa kontrolka. Nim rozgrzeją
silniki, Niemiec może pooddychać powietrzem z zewnątrz.
Potem przejdzie na własne zasilanie i tlen. Nie zazdrościł temu
facetowi. Na samą myśl o tym, że miałby samotnie wyekspedio-
wać się w czymś takim na dziesięciu kilometrach, mając za
zadkiem kilka ton palnych cieczy, robiło mu się niedobrze.
Pokiwał raz jeszcze potencjalnemu samobójcy i polecił załodze,
by ładowała się do maszyny. Naziemni, ustawieni już dwójkami, gotowali się, by piętnaście razy chwycić za łopaty śmigieł
i obrócić wałami wielkich szwiecowów o trzy i trzy czwarte
obrotu. Gdy Darrell, odsunąwszy szyber po swojej stronie,
przyglądał się, jak naziemni, sprawnie się wymieniając, kręcą
dwuipółmetrowymi łopatami silników, główny inżynier czujnie
wpatrywał się w swój pokładowy ołtarz, sprawdzając, czy przełączniki zapłonu, pomp paliwowych i zasilania znajdują się na
właściwych pozycjach. Gdyby któryś z wielkich silników odpalił właśnie teraz, wiadomo... Ale wskaźniki czterdziestu czterech zegarów i położenie blisko osiemdziesięciu przełączników
i pokręteł mówiło mu, że wszystko jest w porządku. Gdy
naziemni pod czujnym okiem drugiego uporali się z ręcznym
wstępnym rozruchem, którego celem było rozprowadzenie oleju
po gładziach ustawionych w podwójną gwiazdę osiemnastu
cylindrów, drugi wlazł do samolotu i, sapiąc, zajął swój fotel.
Ten moment był jednocześnie końcem „zewnętrznej" części
przedstartowej inspekcji. Teraz był czas na to, by uporządkować
osobisty ekwipunek. Było tego sporo. Elektrycznie ogrzewany
kombinezon, spadochron, maska tlenowa, nóż i metalowa
manierka z jedną czwartą amerykańskiego galona wody.
Wszystko dokładnie skopiowano z amerykańskich wzorów,
nawet nietypową pojemność manierki. Wszyscy byli już na
pokładzie, a operator radaru, sprawdziwszy uszczelkę, zamknął
luk łączący hermetyczną sekcję dziobową z komorą bombową.
Luki wyjściowe były już zamknięte, luki dzielące sekcje także.

Teraz należało otworzyć instalację ciśnieniową w hermetycznych sekcjach kadłuba. Automat zadba o utrzymanie właściwego ciśnienia w trzech przedziałach w zależności od wysokości. Do trzydziestu tysięcy stóp będzie utrzymywane na poziomie odpowiadającym trzem kilometrom, powyżej będzie się stopniowo zmniejszać. Poprosił Kirę, by chwilowo ulokowała się na składanym stołeczku za plecami pilotów. Potem będzie mogła usiąść wygodnie na foteliku nawigatora. Zresztą lot nie potrwa długo. Popatrzył na zegarek i wtedy zauważył kątem oka, że Kira stara się uchwycić jego spojrzenie. Znał ją doskonale i wiedział, że jest to sygnał rozpoczynający sekwencję ich migotliwych, nieuchwytnych i tajnych porozumień. W takich sytuacjach, których przeżyli już kilkanaście, tylko oni byli szczerzy, i tylko oni się rozumieli. Odwrócił więc na moment głowę i wzrokiem dał jej do zrozumienia, że od tej chwili jest nastawiony na odbiór. To zdawało się ją zadowalać. Wyglądała niecodziennie w kombinezonie i w lotniczych butach, ale jej uroda nawet w takiej oprawie przyciągała nie tylko jego wzrok. Zajęta była właśnie upychaniem swojej grzywy pod czarną chusteczkę, taką jaką piraci zakładali niegdyś pod stosowane kapelusze, by wchłaniała pot. Gdy się z tym uporała, założyła haubę i powiedziała po angielsku:

– Nie chciałabym, żeby p o t e m mi przeszkadzały.

Słówko „potem" dostało mały, niedostrzegalny akcencik i Harold potwierdził także drugi sygnał. Później założył laryngofon, podłączył kabelek grzejny, przewód interkomu i wąż tlenowy, łączący maskę z butlą. Instrukcja zalecała uporządkowanie osobistego „okablowania" przed założeniem hauby, „żeby się nie zaplątać". Instrukcja zalecała także, a właściwie nakazywała, by w określonych fazach lotu, a więc podczas startu, lądowania, w strefie nieprzyjacielskiej obrony i nad celem jedna osoba w każdym hermetycznym przedziale miała założoną maskę tlenową. Tym akurat mało kto się przejmował – zarówno w bombowcach amerykańskich, jak tu, w sowieckich kopiach

– choć można było sobie wyobrazić wiele argumentów na rzecz rygorystycznego przestrzegania owego przepisu. Gdy wszystko było już powtykane i przykręcone, Harold chrząknął i swoim dziwnym rosyjskim polecił inżynierowi pokładowemu przynieść formularze. Owe formularze, oznaczone podobnie jak w Stanach tajemniczymi symbolami „1", „1a" i „1a – 40", były zwycięstwem pokładowej biurokracji nad zdrowym rozsądkiem, bo obowiązkiem pierwszego pilota było skrupulatne obejrzenie rubryk i fajeczek, które starannie w nie powstawiali wszyscy biorący udział w inspekcji. Szczególną uwagę należało zwrócić na rubryki poświęcone częściom i urządzeniom najbardziej „defektywnym", czyli takim, które z racji skomplikowania konstrukcji albo obciążeń psuły się najczęściej. Do nich należała właśnie znakomita instalacja przeciwoblodzeniowa, którą zdradziecki postępek Harolda uczynił jeszcze bardziej *defective*. Wspaniałe jesienne słońce nie zapowiadało jednak konieczności skorzystania z tego diabelskiego wynalazku nawet w wysokich partiach atmosfery i Harold pomyślał, że może jeszcze i tym razem uda mu się nie wpaść we własne sidła. Choć głupie i marnotrawiące czas, czynności owe miały coś z rytuału i dawały złudną gwarancję tego, że zrobiono wszystko, co możliwe, by przeżyć i nie rozwalić kosztownego przecież samolotu. Gdy postawił zamaszysty podpis kopiowym ołówkiem, można było zacząć procedury startowe. Także te piętrzyły przed załogą kolejne uciążliwości, ale Tu-4 nie był dwupłatowym kukuruźnikiem, w którym procedury ograniczały się do włączenia dwóch kontaktów i zakręcenia śmigłem, a także owinięcia szyi szalikiem oraz opuszczenia gogli na nos. Podpisane formularze wróciły do inżyniera, co było dla niego sygnałem do odegrania rutynowej roli. Zaczął od włączenia i wyłączenia awaryjnego agregatu zasilającego, który miał własny, spalinowy napęd i mógł (przynajmniej w teorii) ocalić im życie, gdyby wysiadło główne zasilanie. Potem inżynier sprawdził działanie przekaźników, a Harold oświetlenie przyrządów i ultrafioletowy wskaźnik, sygnalizujący gotowość do pracy przyrządów jego tablicy rozdzielczej. Kolejną głupią czynnością było sprawdzenie, czy działa alarmowy brzęczyk, który zgodnie z instrukcją także mógł się zepsuć, choć nie znajdował się w grupie *defective*. Teraz mocne wciśnięcie pedału hamulców, co pozwala (osobną dźwignią oczywiście) odblokować hamulce z położenia postojowego. Teraz sprawdzamy sygnalizatory i przełączniki położenia podwozia, zamknięcia luków bombowych i kontrolki ciśnienia w kabinach. Następna czynność to odblokowanie sterów i klap (dźwignia przesunięta do przodu, aż poczujesz opór). „Czy wszystko w tym samolocie, kiedy nie lata, musi być zablokowane?" – przeleciała mu przez głowę myśl, która uporczywie wracała przy kolejnych startach. Bo cztery dźwignie sterujące przepustnicami silników także miały blokady i trzeba było po ich zwolnieniu ostrożnie sprawdzić, jak przesuwają się przepustnice. Można to było zrobić bez obawy zalania świec, bo pompa paliwowa nie była jeszcze włączona. Instrukcja (i ten punkt starannie skopiował z oryginalnej, zachowanej w pamięci wersji) zalecała poruszanie dźwigniami „bardzo powoli i z wyczuciem". Generalnie instrukcja mówiła o „delikatnym" obchodzeniu się z mechanizmami – najwidoczniej jej redaktor miał jakieś doświadczenia z kobietami i ich sposobem obsługi mechanicznych, Bogu ducha winnych dźwigni i pokręteł. Rosjanie byli podobni do kobiet prowadzących samochody i często nie mieli wyczucia. Gdy coś stawiało opór, drażniło ich to i w ślepym i nieuzasadnionym odwecie używali siły. W sowieckim światku lotniczym istniało na to specjalne określenie: „na chama". Gdy on pieścił się z przepustnicami, drugi pilot zabrał się za sprawdzanie wychylenia sterów, w czym (z braku głównego strzelca) pomagali mu ludzie z ziemi, sygnalizując wynik gestami. Zgodnie z instrukcją stery powinny się wychylać w krańcowe położenia bez nadmiernego oporu. Gdy drugi poradził sobie ze sterami, zbadał trymery, kręcąc po kolei trzema kołami regulującymi wyważenie lotek, sterów i klap.

Następnie zabrał się do kontroli wysuwania i chowania klap. Ich działanie przebiegało w dwóch fazach i trzeba było pamiętać, by zakończyć jedną, nim rozpoczęło się drugą. Wychyla się więc najpierw owo zmyślne urządzenie o 15 stopni, a pierwszy pilot sprawdza, czy wskaźnik istotnie pokazuje tę wartość. Tu znów instrukcja pedantycznie pouczała potencjalnych kretynów za sterami, „by skorzystali z pomocy obsługi naziemnej w upewnieniu się, że nikt nie stoi tuż za klapą". „Albo – pomyślał pilot – nie położył na niej głowy..." Harold zawsze podejrzewał, że autorom bardziej zależało na całości klap niż czaszek i kończyn ludzi z obsługi. Teraz zapalamy silniki, ale nim to zrobimy, instrukcja nakazuje nam sprawdzić, czy, broń Boże, nie włączyliśmy przypadkowo automatycznego pilota. Dalej kolejno cztery zestawy do ustawiania skoku śmigieł. Wskaźniki muszą ustawić się w pozycji startowej, a położenia są trzy: „*małyj szag*, czyli kąt 21 stopni", *bolszoj szag*, czyli 45" i położenie w chorągiewkę, czyli jak mówią Rosjanie *flagiernoje* – tu łopata ustawia się pod kątem 87 stopni i stawia powietrzu minimalny opór. Przełączniki trzeba ustawić w górnym położeniu, tak by przy danej liczbie obrotów śmigła dawały maksymalny ciąg. Teraz zabawa z bardzo ważnym pokrętłem. Czasami wydawało mu się, że to pokrętło jest ważniejsze nawet od niego i przy dalszych drobnych ulepszeniach mogłoby samodzielnie dowodzić superfortecą. Miało angielski skrót MPS, a w ludzkim języku skrót ten oznaczał, że pod czarną, masywną bakelitową gałką z ruchomą kryzą kryje się wielofunkcyjny selektor ciśnień. Najpierw ustawiamy go tak, by znacznik pokazywał zero. Potem podnosimy mostek integrujący włączniki urządzeń sterujących skokiem i trzymamy go tak długo, aż spolegliwie zabłysną przyjazną zielenią cztery pomieszczone nad mostkiem kontrolki. Wreszcie, gdy załoga w określonej kolejności zaraportuje gotowość, można kręcić. To zadanie inżyniera, który podnosi dźwigienki zasilania, przełącza system przeciwpożarowy w położenie umożliwiające zalanie pianą numeru pierwszego, przestawia przełącznik magneta do pozycji umożliwiającej zapłon silników po lewej i prawej stronie i wreszcie naciska dźwigienkę startera. Każdy z silników nim zaskoczy z basowym prychnięciem, pchany potężnym rozrusznikiem, obraca się dwa razy w wizgu elektromotoru. Gdy numer pierwszy odpali i zacznie pracować regularnie, należy ustawić przepustnicę tak, by obrotomierz pokazywał wartość 1200/min. Zabawę powtarzamy jeszcze trzykrotnie i łoskot, nawet we wnętrzu, robi się coraz groźniejszy. Gdy basowy chórek czterech szwiecowów wyrównuje brzmienie i zaczyna głosić chęć zdobywania przestworzy, jest chwila czasu, by ustawić przyrządy i sprawdzić działanie pomp próżniowych. Szczególnie ważny jest wysokościomierz – tu błąd w locie bez widoczności może skończyć się wjechaniem pod ziemię. O skali korekt decyduje aktualne ciśnienie atmosferyczne na poziomie morza. No i można łączyć się z wieżą. Wbrew procedurom robi to drugi pilot, ale dopóki rosyjski Harolda nie stanie się dla Rosjan zrozumiały, musi tak być. Bombardier wyłazi ze swojej oszklonej bańki i zagląda przez okrągłe okienko luku ciśnieniowego do komory bombowej. Dziś jest pusta, ale to nie oznacza pominięcia tego etapu procedury. Bombardier otwiera wewnętrzne drzwi bombowe i sprawdza położenie zewnętrznych. Gdy wszystko jest w porządku, zamyka obie pary i jeszcze raz starannie sprawdza hermetyzację. Luk z drugiej strony został zamknięty wcześniej, bo teraz nie mieliby jak tego zrobić. Bombardier wraca na swoje krzesełko, nie odmawiając sobie przyjemności otarcia się o biodra Kiry, choć ta usuwa się z jego drogi zwinnie jak wąż. Sygnalizujemy naziemnym, żeby usunęli podstawki spod kół i dajemy im chwilkę, by odsunęli się od samolotu. Wszystko to trwało na tyle długo, że silniki mają już przyzwoitą temperaturę pracy. Drugi gada do swoich, uprzedzając, że za chwilę ruszamy. Harold zwalnia blokadę hamulców i nawet owe 1200 obrotów wystarczy, żeby bombowiec ruszył łagodnie. Teraz wszyscy prócz kierowcy mają wyglądać pilnie przez okna i meldować o tym, co dzieje się na zewnątrz. Ten passus amerykańskiej instrukcji nie jest, mimo pozorów, taki głupi, co potwierdziło się w czasie jednego ze startów, gdy załoga pułkownika Izdebskiego chciała wystartować z inspekcyjną drabiną przymocowaną do kadłuba i w ostatniej chwili powstrzymał ich ktoś z wieży kontrolnej.

Teraz, gdy ruszyliśmy, pamiętajmy o klapach. Niech będą w górnej pozycji. Gdybyśmy kołowali z wypuszczonymi, grad drobnych kamieni i żwiru, wyrzucany potężnym strumieniem zaśmigłowym, szybko zrobiłby z nich durszlak. Naturalnym odruchem podczas tej dostojnej jazdy po pasach prowadzących do głównej betonki jest chęć kierowania bombowcem za pomocą hamulców. Nie wolno jednak tego robić. Hamulce są potrzebne przy lądowaniu, nie przy starcie. Żeglujemy, wykorzystując ciąg silników, i to powinno wystarczyć, jeśli nie robi się tego zbyt nerwowo i jeśli pamięta się, że Tu-4 jest naprawdę dużym samolotem. W sumie wyszła znakomita kopia...

„A czy ja nie jestem już taką kopią?" – dopuścił do siebie taką myśl, choć zwykle kołując, starał się puszczać umysł wolno i nie pozwalał, by na ekranie uwagi i koncentracji, zajętym procedurami i obserwacją zachowań maszyny i przyrządów, pojawiały się jakieś ważne lub natarczywe myśli. Ta jednak została dopuszczona i Harold na kilka chwil pozwolił wątpliwościom buszować po swojej głowie:

„A czy ja nie jestem już taką kopią? Całkiem udaną. Czy nie ukradli mi duszy? Mnie samego? Czyż nie przehandlowałem swoich związków, przyjaciół, kraju za towar, który mi podsunęli? Jestem więc sobą czy nie? A może udało się im rozebrać mnie na kawałki i każdą część odtworzyć z innego, już nieamerykańskiego materiału? Mieli przecież ze mną problemy, a teraz przechodzę próby w locie. Zupełnie jak ten samolot skopiowany ze stali, gumy, pleksiglasu i talentu Tumiłowa. Odkąd poznałem Tumiłowa, miałem go za konformistę i złodzieja cudzych patentów. Nie przeszkadzało mi to go lubić. I nadal nie przeszkadza.

On pewno także w głębi duszy mną pogardza? Ale przecież także mnie lubi i ufa mi. Dał tego rozliczne dowody. A czyż nie jestem konformistą? A może to Tumiłow skopiował mnie razem z samolotem? A Kira, która siedzi tuż za moimi plecami i wiem, że uśmiecha się w duchu do moich plec?? Czy ona jest autentyczna? A może ona także ma swój udział w kopiowaniu? Wtedy, na stawie... Czy to nie był początek rozbierania mnie na części? Po to, żeby każdą odwzorować i złożyć z tego skopiowanego Darrella? A może ja też w sobie, w swojej wyobraźni, w swoich marzeniach i pożądaniu skopiowałem Kirę do swoich celów. Może ta autentyczna już we mnie nie istnieje, może nigdy nie istniała? Może zacząłem robić kopię, zanim jeszcze poznałem oryginał? Czy to w ogóle możliwe?"

Darrell potrząsnął głową, jakby chciał odpędzić krążącego przed twarzą komara, i wrócił do myślenia o instrukcjach, decydując z właściwą sobie niefrasobliwością, że niezależnie od tego, czy kopia pilotuje kopię, czy też może oryginał pilotuje skopiowany oryginał, należałoby przestać myśleć o rzeczach ostatecznych.

„Tak. Przy tak ciężkim samolocie, jeśli nadużywa się hamulców, szybko się skończą. A wtedy możemy się nie zatrzymać w tym miejscu, w którym planowaliśmy. Z człowiekiem i jego hamulcami też chyba tak trochę jest".

Ustawił się wreszcie na pasie startowym i zupełnie już trzeźwo spojrzał na trzy kilometry betonu na wprost szklarni. To był bardzo piękny widok. Ale trzeba było powiedzieć inżynierowi, żeby sprawdził magneto. Instalacja nie powinna zawieść w czasie startu.

„Ty włącz doładowanie silników. Potrzeba im teraz dużo siły. Masz przecież pod skrzydłem kilka ton z tym Hermanem w środku, tkwiącym jak pestka w mango.

W tym czasie ustaw skok na «bolszoj szag» i przytrzymaj mostek unoszący wszystkie cztery dźwigienki, aż zapalą się cztery lampki RPM. Cudowne, wszechmocne pokrętło wielofunkcyjnego selektora ciśnienia znów na ósemkę. Cztery turbosprężarki dają z siebie, co tylko mogą, czyli – jak mówią Sowieci – «ile fabryka dała». Teraz wciąż na hamulcu, przepustnica numeru pierwszego na lewym skrzydle delikatnie do przodu, na dwa tysiące obrotów. Tak trzymaj, dopóki inżynier nie zamelduje ci, że magneto chodzi jak trzeba. Teraz sprawdź, jak sprawują się sprężarki. Cofnij selektor na zero. Jeśli ciśnienie ładowania zacznie szybko spadać, wszystko jest w porządku. Cofnij teraz przepustnicę jedynki, tak by mieć na obrotomierzu sześćset obrotów, a potem podnieś do 1200. Zrób to samo z pozostałymi silnikami. Jest z tym trochę zabawy. Gdy się z tym uporałeś, kiwasz głową drugiemu, żeby wysunął klapy. Na dwadzieścia pięć. Teraz, gdy drugi potwierdził wypuszczenie klap, wszyscy zapnijcie się porządnie, a ty daj czadu – czyli magiczne pokrętło na osiem. Jeszcze tylko ostrzegawczy brzęczyk, rzut oka na napięte emocją twarze drugiego i bladej z przejęcia Kiry. Mocne naciśnięcie pedału hamulca i wszystkie cztery szwiecowy na 2400. Czyli przepustnice do przodu. Gdy je zablokujesz w tym położeniu, puść hamulec. Tu-4, który przez kilkanaście sekund przebierał kopytami w miejscu jak podrażniony byk na arenie, miękko, ale zdecydowanie rusza do przodu, a silniki uwolnione ryczą z ulgą. Trochę trzęsie, ale dzięki dużym pneumatykom i znakomitemu zawieszeniu jedzie się równo. Tego uczucia nie sposób z niczym porównać. Trudno też opisać je komuś, kto sam nie wyprowadzał tak ciężkiej maszyny w powietrze. Gdy masz już wystarczającą prędkość i czujesz, że maszyna nie miałaby nic przeciwko oderwaniu się od pasa, daj szwiecowom jeszcze dwieście obrotów na minutę więcej. To wszystko, czym dysponujesz. Zablokuj przepustnice w tym położeniu. Jeśli cofną ci się, gdy będziesz się wznosił, zjedziesz jak windą z urwaną liną i nikt nie poskłada bombowca ani ciebie do kupy. Prędkościomierz wskazuje 90 mil na godzinę. To wystarczy, żeby oderwać się od ziemi. Ale przytrzymaj byka na pastwisku jeszcze przez chwilkę, nim dasz mu się dorwać do powietrza. Niech naprawdę nabierze nieposkromionej chęci do latania. Teraz delikatnie cofnij sterownicę".

Bombowiec chwyciła za brzuch przezroczysta dłoń giganta i miękko, ale zdecydowanie pcha go w górę, aż żołądki załogi zdają się kołatać o biodra. Ze szklarni wygląda to tak, jakby samolot odpychał całą ziemię za pomocą jakiejś niewidzialnej energii, a ziemia pokornie odsuwała się. Nawet nie w dół. Po prostu się odsuwała. Byli już dostatecznie wysoko, więc Darrell nacisnął na hamulec, by zatrzymać rozkręcone startem koła, i polecił drugiemu schować podwozie. Ten przesunął dźwignię, a potem podniósł klapę w podłodze i przez inspekcyjne okienko sprawdził, czy podwozie weszło. Wprawdzie potwierdziły to kontrolki, ale instrukcja nie dowierzała kontrolkom. Mieli teraz 160 mil na godzinę i byli na pięciuset stopach. Można więc schować klapy. Trzeba przy tym chwilę pobrandzlować dźwigienką, tak by wskaźnik upewnił wszystkich zainteresowanych, że klapy weszły całkowicie w płat. „Podwozie i klapy nie stawiają już oporu i gdy przestawisz skok śmigła ze startowego na wznoszenie, samolot ochoczo zacznie wspinać się na pułap. Możesz także zmniejszyć ciśnienie ładowania, ustawiając pokrętło na czwórkę, i zmniejszyć obroty". Spojrzał w dół, na przepływające pod samolotem miasto i portowe doki – i było to jak oglądanie znanego filmu puszczonego odwrotnie. Przypomniał sobie dokładnie to wszystko, co mówił o okolicach Władywostoku Legenda, i uśmiechnął się do siebie wewnętrznym, krzepiącym duszę uśmiechem. Gdzieś tam Koreańczyk wiesza swoje pranie, przemierzając dostojnie białe, bieliźniane korytarze wilgotnych, pachnących mydłem płacht. Pewno dotyka ich, sprawdzając, czy potrzeba im dużo czasu, by nabrały szorstkiej zgrzebnej suchości. I pewnie go to cieszy, jak powinna cieszyć każda monotonna i często powtarzana czynność człowieka, który przez całe życie praktykował powtarzanie. Harold wyobraził sobie przez chwilę, że także chodzi bosymi stopami po drewnianej, sterylnie czystej posadzce, i to wyobrażenie sprawiło mu nieopisaną przyjemność. Wiele by dał za to, żeby teraz, w tej właśnie chwili, móc wyciągnąć stopy z wełnianych skarpet i lotniczych butów i czyste i suche postawić na klepkach wywoskowanego parkietu. Gdzieś tam w dole Miszka B. szykował się wraz z kolegami do kolejnego startu swoim mitchellem albo czymkolwiek teraz latał. Jeśli oczywiście ta załoga jeszcze żyje. Ale mieli w sobie ten sam rodzaj szamańskiej niezniszczalności, którą posiadał Fisher. Taki sam rodzaj energetycznego otorbienia, który sprawiał, że nawet w centrum wybuchu przeciwlotniczego pocisku siedzieli sobie spokojnie jak w ochronnym bąblu, produkując kolejne, udane dowcipy. Gdzieś tam w dole Jagoda Persen spoglądała w niebo, zastanawiając się, czy w wielkim czteromotorowcu nie siedzi przypadkiem ktoś, z kim już spała. A Myszkin? Nie potrafił sobie wyobrazić, co robi w tej chwili Myszkin, bo nigdy nie dane mu było rozgryźć tego faceta. Może z kwiatami i słoikiem kompotu stoi pod wojskowym szpitalem, zastanawiając się, czy nie za wcześnie na wizytę u kogoś, komu zapalił się właśnie wyrostek? A ten koszmarny, złowrogi Każedub, snujący się po lotnisku niczym urodziwy upiór z innego wymiaru... Po co właściwie się tu pęta? Czy do nadzoru naddźwiękowego projektu nie wystarczyłby Smoliarow? Może Każedub przyleciał tu pilnować Kiry. Może jest o nią najzwyczajniej w świecie zazdrosny. Ale przecież to jego agentka i to on najprawdopodobniej kazał jej wejść do mojego łóżka. Więc po co? Węszy coś. A może opiekuje się Kirą jak ojciec. I chce wiedzieć, czy jego podopiecznej nie dzieje się krzywda? Nie. To absurd. W tym świecie obowiązują twarde reguły i nikt nie kieruje się uczuciami, bo to niebezpieczne. Układ jest układem.

Choć nikt mu tego nie mówił ani nawet nie sugerował, było oczywiste, że dopóki pomaga Sowietom przy kopiowaniu i szkoleniu, pozwalają mu używać dziewczyny. To, że oszalał zupełnie na jej punkcie, jest im chyba na rękę, bo mają go pod pełną kontrolą. Ale dlaczego, u licha, skoro tak, Kira siedzi dziś na pokładzie zamiast Smoliarowa? Racjonalna część jego świadomości odpowiadała mu:

„Dlatego matołku, że major miał atak". – A ta intuicyjna i emocjonalna, wyostrzona przez lata treningów i lotów bojowych ostrzegała: „Coś się szykuje. Coś się zmieni. Uśmiechaj się i bądź gotów".

Byli już powyżej dziesięciu tysięcy stóp, kierując się jak po sznurku na południe, nad Morze Japońskie. Gdzieś tam, w odległości raptem sześciuset kilometrów, leży Tokio i kraj, w którym urodziła się dziewczyna, z którą od dwu lat spędzał niemal każdą noc i wszystkie możliwe wolne chwile w jej i jego dziennym życiu. Zdarzało im się to robić w najzupełniej nieprawdopodobnych warunkach.

Ot, nie dalej jak przedwczoraj, byli w miłym, przeznaczonym wyłącznie dla wyższych szarż lokalu na jakiejś imprezie połączonej z występami ni to kabaretowymi, ni to muzycznymi. Występy były głupie, nasycone nieznośną i częściowo dla niego niezrozumiałą przymilnością wobec władzy, ale wykonawstwo (o ile się na tym znał) perfekcyjne od strony warsztatu. Sala była długa i kiszkowata. Siedzieli dość daleko od estrady, przy dwuosobowych okrągłych stolikach, nakrytych ciężkimi, dzianymi z litej tkaniny obrusami, sięgającymi prawie do ziemi. Gdy się sadowili, Darrell uśmiechnął się szelmowsko, co Kira zrozumiała w lot. Rozumieli się natychmiast i był to rodzaj telepatii. Wystarczyło najdrobniejsze drgnienie duszy albo ciała, a partner wchodził od razu w najodpowiedniejszym do wejścia miejscu. Dla kogoś, kto znał się na sztukach walki i ludzkim porozumieniu, jasne było, że ta para wyczuwa się w sposób absolutny i bezbłędny. Gdyby zdarzyło się im walczyć razem przeciwko komuś trzeciemu, byliby bardzo skuteczni i śmiertelnie niebezpieczni. Gdy tylko kelner postawił przed nimi zamówione napoje i paterę z ćwiarteczkami cytrusów i odszedł, strzepnąwszy z obrusa pyłek dostrzegalny tylko dla niego, Harold natychmiast poczuł dłoń Kiry na swoim udzie. Nie minęło dwadzieścia sekund, a ich ciała i dusze trzymały się nawzajem, usiłując zachować przekonujący wyraz twarzy i prostą pozycję przy kawiarnianym stoliku. Nie było to łatwe, bo trzeba było sięgać bardzo głęboko w partnera. Chwyt Kiry był technicznie prostszy i wystarczyło wyprostowanie łokcia lewej ręki. Harold, sięgając prawą, musiał wykręcić ramię na zewnątrz, tak iż grzbiet załamanej pod kątem prostym dłoni wskazywał dokładnie w dół, a i tak, choć dziewczyna, wypychając miednicę i podsuwając mu usłużnie biodra, robiła, co mogła, by ułatwić mu eksplorację, nie zdołał przez cały dwugodzinny program dosięgnąć miejsc pełnych oczekiwania.

Rozegrali to tak zgodnie, że chyba nikt, łącznie ze śledzącymi ich tajniakami, nie zorientował się w istocie kłębiących się pod stolikiem namiętnych praktyk. Uważając, by nie patrzeć sobie w oczy, i nie mogąc porozumiewać się słowami, dozowali sobie nawzajem napięcie w sposób wyrafinowany i ostrożny zarazem, a ich ciała były często tego wieczoru na granicy kontroli. Gdy program dobiegł wreszcie końca, prowizorycznie uporządkowani, z rumieńcem zdobiącym szczyty policzków niemal biegiem ruszyli do auta i nie odzywali się ani słowem do momentu, w którym trzaskając kolejnymi drzwiami apartamentu i zrywając z siebie części garderoby, nie zapadli w podwójne, zbyt miękkie, jak na ich wytrenowanie, łoże, niedające wbijającym się w siebie ciałom dostatecznego oparcia. Darrell po raz pierwszy chyba w życiu poczuł się podczas tego tak, jak podczas praktyki dżiu-dżitsu, bo wszystkie fazy naśladowały idealnie *bunkai*. Gotowość. Oczekiwanie na atak przeciwnika. Wejście w tempo. Wyczucie najdogodniejszego momentu przechwycenia ataku. Przejęcie inicjatywy. Wytrącenie go z uderzenia i równowagi. Przejęcie jego ośrodka energii. Faza napierania na przeciwnika, tak by musiał się cofać, nie znajdując dla siebie miejsca ucieczki ani do tyłu, ani na boki. Wreszcie finalizujący sprawę cios. Zadany tak, by nie trzeba go było powtarzać.

I *zanshin**. Można było przy kolejnych wzajemnych wyzwaniach zamieniać role i napawać się zarówno triumfalną rozkoszą zwycięstwa, jak i piekącym bólem równie podniecającej klęski. Tej nocy odważyli się także na wykonanie starej, trudnej formy, której nie praktykowali wspólnie nigdy przedtem, choć Darrell często myślał o tym w kategoriach ostatecznego przyporządkowania. Nigdy przedtem jego ciało nie dawało dziewczynie wyraźnych sygnałów chęci wykonania takiej praktyki. Nigdy też nie mówił o tym, zostawiając sobie przyjemność naturalnej, niestymulowanej i co ważniejsze wspólnej kreacji. Tym razem, choć gwałtowność początkowej sekwencji sugerowała szybkie i dogłębne powielenie opanowanych i akceptowanych schematów, ciało dziewczyny leżącej na brzuchu musiało, jakimiś nieznanymi zachodnim fizjologom kanałami, wyczuć niezwykłe nastawienie mężczyzny. Może najbardziej naturalnym impulsem było leciutkie wahanie Harolda przed ostatecznym wejściem na tyły i to, że nie kryjąc intencji, upchnął pod biodrami Kiry mały twardy jasiek. Jej ciało zrozumiało ukryte pragnienie chwilę szybciej niż umysł i pierścienie mięśni rozluźniły się w oczekiwaniu pchającego się środkiem wąskiej przełęczy natarcia. Tak jak w Termopilach garstka mogła się tu bronić przed setkami tysięcy i gdyby nie uległość obrony, najistotniejszy punkt nie mógłby zostać sforsowany. Forma tak wytrawnie udoskonalona przez gustujących w chłopcach samurajach pięknie zdegenerowanej epoki Edo† była w pojęciu obojga jedyną, w której myślenie o znaczeniu formy, a może lepiej świadomość jej znaczeń, było ważniejsze od samego mniej lub bardziej poprawnego wykonania. Jak każda rzecz o ostatecznym nacechowaniu doświadczenie w sensie fizycznym było bolesne i przerwane zostało za obopólną zgodą zaraz po wyważeniu bramy, ale prze-

---

* Faza walki finalizująca skuteczny i rozstrzygający atak. „Zostawienie serca" w przeciwniku w oczekiwaniu, aż ustaną w nim oznaki życia.
† Epoka Edo – 1603–1868, w której *nanshoku* (praktyki homoseksualne) uległy ostatecznemu udoskonaleniu.

ciwnicy nie rejterowali w poczuciu klęski, bowiem doskonale zdawali sobie sprawę z tego, że nie istniał żaden prostszy sposób na zadeklarowanie totalnej lojalności i oddania…

Strzałka wysokościomierza, delikatnie trącająca cyfrę „10", przywróciła Harolda kabinowej rzeczywistości, a Kira za jego plecami poruszyła się niespokojnie, jakby za sprawą jego marzeń pierścieniami mięśni sprawdzała niepokojącą pulsację piekącego węża. Trzeba było teraz polecić drugiemu, żeby włożył maskę, a Kirę poprosić, by przekazała polecenie ogonowemu. Mógł też sam założyć gumowy ryj i oddychać przez znaczną część lotu wysuszającą gardło mieszanką z butli, ale przecież to on tu dowodził. Drugi, chrząkając, ustroił twarz maską i kontynuowali mozolną wspinaczkę na zadanych jedenaście kilometrów, nawigując wciąż w stronę otwartego morza. To wspinanie powinno zająć ze trzy kwadranse. Dopiero na zakładanym pułapie mieli zawrócić i wyczepić Niemca, by samodzielnie leciał w stronę bazy*. Kira podała Haroldowi na wyciągniętej dłoni dwa czarne kawałki stali, opatrzone obrączkami, i wolno i cicho powiedziała po angielsku:

– Niech pan założy swoje *suntetsu*, kapitanie.

I nie patrząc mu nawet w oczy, nie szukając potwierdzenia ani akceptacji dla tego, co miało nastąpić, odwróciła się i ruszyła do przedziału inżyniera.

Czas zamarł i Harold nie miał siedmiu oddechów na decyzję. Zresztą decyzja została już podjęta, a on, zamykając dłoń na *suntetsu*, tylko pokwitował jej odebranie. *Suntetsu* były jednak tylko symbolem, a on uznał, że zrobi to gołymi rękami. Myśli stały się nagle jasne, puste i obojętne, a umysł zdawał się lewitować gdzieś poza jego ciałem. Najpierw włączył automatycznego pilota, co natychmiast przerwało wznoszenie, a samolot zakołysał się, wracając łagodnie do poziomu. W drugim ruchu

---

* Tu-4 z silnikami Asz-73TK osiągał pułap 11 200 metrów, a więc wyższy niż późne wersje B-29.

wyłączył zasilanie radiostacji, a potem zasilanie urządzeń rakietoplanu. Drugi pilot, sympatyczny i piegowaty, miał świetny
czas reakcji, ale nim zdążył się zdziwić, obracając twarz ku
amerykańskiemu towarzyszowi, Harold był już za jego fotelem.
Nigdy przedtem nie zabijał swoimi rękami i z tak bliska. Czym
innym jest bowiem spojrzenie na tysiące i dziesiątki tysięcy
anonimowych ofiar z wysokości siedmiu czy ośmiu kilometrów,
kiedy są tak drobne, że ich nie widać, a czym innym dotknię-
cie ciepłego i ufnego ciała ofiary, która ma imię i patrzy nam
w oczy. To było trochę tak, jak walka z samurajem w zbroi, bo
drugi był w grubej pikowanej pilotce i w masce. Trzeba więc
było lewą, otwartą dłonią zablokować potylicę, a prawą, podło-
żoną pod ustrojony w czarną gumę podbródek, ukręcić sympa-
tycznemu rudzielcowi kark. Pilotka i gumowy podbródek nawet
w tym pomogły i można było potraktować drugiego pilota tak,
jak powalonego na kolana przeciwnika w *kobuto*. Drugi pilot
umierał szybko i przyjemnie, a pozbawiona podparcia głowa
w pilotce zwisła bezwładnie na piersi. Zabiwszy, ruszył między
fotelami do przodu, ale bombardier zdołał się już wyplątać ze
swoich podłączeń i z bojową miną, zaciskając pięści i ciało,
czym pozbawiał się możliwości obrony, parł do zwarcia. Był
zdeterminowany. To też było dla nich charakterystyczne. Nim
zorientowali się w sytuacji, ocenili siły i szanse, rwali do przodu, jak ten sowiecki myśliwiec w czterdziestym pierwszym,
który pomyliwszy epoki, staranował hitlerowców, wbijając swój
samolot we wrogie maszyny. Taki przeciwnik nie był groźny.
Darrell pozwolił mu rzucić się do przodu i ustąpiwszy uprzejmie
na bok, przejął jego lewą rękę, wykręcił boleśnie, naciskając na
bark, i przyłożył bombardiera do podłogi. Kolanem unierucho-
mił na dobre jego lewy bark i wykonał krótkie, ale pełne energii
uderzenie w prawą skroń. To nie zabiło, ale pozwoliło chwycić
zwiotczałe ciało i precyzyjnie powtórzyć numer wykręcony
drugiemu pilotowi. Starannie ułożył ciało na podłodze i wrócił
na swój fotel, wyłączając autopilota i kontynuując intensywne

wznoszenie. Nie oglądał się za siebie, bo był pewny talentu i zdolności swojej dziewczyny. Zabijanie podnieciło go i zastanawiał się, czy nie dałoby się...

Gdy Kira weszła do przedziału radiowca i inżyniera, spojrzeli na nią zdziwieni, zachwyceni jej obecnością i urodą, ale i pełni nadziei. Może oczekiwali, że im powie, dlaczego dowódca wyłączył radio? Kira zlustrowała przytulne pomieszczenie i z zadowoleniem oceniła przestrzeń, która umożliwiała rozprostowanie kości. Potem ukłoniła się krótko Rosjanom i wesoło, jak Aleksander Newski Nowogrodzianom, ogłosiła po rosyjsku:

– *Nu, towariszczi. Dawajtie. Guliat' budiem!**

Gdy wróciła do szklarni, zarumieniona z podniecenia, byli już na trzydziestu tysiącach stóp. Usiadła ciężko na podłodze, a Harold położył dłoń na jej głowie w lotniczej haubie i szybko obliczał. Jeśli teraz da się cały gaz i będzie się powoli schodzić z pułapu, i jeśli myśliwce wystartują nawet natychmiast, to już nie dadzą rady. Gdyby we Władywostoku były odrzutowce... Ale odrzutowców we Władywostoku jeszcze nie było, a dwójkowe morskie patrole ławoczkinów trzymały się dystansu pięćdziesięciu kilometrów od brzegu. Pomyślał, że niewiele wie o sowieckich myśliwcach w Korei. Może tam są, a może ich nie ma? W każdym razie zanim wystartują, zaalarmowane przez Władywostok, który przecież jeszcze nie wie, co się stało, i przez czas jakiś nie będzie wiedział, że w ogóle coś się stało, upłynie znów trochę czasu, a Tu-4 w każdej sekundzie pokonywał 150 metrów przestrzeni. Poza tym, nawet jeśli jest coś w powietrzu, to wcale nie tak łatwo przechwycić samotny statek, żeglujący nad wodami na wysokości dziesięciu kilometrów z wielką szybkością. Należy więc założyć, że są bezpieczni i mogą grzać prosto na południe, ale trzeba rozwiązać jeszcze kilka problemów. Niemiec bez zasilania z pewnością zaczynał

---

* Zabawimy się na całego!

458

już marznąć. Mógł oczywiście przełączyć się na własne zasilanie z akumulatorów i odpalić swojego waltera, ale jeśli zachował
choć odrobinę rozsądku, nie zrobi tego przyczepiony do nosiciela. Wyczepić rakietoplan można tylko ze stanowiska inżyniera,
w tej chwili z całą pewnością wakującego. Gdyby odpalił mimo
to, zabiłby nie tylko załogę bombowca, ale i siebie. Ze względu
na oszczędności miejsca i wagi nie miał tam radia. Trzeba więc
było założyć, iż uzna, że Tu-4 ma kłopoty i stąd awaria zasilania
i łączności. Zorientuje się oczywiście, że lecą wciąż na południe,
bo DFS ma komplet podstawowych przyrządów, ale to niewiele
zmienia. Można go było oczywiście wyczepić, ale Harold nie
chciał się po tylu latach zjawiać jak typowy syn marnotrawny
– z pustymi rękami, a przecież rakietoplan był atrakcyjnym pre-
zentem. Postanowił więc zaryzykować lądowanie z kilkutono-
wą bombą pod skrzydłem. W najgorszym wypadku rakietoplan
się urwie, wszystko eksploduje i odejdą w huku i płomieniach.
To też dobre zakończenie.

Pozostał jeszcze główny strzelec. Też z pewnością zaczął
się niepokoić i podejrzewać, że coś jest nie tak. Może już lezie
łączącym hermetyczne przedziały rękawem? Tym musi zająć
się Kira. Pomógł jej założyć maskę i przytroczyć butlę, a potem
wyekspediował tunelem, starannie zamykając za nią właz*.

Główny strzelec na całe szczęście nie lazł jeszcze tunelem,
ale dopiero szykował się do tego. Przyjął więc wyłażącą z rękawa dziewczynę życzliwie, choć z niepokojem. Miał pewnie
nadzieję, że jest to jednoosobowa ekspedycja ratunkowa.
Ale gdy Kira zdjęła maskę i pozbyła się butli, zrozumiał, że
przyszła go zabić. Wyjął nóż, a ona ucieszyła się, bo w czasie
kilkuminutowego czołgania się przez rurę nie wpadła na żaden
dobry pomysł. Gdy pchnął, bez wysiłku i z wdzięcznością prze-
jęła jego dłoń wraz z bronią i odwróciwszy dobrze wyostrzony

---

* W Tu-4, podobnie jak w oryginale, przedział nawigacyjny połączony
był z centralą strzelecką rękawem ciśnieniowym.

komandoski nóż, nacięła krótko i silnie tętnicę na szyi. To też była miła śmierć, a strzelec miał zaledwie pół sekundy na to, by zrozumieć, co tak naprawdę się wydarzyło. Zabrał poza tym w swoją ostatnią drogę rozpływający się w miarę gwałtownego spadku ciśnienia w gałkach ocznych obraz ślicznej buzi.

Otworzył jej właz. Pomógł wyjść. Unikali patrzenia sobie w oczy, przełykając metaliczny smak śmierci.

Usiadła na fotelu drugiego, którego ciało Harold zaciągnął za fotele i starannie oparł o burtę obok ciała bombardiera. Zajęli fotele pilotów z namaszczeniem godnym skazańców siadających na krześle garoty. Harold pokazał jej, jak podłączyć kable i przewód grzejny. Wyłączył autopilota i przez chwilę korygował położenie samolotu.

– Masz jakiś pomysł? – spytał właśnie tak, choć przez chwilę zastanawiał się nad makabrycznym żarcikiem w swoim stylu, który byłby także pytaniem do martwej załogi. Dotarła do niego wreszcie świadomość jego uczynków. Wiedział, że nie będzie w stanie nigdy więcej tak postąpić. Zabijanie było wyrywaniem sobie kawałka duszy. Bezpowrotnym. I tak niewiele jej zostało na rzeczy dobre. Bo przez kilka lat tracił ją hurtowo. A przecież będzie mu potrzebny choć kawałek dla tej dziewczyny, tak spokojnie rozpartej w fotelu, z parą trupów za plecami i kolejną w następnej sekcji kadłuba.

– Najlepsza będzie baza marynarki w Kure.

Wzrokiem poprosił ją o uzasadnienie i sięgnął po mapę.

– Lotnisko na pewno działa, bo to wielka baza marynarki i arsenał lotniczy. Pasów jest kilka. Podejście od strony zatoki. Nawet jak będą do nas strzelać, możemy wodować. Poza tym… – zawahała się, a on przeniósł wzrok z mapy na jej twarz i nie musiał pytać o kolejne argumenty, bo jego palec, który sunął po kartonie w kierunku kółeczka z napisem „Kure", odsłonił inne kółeczko.

Mieli przelecieć nad Hiroszimą.

W tym samym czasie
w DFS 364

W słuchawkach wreszcie coś zachrobotało i Peter Vomela drgnął. Nareszcie. Od godziny, tracąc powoli czucie w palcach, w kabince zaparowanej od jego spazmatycznego oddechu, umierał kilkakrotnie. Coś się musiało stać w tym zasranym bombowcu. Najgłupsze myśli przychodziły mu do głowy: Wszyscy stracili przytomność? Upili się? Zatruli? Widział przez szybki swojego cygara, jak przez przedni dolny luk gramoli się do nosiciela dziewczyna, i to jaka. Może popili się i balują teraz z nią, a on wisi tu, jak niewysrane przez sępa gówienko, uczepione ptasiego tyłka. Radio zamilkło nagle po trzydziestu minutach od startu. To właściwie nie radio, tylko pokładowy telefon, którego przewód i tak zostałby zerwany przy starcie. Potem stracił także ogrzewanie. Mógł wprawdzie przejść na własne zasilanie, ale gdyby zaczął procedury, musiałby uruchomić silnik. Ale do momentu, w którym zapali się czerwona lampka, mówiąca, że ci w bombowcu wreszcie zwolnili zaczepy, i do chwili, kiedy ujrzy nad sobą brzuch bombowca w odległości co najmniej pięćdziesięciu metrów, taka operacja oznaczałaby katastrofę obydwu maszyn. Nawet na froncie, latając na tym rakietowym diabelstwie Messerschmitta, nie był w takich opałach i nie bał się tak bardzo.

– Tu-4 do pilota rakietoplanu. Jesteś tam? Żyjesz? Odezwij się – zachrobotało w słuchawkach po rosyjsku.

Rozumiał wszystko i sam nieźle mówił, pracując stale z Rosjanami, potwierdził więc gorliwie i dopiero teraz dotarło do niego to, że słyszy głos kobiety. To było tak, jakby przemówił do niego anioł, i Vomela zapomniał nawet, że jest mu zimno.

– Pilot DFS do Tu-4. Co wy tam, do takiej mamy, wyrabiacie? Zaraz zamarznę. Dlaczego nie ma ogrzewania? Dlaczego nie zawracacie?

Głos dziewczyny nabrał mocy i w słuchawkach przestało trzeszczeć.

– Zamknij się i słuchaj. Ogrzewanie już ci włączamy, ale jak nie będziesz grzeczny, wyłączymy znowu. Zmiana planów. Lecimy do Amerykanów, a ty możesz pracować dalej z nimi. To chyba lepsza propozycja? Co ty na to?

Kręcił się chwilę niespokojnie i na wszelki wypadek, gdyby to miał być jakiś podstęp, zagroził:

– Mogę odstrzelić kapsułę...

Teoretycznie mógł, bo DFS miał mikroładunki, pozwalające oddzielić się od korpusu w razie awarii. Kapsuła miała mechanizm do katapultowania fotela na mniejszej wysokości, a fotel miał spadochron.

– Możesz – uprzejmie potwierdziła dziewczyna i zrobiła przerwę, jakby się z kimś konsultowała. – Możesz, ale kapitan Darrell mówi, że najprawdopodobniej trafisz w śmigła i wszyscy będziemy mieli problemy. A nawet jak nie trafisz, to do najbliższego brzegu masz dwieście kilometrów. Proponujemy coś innego. Słyszysz nas? – upewniła się.

– Mówcie – zgodził się. Miała rację. To był kiepski pomysł, ale lądowanie pod skrzydłem bombowca też nie było dobrym rozwiązaniem.

– Zrzuć całe paliwo! Słyszysz? Od razu. Wtedy wylądujemy z tobą i nic nikomu się nie stanie...

Wahał się dłuższą chwilę, choć to był dobry pomysł, bo niebezpiecznej mieszanki miał ponad trzy tony, a jego jedenastometrowy samolocik bez paliwa ważył raptem półtorej tony. Przy przyziemieniu bez paliwa nie powinno stać się nic złego. Wreszcie jak dziecko, które chce zapewnień, że złe sny już nie wrócą, postawił absurdalne żądanie:

– Niech kapitan Darrell zagwarantuje mi, że nic złego się nie stanie...

**W tym samym czasie.
Pralnia na terenie
lotniska Sił Powietrznych
Oceanu Spokojnego
Centralnaja-Ugłowaja.
Władywostok**

Jakże przyjemnie jest oddychać świeżością. Wszystkie okna otwarte były na oścież i wspaniałe przedpołudniowe, jesienne słońce swobodnie buszowało wśród niekończących się szeregów schnących na sznurach białych prześcieradeł i powłoczek. Dzień był wyjątkowo rześki i pogodny. Taki dzień warto wybrać do załatwienia wyjątkowo ważnych spraw, a sprawy te z pewnością zostaną załatwione pomyślnie. W taki dzień bogowie, którym przecież nieobce są ludzkie radości – ot, choćby takie proste, jak zachwyt nad piękną pogodą – życzliwiej patrzą na ludzkie poczynania i sprzyjają ich dobrej realizacji. Poza tym dziś były jego urodziny. Które to? Sześćdziesiąte któreś. Nieważne. Co wyniknie z tego, że dokładnie sobie uświadomi, ile to już jesieni? Nic. Lepiej pomyśleć o tej, która właśnie tak ładnie zagląda przez okna.

Mała Ki i ten amerykański wojownik powinni już kończyć swoją podróż. Amerykanin ma z pewnością dość siły ducha, żeby nie dać się pochwycić ani zestrzelić. Zresztą wszystko zostało zaplanowane tak, że ma dużą szansę powodzenia. Chyba że nawali główny aktor w tym podniebnym teatrze, a to już wielce prawdopodobne, znając Rosjan i ich poglądy na solidną pracę i staranne wykonanie. Oryginały nie zawiodły, niosąc nad kraj tę nieopisaną w swojej mocy bombę, która pomogła tak makabrycznie skończyć bezsensownie zaczętą wojnę. Czy bezsensownie? Często się nad tym zastanawiał, bo przecież nawet tu, jako szef pralni, brał w tej wojnie udział. Po czyjej stronie? To oczywiste. Po stronie swego narodu, który jak zwykle źle obstawiał w politycznej imperialnej grze. Najpierw wszystkim wydawało się, że przeciwnik jest tylko jeden, a reszta to pionki w rodzaju Korei czy Chin. Grano więc tak, by pokonać najważniejszego. Potem okazało się, że ci najważniejsi rozmnożyli się. Teraz jest szansa na to, że zaczną walczyć pomiędzy sobą, a to już znacznie lepsza sytuacja. Nie był nigdy zaślepionym nacjonalistą, choć był patriotą. A może właśnie dlatego nie był nacjonalistą, że był patriotą? Dla kraju to, co się stało, było może najlepszą z możliwości, choć kosztowało tyle ofiar i pracy. Teraz. Właśnie teraz i dopiero teraz wstąpimy na ścieżkę prawdziwej nowoczesności i demokracji. Innej drogi zresztą nie ma. Jeśli tak, jego władywostocka misja powoli dobiega końca. Nie będzie przecież pracował bezpośrednio dla Amerykanów, choć ci pewnie by tego chcieli. Ale robi się tutaj zbyt niebezpiecznie i jeżeli będzie mu dane przeżyć kilka najbliższych dni, trzeba będzie zmienić powietrze. Najlepiej będzie wrócić. Jeśli się uda, czeka go kilka spokojnych lat z małą Ki, z przybranym synem, jeśli udało mu się wrócić, i z żoną. Jeśli przeżyła, bo od dwóch lat nie miał o niej żadnych wieści. A mała Ki? Była u niego kilka dni temu. To było wielkie przeżycie i nie mógł uwierzyć, że jest ojcem tak pięknej dziewczyny. Nie widzieli się od siedmiu prawie lat i pamiętał ją jako pięknie się zapowiadającego podlotka. Rosła i smukła wojowniczka, która stanęła w drzwiach jego zakładu, była spełnieniem jego wyobrażeń i marzeń. To spotkanie ich onieśmielało, więc spuszczając z zakłopotaniem wzrok, lokowali się na matach, czekając na dobry pretekst do rozpoczęcia rozmowy. To nie są rzeczy łatwe.

– Tato – zaczęła, ale przerwał jej ukłonem i powiedział:

– Zaczekaj. Posiedźmy chwilę i spróbujmy się do siebie choć trochę przyzwyczaić. Minutę.

Siedzieli więc dobrą minutę, nie patrząc na siebie, a potem mała Ki przysunęła się do ojca od tyłu, objęła go i położyła głowę na jego plecach, słuchając bicia ojcowskiego serca. Pochylił głowę i ze zdziwieniem poczuł kropelki łez na swoich policzkach. Siedzieli tak, kołysząc się łagodnie, a każde myślało o własnych sprawach. On o tym, jak bardzo jest szczęśliwy, czując jej głowę na swoich plecach i dłonie, którymi obejmowała go w pasie. Także o tym, czy jako ojciec zrobił wszystko, by weszła na właściwą ścieżkę, i czy droga, którą jej pokazał, stała się w pełni jej drogą. Mogła mieć przecież zupełnie inne życie, mieszkać w Europie, w Ameryce lub gdziekolwiek. Mieć już dawno własną rodzinę i dzieci, i ciepłe dłonie, nawykłe do pielęgnowania kwiatów i pieszczot, a nie zimne ręce kogoś, kto zabijał wiele razy.

– Tato – ponowiła, gdy nacieszyli się pierwszym dotykiem.

– Wiesz...

– Wiem – wszedł jej w słowo. – I nie tylko to, co można by wiedzieć niejako oficjalnie, ale wszystko, co chcę wiedzieć. Czasy są takie, że nawet agenci mają swoich agentów. – Zawahał się. – I dobrze na tym wychodzą. Jak dotąd...

– A więc? – nie była nawet zaskoczona.

Nie po raz pierwszy ojciec dowiódł, że potrafi zdobywać informacje. Ojciec nie trzymał jej w niepewności. Uśmiechnął się ciepło i podchwycił:

– Wygląda na to, że ci na nim bardzo zależy. I że nie robisz tego na pokaz, bo tak ci kazano. Zrobiła się z tego sprawa osobista. A może się mylę?

To ostatnie pytanie było najzupełniej retoryczne, bo doskonale znał odpowiedź. Mała Ki nie odpowiedziała, ale pokiwała ciężką od myśli i wątpliwości głową i spytała:

– Czy to coś złego?

Znów się uśmiechnął:

– Nie wiem, komu mam najpierw odpowiedzieć, córce czy tej osobie, w którą się akurat wcieliłaś? I nie myśl, że będę oceniał to, co robisz. Jesteś dorosła i podejmujesz własne decyzje. Mogę się tylko z tobą podzielić własnymi wątpliwościami. Co też nie jest łatwe, bo ja znam tego Amerykanina. Był tu nawet dwa dni temu. Ćwiczyliśmy trochę i dał mi prezent.

– Znasz Harolda?

Mała Ki była zaskoczona i prawie oburzona. Najwyraźniej wydawało się jej, że ma monopol na Darrella, i jej ojciec to zauważył. Popatrzył na nią i spoważniał.

– Znam. Od trzech lat. Przecież on tu kiedyś wylądował. Poznaliśmy się wtedy całkiem nieźle. Ucieszyłem się, kiedy znów go zobaczyłem. Ale on się zmienił. Przez te trzy lata. Myślę, że zatruł się tym krajem. Jest mało odporny. Nie. – Dłoń ojca gestem zasygnalizowała zaprzeczenie i był to jedyny gest od kilku minut. Był zawsze oszczędny w gestach. Wolał, żeby rozmówcy starali się dobrze pojmować znaczenia słów. – Nie uważam, że brak mu charakteru czy tego, co kiedyś, w dobrych czasach, nazywało się honorem. Nie. Po prostu brak mu odporności. Poza wszystkim zrobił to, co zrobił, bo mu na tobie zależy. Co najmniej tak mocno, jak tobie na nim. A poza tym jego występ jeszcze się nie zakończył. Czy nie jesteś śledzona?

– Ja też, tato, mam swoich ludzi. Teraz jesteśmy bezpieczni – uspokoiła go i wróciła do spraw, które zasygnalizował, a które jej wydały się bardzo ważne: – Miałeś mówić o wątpliwościach.

– A… No tak. – Rzadko zdarzało mu się gubić wątek i pomyślała, że może zaczął się starzeć. – No tak. Mogę się tylko cieszyć, że moja córka wybrała kogoś takiego. Ma mnóstwo zalet i mnóstwo wątpliwości, ale ma także wiele dróg przed sobą. Lubi wybierać i lubi iść do przodu. To dobry partner. Chyba nie muszę ci przypominać, że każde przywiązanie, każde „zależy mi" jest wejściem na ścieżkę zależności. A w twoim życiu każde uzależnienie pozbawi cię części siły. Aż wreszcie zaczniesz bać się śmierci. Największą moją wątpliwość budzi to, że w waszej sytuacji robienie wspólnych planów, poza układem, który wam narzucono, jest dopraszaniem się, żeby śmierć szybko do was przyszła. Chyba że chcecie umrzeć… – Chrząknął i orientując się, że ostatnia uwaga nie była zbyt stosowna, nawet w ojcowskiej rozmowie, spytał szybko, by zatrzeć wrażenie: – Co chcecie zrobić? Wspólnie, jak mniemam?

– Właśnie po to tu jestem, tato. Jest okazja, żeby porwać ten sowiecki plagiat i polecieć do kraju. W dodatku z tajną bronią pod skrzydłem.

– Ten rakietoplan?

Uśmiechnęła się z uznaniem i skomplementowała, wiedząc, że zrobi mu przyjemność:

– Ty rzeczywiście wiesz wszystko, co chcesz.

– Najwidoczniej u nas to rodzinne. – Ukłonił się jej, podnosząc komicznie brew. Uwielbiała go takim w dzieciństwie.

– Mogłabym znaleźć się na pokładzie. Bo kiedy Harold dowodzi, a on jest od początku szefem załóg w tym rakietowym projekcie, latają z fachowym tłumaczem, ale tym tłumaczem jest major Smoliarow…

– I trzeba zrobić tak, żeby nie mógł polecieć?

– Ale i nie zabijać. Mogłabym go zabić z dziesięć razy, ale to musi wyglądać niewinnie i najzupełniej przypadkowo…

Pokiwał głową i chwilę skubał cienki wąsik. Nie podobało mu się to, że o zabijaniu mówiła z tak jasnymi i niewinnymi oczami. Rozwiązanie nasunęło się samo.

– Dobrze, córeczko. Zrobimy tak, żeby wyglądało to na atak ślepej kiszki albo ostre zapalenie wątroby. Trzeba by tylko dowiedzieć się, czy major ma jeszcze wyrostek? Możesz to sprawdzić? – Kiwnęła głową, a on ciągnął: – Objawy będą występować przez dwie doby. Nawet jak go rozkroją i nic nie znajdą, to dopiero dobry toksykolog będzie w stanie ustalić przyczynę. Z naturalnymi truciznami ich medycyna radzi sobie nie najlepiej. Najprawdopodobniej orzekną zatrucie pokarmowe. Grzybami.

Pułkownika Iwana Każeduba życie nie nauczyło przez te wszystkie lata wiele. Mówimy o „uczeniu nas przez życie", ale w istocie życie nie jest w stanie niczego nas nauczyć. Tylko my decydujemy o tym, czy chcemy się zmieniać i rozwijać, czy też wygodniej jest nam zatrzymać się w miejscu, do którego doszliśmy czas jakiś temu. To też rozwój, ale zupełnie inny. Polega na doskonaleniu technik postępowania z ludźmi, ale także na coraz większym rozziewie pomiędzy tym, co na naszej drodze jest techniką, a tym, co mogłoby ową technikę wspomóc, a więc zmianami w naszej duszy. Dodajmy przy tym dla lepszego zrozumienia, że owe zmiany nie muszą koniecznie oznaczać „zmiany na lepsze". Wystarczy chcieć się zmieniać, a może lepiej wystarczy otworzyć się na zmiany. Zmiana ze swej natury zawsze jest pożądana i... zmienia. To wystarczy.

Pułkownik Iwan Każedub nie doszedł do tej ważnej w każdym życiu konieczności we właściwym momencie. Choć miał ku temu wiele okazji. W efekcie świat wokół niego zmieniał się błyskawicznie. On sam, by za tym nadążyć, doskonalił jedynie swoje metody. W większości wypadków, dodajmy, z porażającym efektywnością skutkiem. Gdyby przez te wszystkie lata ktoś zadał mu z wystarczającą stanowczością pytanie o naturę jego duszy, nawet nie w kategoriach zarzutu czy pretensji, ale w kategoriach antropologicznej ciekawości, odpowiedziałby pewnie (gdyby stać go było na szczerość):

„Przecież zawsze się starałem. Było we mnie tyle chęci, by być potrzebny i użyteczny. Chciałem być kochany i podziwiany. Chciałem uszczęśliwiać innych i samemu być szczęśliwy dzięki temu. Potem chciałem być ważny. Coraz ważniejszy. Chciałem mieć wpływ na świat. Żeby tak szybko się nie zmieniał. Żeby dał mi choć trochę czasu na określenie tego, co ważne, i tego, co bez znaczenia. Na określenie samego siebie. Potem chciałem schować się w cień i przerabiać świat zza pleców innych, bo jakąś cząstką mojej duszy zacząłem podejrzewać, iż w tym wszystkim nie chodzi o mnie. Ale to także się nie udawało, bo ci, za którymi stawałem, bali się mojego cienia za swoimi plecami. Moja świadomość zaczęła mi w końcu ciążyć i zaczynałem rozumieć, że moja rola wśród innych jest ważna tylko dla mnie. Ale i z tej refleksji nie zrobiłem żadnego użytku. Można przecież było odejść, usunąć się. Wyjechać. Narażając się wprawdzie na strzał w plecy, ale być może nic takiego by się nie stało. A tak, przez wiele trudnych i smutnych lat pilnowałem jak smok spod góry skarbu, z którego nigdy nie zdołałbym uszczknąć niczego dla siebie. Cóż to zresztą za skarb? Głupie idee i samokontrolująca się struktura, złożona z głupców i spryciarzy, którym wydaje się, że zawładną światem z taką samą łatwością, z jaką zawładnęli moim życiem".

Pułkownik zredukował ze zgrzytem bieg i gazik, prowadzony jedną ręką chwiejnie, przy zbyt dużej szybkości zamiótł w ryzykownym zakręcie skraj betonki. Ilekroć chciał zmienić bieg, musiał przytrzymać kierownicę kolanem i sięgać lewą dłonią do ciężko pracującego lewarka. Zaklął i choć w samochodziku wszystko dudniło i dzwoniło, docisnął pedał akceleratora do podłogi. Uporawszy się z zakrętem i mając przed sobą dwa kilometry prostej, wrócił do ponurych myśli:

„Potem pojawił się Smoliarow i miałem złudzenie. Traktowałem go jak syna, a może było w tym nawet coś więcej, do czego nigdy nie potrafiłem się przyznać sam przed sobą. A przecież skrycie o tym marzyłem. Bo każdy, nawet taki jak ja, ma marzenia, a moje wcale nie były mroczne, jak ciemny sen o władzy. Ja marzyłem o tym, żeby cofnąć czas, zawinąć go jak czarny płaszcz, krwistą podszewką do góry, i znaleźć moment, od którego przed laty zaczęła się ta część mojego życia. Często w snach miałem ten moment na wyciągnięcie ręki. Wystarczyło jechać dalej na wschód… Może wówczas nie musiałbym oszukiwać sam siebie, że mam kogoś, kogo… jak syna. Może byłaby możliwość przeżycia wszystkiego od nowa?

Smoliarow okazał się żałosnym durniem, którego przedtem w nim nie dostrzegałem. Ale niech kto inny głowi się nad tym, jak złamać mu tak świetnie zapowiadającą się karierę.

Potem pojawiła się Kira i znów przez chwilę miałem złudzenie, że moja rodzina się powiększyła. Przypominała mi kogoś, ale bardzo mgliście. Może dlatego, że podobnie jak jedna z tamtych potrafiła wodzić mnie za nos, a ja byłem najszczęśliwszym starym durniem w całych Sowietach. Nigdy do niczego między nami nie doszło, ale dam się zabić, jeśli to nie były najszczęśliwsze dni w moim życiu. Nikt nigdy, nie oferując mi niczego, nie spełnił mnie tak absolutnie jak ta zjawa z innego świata.

To prawda, była jedną z najlepszych i nie było zadania, którego by się nie podjęła, a ja zapomniałem, ciesząc się z tego, że jest moją zaufaną, o prostej zasadzie, której w tym fachu nie należy łamać pod żadnym pozorem i z żadnej przyczyny. Tylko ona powinna mi ufać. Nie ja jej. Ale czy zaufanie może być jednostronne? – Uśmiechnął się gorzko, a pęd suchego powietrza, wdzierającego się pod daszek czapki, wyciskał mu łzy. – Właśnie się okazało, co jest warte. To by znaczyło tylko tyle, że i ja nie zdobyłem jej zaufania. Gdyby tak się stało, może by nie zdradziła. A tak wszyscy prócz niej i tego Amerykanina wyszli na durniów. Na największego ja. Nie oszukujmy się, Iwanie Wiktorowiczu... – gadał już na głos sam do siebie, nie zdając sobie nawet z tego sprawy... – ...nie oszukujmy się. To koniec. Dzięki ludziom, którzy... dla których... dzięki... nim... krótko mówiąc: mam czapę. Jak w banku. Cóż można było zrobić? Myśliwce wystartowały z Korei, z lotniska polowego tuż przy granicy strefy, ale najwidoczniej tamci lecieli za szybko i za wysoko...

I ten cholerny pracz. Tyle lat! Tuż pod bokiem. Koreańczyk. Taki z niego Koreańczyk, jak ze mnie biskup... Smoliarow coś mi kiedyś wspominał, a ja nie dopilnowałem nawet tego".

Zimne przeczucie przeznaczenia ukłuło pułkownika i poczuł zadowolenie z tego, że nie wziął ze sobą żołnierzy.

„I tak tam trafią. Widzieli przecież, jak wsiadam do gazika i odjeżdżam jak do pożaru. Ktoś ich w końcu za mną pośle, ale to przecież nie ma teraz najmniejszego znaczenia. Takich spraw nie załatwia się przy pomocy żołnierzy".

Każedub nie umiał się skradać i nawet nie zamierzał. Dlatego pułkownik Eiso Kidera usłyszał go, jeszcze zanim oficer wszedł do suszarni, i pomyślał, że wszystko staje się szybciej, niż zakładał. Ale był przygotowany. Miał na sobie czyste *samue*, strój może niezbyt uroczysty, ale doskonały, żeby w nim pracować i walczyć*. Wystarczający także do tego, żeby w nim umrzeć. Drzwi gdzieś na końcu sali trzasnęły i drewniana podłoga rozbrzmiała energicznymi krokami podkutych butów. Ktoś, kto tak wchodzi bez zaproszenia, przybywa najwidoczniej z ważną sprawą. Szef pralni sięgnął na półkę, gdzie za puszkami z mydłem ukryty był naładowany pistolet. Odbezpieczył go nawet, ale po namyśle przesunął bezpiecznik z powrotem, cicho odłożył broń w miejsce, z którego ją wziął, i bezszelestnie przemknął pod ścianą, by sięgnąć po miecz. W takim dniu strzelanie nie miało najmniejszego sensu. Do tego, co miało nastąpić, był gotowy od wielu dni. Nie wiedział tylko, czy Sowieci będą się bawić w podchody, czy też staranują ścianę suszarni czołgiem i wpadnie tu kompania fizylierów z granatami. Na pewno nie spodziewał się, że zjawi się tu tylko jeden człowiek, i to właśnie ten. Teraz, nie będąc widziany, obserwował wysokiego, drapieżnie przystojnego mimo wieku oficera w mundurze złowrogich służb i napawał się tym, że choć upłynęło tyle czasu, rozpoznaje bezbłędnie każdą charakterystyczną płaszczyznę pięknej twarzy i wyprostowanej, energicznej sylwetki. Niezwykłe było to, że bogowie rządzący kręgami zdarzeń potrafili zamykać je tak elegancko i w tak właściwej… nie – najwłaściwszej chwili. Dramaturgowie układający przedstawienia na deski teatrów powinni się tego od nich uczyć. I ci, których przedstawienia porywały widzów energią dramatycznych następstw, uczyli się z pewnością. Przecież nic w tym nieprawdopodobnego. Dwie drapieżne ryby, pływające przez wiele lat nawet w bardzo wielkim jeziorze, któregoś dnia, gdy znudzą się zabijaniem płotek i kiełbi, rzucą się wreszcie na siebie.

Przemykał pomiędzy prześcieradłami i powłoczkami jak biały duch, bo jego robocze *samue* także było białe. Gdyby

* *Samue* – popularny do dziś roboczy strój japoński składający się z bluzy kroju kimona i luźnych spodni.

Każedub położył się na podłodze, mógłby pod dolnymi brzegami wiszącej bielizny dostrzec jedynie szybkie stopy w białych skarpetach *tabi*, które błyskawicznie przemierzając parkiet, nie wydawały żadnego odgłosu. Za takie bieganie z pewnością pochwaliliby go najlepsi mistrzowie teatru no. Tak potrafią biegać tylko najlepsi aktorzy i najlepsi szermierze. Ale Każedub nie wpadł na taki pomysł. Wycelował więc na oślep z wielkiego colta i krzyknął:

– Hej! Szmaciarzu! Wiem, że gdzieś tu jesteś. Wyłaź i pokaż się. Wiemy, że szpiegujesz dla Amerykanów. Rzuć pistolet i wyłaź. Nie uciekniesz.... Wszystko jest obstawione – dodał na wszelki wypadek, choć żołnierze z całą pewnością jeszcze się nie pojawili.

– Nie szpieguję dla Amerykanów, panie Każedub – dobiegło go gdzieś spomiędzy rzędów bielizny, ale wiszące szmaty tłumiły odgłosy, nie pozwalając zlokalizować przeciwnika.

Każedub wymierzył w stronę głosu i nacisnął spust. Efekt był taki, jakby wystrzelił w budyń, a pocisk ugrzązł w kolejnych warstwach prania. Postanowił zmienić taktykę i ruszył w poprzek sali, rozsuwając sztuczną dłonią kolejne bawełniane i płócienne zatory. Pranie wisiało dość wysoko, mniej więcej na wysokości jego szyi, i nawet stając na palcach, nie mógł wypatrzeć przeciwnika.

– Jestem pułkownikiem – oświadczył, zatrzymując się i obracając na palcach, bo wydało mu się nagle, że coś pojawiło się za jego plecami. Wyciągnął broń nad mokrym jeszcze prześcieradłem i zamierzał wystrzelić, ale Kidera, który wyrósł jak spod ziemi, gdzieś, jak się zdawało, z tyłu i trochę z boku, wyjął mu ją gracko z dłoni i niedbale odrzucił daleko, pomiędzy sznury z prześcieradłami.

– To dobrze. Bo ja też przez te lata awansowałem – z zadowoleniem skonstatował Kidera. – Możemy więc umierać jak równi sobie.

– Tian! – wyszeptał Każedub, poznając człowieka, który ćwierć wieku temu obciął mu rękę. – Znowu ty... – Kręcił z niedowierzaniem głową, czując niespodziewany ból w nadgarstku dłoni, której od dawna nie miał.

Kidera spoważniał i wyjaśnił pogodnym głosem, doskonale świadom teatralności sytuacji. Wcale mu to nie przeszkadzało. Był zadowolony, że koniec został ujęty w tak staranne, tradycyjne formy.

– Każdy, pułkowniku, ma na tym świecie swoją rolę do odegrania. Nie można schodzić ze sceny przed końcem. Jak sądzę, niewiele pan przez ten czas zrozumiał.

– Dlaczego? – chciał koniecznie wiedzieć Każedub.

– Inaczej los nie postawiłby nas znów naprzeciw siebie... Trzeba zaufać takim zdarzeniom.

Każedub uśmiechnął się i pomyślał, że jest głupcem i z pewnością wygląda jak głupiec z wystającą znad prześcieradeł głową.

Pułkownik Eiso Kidera nie miał wiele czasu. Sam musiał przygotować się do finału.

W różnych szkołach to podwójne, trudne technicznie cięcie ma różne nazwy. Dla ułatwienia użyjmy najbardziej oczywistej – *kesa giri*, czyli cięcie na *kesa*. *Kesa* to plisa buddyjskiego kimona i wzdłuż niej, ukośnie od obojczyka do przeciwległego biodra, przebiega ścieżka ostrza. Niektórzy twierdzą, że wymyślono je, bo buddyjska szata była święta i nie należało jej rozcinać zbyt brutalnie, dlatego cięto wzdłuż szwu. Ale to chyba jedynie piękna legenda. Pierwsze cięcie wykonuje się jako przedłużenie wyjęcia miecza z pochwy. Wystarczy tylko podczas wyjmowania obrócić pochwę wraz z mieczem tak, by ostrze, dążące ukośnie do góry, cięło od prawego biodra przeciwnika do lewego obojczyka. Potem, niemal pionowo w górze, należy obrócić ostrze tak, by wróciło tą samą ścieżką, tyle że w dół.

To był dobry wybór, bo pierwsze cięcie do góry przecięło także prześcieradło i sznur, i lekko rozcięło mundur, koszulę, skórę i mięśnie na klatce piersiowej i brzuchu Każeduba. Drugie, powracające cięcie mogło mieć większy rozmach i swobodę, i otworzyło klatkę piersiową, przecinając nawet niektóre żebra. Ciało oficera zwiotczało i osunęło się ciężko na kolana, a niewiele rozumiejące oczy patrzyły zachłannie daleko na wprost, jak gdyby Każedub spodziewał się ujrzeć tam coś szczególnego. Mógł tak umierać jeszcze kilka minut, więc Eiso Kidera ustawił się po jego lewej stronie, tam gdzie powinien znajdować się dobry asystent, i powoli wzniósł obie ręce nad głowę. To była dobra stara głownia z Bizen, a choć pułkownik asystował po raz pierwszy w życiu, doskonale znał zasady, tak że *kami tatewari* wypadło niemal idealnie, a głowa Każeduba zwisła na cienkim paseczku skóry*. Kidera delikatnie przesunął ostrze w stronę swoich kolan i głowa spadła. Strzepnął krew z głowni, schował miecz i ściągnął z najbliższego sznura prześcieradło.

Gdy zawinął starannie głowę i ułożył ją obok ciała, przysiadł na chwilę, ukłonił się ciału i powiedział z wyczuwalnym smutkiem:

– Ostatnia lekcja jest bardzo ważna.

Wstał i odkładając niepotrzebną już pochwę, z ostrzem opuszczonym wzdłuż ciała ruszył na środek suszarni, by przygotować się na godne przyjęcie żołnierzy.

---

* *Kami tatewari* – dosł. „odciąć włosy", jedno z klasycznych cięć dekapitujących.

**13 maja 1964 roku
w południe, na wysokości
pięciu tysięcy metrów,
okolice sztucznego
zbiornika Cymlanskoje
Wodochroniszcze,
na pokładzie Tu-16z**

Metoda była trudna i niebezpieczna i Smoliarow stosował ją nieodmiennie z duszą na ramieniu. Najpierw wypuszczało się z prawego skrzydła przewód paliwowy, zakończony zaczepem i koszykiem stabilizującym, przypominającym koszyk lotki do badmintona. Potem ten, którego tankowano – a właśnie dziś występował w tej roli Tu-16K z pociskiem kierowanym, uzbrojonym w głowicę termojądrową – dostojnie lawirował na ich prawym trawersie i nakrywał lewym skrzydłem ze specjalnym adapterem, zainstalowanym na krawędzi natarcia, bobrującą w powietrzu końcówkę.

Smoliarow lubił latanie „szesnastym". Z tego może względu, że uważał, iż ma w powstaniu tej maszyny osobisty wkład i zasługi. Z więzienia, gdzie spędził siedem lat, wypuszczono go dopiero w 1954 i o dziwo pozwolono wrócić do lotnictwa. Po roku kursów był już liniowym pilotem, a po kolejnych dwu latach, spędzonych za sterami „bulla", jak nazywano w alianckim kodzie Tu-4, przesiadł się na kolejną generację bombowców „tatuśka". „Szesnasty", szczodrze czerpiący pomysły i główne założenia z „czwartego", miał być straszakiem zdolnym do projektowania uderzeń konwencjonalnych i jądrowych przeciw amerykańskim bazom w Azji i w Europie, do bombardowania sojuszników Waszyngtonu i walki ze zgrupowaniami natowskich okrętów na morzu. „Szesnasty" okazał się godny swego protoplasty, B-29. Z turboodrzutowymi silnikami Mikulina i skośnym płatem osiągał prawie tysiąc kilometrów na godzinę i mógł przenosić dziewięć ton uzbrojenia. Dość szybko maszyna zastąpiła w linii „czwartego". Smoliarow czuł się w tym samolocie swojsko, ale diabli wiedzą z jakich powodów zaszufladkowano go jako „tankowca" i mimo licznych próśb o przeniesienie do eskadr bombowych latał niezmiennie w charakterze dowódcy zbiornikowców. Choć przywrócono mu stopień i zrehabilitowano, więzienie zostawiło na jego duszy trwały ślad, a wspomnienia związane z uprowadzeniem Tu-4 do Japonii nieodmiennie wywoływały odruch pretensji i buntu, choć on sam uważał, że nigdy nie był w najmniejszym stopniu winien tego, co się stało.

Wielu ludzi straciło wówczas życie i wolność, a sam skandaliczny incydent wykorzystano do przeprowadzenia kolejnej wielkiej czystki w siłach powietrznych.

Tu-4, którego zrobiono w tysiącu trzystu egzemplarzach, latał raz gorzej, raz lepiej, i choć generalnie spełniał zadania, do których go przeznaczono, w jednostkach szeptano o nadmiernej liczbie wypadków i kraks. Nikt oczywiście nie wiedział, jaka jest statystyka, i załogi wiedziały tylko tyle, ile można było dowiedzieć się z plotek. Tu-16 niechlubnie kontynuował czarne statystyki, choć nie publikowano żadnych oficjalnych danych na ten temat, a za rozsiewanie defetystycznych pogłosek można było nie tylko stracić stopień i uposażenie, ale nawet wylądować w obozie. Smoliarow prywatnie – a sądem tym nie dzielił się nawet z żoną – uważał, że cała linia rozwojowa konstrukcji obciążona jest pierworodnym grzechem plagiatu, zgodnie z zasadą „kradzione nie tuczy".

– Nakrywają! – głos tylnego strzelca wyrwał go z kręgu niewesołych wspomnień i Smoliarow, wychyliwszy się trochę do przodu, spojrzał w prawo. W odległości pięćdziesięciu metrów przesunięty trochę do tyłu nosiciel rakietowego pocisku delikatnie nakrywał kosz na końcu przewodu. Zaczepy zadziałały i po chwili także inżynier pokładowy zameldował o udanym połączeniu, co potwierdziły kontrolki na jego konsoli. Tankowano zwykle na większych wysokościach, bo tu powietrze było spokojniejsze. Smoliarow ogarnął wzrokiem przyrządy i upewniwszy się, że wszystko gra, rozkazał inżynierowi:

– Pompujemy.

Paliwo popłynęło, a pilot niespokojnie obserwował wskaźniki, modląc się, by rzecz trwała jak najkrócej, tak by można było rozdzielić się i odzyskać swobodę ruchów. W systemie skrzydło-skrzydło para współpracujących samolotów przypominała trochę parę skazańców skutych razem. Gdyby trzeba było uciekać…

Grunt, że najgorsze mają już za sobą. Pilot „cielaczka", czyli tankowanej maszyny, nie widział przecież końcówki przewodu paliwowego, wypuszczanego przez „krowę", i musiał polegać jedynie na poleceniach strzelca ogonowego, przekazywanych przez wewnętrzny telefon.

Gdy cielaczek wyssał już połowę krowiego cycka, maszyną Smoliarowa nagle gwałtownie targnęło w górę, a wolant stężał mu w dłoniach.

– Co się dzieje? – spytał jeszcze spokojnie, choć alarmowy brzęczyk wwiercał mu się w mózg.

– Obladza! – raportował drugi.

A Smoliarow zdumiewał się gorączkowo: „W taką pogodę? Na takiej wysokości?"

Pod nimi, pięć kilometrów niżej, nieprawdopodobnym, niespotykanym w naturze błękitem lśniła powierzchnia sztucznego zbiornika. Tankowiec wyrywał się w górę i mimo że drugi pomagał mu w pilotowaniu, Smoliarow nie mógł powstrzymać tego ruchu. „Szesnasty" nie miał hydraulicznych wzmacniaczy w układzie sterowania. Zastosowano w ich miejsce bardzo staranną kompensację osiową płaszczyzn sterowych oraz klapki wyważające. W założeniu miało to uczynić system sterowania niezawodnym i działało dobrze w modelowych warunkach. Teraz, choć napierali obydwaj na wolanty, pchając je do przodu, maszyna z zadartym nosem darła się do góry, mimo że zmniejszyli ciąg silników. Najwyraźniej coś się zablokowało, choć żadne wyjaśnienie nie przychodziło mu do głowy. Drugi też nie miał pomysłu. Cielaczek, chcąc nie chcąc, musiał naśladować wariackie zachowanie krowy i obydwie maszyny, balansując na krawędzi zderzenia, rwały się do nieba.

– Antyoblodzenie! – darł się Smoliarow, przyciskając laryngofon do krtani, choć widział, że kontrolka agregatu świeci się na zielono.

Na to pytanie odpowiedział inżynier. Najwidoczniej jego ołtarz pokazywał rzeczy, o których Smoliarow nie wiedział:

– Chyba go rozwaliło!

– Szlag!

Kolejne targnięcie, tym razem dramatycznie gwałtowne, i huk, jakby urywały się skrzydła. Z osłupieniem wpatrywał się w to miejsce na tablicy przyrządów, gdzie rząd czerwonych kontrolek gasł i zapalał się bez sensu. Wreszcie zrozumiał. Zniszczyło blokady głównego podwozia i podwozie wyszło, a właściwie wypadło na zewnątrz. Przy okazji urwało pewnie luki, bo z tyłu i z dołu dochodziło do niego, mimo słuchawek na uszach, potępieńcze wycie i kołatanie. Drugi pilot także to zrozumiał, bo nim Smoliarow zdążył coś powiedzieć, chwycił dźwignię włazu nad głową i szarpnął, a pęd powietrza błyskawicznie zdarł pokrywę. Ciśnienie gwałtownie spadło i Aleksandr o mało nie stracił przytomności. Gdy ciemność ustąpiła mu sprzed oczu, drugiego pilota wraz z fotelem nie było już w kabinie wypełnionej gwałtownie wirującymi drobinami szronu. Samolot obrócił się wokół osi poziomej, przestał się wznosić i zagarnąwszy skrzydłem wciąż podpiętego cielaczka, wszedł w łagodną spiralę, celując w środek zachęcająco obracającej się w dole nieprawdopodobnie błękitnej tafli. Jeszcze trzy fotele wystrzeliły z obydwu maszyn w różne strony, lecz rozwinęły się tylko dwa spadochrony.

Wraz z Aleksandrem w zgodzie, choć w przeciwne strony wirujących maszynach, zmierzało w swoją długą ostatnią podróż siedmiu znacznie młodszych od niego mężczyzn. Miał więc swoją własną drużynę i nie musiał się czuć ani samotny, ani bezbronny.

Kilkadziesiąt sekund, jeśli są ostatnimi, to bardzo dużo czasu i Smoliarow mógł spokojnie zastanowić się nad ceną, zapłaconą za tak przecież kiedyś oczywiste i jednoznaczne postępki.

MIROSŁAW M. BUJKO

ZŁOTY
POCIĄG

Powieść sensacyjno-polityczno-historyczna. Akcja zaczyna się
w Rosji, tuż po rewolucji. Główny „bohater" to pociąg wyła-
dowany carskim złotem, które bolszewicy usiłują wywieźć na
wschód. O jego przejęciu marzą Biali, Brytyjczycy, Francuzi,
Japończycy i Amerykanie. Wszystko – miłość, walka, nie-
nawiść, zdrada i śmierć – rozgrywa się w trakcie dwuletniej
podróży „wzdłuż 55 równoleżnika", od Moskwy do Władywostoku. Obok postaci „pożyczonych" z historii: Lenina, Dzier-
żyńskiego, Kołczaka, Jarosława Haszka, występują tu postacie
całkowicie fikcyjne – agentki i agenci obcych wywiadów.

To przygodowa powieść ze świetnie zrekonstruowanym
tłem historycznym, napisana sprawnym językiem, skłaniająca
do refleksji nad niszczącą żądzą władzy i złota.

Z recenzji *Złotego pociągu*:

Złoty pociąg to powieść znakomicie osadzona w realiach, ze świetną galerią postaci historycznych i literackich, napisana doskonałą polszczyzną, jakiej dziś, niestety, używamy coraz rzadziej.

„Tygodnik Angora"

Starannie wyważone relacje międzyludzkie (nie wyklucza to wielkich namiętności!), zapierająca dech w piersiach fabuła, umiejętność opowiadania i dawkowania napięcia – Bujko znalazł receptę na skonstruowanie świetnej powieści sensacyjnej.

Granice.pl

Powieść sensacyjna ożywiająca jeden z najciekawszych okresów w historii XX wieku.

„Playboy"

Książki oraz bezpłatny katalog
Wydawnictwa W.A.B.
można zamówić pod adresem:
02-502 Warszawa, ul. Łowicka 31
tel./fax (22) 646 01 74, 646 01 75, 646 05 10, 646 05 11
e-mail: wab@wab.com.pl
www.wab.com.pl

Słowa Harry'ego Trumana cytowane za: Robert H. Ferrell (red.), *Truman at Potsdam*, w: „American Heritage", VI–VII, 1980, tłum. Piotr Amsterdamski
Cytaty z *Mahabharaty* na podstawie tłumaczenia Artura Karpa

Konsultacja z zakresu historii lotnictwa wojskowego:
Andrzej Konarzewski
Konsultacja sztuk walki: sensei Radosław Januszkiewicz
Konsultacja metalurgiczna: Henryk Malinowski

Redakcja: Jarosław Skowroński
Korekta: Elżbieta Jaroszuk, Anna Sidorek
Redakcja techniczna: Alek Radomski

Projekt okładki:
© Brightness Creative Studio / Kede Maruda, Konrad Kiełczykowski
Materiały wykorzystane na I stronie okładki: z kolekcji Brightness Creative Studio
Fotografia autora: © Mikołaj Dzierżanowski

Wydawnictwo W.A.B.
02-502 Warszawa, ul. Łowicka 31
tel./fax (22) 646 01 74, 646 01 75, 646 05 10, 646 05 11
wab@wab.com.pl
www.wab.com.pl

Druk i oprawa: Drukarnia Wydawnicza im. W.L. Anczyca S.A., Kraków

ISBN 978-83-7414-263-2 oprawa twarda
ISBN 978-83-7414-305-9 oprawa miękka